RIZZUTO

RIZZUTO

L'ASCENSION ET LA CHUTE D'UN PARRAIN

Traduit de l'anglais (Canada)
par Jean-Louis Morgan

e² Éditions au Carré

Les Éditions au Carré inc.
Téléphone : 514-949-7368
editeur@editionsaucarre.com
www.editionsaucarre.com

Traduction :
Jean-Louis Morgan
Maquette de la couverture :
Nathalie Gignac
Mise en pages :
Édiscript enr.
Correction :
Élyse-Andrée Héroux

Les Éditions au Carré remercient le Conseil des Arts du Canada et la Société de développement des entreprises culturelles (SODEC) du soutien accordé à leur programme de publication. Nous remercions la Société de développement des entreprises culturelles du Québec (SODEC) du soutien accordé à notre programme de publication. Gouvernement du Québec – Programme de crédit d'impôt pour l'édition de livres – gestion SODEC.

© Les Éditions au Carré inc., 2008
pour l'édition française au Canada
Dépôt légal :
1er trimestre 2008
ISBN 978-2-923335-15-5

DISTRIBUTION
Prologue inc.
1650, boul. Lionel-Bertrand
Boisbriand (Québec) Canada J7H 1N7
Téléphone : 1 800 363-2864
Télécopieur : 1 800 361-8088
prologue@prologue.ca
www.prologue.ca

TABLE

En souvenir de ma mère
Elsie Mae Lamothe (4 décembre 1919 — 20 mars 2006)
L.L.

À la mémoire de mon grand-père
H.G. Humphreys (12 mars 1905 — 19 juin 2001)
A.H.

Q : Combien y a-t-il, à New York, de familles apparte-
nant au crime organisé ?
R : Cinq.
Q : Quels sont les noms de ces familles ?
R : Lucchese, Gambino, Colombo et les Genovese.
Q : Et qui est la cinquième famille ?
R : C'est nous, la famille Bonanno.

— Témoignage de Salvatore Vitale, dit « Le beau »,
ancien second de la famille Bonanno, lors d'une
audience au palais de justice des États-Unis, à
Brooklyn, État de New York, le 28 juin 2004.

La ville de Montréal a été la ville tremplin qui a
permis l'accès aux États-Unis au cours des 25 dernières années. Celui qui en détient la clef atteint le
sommet. La famille Rizzuto a pu s'établir comme le
pont entre les mafias européennes et américaine,
offrant ainsi un gage de prospérité pour tous.

— Déclaration faite en 2006
par un enquêteur antimafia des Carabinieri,
l'unité de police fédérale italienne.

PROLOGUE

BROOKLYN, 5 MAI 1981

« Que personne ne bouge ! C'est un hold-up ! »

Ces mots, prononcés par Vito Rizzuto, étaient très clairs, malgré le passe-montagne en laine qu'il portait sur son visage en lame de couteau, et qui étouffait le son de ses paroles. Ce jour-là, Vito Rizzuto, un Silicien de 35 ans domicilié à Montréal, s'encanaillait à New York. Fils d'un influent mafioso, il avait plutôt l'habitude de recevoir des manifestations de respect au Canada et en Sicile, ou de se reposer sur la côte du Venezuela où sa famille contrôlait un important trafic de drogue. Mais le 5 mai 1981, Vito se trouvait dans le placard d'un minable club privé de Brooklyn, d'où il s'éjecta en trombe, brandissant un pistolet et hurlant « les mains en l'air » d'une voix forte.

L'apparition soudaine de Vito et de trois de ses comparses, encagoulés et armés, mit abruptement fin aux bavardages d'un groupe d'hommes bien vêtus à l'allure imposante. Ils levèrent les yeux en direction des cagoulards. Ces derniers se trouvaient en face des chefs de la famille Bonanno, un des clans les plus puissants et certainement le plus légendaire parmi les cinq célèbres familles mafieuses de la ville de New York. Ces familles contrôlent, à elles cinq, la majeure partie de la pègre du continent américain. Joseph Massino était un des capitaines les plus haut gradés de la famille Bonanno. Il avait reçu le surnom de « Big Joey » de la part de ses partenaires dans le crime, surnom qui, au départ, se voulait un clin d'œil à sa corpulence, et qui symbolisa ensuite la position de force qu'il occupait au sein de l'état-major. Joseph Massino, donc, avait convoqué pour une « réunion administrative » les chefs de la famille Bonanno, qui travaillaient tous sous la bannière de la famille et dont chacun possédait son propre réseau de malfaiteurs. L'unique sujet prévu à l'ordre du jour était le rétablissement de la paix, car les tensions entre les divers segments de la famille étaient passées d'un mépris voilé à une hostilité non dissimulée, plaçant les parties en cause à deux doigts d'une lutte ouverte.

Parmi les gens présents au club se trouvaient trois capitaines très influents, qui représentaient le noyau de l'opposition à Joseph Massino :

Alphonse «Sonny Red» Indelicato, Dominick «Big Trinny» Trinchera et Philip «Philly Lucky» Giaccone. Ils semblaient très mal à l'aise, et les autres malfrats qui les entouraient parurent à ce moment tout aussi inconfortables.

Un peu plus tôt, avant que les invités eurent commencé à entrer au compte-gouttes dans le club privé de Brooklyn, qui comptait deux étages, Vito Rizzuto était arrivé pour mettre la touche finale à ses macabres préparatifs en compagnie de Massino et de Salvatore Vitale, un membre de la pègre new-yorkaise à l'allure élancée qui avait pour surnom «Good Looking Sal» — «Le beau». Vitale, à cette époque, n'agissait au sein du milieu qu'à titre de simple associé. Il atteindrait pourtant le rang de deuxième personnalité la plus importante de la Mafia. Il avait présumément amené avec lui de Montréal deux de ses proches amis du milieu, Emanuele Ragusa, dont le fils allait épouser un peu plus tard la fille de Vito, et un vieux mafioso que des informateurs identifièrent par la suite comme étant «The Old Timer» — «le Vieux de la vieille» —, qui faisait certainement partie de la famille de Rizzuto et avait des liens avec la mafia new-yorkaise.

Le club était petit et sa disposition, des plus simples. Lorsqu'il s'agissait de réunions de ce genre, les membres du milieu favorisaient le fonctionnel au détriment de l'opulence. Il fallait descendre quelques marches pour accéder à la porte d'entrée. Une fois à l'intérieur, les invités devaient traverser un étroit vestibule pour ensuite pénétrer dans une pièce dénuée de toute décoration. Il y avait un vestiaire sur un de ses côtés, et un escalier conduisait à une pièce officiellement réservée aux réunions, mais qui, dans les faits, abritait principalement un club de jeu assez modeste, composé des membres propriétaires du club, dont Salvatore «Sammy Bull» Gravano, qui allait devenir le chef en second de la famille Gambino sous la direction de John «The Teflon Don» Gotti et, plus tard, un des renégats de la Mafia les plus célèbres.

«Dès l'instant où j'ai mis les pieds au club, dans le vestibule, on a donné des pistolets à Vito, Emanuele et le Vieux de la vieille. Ils ont ensuite reçu l'ordre d'enfiler des cagoules de ski qui avaient été entreposées dans un placard du vestibule», a déclaré Vitale par la suite. Vito et Ragusa prirent les pistolets et furent désignés comme ceux qui tireraient les premiers. Vitale reçut une mitraillette d'assaut, qu'il baptisa familièrement son "pistolet graisseur" parce que ce type de flingue déchargeait automatiquement sa cargaison de ferraille; le Vieux choisit une arme qui convenait à son époque, c'est-à-dire un fusil à canon tronçonné. Vitale, en jouant avec son nouveau jouet, appuya accidentellement sur la gâchette, disséminant ainsi des balles à travers le club.

«Hé! Ne tirez pas inutilement, le réprimanda Massino. Je n'ai pas envie de voir le club devenir un champ de tir...» Comme quoi les gangsters, eux aussi, peuvent avoir la frousse.

«Nous étions donc tous dans le placard et nos armes étaient prêtes. Nous sommes restés en attendant que la sonnerie de la porte d'entrée se fasse entendre, a encore déclaré Vitale. Nous avons entrebâillé la porte du placard pour voir ce qui se passait.»

Le bruit de la sonnette de la porte d'entrée annonça l'arrivée des premiers invités.

Vito s'accroupit pour avoir un meilleur coup d'œil sur ce qui se passait. Parmi la foule des invités qui augmentait et le bruit des discussions d'hommes habitués au commandement, Vito ne surveillait qu'une seule personne, Gerlando Sciascia, un compatriote sicilien, ami de longue date de la famille Rizzuto. Sciascia était facilement reconnaissable grâce à son épaisse chevelure argentée qu'il peignait vers l'arrière pour dégager son front, ce qui lui donnait un style qu'auraient pu envier tous les vieux bellâtres de Hollywood. Toutes les personnes présentes connaissaient Sciascia. Les Américains le surnommaient «Georges le Canadien» parce qu'il représentait Montréal à New York, alors que les Canadiens l'appelaient tout simplement «Georges».

Respirant profondément sous sa cagoule, Vito attendait le signal secret qui lui indiquerait le bon moment pour sortir du placard, un signal qui arriva quand Sciascia passa lentement sa main droite sur sa chevelure argentée.

Ce mouvement tout simple de Sciascia lissant ses cheveux allait provoquer le chaos à l'intérieur du club. Il ne s'agissait pas du tout d'un vol à main armée, comme le laisserait supposer l'avertissement lancé par Vito en affrontant les gangsters. Rien ne serait pris, sinon la vie de trois personnes ainsi que les droits d'accession à un trône convoité du monde de la pègre.

«Vito a été le premier», a déclaré Vitale, qui fut le dernier à sortir de la cachette. Vitale et le Vieux se précipitèrent pour bloquer la porte d'entrée du club pendant que Vito et Ragusa braquaient leurs armes sur les invités.

Big Trinny, l'un des capitaines rebelles, sembla être le premier à se rendre compte qu'ils étaient piégés. Il balança en hurlant les quelque 140 kilos de sa carcasse massive contre Vito. Ce dernier réagit immédiatement en tirant, ce qui fit de Big Trinny la première victime. Le corps continua sur sa lancée, tandis que d'autres balles l'atteignaient. Philly Lucky fit mine de se rendre et se colla contre le mur, les mains en l'air. Mais ce geste de soumission fut inutile. Farci de balles, il tomba à terre; on constata plus tard que sa mort fut causée par de nombreuses blessures à la tête et à la poitrine.

Tentant de fuir, Sonny Red tourna les talons de ses bottes de cow-boy brunes. Le t-shirt orange qu'il portait ce jour-là faisait de lui une cible facile. Une balle toucha son dos, pénétra sa colonne vertébrale et ressortit par sa poitrine. Un deuxième projectile l'atteignit au côté gauche et glissa le long de sa poitrine avant de ressortir du côté opposé. Sa cadence ralentie, la balle de calibre .38 se logea dans les replis ensanglantés du t-shirt sans même en percer l'étoffe. Sonny Red s'écroula. Sciascia, qui n'avait qu'une seule envie, celle de se joindre à l'échauffourée, dégaina le pistolet qu'il avait rangé dans la ceinture de son pantalon et mit en joue son collègue qui luttait pour sa survie. Il fit feu et l'atteignit à l'oreille gauche. La balle traversa la tête de Sonny Red et ressortit par sa joue droite, continua son chemin, effleura son épaule droite et termina sa course dans le plancher. La rébellion avait été matée.

Tous les survivants, à l'exception de Massino et de Vitale, se précipitèrent à l'extérieur du club dès que les tirs se furent arrêtés.

« La seule personne à rester dans la pièce, en dehors des trois macchabées étendus par terre, a été Joseph Massino, a raconté Vitale d'un ton surpris lorsqu'il s'est remémoré la scène. Tous les autres étaient partis. »

•

L'avenir ne se montra pas spécialement tendre envers les personnes qui furent impliquées dans l'assassinat des trois capitaines, un acte qui, par la suite, entra dans la légende populaire, fut à la source d'un grand nombre de procès et d'enquêtes policières, et fut immortalisé avec maestria dans le film hollywoodien *Donnie Brasco*. Des témoins et des participants décrivirent le carnage qui eut lieu cette nuit-là dans le club au cours d'un procès qui se déroula en 2004 à Brooklyn. Les autres personnes impliquées admirent leur culpabilité et furent condamnées, principalement à la suite de ces témoignages.

Plusieurs des personnalités impliquées dans cette affaire allaient être emprisonnées. D'autres allaient rompre le vœu sacré de l'omerta, le serment de silence de la Mafia, et coopérer avec des agents du gouvernement, ce qui devait avoir des conséquences très importantes. D'autres, encore, seraient éliminées lors de guerres de gangs. L'une d'entre elles allait perdre la vie dans l'écrasement d'un avion, et une autre, mourir dans des circonstances des plus inhabituelles : on découvrit l'homme pendu face à son fils, pendu lui aussi — on conclut officiellement au suicide collectif. Tous, l'un après l'autre, allaient tomber, soit parce qu'ils se retrouveraient du mauvais côté d'un pistolet, sous le couperet d'une condamnation ou bien victimes d'un incident imprévu. Tous sauf un.

Vito Rizzuto semblait être le dernier des Mohicans.

« Le facteur significatif en relation avec ces meurtres fut le soupçon que Vito Rizzuto, le fils de Nick Rizzuto, y était impliqué. » Telle fut la conclusion d'un rapport confidentiel du FBI datant de 1985. Il s'agissait d'un rapport prescient, car il avait été écrit 20 ans avant que des informateurs eussent finalement comblé les lacunes dans les informations que détenaient les autorités sur ces meurtres mystérieux. Le même rapport souligne avec étonnement que la famille Rizzuto occupait un rôle central dans l'organisation de la criminalité en Amérique, en Italie, au Canada, au Mexique, au Brésil, au Venezuela, en France et en Suisse, et que Vito, ainsi que son père, entretenaient des relations privilégiées avec quelques-uns des barons de la drogue les plus importants au monde. Des enquêtes plus récentes ont permis d'ajouter la Chine, l'Arabie saoudite, Cuba, Haïti, le Belize, les Bahamas, Aruba, la République dominicaine et le Panama à la liste des pays entretenant des relations d'intérêts privilégiés avec la famille. Il y a 20 ans, des agents du FBI ont écrit, dans un rapport qui devait sonner l'alarme, que Vito, l'un des obscurs membres de la pègre dont le quartier général se trouvait au Canada, ne se contentait pas de s'occuper des affaires délicates de la famille Bonanno. Il faisait également preuve d'autorité, d'autonomie et d'impunité à travers le monde. En observant les gangsters issus du milieu local qui œuvraient sur leur propre terrain — somme toute restreint —, ceux avec lesquels les autorités new-yorkaises avaient l'habitude de traiter, on comprend aisément que l'étendue et les interconnections de l'organisation Rizzuto avaient de quoi dérouter les enquêteurs les plus chevronnés.

La Filière canadienne avait été établie. La Sixième Famille avait émergé dans un crescendo assourdissant, depuis ce jour de 1981 où les murs du club de Brooklyn furent maculés de sang.

Le milieu new-yorkais venait d'avoir un avant-goût de l'envergure du gangster qui allait bientôt éclipser ses chefs.

•

Il s'agit ici de l'histoire d'une guerre, d'une famille et d'un homme. Cette histoire nous raconte la violente lutte qui fut engagée, avec pour enjeu cet inestimable fleuron du crime organisé : le marché de la drogue new-yorkais. Ce récit relate en même temps l'histoire cachée d'une famille qui combattit à la guerre et remporta la victoire. Enfin, il s'agit de l'histoire de l'homme qui dirigea cette famille, et de sa façon d'opérer une entreprise qui fut d'abord une organisation à petite échelle dans la campagne sicilienne, pour ensuite devenir une corporation géante basée en Amérique du Nord, et dont les ramifications s'étendraient aux quatre coins du monde.

Vito Rizzuto a plusieurs cordes à son arc. Il est le produit d'une famille puissante vivant dans un âpre pays. Si l'on omettait la drogue et les meurtres, l'histoire de la Sixième Famille serait celle d'un succès, d'une réussite, de l'ambition et de la persévérance, une histoire de tradition, de culture, d'amour et de haine. Il est cependant impossible de raconter l'histoire de cette famille sans y inclure les grandes quantités de drogue dont elle fit commerce et les nombreux meurtres qui lui furent attribués, car la vaste organisation que la Sixième Famille avait construite, développée et assidûment protégée était une franchise pour le trafic de narcotiques : l'héroïne d'abord, puis la cocaïne, le haschisch, l'ecstasy — enfin, tout ce que le marché réclamait, tout ce qui pouvait être synonyme de profit. Ce livre ne se veut pas le récit sordide de la vie quotidienne d'un gangster, mais plutôt un examen minutieux et impérissable de cette dynastie du crime qui a élevé le nom Rizzuto au rang de patronyme le plus notoire du monde interlope canadien.

La Sixième Famille est une famille réelle tout autant qu'une entreprise. Lorsque l'on examine avec soin les relations entre les principaux personnages qui la composent, on s'aperçoit aussitôt qu'il s'agit de liens de sang et de liens matrimoniaux. Cet état de choses est partie intégrante de la façon de fonctionner de ce groupement. La famille croît lentement et précautionneusement. Souvent, les nouveaux membres qui y sont agréés sont des acolytes, ou encore un enfant ou descendant d'un autre membre clé auquel se lie, par le mariage, l'un des héritiers, ce qui suggère que la *famiglia* préserve son caractère insulaire et que sa croissance se déroule selon un plan défini. Le résultat en est un arbre généalogique dont les racines et les nombreuses branches ressemblent pratiquement en tout point aux réseaux que les policiers réussirent à identifier. Il s'agit d'ailleurs d'un trait de caractère qui la distingue des cinq familles de New York qui, pour leur part, exercent leur recrutement parmi les truands locaux et les rétribuent grassement pour leurs services, un échange matériel qui n'a jamais été le moyen idéal d'assurer la loyauté des gens.

La Sixième Famille ne se désigne pas elle-même comme telle. Cette appellation lui a été attribuée par les auteurs du présent ouvrage pour décrire le réseau des clans qui se sont greffés autour de l'organisation Rizzuto et pour souligner les liens étroits qui existent entre ses membres et la place qu'ils occupent, dans le crime organisé, aux côtés des cinq familles mafieuses de la ville de New York.

La Sixième Famille est un mélange de capitalisme pur et simple et de globalisation mondiale, tempérés par la loyauté et par une connaissance du crime organisé datant de plus d'un siècle, bien que les liens entre les différents membres soient davantage des liens personnels que le produit des rituels archaïques propres à la Mafia. La Sixième Famille représente un réseau étroit de clans qui, tous, font le trafic de la drogue. Elle ne maintient pas une base en Italie, ni ne recherche son profit dans les rues de New York, comme le font les familles traditionnelles de la Mafia. Le monde, qu'elle considère comme son domaine privé, est son marché.

Les New-Yorkais se souviennent des gangsters pittoresques comme John Gotti, Chicago reste fidèle aux légendes concernant Al Capone, et Montréal se souvient encore de son ancien parrain, Vic Cotroni. Mais la Sixième Famille peut se vanter que le monde lui appartient.

Nous avons pu reconstruire la scène suivante grâce au témoignage d'un ancien membre de la famille Bonanno, à des rapports du FBI et à des documents appuyant la demande du gouvernement des États-Unis d'extrader Vito Rizzuto.

Chapitre 1

PROVINCE D'AGRIGENTE, SICILE, 2006

Une route étroite et sinueuse découpe les collines calcaires du sud de la Sicile et traverse, vers le nord, Montallegro et l'autoroute qui relie les villes d'Agrigente et de Trapani. La route en lacets qui gravit les collines jusqu'à 200 mètres d'altitude, à 10 kilomètres au nord, nous fait découvrir des panoramas inondés de soleil, de part et d'autre de la route. Des broussailles et des bouquets de hautes herbes vertes saillent de la terre empoussiérée pour aller s'accrocher aux sommets pierreux des collines. Une ferme, par-delà des vignobles et des vergers obtenus au prix d'un dur labeur — pistachiers, oliviers, amandiers —, constelle occasionnellement le paysage.

Enchanteurs, paisibles, rustiques, autant d'adjectifs peuvent décrire ces paysages du Vieux Continent. Sur une carte, Cattolica Eraclea ressemble à n'importe lequel des centaines de hauts villages dont est saupoudrée la Sicile. Aux limites de l'agglomération, à l'endroit où la route s'aplanit, un panneau apparaît. Il offre, en trois langues, l'hospitalité aux visiteurs : *Benvenuti, Willkommen* et *Welcome*. On y trouve aussi les adresses et les numéros de téléphone des Carabinieri, la police fédérale, et de la Polizia Municipale, les autorités locales.

Dans un tournant, sur un terre-plein central, se trouve un panneau de signalisation qui nous indique le nom du village. Il est rouillé, criblé de trous et couvert de graffitis, ce qui suggère un certain malaise. L'absence de grues et d'échafaudages parmi les hautes maisons aux toits de tuiles rouges renforce cette impression ; leur présence indique normalement de nouvelles constructions et des rénovations aux maisons dans la plupart des villes siciliennes. La quantité impressionnante d'automobiles de luxe neuves qui circulent à l'intérieur des rues étroites — les BMW étant les préférées, tout juste devant les Alfa Romeo — nous détrompe toutefois, lorsque nous nous prenons à songer que Cattolica Eraclea est un village miteux, sans possibilités d'avenir.

Les petites villes siciliennes sont réputées pour accueillir à bras ouverts les enfants et les petits-enfants de ceux qui ont émigré en

Amérique du Nord, venus faire un pèlerinage aux sources sur le Vieux Continent afin de découvrir leurs racines et de rendre hommage aux parents inconnus enterrés dans le cimetière local — en termes siciliens, pour respecter la tradition du *sangu de me sangu*, c'est-à-dire « sang de mon sang ». Et pourtant, si on se trouve à Cattolica Eraclea et qu'on demande à un passant à quand remonte la construction de l'église ou bien où se trouve le cimetière, il est rare que l'on reçoive une réponse accompagnée d'un sourire et d'un monologue étourdissant à propos des charmes bucoliques de la bourgade. En dépit du panneau accueillant à l'entrée de celle-ci, les réponses fournies aux étrangers sont précises et laconiques. On n'entend aucune des questions habituelles concernant la famille émigrée et son lieu actuel de résidence, et on est à peu près certain de se retrouver suivi par un homme à la mine patibulaire au volant d'une BMW et de croiser ce quidam plusieurs fois sur son chemin pendant qu'on visite le cimetière. L'inquiétant personnage ne laissera un étranger quitter son champ de vision que lorsqu'il aura franchi les limites de la ville.

Cette atmosphère chargée de soupçons a sans doute pour origine le simple fait que Cattolica Eraclea, ainsi que la province d'Agrigente qui l'entoure, ont vu naître au fil des décennies certains des clans les plus féroces à jamais œuvrer dans le domaine du trafic de drogue.

Cattolica Eraclea est une petite ville d'environ 6 000 habitants située dans la province d'Agrigente. Il est intéressant de constater que les deux autoroutes et la ligne de chemin de fer qui relient les villes de Palerme et d'Agrigente semblent l'éviter. Il s'agit là d'infrastructures qui paraissent avoir fait tout ce qui était possible pour contourner ce coin de pays. Pour cette raison, et parce qu'on n'y retrouve aucun hôtel, les touristes y sont fort rares. On a vraiment l'impression que ses habitants ne souhaitent qu'une chose : qu'on les laisse tranquilles. Cela ne signifie pas que la bourgade soit dénuée de charme. Par exemple, le vieil hôtel de ville, le palais Borsellino, construit en 1764, la tour de l'horloge ainsi que le Palazzo Municipale, un édifice de taille imposante, témoignage de l'architecture de l'époque fasciste, sont de petites merveilles. L'église paroissiale de Cattolica Eraclea, consacrée au Saint-Esprit, n'est pas non plus dépourvue d'attraits. Elle possède un haut clocher, et une double rangée de colonnes en pierres encadre son portail.

Une autre église remarquable est la Chiesa della Madonna del Rosario — ou Notre-Dame du Rosaire. Qu'un si petit village compte autant de lieux de culte témoigne des racines religieuses d'une ville dont le toponyme (*Cattolica* signifie « catholique » en italien) rappelle évidemment la foi. L'imposante façade de pierre de la Chiesa della Madonna est percée d'une rosace représentant la Vierge Marie priant auprès de l'Enfant Jésus. Construite en 1638, l'église est surmontée d'un clocher ouvert comprenant trois cloches. Après son majestueux aspect extérieur, nous découvrons, à l'intérieur, une nef très lumineuse où des rangées de bancs de bois mènent vers une abside ensoleillée et un autel finement sculpté. La population fréquente toujours cette vénérable église qui jette son ombre tutélaire sur la Via Ospedale, une rue étroite près du centre-ville.

C'est parmi les modestes maisons bordant la Via Ospedale, une rue courte, en cul-de-sac, que le noyau de la Sixième Famille a pris forme. C'est dans une de ces maisons qu'est né Nicolò Rizzuto, le 18 février 1924 ; c'est aussi là qu'il s'est marié et que son premier enfant, un fils, a vu le jour. Né le 21 février 1946, le cher *bambino* allait être baptisé Vito, en l'honneur du père de Nicolò, que le nouveau-né ne devait d'ailleurs jamais connaître, un homme qui avait non seulement donné la vie à son père, mais qui lui avait également transmis une lourde hérédité criminelle.

Le père de Nicolò, Vito, est né, quant à lui, le 12 avril 1901, fils de Nicolò Rizzuto et de Giuseppa Marra, et a grandi à Cattolica Eraclea. C'est ainsi que les prénoms se transmettaient de génération en génération, le Vito Rizzuto d'aujourd'hui étant le fils de Nicolò, lui-même fils d'un Vito et petit-fils d'un Nicolò. Mais les prénoms n'étaient pas la seule chose que ces hommes avaient en commun ; depuis des générations, l'envie de gagner le Nouveau Monde les avait tous taraudés de la même façon.

CATTOLICA ERACLEA, SICILE, 1924

Le Vito Rizzuto de l'ancienne génération décida de quitter Cattolica Eraclea en 1924. C'était un homme grand et mince aux réflexes affûtés. Cheveux châtains, yeux bruns, il présentait une forte mâchoire et portait une légère cicatrice sur le côté gauche du front..

Il avait emménagé dans une maison de la Via Ospedale en 1919, quelques mois après la fin de la Première Guerre mondiale. Il semble qu'il ait, durant un certain temps, servi sous les drapeaux après la guerre. Même à cette époque, il n'avait pu contenir ses pulsions délinquantes, puisque le 23 juin 1923, il fut condamné par le tribunal militaire de Rome à deux mois d'emprisonnement pour vol. Le 9 mars 1923, à l'âge de 22 ans, il avait épousé Maria Renda, une amie de sa parenté et une voisine de trois ans son aînée. Dix mois avant qu'il ne quitte la Sicile, qu'il ne devait jamais revoir, son épouse mit au monde leur premier enfant, Nicolò.

Le Vito de cette époque a sans nul doute laissé sa jeune famille derrière lui dans la tristesse et l'incertitude, mais le couple pouvait compter sur le soutien de la *famiglia*. Maria Renda et bébé Nicolò habitaient la même rue, peut-être la même maison que les parents

Rizzuto. Maria savait que son mari quittait la Sicile accompagné de son frère, Calogero Renda. Ce dernier était plus jeune d'un an et mesurait cinq centimètres de moins que Rizzuto, qui faisait 1 m 67. Avec son teint plus foncé et son grain de beauté sur la joue gauche, Calogero donnait l'impression, dans le contexte d'alors, d'être un homme prospère. Il portait des vêtements à la mode et jouissait de la possibilité de voyager à travers le monde. Le 1er février 1923, la police d'Agrigente avait délivré à son attention un passeport (n° 126/241107) lui permettant de se rendre à Buenos Aires, en Argentine. Calogero vivait aussi à Cattolica Eraclea sur la Via Ospedale, avec sa mère, Graziella Spinella. En 1924, son père, Paolo Renda, était déjà mort.

Vito Rizzuto et Calogero Renda avaient préparé leur départ à une époque plutôt mouvementée de l'histoire italienne. Le leader fasciste Benito Mussolini s'employait alors à faire tourner à son propre avantage la crise provoquée par le meurtre du député socialiste Giacomo Matteotti, son rival le plus puissant. Les troubles qui suivirent cet assassinat politique par les fascistes eurent pour résultat d'affaiblir temporairement Mussolini et, pendant quelques mois, on douta de la possibilité qu'il conservât le pouvoir. En décembre, il promit de convoquer le parlement après Noël pour discuter de réformes électorales. Le Nouvel An arrivé, Mussolini refusa de parlementer et s'empara du pouvoir pour devenir dictateur de l'Italie.

C'est dans ce climat d'incertitude politique que Rizzuto, Renda et quatre amis intimes planifièrent leur départ et se dirigèrent vers Rome, en décembre 1924. Ils passèrent la frontière française puis, une fois arrivés à Boulogne-sur-Mer, dans le Pas-de-Calais, les six amis achetèrent des billets de troisième classe pour se rendre en Amérique. Il s'agissait d'un itinéraire sinueux ressemblant davantage à un circuit touristique qu'à une traversée d'émigrants. Le *SS Edam* avait appareillé de Rotterdam, son port d'attache en Hollande, et mouillé à Boulogne-sur-Mer le 14 décembre 1924 pour y prendre Rizzuto et ses amis, qui passèrent Noël et le jour de l'An en pleine mer. Le navire fit escale à Cuba le 5 janvier 1925, puis se rendit à Tampico, au Mexique, où il arriva le 16 janvier avant de cingler finalement vers l'Amérique du Nord.

Il s'agissait là d'un bien étrange parcours pour de simples manœuvres émigrant en Amérique, fraîchement issus de la Sicile rurale. Mais Rizzuto et Renda semblaient avoir entrepris ce voyage pour de bien curieuses raisons.

LA NOUVELLE-ORLÉANS, LE 19 JANVIER 1925

Lorsque le *SS Edam* entra dans le port de la Nouvelle-Orléans, en Louisiane, les services d'immigration américains étaient beaucoup plus préoccupés par deux passagers clandestins ayant réussi à s'embarquer à la Havane que par Vito Rizzuto et son entourage, qui soumirent aux autorités les papiers et les visas idoines. Tandis que les États-Unis étaient de plus en plus conscients de l'arrivage continu et massif de nouveaux arrivants, les règles concernant les immigrants italiens avaient changé. Le 1er juillet 1924, on avait établi un système de quotas qui limitait le nombre d'Italiens auxquels on permettait d'entrer en Amérique. Avant son départ, chaque ressortissant italien devait être muni d'un visa d'immigrant délivré par le Département d'État américain et conforme aux quotas établis.

Tandis que Vito Rizzuto faisait débarquer sa cohorte du *SS Edam*, l'inspecteur d'immigration J.W. McVey examina les visas émis en vertu des quotas ainsi que les papiers d'identité de chacun des Siciliens. Rizzuto se déclara «manœuvre», célibataire, fils de Nicolò, originaire de Cattolica Eraclea. Il déclara savoir lire et écrire l'italien et toucher pour la première fois le sol des États-Unis avec la ferme intention de devenir citoyen de ce pays. Tel que l'exigeaient les autorités, il déclara n'être ni polygame, ni anarchiste, ni décidé à renverser le gouvernement de l'Oncle Sam ; il déclara également n'avoir jamais fait de prison ni n'avoir été interné dans un asile d'aliénés, et n'être «ni estropié ni infirme». Sain de corps et d'esprit, il avait en poche 40 $ comptant pour s'établir. Il déclara que sa destination finale était la Nouvelle-Orléans, où il devait rejoindre son cousin, Pietro Marino.

Le suivant à se présenter devant l'inspecteur McVey fut Calogero Renda. Comme Rizzuto, il se décrivit lui-même comme un manœuvre éligible à l'immigration et prêt à devenir un bon citoyen américain. Il indiqua que sa mère était sa plus proche parente vivante et qu'il avait 35 $ pour toute fortune, et, comme Rizzuto, manifesta l'intention de loger chez Pietro Marino, qu'il décrivit comme étant son oncle.

Quatre autres hommes accompagnaient Rizzuto : l'un d'eux venait aussi de Cattolica Eraclea, et les trois autres étaient originaires de la petite communauté de Siciliana, château fort de la Mafia, située à 20 kilomètres au sud de Cattolica Eraclea. Au plan social comme dans le domaine de la criminalité, les deux villes étaient étroitement liées, et les citoyens de chacune d'elles contribueraient plus tard à élever la Sixième Famille au rang de l'une des entreprises criminelles les plus prospères.

Mercurio Campisi déclina à son tour son identité. Ami des Rizzuto, il vivait dans la même rue qu'eux, Via Ospedale, à Cattolica Eraclea. Son père, Salvadore, était resté au pays. À 37 ans, Campisi était un voyageur expérimenté. Il avait vécu aux États-Unis de 1911 à 1915 et au début des années 1920. Son nom apparaît d'ailleurs à plusieurs reprises sur les documents de bord de navires et les papiers d'immigration. On constate qu'il a maintes fois fait la navette entre la Sicile et les États-Unis. À l'insu des autorités de la Nouvelle-Orléans, il avait été arrêté l'année précédente pour avoir débarqué illégalement à New York. Campisi déclara qu'il avait 50 $ sur lui et prévoyait rejoindre son oncle Alfonso Vaccarino à Seattle.

Le suivant était Francesco Giulia, 32 ans, de Siculiana. Les hommes de cette ville transportaient davantage d'argent que leurs compagnons de Cattolica Eraclea. Ainsi, Giulia, qui, comme Campisi, avait vécu à Detroit au début des années 1920, disposait de 75 $. Il affirma que sa destination finale était la maison de son cousin, Sam Pira, à Los Angeles.

Giuseppe Sciortino, également de Siculiana, était le plus jeune de ces voyageurs. Il n'avait que 19 ans. Il indiqua que son père était son plus proche parent. Avec 70 $ en poche, Sciortino se dirigeait également vers Los Angeles pour séjourner à la maison de son oncle, Giovanni Marino.

À 43 ans, Vincenzo Marino était le plus vieux passager du *SS Edam* et celui qui disposait, avec 90 $, du plus gros portefeuille. Cet autre fils de Siculiana s'était allié à un clan très puissant de la Mafia en prenant pour épouse Giuseppina Caruana. Marino prétendit lui aussi qu'il se rendait chez Giovanni Marino, qu'il décrivit comme étant son cousin.

De tous ces immigrants, Francesco Giulia fut le seul dont l'histoire de l'immigration italienne ne garda pas de trace marquante. Les cinq autres personnages n'allaient pas tarder à révéler la vraie nature de leur intérêt pour le fabuleux continent nord-américain. Au fil des années, ils seraient tour à tour impliqués dans des affaires de trafic d'alcool, de fausse monnaie, d'incendie volontaire, de fraude, de parjure et de meurtre.

La Sixième Famille venait de poser le pied en Amérique.

Chapitre 2

HARLEM, 1928

Le Cotton Club, le *night-club* le plus connu de New York, présentait des spectacles fantastiques et des revues musicales conçus exclusivement pour une clientèle blanche au cœur du Harlem noir. Sur sa scène se sont tenus quelques-uns parmi les plus grands artistes de couleur : Duke Ellington, Louis Armstrong et Ethel Waters, pour ne nommer que ceux-là. L'effervescente vie nocturne, dans ce cabaret huppé comme dans d'autres établissements, satisfaisait une clientèle riche et célèbre venue de Manhattan, alors que la majorité des gens qui habitaient les taudis de Harlem n'avaient pas même de quoi s'offrir un billet pour l'un de ces spectacles. Des politiques racistes bien appliquées faisaient en sorte que les seuls Noirs qui pouvaient mettre les pieds dans ces *night-clubs* se trouvaient sur la scène, tandis que les Blancs impécunieux étaient tenus à distance par des prix élevés et un code vestimentaire très strict. Il régnait un brouhaha constant dans la rue principale de Harlem, où l'on retrouvait nombre de bars clandestins, tavernes, cafés, restaurants, dancings et théâtres, souvent contrôlés par des groupes de gangsters en émergence. Tout ce charivari se déroulait à seulement quelques pâtés de maison de l'endroit où s'était installé Vito Rizzuto, un jeune homme dans la vingtaine qui venait de débarquer de Sicile.

Au contraire de ce que ce Vito Rizzuto — le grand-père du Vito d'aujourd'hui — avait raconté aux agents de l'Immigration lorsqu'il avait débarqué du *SS Edam*, il n'avait absolument aucune intention de se rendre à la Nouvelle-Orléans. Son beau-frère, Calogero Renda, s'installa confortablement à New York en 1927. Il est donc fort probable que les deux hommes ne perdirent pas de temps en Louisiane et se décidèrent rapidement à aller vers le nord, où la Mafia américaine était en train de s'organiser. Rizzuto vivait dans l'est de Harlem, de l'autre côté de la rivière du même nom, en face du Bronx où, le 9 février 1928, il franchit le premier pas vers la citoyenneté américaine en affirmant son intention de l'obtenir.

Sa situation financière paraissait s'améliorer. Sept mois plus tard, il put quitter les rues encombrées de Harlem pour emménager au 94,

Ridgewood Road à Oradell, de l'autre côté de l'Hudson, au New Jersey. La vie en banlieue ne lui apporta cependant pas la paix.

À 8 h 35, le soir du 25 septembre 1930, Rizzuto fut atteint d'une balle, à l'intérieur de sa propre maison d'Oradell. La police arriva rapidement sur les lieux et fit transporter la victime à l'hôpital Hackensack, où Rizzuto fut soigné pendant que des détectives le questionnaient au sujet de l'agression. Son vieil ami Giovanni «John» Chirichello à ses côtés, Rizzuto déclara à la police: «C'est mon meilleur ami Jimmy Guidice qui m'a tiré dessus.» Il n'ajouta pas grand-chose, si ce n'est qu'il n'avait pas l'intention de porter plainte. La police crut que la dispute pût avoir pour origine un triangle amoureux, et un détective nota plus tard que Rizzuto et Vincenzo «Jimmy» Guidice courtisaient tous deux la même femme. On ne revit plus jamais Guidice à Oradell. Deux jours après avoir été atteint par le projectile, Rizzuto, malgré sa blessure, déposa sa demande pour obtenir la citoyenneté américaine devant la Court of Common Pleas (Tribunal des simples requêtes) de Hackensack. Après avoir déclaré qu'il était entrepreneur en bâtiment, Rizzuto prêta le serment qui fit de lui un citoyen américain et abjura sa loyauté envers Victor-Emmanuel III, le roi d'Italie. Deux de ses amis, un menuisier et un journalier, furent les témoins de cet événement. Rizzuto signa sa demande après avoir consenti, cette fois, à tout révéler. Il y inscrivit qu'il était marié à Maria Renda et dévoila finalement l'existence de son fils, Nicolò; il s'agit certainement de la première entrée, dans les dossiers du gouvernement américain, concernant cet homme qui allait, des décennies plus tard, provoquer beaucoup de soucis aux enquêteurs lorsqu'il mènerait la Sixième Famille à sa suprématie. Un certificat de citoyenneté américaine (n° 3455682) fut rapidement émis par le Bureau américain des naturalisations à l'attention de Rizzuto, qui était désormais citoyen de la libre Amérique.

Les archives policières de cette époque de la vie de Rizzuto sont difficiles à consulter, principalement à cause du peu de soin que l'on mettait alors à consigner les noms étrangers. Les noms de Vitto Rizzuttos, Vito Rizutos, Rissutos et même Riuzzitos apparaissent dans les notes de la police sur les résidants de cette région à la fin des années 1920 et 1930. La plupart de ces notes concernent des infractions liées à des affaires de tripots clandestins et de violence. Même lorsque le nom était épelé correctement dans les dossiers de la police, les quotidiens avaient la réputation d'accorder peu d'importance à de tels détails, et les reporters copiaient phonétiquement les noms selon ce que leur communiquait la police qui, pour sa part, n'entretenait qu'une préoccupation mitigée pour les subtilités de la langue italienne. Toutefois, comme Rizzuto allait vite l'apprendre, les médias locaux ne se montraient pas tous indifférents envers sa personne.

PASSAIC, NEW JERSEY, 1931

Max L. Simon était un homme d'affaires plutôt agressif. Il avait été un jeune reporter très dégourdi au début de sa carrière, et ses reportages croustillants, dans lesquels il mettait au jour des comportements scabreux, l'avaient fait connaître du milieu. On le décrivait alors comme un homme possédant «des capacités, de l'énergie et de l'intelligence». Max Simon devint par la suite un éditeur de journaux bien en vue. Avocat de formation, il était craint des hommes d'affaires et des politiciens pour son habileté à patauger dans la fange et à manipuler certaines personnes en menaçant de salir leur réputation. Il était de notoriété publique qu'il conservait des dossiers secrets sur les méfaits et peccadilles des membres renommés de sa communauté. Il lui arriva même d'être brutalement tabassé, en une certaine occasion où l'un de ses stratagèmes de chantage avait mal tourné.

En 1931, il était le propriétaire de l'*Elizabeth Daily Times*, feuille de chou moribonde qu'il dirigeait à partir de son bureau situé à Passaic, dans le New Jersey. Croulant sous un fardeau de dettes, il semblait à cette époque recevoir des directives de gangsters et voyous à propos desquels il avait naguère publié des reportages accablants. Ainsi, Max Simon devenait lui-même une fripouille ; face à des dettes toujours plus importantes, il s'était tourné vers la pègre. Il fit appel à John Chirichello, un ami intime de Rizzuto. Les deux hommes faisaient partie de l'un des nombreux réseaux spécialisés dans les incendies criminels aux États-Unis, une des rares industries en expansion pendant cette funeste époque de la Grande Dépression. Si l'économie s'effondrait, il en était de même pour de nombreux édifices, couverts par de solides assurances bien sûr, qui s'envolaient en fumée dans des circonstances évidemment mystérieuses.

Simon invita donc Chirichello à son imprimerie afin qu'ils pussent y tenir une conversation en toute confidentialité.

«Je suis pris à la gorge, se plaignit Simon à Chirichello, évoquant ses problèmes financiers. Combien cela coûterait-il pour "faire un bon travail" à l'imprimerie? demanda-t-il.

Il sous-entendait de cette manière qu'il désirait que le bâtiment fût totalement brûlé.

— Elle est assurée pour combien? s'enquit Chirichello.

— Entre 30 000 $ et 40 000 $, répondit Simon. Ce bâtiment doit brûler ; c'est la seule chose qui peut me sauver...»

Chirichello, pour une raison quelconque, se montra réticent. Il est possible qu'il craignit que Simon lui eût tendu un piège. «J'ai dit à Max que je ne voulais pas de ce boulot, mais il m'a supplié et promis que si jamais j'avais des problèmes, il m'aiderait», admit ensuite Chirichello aux autorités. Il finit tout de même par entrer en contact avec un copain. «J'ai parlé à Vito Rizzuto de ce boulot et l'ai emmené faire un tour à l'imprimerie», se souvint plus tard Chirichello.

Une fois sur place, Simon lui proposa 10 pour cent du montant de l'assurance. «Il m'a donné 300 $ comme avance, expliqua Chirichello. C'était pour acheter ce qu'il fallait pour mettre le feu.» Grâce à cette somme, Chirichello et Rizzuto achetèrent 380 litres de celluloïd liquide et 760 litres de térébenthine. «Nous avons transvasé ces produits dans six barils et les avons transportés dans mon camion Chevrolet jusqu'à l'imprimerie située à Elizabeth», dit-il. Le matin du 17 octobre 1931, les incendiaires étaient prêts.

«Rizzuto et moi avons pris des seaux en métal et les avons remplis directement des barils. Nous avons ensuite répandu ces produits aux premier et deuxième étages. Lorsque les barils furent à peu près vides, nous les avons roulés pour finir de les vider sur le sol. En guise de mèche, nous avons placé environ 30 mètres de gaze tout autour.» Ils attachèrent à la mèche un bâton de soufre du type dont on se sert pour nettoyer les tonneaux à vin. Chirichello et Rizzuto retirèrent ensuite une longueur de fil électrique du mur et éteignirent le disjoncteur pour permettre à Chirichello de dénuder les fils à l'intérieur du câble. Il plaça enfin entre les fils un clou autour duquel il les entortilla, ce qui devait provoquer un arc électrique lorsque les câbles seraient remis sous tension. «J'ai ensuite ouvert le disjoncteur et allumé le bâton de soufre.»

Calmement, les deux hommes quittèrent l'imprimerie pour grimper à bord d'un tramway. Alors que le véhicule avançait vers Newark, ils entendirent les sirènes des pompiers et virent les camions d'incendie se diriger à toute vitesse vers l'imprimerie. En regardant derrière eux les flammes qui s'échappaient du bâtiment, les deux malfaiteurs surent que leur tâche était accomplie.

Bien que l'opération parût couronnée de succès, Max Simon n'en fut pas impressionné — ou du moins, il feignit la déception.

«Cela aurait pu être mieux fait...», reprocha-t-il à Chirichello et Rizzuto quand ceux-ci se présentèrent à son bureau pour se faire payer, et il refusa de leur verser leur dû. Rizzuto était enragé. «Rizzuto s'apprêtait à l'abattre», a raconté Chirichello, et Rizzuto ne faisait jamais de menaces en l'air.

Peu de temps après cette rencontre, Simon appela un policier de sa connaissance et lui dit que Rizzuto, qui était armé, l'avait pris en filature. Le policier localisa Rizzuto et confisqua son pistolet. Le désaccord empira. Simon disposait évidemment de tous les moyens pour rendre la vie impossible à Rizzuto au New Jersey, et ce dernier décida rapidement de fuir. Il trouva refuge chez un de ses amis membre d'un gang dans le Bronx, Stefano Spinello, qui vivait dans une cambuse près de la carrière Patterson, à Patterson, dans l'État de New York, à environ 130 kilomètres au nord-est du New Jersey. Rizzuto passa donc ses journées à la carrière, à transporter de l'eau depuis une profonde dépression qui formait un étang naturel au milieu des marécages environnants, pour fabriquer des parpaings de ciment afin de remplir la commande d'une société locale qui souhaitait prendre livraison de 200 blocs. Rizzuto devait rester discret en attendant que fût résolu le problème avec Max Simon. La carrière était un endroit parfait où se cacher tout en se tenant occupé. Spinello venait parfois lui rendre visite, et Rizzuto pouvait passer le temps en bavardant avec le sympathique gardien de la carrière. Et surtout, une seule personne parmi son gang savait où il se trouvait — Spinello, et Rizzuto pensait pouvoir faire confiance à un compatriote, un *paisan*.

Pendant ce temps, Simon, toujours terrorisé par les menaces de Rizzuto, décida de régler ce problème de la même façon non conventionnelle avec laquelle il avait résolu son problème de dettes : il se tourna vers ses contacts au sein de la pègre.

La nuit du 12 août 1933, Vito Rizzuto dormait sur son grabat lorsque trois hommes s'infiltrèrent dans sa cachette. Ils ne perdirent pas de temps et lui défoncèrent le crâne à l'aide d'une hie de paveur, un lourd outil conçu pour compacter du ciment. Ils frappèrent encore et encore avec l'instrument, rouant de coups son corps entier. Ils nouèrent ensuite des cordes autour de son cou et tirèrent d'un coup sec pour lui briser la nuque, une précaution inutile, car il était déjà mort. Les assassins recouvrirent le corps de sacs de ciment et l'enveloppèrent d'une toile qui servait à abriter la bétonnière, avant de le traîner vers le marécage, au bord du trou où il puisait l'eau servant à fabriquer les parpaings de ciment. Ils le poussèrent dans la mare et déguerpirent. Le défunt avait 32 ans.

Lorsque le gardien de la carrière réalisa qu'il n'avait pas vu Rizzuto depuis plusieurs semaines, il se rendit à la cabane. La porte était ouverte. À l'intérieur, aucun signe de l'occupant, bien que ses «vêtements du dimanche» fussent encore sur place. Le gardien prit peur et appela le shérif local qui, dès son arrivée, remarqua immédiatement une piste d'herbe foulée qui conduisait au marécage. Quelque chose de lourd avait été traîné depuis la cabane. Le shérif sonda alors le marécage à l'aide d'une grande barre de fer. Lorsque des bulles fétides apparurent à la surface, il découvrit rapidement le cadavre de Rizzuto.

L'autopsie n'épargna aucun détail : «Le corps mutilé et battu de la victime a été trouvé dans un trou dans un marécage près d'une carrière abandonnée. La principale cause de la mort : fractures du crâne — multiples. Autres causes : rupture du foie, hémorragie interne, fracture simple des cinquième, sixième, septième et huitième côtes sur le côté gauche. Le médecin légiste, le Dr Robert Cleaver, qui a pratiqué l'autopsie, a conclu en disant : "Homicide dû à un objet ayant écrasé le corps."»

La victime fut identifiée comme étant Vito Rizzuto, et la police ne fut pas surprise. Les activités des groupes d'incendiaires faisaient déjà l'objet d'une enquête. Des mois avant que le corps de Rizzuto fût découvert, les policiers du comté de Passaic avaient enjoint la police de l'État de New York de se mettre à sa recherche. Il était soupçonné d'incendie criminel après qu'un petit hôtel eut brûlé de fond en comble.

L'enquête policière progressa rapidement. Certaines personnes bien informées parlèrent un peu trop, en particulier John Chirichello, l'ami de Rizzuto, qui avait été contacté le premier par Max Simon pour planifier l'incendie de l'imprimerie. Chirichello raconta à la police tous les détails de l'incendie de l'imprimerie, ainsi que le différend qui s'était ensuivi entre Rizzuto et Simon à propos du paiement. Les enquêteurs, pendant ce temps, établirent que Stefano Spinello était la seule personne au New Jersey qui savait où se cachait Rizzuto.

Max Simon, Stefano Spinello et un troisième larron, Rosario Arcuro, un autre ami de Rizzuto, furent accusés du meurtre. La théorie du procureur était que Simon avait engagé les deux autres pour trouver Rizzuto et le supprimer. Ils peuvent avoir eu pour mobile de protéger Simon d'une vengeance possible de Rizzuto, ou encore de s'assurer de son silence, s'il devait se retrouver mêlé à une enquête impliquant le gang responsable des incendies criminels.

Les noms des assassins de Rizzuto ne manquent pas de soulever des interrogations. Spinello est quelquefois épelé Spinella ; c'est le nom de famille de la mère de Calogero Renda. Arcuro épelle parfois son nom Arcuri, qui est le nom d'un clan de la Sixième Famille issu de Cattolica Eraclea, qui, jusqu'à nos jours, est demeuré très proche de la famille Rizzuto. Vito Rizzuto peut-il avoir été assassiné par les siens ? Les réponses ne sont pas faciles à trouver.

Max Simon, en réponse aux accusations portées contre lui, tira toutes les ficelles que ses doigts crochus purent agripper. Après avoir été condamné pour incendie criminel, il jouit de confortables conditions de détention, continuant d'agir à titre de rédacteur et de chroniqueur pour son journal. On lui fournit des steaks et un poêle pour les faire cuire, ce qui lui permit de maintenir son régime riche en protéines. Il ne passa que neuf mois en prison sur les trois ans prescrits par la sentence, et fut relâché lors d'une session spéciale du tribunal des libérations conditionnelles du New Jersey. L'accusation de meurtre qui avait été portée contre lui fut abandonnée.

Stefano Spinello n'eut pas autant de chance. Il plaida d'abord non coupable à l'accusation de meurtre au premier degré. Cependant, il dut admettre sa culpabilité d'homicide involontaire après avoir entendu l'accablant témoignage de Chirichello. Il fut envoyé à Sing-Sing pour y purger une peine de 7 à 20 ans. Rosario Arcuro ne fut jamais arrêté ni jugé. Il goûta toutefois au traitement qu'il avait réservé à Rizzuto, puisqu'il fut assassiné dans le Bronx en août 1934.

Vito Rizzuto, un des pionniers de la Sixième Famille en Amérique du Nord, qui allait transmettre son nom et la culture du crime à un petit-fils qu'il n'a pas connu, est mort comme incendiaire en fuite aux mains de ses amis. La police américaine ne trouva aucune famille à qui annoncer son décès, et son cadavre aboutit au cimetière méthodiste de Brewster, dans l'État de New York.

Le gouvernement américain, cependant, était bien loin de fermer le dossier de Vito Rizzuto.

WASHINGTON, D.C., 1932

Vito Rizzuto avait bien involontairement attiré l'attention du gouvernement fédéral américain avant même d'avoir été assassiné. Le jour de l'Halloween 1932, un mémo marqué «CONFIDENTIEL» avait été envoyé de Washington, D.C., au directeur new-yorkais du Bureau américain des naturalisations, réclamant le dossier d'immigration de Rizzuto. Il semble que quelqu'un se posait des questions au sujet du visa qui avait permis à Rizzuto d'entrer aux États-Unis. Le visa produit par Rizzuto lors de son débarquement du bateau à la Nouvelle-Orléans fut retrouvé dans les archives et envoyé à Washington le 7 novembre 1932. Un employé dépoussiéra également le manifeste, vieux de 10 ans, des passagers du *SS Edam*, où était inscrite l'arrivée de Rizzuto aux États-Unis.

Le visa de Rizzuto sembla alors impeccable à tous ceux qui l'examinèrent à l'époque, et il en serait de même pour ceux qui l'inspecteraient aujourd'hui. Émis selon toute apparence par le service consulaire américain de Palerme, en Italie, le certificat (n° 2226) indique que le candidat a suivi toutes les démarches obligatoires, payé 9 $ en timbres fiscaux dûment oblitérés, et que le tout était conforme au quota déterminant le nombre d'Italiens susceptibles d'immigrer. Le visa est signé Robert E. Leary, le vice-consul du poste diplomatique. Le dossier comporte la photo et le nom de Vito, et lui octroyait la permission convoitée de partir aux États-Unis. Le dossier qu'il avait rempli pour obtenir son visa sembla lui aussi en règle.

Ce dossier comporte un *Certificato Di Identita Personale*, sa carte d'identité personnelle. Ce document avait été émis par le gouvernement italien, portait sa photo et sa signature ainsi que le timbre du commandant du commissariat des Carabinieri de Cattolica Eraclea. Il pouvait donc tenir lieu de passeport.

Le dossier contient également un certificat médical daté du 13 novembre 1924 et signé par le Dr Mario Bellina, de Cattolica Eraclea, ainsi libellé : «En qualité de médecin et de chirurgien, je certifie que Rizzuto, Vito, fils de Nicolò, de Cattolica Eraclea, n'est pas porteur de maladies contagieuses et que son examen physique s'est révélé en tous points satisfaisant.» La lettre avait été contresignée par deux témoins et notariée comme étant authentique par P.A. Margiotta, le maire de Cattolica Eraclea, et le sceau officiel de la mairie y avait été apposé.

Finalement, un *Certificato di Penalita* — un extrait de casier judiciaire — témoigne que le candidat n'avait jamais purgé de peine d'emprisonnement, le tout signé par le vice-chancelier du tribunal d'Agrigente, la capitale de la province. Tous les documents parurent authentiques aux yeux des examinateurs, ce qui n'empêcha pas les fonctionnaires du gouvernement américain de continuer à entretenir des soupçons.

En octobre 1934, plus d'un an après le meurtre de Rizzuto, tous les documents le concernant furent rassemblés par le Département d'État à Washington et envoyés par la valise diplomatique au consulat de Palerme sous la rubrique *Le cas du visa frauduleux de Vito Rizzuto*. Le gouvernement disait tenter de «vérifier les circonstances et les faits concernant l'affaire», comme on pouvait le lire dans la lettre qui accompagnait l'envoi. L'enquête n'avait pas été provoquée par le meurtre crapuleux dont Vito Rizzuto avait été victime. Le mémo diplomatique disait : «Le Département aimerait également savoir si Vito Rizzuto se trouve ou non en Italie à l'heure actuelle ou s'il réside encore aux États-Unis.» Une enquête commune entre les autorités américaines et italiennes fut entreprise concernant le visa. Elle permit de découvrir qu'une bonne partie des documents que Rizzuto avait utilisés était l'œuvre de brillants faussaires, et que s'ils étaient authentiques, ils avaient été obtenus frauduleusement.

Alfred Nester, le consul américain en poste à Palerme, jura que le visa d'immigration que Rizzuto portait sur lui à son arrivée.à la Nouvelle-Orléans n'avait pas été émis par le consulat. De plus, Nester déclara que les timbres apposés sur le visa de Rizzuto n'étaient pas inscrits sur les registres comme étant payés. Les autorités italiennes découvrirent des fourberies similaires sur les documents présentés. Ils examinèrent les copies envoyées par les Américains et déclarèrent que le certificat médical de Rizzuto ainsi que ses papiers d'identité étaient des faux, parce que le Dr Bellina n'avait jamais existé, pas plus qu'un maire de Cattolica Eraclea du nom de Margiotta. L'extrait de casier judiciaire s'avéra cependant authentique. (La condamnation pour vol qu'il avait reçue aux armées n'avait pas été inscrite sur son certificat, car il s'agissait d'une première condamnation et une peine de moins de trois mois lui avait été infligée, et que dans ces conditions, selon la loi italienne, les délits ne sont pas rapportés, déclarèrent les enquêteurs.) Lorsque, en 1935, les autorités se rendirent dans la ville natale de Rizzuto pour le rechercher, ils questionnèrent sa femme, Maria Renda, qui déclara que son mari n'était jamais rentré en Italie après être parti en Amérique et qu'il y était mort en 1933. Les autorités italiennes ne purent cependant confirmer sa mort, car le Bureau de l'état civil de Cattolica Eraclea n'en avait pas été notifié.

«Prenant en considération les circonstances, écrivit l'inspecteur G.M. Abbate, du bureau du directeur général du ministère des Affaires étrangères italien, il ne fait aucun doute que Rizzuto a émigré clandestinement.»

Les enquêteurs de l'Immigration américaine retracèrent ensuite minutieusement les mouvements de Rizzuto depuis son arrivée en Amérique dans le but de l'interroger dans le cadre de leur enquête. Ce n'est qu'en 1935 que Frank Steadman, l'enquêteur fédéral, apprit que Rizzuto était mort à la carrière de pierres deux ans plus tôt. Dans son rapport, Steadman nota que d'autres personnes avaient voyagé vers les États-Unis avec Rizzuto et que leur dossier devrait également faire l'objet d'une investigation.

Et c'est ainsi que, bien des années après la mort de Rizzuto, le gouvernement américain commença à enquêter sur les hommes qui avaient navigué en même temps que lui sur le *SS Edam*.

Les enquêteurs découvrirent que les documents présentés par Calogero Renda étaient également des faux. Le même docteur fictif et le même maire imaginaire avaient signé les documents, et le consul américain, dans ses registres, ne possédait aucune trace d'un visa d'immigration émis aux termes des exigences concernant les quotas. Il fut découvert qu'en 1927, trois ans après son arrivée, Renda avait fait une demande pour obtenir la nationalité américaine et qu'il avait donné comme adresse l'avenue Morris, dans le Bronx. Il était retourné à Cattolica Eraclea en 1929, toutefois, pour épouser Domenica Manno, la jeune sœur d'Antonio Manno, le chef le plus puissant de la Mafia dans la région. Le 6 avril 1930, il était retourné dans sa maison du Bronx sans sa femme et avait présenté un nouveau visa d'immigration accordé selon le système des quotas au port de New York. Il avait ensuite fait une demande de visa d'immigration — légale cette fois-ci — pour sa femme. Elle avait été rejetée. Après avoir reçu sa citoyenneté américaine en 1932, il était retourné en Sicile pour passer du temps avec son épouse, puis était revenu à New York le 24 mars 1933, cinq mois avant que Rizzuto ne fût assassiné.

Au cours de l'été de 1935, Calogero Renda s'était rendu à Oradell, sur la rue où Rizzuto avait vécu — quelques semaines avant les enquêteurs de l'immigration américaine — et il avait demandé aux voisins quelle était la maison de son beau-frère. Au moment où l'inspecteur Jacob Auerbach, de l'Immigration américaine, commença à le rechercher en 1936, lors de l'élargissement de l'enquête portant sur les faux visas, Renda était retourné vivre avec sa femme, Domenica Manno, à Cattolica Eraclea.

Le nom de Manno devait se révéler fort important, bien que personne, à cette époque, ne pût en réaliser la signification. Il s'agissait de la première reconnaissance officielle de la cohésion de la clique Rizzuto-Manno-Renda — la base de la Sixième Famille. Le 17 mars 1937, la citoyenneté de Renda fut annulée, et 11 jours plus tard, un mandat d'arrêt pour avoir violé les lois de l'Immigration fut lancé contre lui, ce qui lui enlevait toute possibilité de rentrer légalement aux États-Unis.

Il fut également prouvé que Mercurio Campisi, qui était arrivé en même temps que Rizzuto et Renda, avait lui aussi voyagé grâce à de faux documents. Il se battit pour obtenir la permission de rester en Amérique, mais finit par être extradé à Cattolica Eraclea en 1938. Ayant plaidé l'indigence, le gouvernement américain dut payer son voyage de retour.

Giuseppe Sciortino, un autre des passagers du *SS Edam*, fut également retrouvé. Après être arrivé à la Nouvelle-Orléans, il s'était marié et s'était installé à Buffalo avec sa femme, où ils élevèrent trois enfants. Sciortino avait gagné son pain en vendant de l'alcool frelaté distillé dans sa propre maison. En 1936, la police trouva des faux billets dans sa voiture. Lorsque les services secrets l'interrogèrent au sujet de la provenance de cet argent, Sciortino se montra outragé : « Je ne suis pas un fabriquant de fausse monnaie, je suis *bootlegger*... » Questionné au sujet de ses documents de voyage, il soutint qu'il avait payé les coûts des timbres au consulat américain. Un peu plus tard, talonné lors d'une audience sur sa déportation, il avoua les avoir achetés 3 000 lires d'un homme à l'hôtel Concordia, dans le centre de Palerme.

« En premier, il m'a dit d'aller rencontrer les autorités municipales pour obtenir mon casier judiciaire et mon extrait de naissance et de les lui transmettre quand je les aurais », dit Sciortino. Huit ou dix jours plus tard, l'homme en question lui avait délivré son faux visa, dit-il encore. Ces révélations ne lui donnèrent pas le répit espéré. Il fut déporté vers la Sicile. Toutefois, sa femme, Jenny Zarbo, refusa de partir avec lui. Il entreprit alors une campagne épistolaire qui dura 15 ans — comprenant même des lettres pleines de fioritures qu'il envoyait au président Franklin D. Roosevelt et à Eleanor, la première dame du pays, pour convaincre les autorités américaines de lui donner la permission de retourner auprès de sa famille. Le gouvernement rejeta toutes ses demandes. Les lettres cessèrent en 1950 d'une façon plutôt triste : un des enfants de Sciortino mourut, et Sciortino lui-même perdit un bras dans d'atroces circonstances. «Mon état exige que je sois aidé par une femme à la maison», écrivit-il. Puisque sa femme refusait catégoriquement de déménager en Sicile, il supplia le procureur général américain d'annuler son mariage, ce qui lui aurait permis de se remarier. Le gouvernement lui répondit : «Nous ne pouvons pas vous donner quelque conseil que ce soit en ce domaine.»

Vincenzo Marino, le plus vieux des compagnons de Rizzuto à bord du *SS Edam*, eut la chance de s'évanouir dans la nature. Un mandat d'arrêt fut émis contre lui le 19 février 1935. On commença à le rechercher à Los Angeles, où il avait prétendu vouloir s'installer. Deux ans plus tard, cependant, la police de Los Angeles faisait encore des «efforts intenses» pour le retrouver. Des détectives de la police finirent par conclure que Marino n'avait jamais mis les pieds en Californie.

La fraude astucieuse concernant les visas fit l'objet d'une importante enquête de la part du gouvernement américain. Des rapports sur les progrès réalisés étaient directement envoyés à Cordell Hull, le célèbre secrétaire d'État du président Roosevelt. Il est surprenant de constater que les documents découverts jusqu'à maintenant ont démontré que le gouvernement a résolu la crise des visas en prenant des mesures coercitives contre les gangsters qui les avaient utilisés. Il y a peu de traces de ce que découvrirent les enquêteurs lorsqu'ils approfondirent leurs fouilles sur la façon dont les visas et les timbres étaient sortis du consulat pour tomber entre les mains des mafieux.

Bien que les activités de Vito Rizzuto le conduisirent à une triste fin, cette macabre leçon ne dissuada ni son fils ni son petit-fils de perpétuer son style de vie. En ce qui concerne Calogero Renda, il continua à travailler auprès de la famille Rizzuto jusqu'à la fin de ses jours. Les descendants de ces deux hommes, qui avaient tenté sans succès d'implanter leur clan à New York, allaient former le noyau de la Sixième Famille. Et si celle-ci ne pouvait s'installer aux États-Unis, eh bien ! elle se contenterait du deuxième choix : le Canada.

Mais, pour cela, il faudrait attendre la génération suivante.

Chapitre 3

CATTOLICA ERACLEA, ANNÉES 1940

Pendant ce temps, en Sicile, dans la ville de Cattolica Eraclea, Nicolò Rizzuto, le fils du Vito Rizzuto assassiné, avait atteint la maturité dans le contexte tumultueux et meurtrier de la Seconde Guerre mondiale sans jamais avoir connu son père. Un beau-père avait cependant été là pour le guider. Le remariage de sa mère avec Liborio Milioto avait donné à Nicolò une demi-sœur, dont les descendants restèrent proches des Rizzuto jusqu'à nos jours.

À la fin de la guerre, Nicolò était devenu un homme fort et travailleur, et il décida de fonder sa propre famille.

Nicolò ne fut pas simplement motivé, dans le choix de sa compagne, par le fait qu'il était devenu amoureux de la forte et indépendante Libertina Manno. Obtenir la main d'une telle femme — et, ce qui était peut-être encore plus important, la bénédiction de son père — représentait sans doute pour Nicolò une démarche troublante et cruciale, beaucoup plus que dans le cas d'un homme ordinaire qui entreprend d'établir une relation avec son futur beau-père. La réussite matrimoniale de Nicolò ne devait pas lui apporter qu'une femme, une compagne et une mère pour ses futurs enfants ; épouser Libertina le liait à la famille d'Antonio Manno, chef d'un clan redoutable de la région, une famille que les dossiers de la police italienne nommaient la Famiglia Manno, ce qui veut tout dire.

Les Manno formaient le clan de la Mafia le plus célèbre dans le sud-ouest de la province d'Agrigente. Ils dirigeaient un secteur qui forme un long triangle délimité par les villes de Cattolica Eraclea, de Siculiana et de Montallegro. Antonio Manno, né en 1904 et mort en 1980, fut le *capo* indiscuté de la Mafia de ce grand territoire. Il fut également le point de départ de la formation de la Sixième Famille et le modèle selon lequel les clans, bien connus par la suite, s'entrelacèrent. Sa mère était une Caruana ; sa femme était une Cammalleri ; sa sœur épousa Calogero Renda, celui qui entreprit en 1924 le voyage — désastreux — aux États-Unis en compagnie du patriarche des Rizzuto.

Son mariage avec Libertina Manno fut le premier échelon que gravit Nicolò Rizzuto dans le monde interlope. La mère de la mariée, l'épouse d'Antonio Manno, était Giuseppina Cammalleri, elle-même issue d'un clan influent de hors-la-loi. Les illustres origines mafieuses de Libertina avaient donc une importance capitale pour Nicolò. Il obtint la permission de l'épouser, ce qui signifiait qu'il avait été accepté à tous les niveaux de la hiérarchie.

Jeunes mariés, Nicolò et Libertina évoluaient au sein d'un milieu social qui comprenait des amis et des membres de la famille ; la distinction entre ces deux statuts, floue à cette époque, s'estompa graduellement au fur et à mesure que le clan Manno s'agrandit en accordant la main de ses nombreuses filles (curieusement, peu de garçons Manno virent le jour) à des époux triés sur le volet, des « hommes d'honneur », comme se désignaient eux-mêmes les mafiosi. À Cattolica Eraclea et à l'intérieur du triangle de la Mafia des villes avoisinantes, les individus avec lesquels la Famiglia Manno consentait à arranger des mariages possédaient la même philosophie que ses membres, et étaient issus d'un nombre très restreint de familles. Un tricot familial aussi serré était peut-être dû à la faible population du village, ou encore à la mentalité insulaire qui y régnait. Mais cela faisait certainement partie d'un plan astucieux mis au point par les Manno pour éviter les trahisons. Renforcer la cohésion du groupe par de nouveaux mariages entre ces familles allait donc de soi. Une seule famille finit par prendre forme, où les liens s'étiraient en même temps dans un sens comme dans l'autre, avec des cousins germains et issus de germains qui se mariaient entre eux. Il était donc courant que les membres d'une même famille pussent décrire de diverses manières les liens qui les unissaient, car un même individu pouvait fort bien être à la fois le cousin germain de l'un et son gendre. Le nom des Manno se perpétue selon un arbre généalogique aux multiples branches qui, parfois, se déploie temporairement et englobe un autre patronyme, pour ensuite se replier sur lui-même.

Les ramifications des noms et des relations sont souvent difficiles à suivre. Cependant, chaque personne est capable de dire où elle se situe à l'intérieur de la Sixième Famille. Ainsi, les familles Rizzuto, Manno et Renda sont unies aux familles Cammalleri, Sciascia, LoPresti, Ragusa, Arcuri et Sciortino — parmi tant d'autres. Les membres des clans tentaculaires Caruana et Cuntrera, de la ville voisine de Siculiana, connus pour leurs prouesses dans le trafic des stupéfiants, ainsi que les familles Vella et Mongiovì, allaient aussi courtiser et être courtisés par la Famiglia Manno pour des mariages, pierres angulaires du pouvoir dans les clans siciliens. Il s'agit donc ici de la souche même de la Sixième Famille.

Après que Vito Rizzuto et Calogero Renda eurent atteint l'Amérique et que leur installation au Nouveau Monde se fut mal terminée, d'autres membres de la Sixième Famille quittèrent également la Sicile dans des circonstances particulièrement ignobles. Au cours de la nuit du 14 août 1955, Giuseppe Spagnolo, le premier maire à avoir été élu démocratiquement à Cattolica Eraclea, se reposait dehors, sur une terre qui se trouve entre sa ville et Cianciana, un village situé à 10 kilomètres au nord, de l'autre côté de la rivière Plátani. Spagnolo avait été proclamé « maire paysan », premier et seul cultivateur à jamais être élu, et avait accédé à la mairie grâce à la popularité de ses réformes agraires. Après son élection, Spagnolo s'était attiré les foudres de la Mafia en refusant de donner les terres les plus fertiles à des gangsters locaux. Spagnolo insista fortement pour que les meilleures terres fussent confiées à ceux qui en avaient le plus besoin et, évidemment, la famille Manno ne faisait pas partie de ces gens. Très vite, Spagnolo dut faire face à la colère de la pègre. Sa propre ferme fut vandalisée, sa grange incendiée, et il reçut des menaces. Il ne vacilla pas, pourtant, bien qu'il semble qu'il commençât alors à se cacher et à dormir à l'extérieur plutôt que dans son lit. Ces précautions, toutefois, ne le sauvèrent pas.

Cette nuit d'août 1955, donc, plusieurs assassins surgirent des ténèbres, chacun d'entre eux portant une *lupara*, le fusil typique des Siciliens. Il y eut sept détonations. Spagnolo fut abattu là où il dormait. Ce crime révolta la population. Une telle attaque délibérée contre l'ordre et la démocratie provoqua la fureur du gouvernement et des citoyens. Au moment où les autorités identifièrent les quatre hommes soupçonnés d'être les auteurs de l'assassinat, trois d'entre eux avaient déjà fui, après s'être, paraît-il, cachés dans une église de la localité. Le gouvernement, que leur disparition ne découragea pas, poursuivit les démarches pour traduire ces hommes en justice. Parmi les accusés figuraient Leonardo Cammalleri et Giacinto Arcuri, qui furent trouvés coupables *in absentia* du meurtre et condamnés à la prison à vie. Ces condamnations furent maintenues jusqu'en Cour d'appel. Les hommes n'avaient cependant toujours pas été retrouvés. Ils avaient fui au Canada où ils s'installèrent, à Montréal et à Toronto, malgré qu'un mandat d'arrêt contre eux eût été émis par le gouvernement italien. Le gouvernement italien annula le mandat d'arrêt contre Arcuri à l'annonce — fausse — de son décès. Au Canada, Arcuri, dont la mère était une Cammalleri, avait rejoint ses associés de la Sixième Famille et vivait en toute liberté à Toronto, où il acquit la réputation de personnage important de la pègre. De façon similaire, Leonardo Cammalleri évita également d'être jugé lorsqu'il s'installa à Montréal, puis à Toronto où il éleva sa famille ; sa fille Giovanna allait plus tard épouser le fils de Nicolò, Vito Rizzuto.

Les relations étroites qu'avaient forgées les clans durant leurs maigres années à Cattolica Eraclea allaient demeurer intactes pendant des générations, alors que la famille étendrait ses tentacules sur la terre entière.

La ville d'Agrigente est une ville côtière méditerranéenne sise au sommet d'une colline. Il s'agit de la capitale et du centre urbain le plus important de la province dont elle porte le nom. Cette ville est connue à travers le monde grâce à ses ruines grecques d'Akragas, la vallée des Temples, un site archéologique aussi vaste qu'impressionnant situé sur une falaise faisant face à la mer. On dit de ce site qu'il renferme les ruines grecques les mieux conservées à l'extérieur de la Grèce. Le temple se situe à quelques kilomètres des limites de la ville. Des plages de sable, sur lesquelles se retrouvent les habitants d'Agrigente lors des chaudes fins de semaine de l'été, bordent la ville des deux côtés. Ses cahoteuses rues médiévales sont imprégnées de l'atmosphère chaleureuse du Vieux Continent que recherchent les touristes. Du Porto Empédocle, tout près, partent régulièrement des ferries vers les îles Pélagie, des rochers austères situés en Méditerranée, plus près de l'Afrique que de l'Europe, symbolisant de façon tangible l'éloignement historique de la Sicile. L'affluence des touristes n'entraîne cependant pas la prospérité de la communauté ; les statistiques gouvernementales indiquent qu'Agrigente est l'une des villes les plus pauvres d'Italie.

En dépit de la pauvreté de l'endroit, la mafia d'Agrigente est ancienne et son organisation, complexe. Un certain nombre de petites familles, ou *cosche*, émergea lentement et prit la direction des villes environnantes, sur la côte et à l'intérieur des terres. Elles commirent des crimes qui pourraient presque paraître bizarres sans leur contexte historique et géographique — vol de bétail et de récoltes, détournement des irrigations, contrôle de la main-d'œuvre et larcins de toutes sortes. De nombreuses institutions publiques tombèrent sous la juridiction de ces «hommes d'honneur» qui volaient tout ce qui était à voler, tout en recevant en retour la soumission et le respect de leurs victimes. Leur ingéniosité criminelle et leurs prouesses continuèrent à évoluer.

Un juge italien émit ce commentaire au sujet des clans de la mafia locale éparpillés à travers la province : «Le genre de délinquance que l'on constate à Agrigente est une forme de criminalité pratiquement scientifique, tout spécialement lorsqu'elle est comparée à celle qui règne à Palerme. Cette dernière est vulgaire, car on n'hésite pas à tirer dans un endroit public. Elle agit par coups de tête. La mafia d'Agrigente est raffinée. Elle planifie et étudie avec une perfection quasi scientifique les crimes qu'elle va commettre.»

Il existe un autre site archéologique semblable aux ruines de la vallée des Temples le long de la Méditerranée, au sud-ouest de Cattolica Eraclea. Cattolica Minoa partage une partie de son nom avec la patrie des Rizzuto. À l'opposé de ce qui se produit à Cattolica Eraclea, toutefois, les personnes influentes à Minoa font tout ce qui est en leur pouvoir pour attirer les touristes vers les ruines d'Agrigente. La

Sixième Famille, quant à elle, n'a jamais soutenu cette cause. En effet, la famille Manno fut accusée de piller les sites archéologiques et de revendre aux touristes les objets anciens ayant une valeur historique.

Parmi les cercles mafieux, cette pratique se nomme « vivre des fruits de la terre ».

Ce genre de vols minables garnit certainement fort bien les poches des membres de la famille demeurés en Italie. Il n'en reste pas moins que les gains les plus considérables furent générés à l'étranger et que les véritables pouvoirs de la famille furent de tout temps détenus par des hommes qui avaient quitté Agrigente pour s'enrichir au Nouveau Monde.

Géographiquement, le triangle de la mafia d'Antonio Manno est aussi éloigné et insignifiant, en ce qui concerne le commerce mondial légitime, que n'importe quelle autre région d'Italie ; cependant, son impact sur le marché international des drogues illicites ne sera jamais égalé. Ce triangle rural est devenu l'incubateur d'une ressource cruciale pour le passage massif de la drogue. Les « hommes d'honneur » auxquels il a donné naissance étaient des types rusés et habiles qui quittèrent leur famille, leur maison, pour s'établir en Amérique du Nord et du Sud et dans divers pays d'Europe afin de construire l'organisation qui deviendrait la Sixième Famille, celle où les liens s'enchevêtrèrent tant et si bien qu'on les crut impénétrables.

Dans la province d'Agrigente, la Direzione Investigativa Antimafia, le service chargé des enquêtes sur la pieuvre mafieuse, ainsi que les agents qui enquêtent sur le crime organisé chez les Carabinieri et la Polizia di Stato, sont toujours sur la trace de la Famiglia Manno — que l'on appelle parfois la Famiglia Manno-Rizzuto, reconnaissant ainsi l'impact qu'eut Vito Rizzuto au sein du monde international des affaires du milieu. Mais la diaspora qui parachuta ses gangsters comme des métastases un peu partout à travers le monde — au Venezuela, au Brésil, en Allemagne, au Canada et aux États-Unis — demeure l'élément le plus inquiétant.

Lorsque vint le moment pour Nicolò Rizzuto de mettre un terme à ses affaires à Cattolica Eraclea et de déraciner sa famille, la destination qu'il choisit fut le Canada. C'est à Montréal qu'il allait se tailler audacieusement une place. Avec le temps, plusieurs membres des familles, toutes liées entre elles, que Nicolò avait connues toute sa vie rejoindraient les Rizzuto : les Sciascia, les Renda, les LoPresti, les Ragusa, les Cammalleri et les Manno. Chacun de ces clans serait le bienvenu au sein de la Sixième Famille, qui se développait rapidement au Nouveau Monde.

Cet exode stratégique est une autre démonstration de sa roublardise et de sa grande maîtrise, que l'on pourrait qualifier de « perfection scientifique », des affaires criminelles.

CHAPITRE 4

HALIFAX, CANADA, FÉVRIER 1954

Une pluie fine tombait sur le quai 21 à Halifax, dans le port canadien le plus important sur l'Atlantique, lorsque les 774 passagers en provenance de Palerme, la plus grande ville de la Sicile, quittèrent le navire. En fait, cette pluie était un vrai cadeau du ciel pour ces gens habitués à la chaleur du sud de l'Italie ; 15 centimètres de neige avaient recouvert la ville quatre jours plus tôt, et deux jours après, un véritable déluge avait fait fondre ce lourd manteau blanc avant de l'entraîner vers l'océan. Au milieu de la cohue, composée en grande majorité de voyageurs qui entendaient immigrer, se trouvait Nicolò Rizzuto qui, sur les traces de son père, avait quitté sa ville natale de Cattolica Eraclea pour le Nouveau Monde dans l'espoir d'y bâtir un avenir plus prometteur. Tandis que son père, 30 ans plus tôt, avait débarqué en Amérique avec des partenaires de crime, Nicolò, pour sa part, arrivait en compagnie de proches parents.

Jaugeant 24 000 tonnes, le *MS Vulcania* était considéré comme l'un des navires transatlantiques les plus modernes de son époque. Il arriva de Palerme le 21 février 1954 — jour du huitième anniversaire du jeune Vito. L'avenir plein de promesses et de possibilités qui s'ouvrait à sa famille à son arrivée en Amérique représentait un cadeau d'anniversaire bien suffisant pour le jeune garçon.

Tout comme de nombreux immigrants arrivant au Canada, les Rizzuto se dirigèrent rapidement vers l'un des centres urbains les plus importants du pays. Montréal était une ville dynamique et pittoresque sur la rive nord du fleuve Saint-Laurent et possédait son propre port. Dominée par sa population canadienne-française, il y régnait une certaine atmosphère européenne à laquelle les villes canadiennes anglaises ne pouvaient prétendre. Il existait à Montréal un quartier surnommé «La Petite Italie», qui s'était développé au fil des vagues successives d'immigrants italiens qui s'y étaient installés, attirés par les possibilités d'emploi et la liberté sociale que leur offrait le Nouveau Monde. Ces avantages permettaient aux immigrants de préserver leur propre culture ; il leur était possible de remplir leur panier d'épicerie de produits auxquels ils étaient habitués, et de faire partie de regroupements religieux et de clubs sociaux calqués sur ceux qu'ils avaient fréquentés dans leur patrie d'origine.

L'intérêt de Nicolò Rizzuto pour Montréal, toutefois, n'était pas stimulé par l'abondance de denrées importées ou par la convivialité du milieu. Alors âgé de 30 ans, Nicolò avait emporté avec lui, en même temps que sa famille, un curriculum vitae de mafieux qui lui permettrait d'accéder facilement au monde de la criminalité.

Nicolò avait choisi de faire du Canada sa nouvelle patrie, plutôt que de se rendre aux États-Unis. La raison semble en être que son père, la famille et les amis de celui-ci y avaient reçu un accueil qui laissait à désirer, au moment où la Sixième Famille avait, pour la première fois, jeté son dévolu sur le Nouveau Monde, en 1925. Nicolò savait à coup sûr que le gouvernement américain avait découvert la supercherie du faux visa de son père, puisque des agents des gouvernements américain et italien avaient débarqué à Cattolica Eraclea pour interroger sa mère. Il connaissait également l'implication de son père dans un réseau de gangsters responsables d'incendies criminels et, fait encore plus dérangeant, il était au courant de son assassinat, aussi prématuré que sauvage. De plus, Calogero Renda, son oncle et mentor en qui il avait toute confiance, était activement recherché aux États-Unis dans le cadre de l'enquête sur les faux visas, et avait dû rentrer en Italie. Le beau-frère de Nicolò, Domenico Manno, avait également essayé de s'établir aux États-Unis. Il était parti de Cattolica Eraclea en 1951 et était arrivé à New York où, selon les dossiers de l'Immigration américaine, il fut la cible d'un ordre d'expulsion et fut immédiatement contraint de rebrousser chemin. De prime abord, le Canada semblait donc plus accueillant pour le clan. Nicolò devait par ailleurs retrouver à Montréal l'une de ses connaissances. Les dossiers de l'Immigration canadienne indiquent que le 10 août 1953, six mois avant l'arrivée de la famille Rizzuto au Canada, Giuseppe Cuffaro s'était installé à Montréal. Le futur maître du blanchiment de l'argent du clan Caruana-Cuntrera arrivait de Montallegro, un des villages de l'Agrigente faisant partie du triangle mafieux de la famille Manno. Cuffaro établirait avec Nicolò des relations professionnelles et amicales. Ce dernier, en signe de son intégration à l'Amérique du Nord, commença à se faire connaître presque exclusivement sous son prénom anglicisé : Nick.

MONTRÉAL, ANNÉES 1950

Le Montréal d'après-guerre était une ville profondément corrompue. Chaque palier de gouvernement subissait l'influence de la criminalité, des pots-de-vin, du chantage. Les forces policières elles-mêmes étaient bien souvent à la solde de rois du jeu, de trafiquants de drogue et de *bootleggers*, et les politiciens comptaient sur les chefs de gang pour manipuler les votes et truquer les élections. Les malfaiteurs étaient rétribués sous forme de généreuses «commissions» et de contrats surévalués, sans appels d'offres ni concurrence, grâce au copinage politique et à la permission qui leur était tacitement accordée de se livrer à tous leurs tripotages sans être inquiétés. De temps à autre, la population exprimait son indignation; il s'ensuivait l'adoption d'une série de mesures coercitives qui étaient bien vite abandonnées, et la routine habituelle se réinstallait. De septembre 1950 à avril 1953, 15 officiers de police haut gradés furent mis à l'amende, exclus temporairement de la police ou bien rétrogradés pour avoir toléré des activités illégales tel que tripots, bordels ou estaminets clandestins [1]. Le scandale, de quelque nature qu'il fût, était quotidiennement à l'ordre du jour.

La pègre locale était constituée d'un réseau complexe de gangs qui se chevauchaient : les mafias juive et francophone, les gangsters italiens et irlandais, ainsi que les réseaux de trafiquants corses. Le port était le lieu de toutes les corruptions; l'entrée de produits illégaux en Amérique du Nord y était grandement facilitée. Les réseaux de contrebande corse et français ayant fait de Montréal leur plaque d'entrée en Amérique du Nord, la pègre de Paris et celle de Marseille y exerçaient également leur influence. Dès la naissance de la Filière française — des réseaux de contrebande de drogue qui virent le jour au milieu des années 1930, lorsque des laboratoires chargés de produire de l'héroïne furent construits près du port de Marseille —, presque toutes les principales combines de trafic de stupéfiants eurent l'Europe pour origine, et Montréal pour ville de transit.

Vingt ans avant l'arrivée des Rizzuto au Canada, une autre éminente famille venant d'Italie avait émigré à Montréal. En 1934, la famille Cotroni, de Mammola, en Calabre, avait fait de Montréal sa nouvelle patrie, et le jeune Vincenzo Cotroni, alors âgé de 14 ans, avait rapidement pris goût à la vie de la rue. Ce jeune garçon intelligent avait compris que l'on pouvait gagner beaucoup d'argent grâce à l'alcool de contrebande, la prostitution, le jeu et la drogue — ces pivots des «services» si obligeamment offerts par la pègre.

En effet, aux yeux de Vincenzo — qui se faisait appeler «Vic» ou «Vincent» —, la corruption était le moyen le plus sûr d'obtenir richesse et pouvoir. Dès 1945, il avait acquis une renommée certaine dans la métropole en s'impliquant dans un grand nombre d'activités

---

1. Information recueillie au cours de l'enquête Caron, dont les artisans furent le juriste Pacifique «Pax» Plante et, dans une moindre mesure, le futur maire de Montréal, Jean Drapeau. (N.d.T.)

criminelles allant du vol à l'extorsion en passant par la manipulation des votes et l'intimidation dans les bureaux de scrutin. Ses deux frères, Giuseppe (surnommé «Pep») et Francesco (surnommé «Frank»), allaient devenir des personnalités de plus en plus actives dans le trafic des stupéfiants.

Toute cette activité était parvenue aux oreilles de Joseph Bonanno, le chef de l'une des familles les plus importantes du crime organisé de New York. Les Bonanno avaient commencé à s'impliquer à Montréal dès la fin de la Seconde Guerre mondiale.

En 1945, Carmine Galante, un important représentant de longue date de la famille Bonanno à New York, s'était mis à franchir la frontière canadienne pour effectuer des voyages d'affaires à Montréal. Avec les années, la durée et la fréquence de ces expéditions ne firent qu'augmenter.

«À cette époque, nous faisions beaucoup d'affaires avec le Canada», a déclaré Salvatore «Bill» Bonanno, le fils de Joseph. Âgé de 73 ans, ce mafioso à la retraite raconte que son père commença à développer des relations avec Montréal dans les années 1930, peu de temps après être devenu le chef de son propre clan et bien longtemps avant que les activités de la famille à Montréal fussent officiellement sanctionnées par la Commission, le conseil d'administration de la mafia américaine. «Toronto tombait sous la coupe de Buffalo, et Montréal nous a été attribuée après la Seconde Guerre mondiale. Je ne sais vraiment pas pourquoi ils ont pris cette décision, probablement pour aboutir à un certain équilibre. Les Canadiens avaient toujours été de la vieille école», a précisé récemment Bonanno. S'il y a un point sur lequel Bonanno et le FBI sont d'accord, c'est bien celui-là.

Selon un rapport du FBI, «Joseph Bonanno a confié la tâche à son second, Carmine Galante, d'établir à Montréal d'étroites relations avec les éléments du crime organisé au Canada». Galante fut satisfait de ce qu'il trouva à Montréal. La pègre locale était bien développée d'après les standards canadiens, mais était encore loin de ressembler à la vision ambitieuse qu'en avait Galante : les boîtes de nuit et les restaurants ne subissaient pas suffisamment de pression et ne rapportaient que de maigres revenus, les proxénètes et les tenancières de maisons closes ne payaient que des sommes dérisoires et, pour une raison ou une autre, les avorteuses avaient échappé au contrôle de la Mafia et travaillaient en paix sans lui verser aucune commission. Galante entreprit donc de changer les choses. Cependant, le commerce de l'héroïne, qui avait comme point de départ la France et transitait par Montréal pour arriver sur le marché new-yorkais, demeurait sa priorité à cause des profits importants qu'il lui rapporterait. Les ports américains étant étroitement surveillés après la Seconde Guerre mondiale,

Galante s'était aperçu que le port de Montréal offrait une alternative à la fois plus facile et plus sécuritaire pour faire entrer l'héroïne sur le marché américain des stupéfiants, qui commençait à prendre de l'ampleur.

Cette découverte allait l'obséder jusqu'à la fin de sa vie.

Malgré sa petite taille, Galante avait ce qu'il fallait pour gravir les échelons du monde interlope canadien. Son casier judiciaire comportait de banals larcins, un peu de trafic d'alcool, ainsi que des crimes plus importants. Il était notamment soupçonné d'avoir tué un agent de police à New York, d'en avoir blessé un autre et d'avoir assassiné l'éminent rédacteur en chef d'un journal politique new-yorkais. Officieusement, la police lui attribuait 80 meurtres. Le psychiatre d'une prison avait décrit Galante, dont le surnom était «Lilo», comme étant un homme «ayant une apparence convenable, mais dénué d'émotivité».

«Il avait l'âge mental de 14 ans et demi et un quotient intellectuel de 90. Timide en face des étrangers, il n'avait aucune idée des choses de tous les jours, par exemple de la notion de vacances, ou de tout ce qui faisait partie des connaissances normales.» C'est dans ces mots que se poursuivait l'évaluation psychiatrique. Galante avait été diagnostiqué comme étant un névropathe et un psychopathe, émotionnellement démuni et ennuyeux comme la pluie. Le pronostic qu'avait fait ce médecin quant aux possibilités que son état s'améliorât se résumait à un seul mot : «piètres».

Une fois au Canada, Galante ne laissa pas sa personnalité falote et son quotient intellectuel prétendument insuffisant l'empêcher de progresser. Il s'épanouit au sein de la pègre locale, utilisant son tempérament asocial de la façon la plus efficace qui soit. Toutes sortes d'histoires abondent, relatant son goût pour la cruauté, qu'il maquillait sous des dehors d'amuseur public. Il aurait, par exemple, cassé des verres à bière sur le plancher d'un restaurant et forcé un des jeunes aides-serveurs à danser pieds nus sur les tessons... Il démarra plusieurs affaires, dont le restaurant Bonfire, situé boulevard Décarie, où il s'associa avec un gangster montréalais natif de la Sicile, Luigi Greco, et un truand local, Harry Ship. Le Bonfire était un établissement important, connu pour offrir à ses clients le choix entre une salle à manger spacieuse et un service à l'auto. Les conducteurs affamés pouvaient garer leur auto dans le stationnement, face aux fenêtres du restaurant, et faire des appels de phares pour obtenir le service au volant. Ce concept représentait le summum de la modernité, à une époque où la culture de l'automobile envahissait l'Amérique du Nord.

Une partie du mandat que Joe Bonanno avait confié à Galante consistait à s'emparer du contrôle du jeu à Montréal. Galante mit donc toute la pression sur les *bookmakers* américains qui avaient déménagé leurs opérations au Canada pour échapper à l'enquête du comité Kefauver du Sénat américain sur le jeu clandestin. Le message de Galante était précis : les *bookmakers* pouvaient toujours quitter New York, mais jamais ils n'échapperaient aux Bonanno.

Dans un dossier du FBI de l'époque, on trouve ce qui suit : « Il [Galante] établissait la politique, décidait des tarifs et des taux pour le Syndicat américain des jeux à Montréal. » Bien qu'il eût réussi dans sa tâche, qui consistait à faire rentrer les joueurs dans le rang, ce genre de travail lui apporta avec le temps de moins en moins de satisfaction. Bientôt, il ne s'intéresserait plus qu'au commerce de l'héroïne.

La Filière française s'est fait connaître par un livre et deux films ; c'est ainsi qu'elle est communément considérée comme étant un réseau Europe-New York dont les membres sévirent durant plusieurs mois, au début des années 1960, jusqu'au jour de son démantèlement par deux pittoresques policiers new-yorkais. En fait, il s'agissait de réseaux de trafic de stupéfiants qui existèrent durant des décennies et pour lesquels Montréal fut une plaque tournante. En France, les Corses à la tête de ce réseau étaient des hommes politiques, des gens d'affaires et des espions. La partie américaine du réseau était majoritairement constituée de personnel de second ordre qui avait pour seule tâche de porter la drogue aux consommateurs. Et entre les deux se trouvaient les Montréalais, qui rendaient possible toute l'association.

La quantité d'héroïne qui transigeait par sa base canadienne était si considérable que Carmine Galante pensait avoir trouvé le meilleur endroit où vivre. Il formula une demande pour obtenir le statut de résident permanent le 26 février 1954, et déclara aux agents de l'Immigration qu'il souhaitait investir 5 000 $ dans un restaurant montréalais. On lui demanda de subir un examen médical, ce qu'il fit. Le 1er mars, il retourna aux bureaux de l'Immigration pour remplir des questionnaires et répondit par l'affirmative lorsqu'on lui demanda s'il avait un casier judiciaire. On l'informa alors que son dossier exigerait une enquête plus approfondie. Quatre jours plus tard, l'avocat de Galante informa les officiers de l'Immigration que son client avait changé d'avis et qu'il retournerait aux États-Unis. Il allait de soi qu'une simple demande de renseignements de la part des autorités canadiennes auprès de la police américaine concernant le passé du candidat aurait promptement motivé le rejet de sa requête.

De retour à New York, il ne rompit pas pour autant ses liens avec la Filière canadienne de la drogue, qui prenait de plus en plus d'importance. Il conserva en fait jalousement ces liens et essaya de diriger les opérations par personnes interposées, déléguant des New-Yorkais de confiance pour faire le travail à sa place. Au printemps de

1956, les autorités canadiennes commencèrent à prendre de sérieuses mesures répressives à l'égard des *bookmakers* et des gangsters américains et établirent une liste de personnes indésirables qui seraient déportées si elles étaient vues au Canada ou arrêtées à la frontière. Galante et ses collègues new-yorkais se trouvaient sur cette liste. Joe Bonanno et Carmine Galante mirent alors au point une nouvelle tactique. Ils créèrent un «conseil d'administration» de deux personnes, qui aurait pour mission de protéger les intérêts new-yorkais en terre canadienne. Le Sicilien Luigi Greco, un ami proche de Galante qui partageait son penchant pour le trafic des stupéfiants, et le taciturne Calabrais Vic Cotroni se virent confier la tâche de diriger ensemble le trafic de drogue à Montréal pour le compte de la famille Bonanno. Il s'agissait là d'une décision habile, qui réprimait la rivalité existant entre les factions sicilienne et calabraise de la mafia montréalaise et qui procurerait environ 20 ans de paix et de prospérité à ses membres. Montréal devint le satellite officiel de la famille Bonanno, et les hommes de Cotroni et de Greco devinrent les soldats de Bonanno au Canada.

Les deux hommes entrèrent immédiatement en compétition pour obtenir les faveurs de New York. Si les deux gangsters possédaient d'excellentes qualités, Joe Bonanno donna l'avantage à Vic Cotroni en matière de leadership.

«Cotroni était le grand *boss*. Il était le commandant de l'équipe. Louie était son bras droit. Nous avons dû avoir quelques réunions pour mettre les choses au clair et nous y sommes parvenus. Ils faisaient confiance à mon père et ils lui obéissaient, a déclaré Bill Bonanno. Ils ont eu une réunion quelque part sur la rue Jean-Talon et c'est là qu'a été prise la décision que Vincent [Vic Cotroni] serait le commandant et Louie son bras droit. Louie était assez mature pour respecter cet ordre. Il savait que c'était dans l'intérêt de tous. Louie avait des hommes sous sa responsabilité directe mais Vincent avait la responsabilité de tous. Si jamais un des types à la solde de Louie créait des problèmes, Louie savait qu'il devrait en répondre devant les supérieurs de New York.»

Au fur et à mesure que le U.S. Bureau of Narcotics and Dangerous Drugs [2] progressait dans ses enquêtes, mettant au jour les milliers de contacts au Canada, et que le FBI suivait à la trace les liaisons nord-sud entre Montréal et New York, les autorités fédérales commencèrent à mieux comprendre l'intérêt que portait Galante à Montréal.

---

2. Est devenu la Drug Enforcement Administration (DEA) en 1973. Il s'agit d'une agence de lutte contre le trafic et la consommation de drogues aux États-Unis. (N.d.T.)

«Bien que les raisons précises pour ce déménagement à Montréal ne soient pas tout à fait connues, il est facile de présumer que la première raison a été d'établir un réseau de trafic de stupéfiants bien structuré», a écrit un agent du FBI dans un rapport interne. (Bill Bonanno a toujours soutenu que ni lui ni son père n'ont touché au trafic de narcotiques et décrit Galante comme étant un «franc-tireur», quelqu'un qui travaillait en solitaire au sein de l'organisation.)

Nick Rizzuto et plusieurs personnes de son clan figurent parmi ceux qui jurèrent fidélité à Greco et apprécièrent de plus en plus les nouvelles occasions d'affaires qui découlaient de l'intervention de l'organisation Bonanno à Montréal. L'évolution du paysage montréalais positionnait avantageusement Rizzuto au sein de relations importantes. Il était un «homme d'honneur», un Sicilien qui venait s'intégrer à l'une des plus importantes familles de la mafia américaine.

«J'ai connu Nick. Je l'ai rencontré à Montréal dans les années 1960, a déclaré Bill Bonanno. C'était un tout jeune homme à l'époque, un type qui venait de notre mère patrie et qui possédait les mêmes idéaux que nous. C'est pourquoi nous l'avons accepté. Lorsque vous rencontrez quelqu'un, vous savez tout de suite s'il est Sicilien. Cela se voit dès le berceau.»

C'est ainsi que le Vieux et le Nouveau Continent s'incarnèrent en Nick Rizzuto, précisément au moment où les barons de la pègre, des deux côtés de l'Atlantique, s'employaient à organiser une rencontre similaire. Cette époque fut très importante pour le développement du milieu. Des décisions prises dans d'autres lieux par les cartels du banditisme dirigés par la famille Bonanno auraient des conséquences inimaginables sur les domaines de la criminalité, de la politique, de l'économie, de la santé publique et de la stabilité sociale, au moment où des mafiosi habitant la Sicile et l'Amérique commenceraient à travailler de concert. Et c'est Nick Rizzuto qui personnifiait ce partenariat.

CHAPITRE 5

PALERME, SICILE, OCTOBRE 1957

Le Grand Hôtel et des Palmes, au centre-ville de Palerme, est un édifice aristocratique agrémenté de quatre colonnes à l'entrée et d'un foyer au plafond très élevé orné de détails art nouveau tarabiscotés. Cette ancienne demeure fut transformée en hôtel de luxe au XIXᵉ siècle. Elle attire depuis ce temps de nombreux visiteurs riches et célèbres. Les premiers ministres italiens dînèrent dans son restaurant et prononcèrent des discours dans ses salles de réception. Le compositeur allemand Richard Wagner composa son dernier opéra, *Parsifal*, alors qu'il était client de l'hôtel en 1881. À l'heure actuelle, l'établissement continue à offrir à ses clients le même traitement haut de gamme. Au cours des années 1950, on le qualifia de destination cliché pour touristes huppés, un peu comme le Waldorf Astoria à New York. Sa réputation demeurait toutefois inchangée, bien que son apparence eût pu sembler un peu défraîchie à ceux qui recherchaient un vrai palace de luxe.

Malgré l'intérêt décroissant que lui portaient les personnages mondains plus ou moins branchés, cela n'empêcha pas une certaine cohorte d'occuper ses suites du 10 au 14 octobre 1957. On rapporta que ces clients consommèrent force mets et boissons de qualité, bien que le motif principal de leur réunion ne fût pas de faire bombance. Des sujets sérieux étaient à l'ordre du jour, et de nombreuses discussions eurent lieu pendant lesquelles on demanda au personnel de l'hôtel et aux serveurs de se transformer en courants d'air. Il s'agissait en fait d'un rassemblement de gangsters venus des États-Unis et de Sicile. Les débats complexes et souvent délicats se poursuivirent jusqu'au milieu de la nuit, entrecoupés par un ajournement qui permit aux participants de faire une longue pause durant laquelle ils se rendirent au restaurant Spano, un établissement chic de Palerme situé les pieds dans l'eau et spécialisé dans les fruits de mer. Le Spano, qui a fermé depuis longtemps, était à cette époque d'une élégance sublime. C'est donc là et au Grand Hôtel que se produisit la rencontre entre la haute hiérarchie du crime sicilien et la direction des Bonanno, afin de discuter d'un partenariat.

Pas un seul des membres présents à cette réunion ne révéla jamais véritablement le contenu de ces entretiens. Cependant, après des années d'analyses, les agences de renseignements des divers corps de police démontrèrent que l'un des sujets les plus âprement débattus au cours de cette réunion portait sur le commerce de l'héroïne. La Filière française subissait de plus en plus de pression de la part des autorités, une offensive initiée par les États-Unis qui croulaient sous les énormes quantités d'héroïne d'excellente qualité qu'on y importait. Les gangsters américains et les trafiquants européens avaient profité longtemps de la Filière française. Personne, cependant, n'avait réellement tenté de contrôler totalement le commerce. Il semble que c'est principalement cette proposition qui fut soumise à la discussion lors de la rencontre au Grand Hôtel et des Palmes.

L'architecte de cette rencontre, l'homme qui avait pris l'initiative de réunir les mafiosi américains et les siciliens, était le *boss* ultime de la Mafia, Charles «Lucky» Luciano, qui avait été déporté des États-Unis. Carmine Galante était présent à titre de représentant des Bonanno. Il devint par la suite l'agent de liaison entre Montréal, New York, la Sicile et le continent européen, lorsque la famille Bonanno prit la décision d'aller de l'avant dans le commerce des stupéfiants. Gaetano Badalamenti et Tomasso Buscetta figuraient parmi les mafiosi siciliens notoires participant à la réunion. Par la suite, Buscetta nia avoir participé à la rencontre au Grand Hôtel ou détenir quelque information que ce fût la concernant, bien qu'il admît avoir eu connaissance du repas élaboré dégusté au restaurant Spano, «un repas qui a duré plus de 12 heures», précisa-t-il. Buscetta, qui devint plus tard un important *pentiti* ou «repenti», coopéra avec les autorités sans jamais reconnaître, jusqu'au jour de sa mort, avoir touché au trafic de narcotiques, même si sa réputation de diligent trafiquant de drogue était notoire. En dépit des déclarations de ce délateur, le «conclave» semble avoir donné le jour à deux accomplissements de taille. Le premier fut la création de la Cupola, qui avait pour but de contrôler les affaires internes des nombreux clans de la mafia sicilienne. La Cupola est l'équivalent de ce que la mafia américaine appelle la Commission. Bien que l'ensemble des traditions qui unissaient les Cinq Familles eussent été importées de la mère patrie, l'idée d'établir une commission qui régirait la pègre locale fut le cadeau que les Américains donnèrent en retour.

La deuxième grande réussite de la rencontre fut un accord transatlantique concernant l'héroïne. On décida de la route par laquelle transiterait la drogue et on établit les réseaux de distribution. L'un après l'autre, les problèmes furent identifiés et résolus. Les «hommes d'honneur» de Sicile empruntaient et achetaient l'expertise de chimistes français corrompus qui avaient maîtrisé l'art de l'école française, selon laquelle on prenait la poudre beige de morphine brute pour lui faire traverser les 17 étapes du raffinage qui la transformait en héroïne européenne d'une pureté incomparable, sous forme de cristaux blancs. Il fallait les connaissances d'un scientifique et tout le doigté d'un excellent chef pour obtenir un produit d'une qualité toujours égale sans perdre ne serait-ce qu'une once de la précieuse substance pendant les étapes de cuisson ou par contamination. La Mafia construisait et contrôlait des laboratoires clandestins de production d'héroïne dans la région occidentale de la Sicile, contournant ainsi le port de Marseille, un peu trop voyant. Elle était à la recherche de moyens pour introduire des quantités toujours plus importantes d'héroïne aux États-Unis, et tout spécialement à New York, qui représentait le marché de la drogue le plus important. La mafia américaine et la Cosa Nostra sicilienne étant souvent décrites comme des organisations monolithiques, leur union était en fait une clique de gangsters issus de divers clans et animés par un même désir, celui de tirer le maximum de profits du trafic de la drogue.

Ces deux réalisations ne pouvaient être isolées l'une de l'autre. Elles étaient toutes deux nécessaires au bon fonctionnement et à l'acheminement permanent des stupéfiants. Les rivalités et la jalousie entre les clans et les individus risquaient de provoquer l'effondrement total de l'entreprise. C'est pourquoi il était primordial que des mesures de coopération pacifique fussent établies et subsistent des deux côtés de l'Atlantique.

Mais certaines de ces mesures s'effritèrent presque immédiatement.

Gaetano Badalamenti, un mafioso sicilien à la mine sévère et renfrognée, perçut rapidement que le marché américain pouvait rapporter des profits inégalés aux familles prêtes à y faire le commerce de l'héroïne. Il capitalisa sur ses contacts personnels aux États-Unis pour tenter d'acquérir une part du marché. Des membres de sa parenté, en effet, y résidaient; un de ses cousins faisait partie du clan Profaci, de New York, qui devait par la suite devenir la famille Colombo. De plus, il avait également des parents au Canada, qu'il avait contactés au cours d'un malencontreux voyage aux États-Unis en 1946, à l'issue duquel il avait été déporté en Italie en 1950. Badalamenti ordonna donc à Tomasso Buscetta de se diriger vers l'Amérique du Nord et de créer une route de la drogue parallèle à celle de la famille Bonanno. Cette route devait partir de Sicile pour se rendre à Montréal et à Toronto et, de là, bifurquer vers les États-Unis. Par conséquent, les deux réseaux devaient transiter par le Canada pour aboutir au pays de l'Oncle Sam.

Les rivalités qui existaient entre les Cinq Familles étaient bien connues en Sicile, principalement à cause des membres de la famille Bonanno qui formaient, à Castellemare del Golfo, un village de pêcheurs situé à mi-chemin entre Palerme et Trapani, une sous-entité de la Mafia. Joe Bonanno était perçu en Amérique comme un homme arrogant qui se prenait pour un aristocrate mafieux à cause de sa filiation avec des chefs de la Mafia encensés par l'histoire. Une telle attitude offrait un contraste saisissant avec la fausse modestie que les mafiosi de la vieille école préféraient arborer.

La très haute opinion que Bonanno avait de lui-même n'était pas que l'objet de racontars. L'homme provenait d'une excellente lignée de la Mafia. Il avait reçu une bonne éducation, était un citoyen du monde devenu une personnalité importante dans sa patrie d'adoption. En comparaison, les autres chefs n'avaient, derrière eux, que le passé besogneux de familles mafieuses et peu de vision stratégique pour l'avenir. Cette avantageuse différence, Bonanno ne l'oubliait jamais, ce qui alimentait son arrogance, et irritait et frustrait les autres têtes diri-geantes de la Cosa Nostra. Bonanno se querellait constamment avec les leaders des autres organisations américaines, y compris avec son cousin Stefano Magaddino, le chef de la mafia de Buffalo. Magaddino dirigeait ses propres postes avancés au Canada. L'un d'entre eux était bien ancré à Hamilton, une ville métallurgique située près de l'un des Grands Lacs canadiens. L'homme de main de Magaddino au Canada se nommait Johnny «Pops» Papalia. Il avait acquis le surnom de «The Enforcer» («l'Exécuteur»). Papalia toucherait lui aussi sa part du gâteau de la Filière française à la fin des années 1950, une manœuvre qui allait lui gagner un séjour dans une prison américaine en compagnie de quelques-uns de ses partenaires : Joe Valachi, le futur délateur, Alberto Agueci, un mafioso sicilien originaire de Trapani qui s'était installé à Toronto, et Vinnie Mauro, un soldat de la famille Genovese qui venait de Greenwich Village. Pendant que les «hommes d'honneur» siciliens luttaient pour assurer à leur clan une partie des revenus du trafic de l'héroïne, les familles de la mafia américaine en faisaient autant.

Bonanno et Galante, qui tentaient de devenir les principaux joueurs de ce marché transatlantique émergeant qu'était le trafic d'héroïne, avaient cependant un atout dans leur manche ; ils dispo-saient à Montréal d'une équipe compétente capable de s'occuper de l'importation, et d'une organisation non moins qualifiée à New York pour coordonner la distribution.

NEW YORK, 1960

La situation à Montréal bien en main et l'alliance américano-sicilienne en place, les efforts de Galante ne tardèrent pas à rapporter des dividendes. Ses collègues montréalais, sous la direction de Pep Cotroni, avaient fait la preuve qu'ils étaient des contrebandiers de talent. Le réseau new-yorkais livrait de grandes quantités de drogue à une population à l'appétit vorace. Toutefois, à peine les robinets ouverts, le flux de narcotiques fut temporairement endigué par des agents fédéraux.

Le 3 mai 1960, le procureur général américain du district Sud de New York annonça l'inculpation de 29 personnes accusées d'avoir conspiré pour importer aux États-Unis de grandes quantités d'héroïne en provenance du Canada. Parmi ces gens se trouvait Carmine Galante.

«Cette association de malfaiteurs consistait en un groupe de Canadiens sous l'autorité de Giuseppe "Pep" Cotroni qui s'occupait de l'exportation de drogue du Canada. Des messagers faisaient passer la drogue aux frontières à destination de la région de New York», relate un document du tribunal. Des centres de distribution avaient été établis à New York, point de chute de la drogue. Elle y était déballée, diluée et conditionnée pour revente.

«La responsabilité de l'ensemble du bon fonctionnement de l'opération reposait sur les épaules du "directeur général", l'appelant Carmine Galante», déclara un juge new-yorkais. Lors du procès, le tribunal entendit le témoignage accablant d'un témoin qui avait coopéré avec le gouvernement. Edward Smith, un criminel à peu près inconnu jusqu'à ce moment-là, décrivit les réunions qu'il avait eues dès 1957 avec Galante, Vic, Pep et Frank Cotroni ainsi qu'avec d'autres personnes. Lors d'une de leurs premières rencontres, Smith raconte que Galante avait pris une valise, l'avait posée sur la table à café et l'avait ouverte. À l'intérieur se trouvaient des rangées de sacs de plastique contenant de la poudre blanche. Le partenaire de Smith avait alors compté les sacs et refermé la valise. Smith et lui étaient ensuite partis en auto et avaient pris la direction du sud, vers New York, où ils avaient livré la valise au Frank's Bar and Grill de Brooklyn. À partir de ce jour-là, des «collègues de travail» allaient prendre la route de New York de façon régulière toutes les semaines pour livrer leur marchandise dans des bars et des boîtes de nuit un peu partout en ville.

Le U.S. Bureau of Narcotics and Dangerous Drugs [1], qui travaillait conjointement avec la Gendarmerie royale du Canada (GRC), s'évertua pendant trois ans à démanteler l'association. Smith avait commencé à coopérer secrètement avec eux en 1959 et, grâce à son aide, une taupe avait réussi à infiltrer l'association, Patrick Biase, qui devait se

---

1. DEA depuis 1973.

faire passer aux yeux du groupe pour un acheteur important. Les mafiosi canadiens, dans leur avidité, avaient accepté très rapidement de lui vendre de grandes quantités de drogue, même si cela les plaçait en compétition directe avec leurs partenaires de Brooklyn. Pep Cotroni et René «Bob» Robert, son chauffeur et associé, furent arrêtés par la police canadienne au mois de juin, événement qui lança ce qui représentait, à l'époque, le plus important procès concernant la drogue de l'histoire canadienne. Pep Cotroni plaida coupable peu de jours après le début du procès et écopa d'une peine de 10 ans d'emprisonnement.

Le procès de Galante à New York n'allait pas se dérouler aussi facilement. L'autre, contre les accusés arrêtés aux États-Unis, débuta le 21 novembre 1960 après avoir subi plusieurs délais, dont un report qui fut causé par la fuite de l'un des accusés la veille du jour où les audiences devaient commencer. Le tout se déroula ensuite en vacillant, écrasé par le poids de toutes les obstructions et interruptions possibles, comme devait le déclarer par la suite un juge de la Cour d'appel. Au mois de mai, la veille du jour où devait être livrée la récapitulation du jury, le procès fut de nouveau ajourné lorsque le président dudit jury fut victime d'une fracture de la colonne vertébrale. La mystérieuse fracture avait été provoquée par une chute au milieu de la nuit dans les escaliers d'un immeuble désaffecté. Le juge annula donc le procès pour vice de procédure, tous les candidats jurés possibles ayant déjà été entendus.

Un deuxième procès débuta le 2 avril 1962, et se déroula dans le chaos dès le début, atteignant des sommets dans «le bizarre, l'extrême et la violence», nota un juge. Le jury n'avait pas encore été choisi que Salvatore Panico, un des coaccusés de Galante, commença à vociférer des insultes. Panico allait un peu plus tard grimper dans le box des jurés, passant de l'un à l'autre, bousculant ceux qui se trouvaient sur la première rangée et proférant des injures contre eux et contre le juge. Anthony Mirra, qui allait être assassiné par un des siens des dizaines d'années plus tard pour avoir involontairement introduit un agent du FBI dans l'organisation Bonanno, faisait également partie des accusés. Il assuma sa propre défense et, à l'issue d'un contre-interrogatoire retors, il s'empara de sa chaise et la propulsa contre le procureur qui l'avait mis sur la sellette. La chaise manqua le procureur de peu mais se brisa contre le box du jury. Certains des accusés furent bâillonnés et menottés jusqu'à la fin du procès; 11 d'entre eux furent accusés plus tard d'outrage au tribunal.

«Il serait difficile de concevoir une conduite plus odieuse dans une cour fédérale et devant un juge», notèrent les magistrats lors de l'appel. En fin de compte, les efforts que les accusés déployèrent pour perturber le procès ne servirent à rien. Galante récolta une peine de 20 ans de prison.

Si Galante avait désormais d'autres soucis en tête, Vic Cotroni, pour sa part, s'inquiétait du fait qu'il venait de perdre son pipeline aux mains des chefs new-yorkais.

MONTRÉAL, 1960

Avec comme toile de fond les intrigues de la pègre internationale, la ville de Montréal continua à croître et à casquer au fur et à mesure que la Mafia, qui s'était réorganisée, renforçait son pouvoir. Une personne émergeait au sein de milieu, et il s'avère qu'elle partageait l'opinion de Joe Bonanno quant au profit que pouvait rapporter la marchandise sicilienne.

Nick Rizzuto, qui était considéré comme un soldat de ce que la police de Montréal nommait la «faction montréalaise Bonanno», était rapidement devenu une sorte d'aimant qui attirait vers lui toute une équipe de crapules fraîchement débarquées de la Sicile, des durs à cuire. Nick était un homme qui savait faire entrer l'argent et se révélait de plus en plus comme un collaborateur fort, ambitieux, respectueux ou agressif, selon ce qu'exigeaient les circonstances. Il faisait partie de l'aile sicilienne dirigée par Luigi Greco et, grâce aux relations de son beau-père Antonio Manno et du réseau de clans d'Agrigente qui servaient ses intérêts criminels, il réussit à se placer un cran au-dessus des autres. Au cours de ces premières années, Nick forma sa propre organisation de la mafia montréalaise, grâce à l'appui de sa famille élargie, des gens comme son beau-frère, Domenico Manno, et son oncle, Calogero Renda, arrivé en Amérique en 1925 en même temps que le père de Nick. La Sixième Famille commençait à faire ses preuves.

La famille de Nick s'agrandissait au fur et à mesure que son organisation criminelle prenait de l'importance. À l'époque où se déroulaient les rencontres de Palerme, Vito Rizzuto, le fils unique de Nick, n'avait pas encore fêté ses 11 ans, et sa fille, Maria, avait un an de moins. Les enfants Rizzuto grandirent dans Villeray ainsi que dans Saint-Léonard, deux quartiers de Montréal à population en majorité italienne. Vito progressait laborieusement sur le chemin académique, terminant sa neuvième année à l'école secondaire Saint-Pie-X, un établissement catholique anglais. Parallèlement, on l'instruisait à ce qui allait devenir sa véritable vocation. Le jeune Vito fut immergé dans la culture de la Cosa Nostra dès le jour de sa naissance et, au fur et à mesure qu'il vieillissait, il assimilait le code de conduite que sa famille sanctionnait et auquel elle exigeait qu'il se conformât. De quelque côté qu'il se tournât, ses modèles étaient des gens qui se trouvaient au-dessus des lois, et ses propres enfants, une génération plus tard, grandiraient dans les mêmes conditions. Dans cette ère de profond changement, Vito reçut une éducation parfaite à la façon des anciens mafiosi, alors que se trouvait à sa portée un avenir fort prometteur.

Par-dessus tout, chaque fois que l'occasion s'y prêtait, on lui inculquait l'importance de rester près des siens.

CHAPITRE 6

L'alarme d'incendie sonna peu après 1 h du matin à la Place de la Seigneurie, un petit centre commercial de Boucherville, une banlieue située sur la rive sud du fleuve Saint-Laurent.

Plus de 20 pompiers de la ville furent dépêchés sur les lieux du sinistre. Le feu faisait rage, particulièrement aux alentours du Salon de coiffure pour hommes Renda. Les hommes s'empressèrent d'installer les six lances à incendie destinées à mater les flammes, après que les premiers d'entre eux se furent remis du choc provoqué par le spectacle qui les attendait à leur arrivée : deux hommes, les vêtements en feu, sortaient en courant par la porte de l'arrière-boutique du salon et se dirigeaient vers un terrain vague à proximité. Alors que les pompiers se précipitaient pour leur porter secours, les deux brûlés se roulèrent dans la poussière pour éteindre les flammes. Avant qu'on ne pût le rejoindre, l'un d'eux se mit debout, détala dans la direction opposée et disparut dans le noir, ses vêtements encore fumants. L'autre victime, apparemment blessée trop gravement pour courir, demeura à terre, où les soldats du feu et les policiers la trouvèrent.

Le jeune homme fut emmené à l'hôpital, où on traita ses brûlures. La police devait plus tard l'identifier comme étant Paolo Renda, 28 ans, de Montréal, propriétaire du salon et simplement connu des autres commerçants du centre comme un modeste coiffeur. Les détectives, convaincus que le mystérieux individu qui avait pris la fuite avait certainement besoin, lui aussi, de soins médicaux, firent la tournée des hôpitaux de la région pour découvrir quelques heures plus tard qu'un blessé atteint de graves brûlures avait été admis à l'hôpital Santa Cabrini. L'homme répondait parfaitement à la description qu'en avaient donné les pompiers ; ce second suspect s'appelait Vito Rizzuto.

Vito, qui avait alors 22 ans, commença par écarter les questions que lui posaient les enquêteurs un peu trop soupçonneux. Il affirma qu'il avait été brûlé la nuit précédente lorsque le réservoir de sa voiture avait explosé, ce qui expliquait les brûlures et l'odeur persistante d'essence qu'il dégageait. Lorsque la police apprit que Renda était le beau-frère de Vito, l'alibi bidon tomba en chute libre et, après avoir été cuisiné, Vito admit qu'il se trouvait bel et bien au salon Renda ce soir-là, mais insista sur le fait qu'il n'avait absolument rien à voir avec l'incendie qui l'avait ravagé. Les détectives demeurèrent néanmoins sceptiques.

Le lendemain matin, de retour sur les lieux du sinistre, les dernières flammes avaient enfin été éteintes. On évalua le coût des dommages à 115 000 $, une somme colossale en 1968. Le salon Renda avait été entièrement détruit, ainsi qu'une boutique voisine, et 16 magasins avaient subi des dégâts causés par l'eau et la fumée. Les enquêteurs ne tardèrent pas à déduire que l'incendie avait été allumé délibérément. Ils découvrirent que les deux individus avaient d'abord versé de l'essence sur le plancher du salon de coiffure pour ensuite y mettre le feu. Le liquide s'était enflammé prématurément, créant une boule de feu qui avait enveloppé Vito et Renda. Ce n'était d'ailleurs pas la première fois que ce petit commerce était la proie des flammes. Au mois de décembre de l'année précédente, un incendie plus modeste y avait pris naissance, mais avait été circonscrit à temps.

La police accusa Vito et Renda de délits graves, mais trois ans s'écoulèrent avant que la cause fût entendue par un tribunal. Le juge Georges Sylvestre écouta les témoignages selon lesquels les deux hommes avaient mis le feu au salon Renda pour toucher l'assurance de manière frauduleuse. De toute évidence, Renda envisageait une reconversion de carrière.

Celui-ci était pourvu d'un bagage fort approprié pour devenir criminel. Né à Cattolica Eraclea, Paolo Renda était le fils de Calogero Renda, l'homme qui avait entrepris en 1924 un voyage — aux conséquences navrantes — en Amérique, avant de rentrer en Sicile pour épouser l'une des filles de la famille Manno. Paolo, qui avait immigré à Montréal en octobre 1958, solidifia plus tard sa position au sein de la Sixième Famille en obtenant la main de Maria Rizzuto, la seule fille de Nick et sœur cadette de Vito.

Si l'essence ne s'était pas enflammée d'elle-même avant la fuite des deux complices, ces derniers s'en seraient peut-être tirés à bon compte, mais le délit fut exécuté dans un tel cafouillage qu'ils écopèrent d'une foule d'accusations : incendie volontaire, conspiration criminelle, deux chefs d'accusation pour avoir incendié une propriété avec l'intention de frauder et neuf chefs d'accusation pour s'être montrés négligents avec le feu. Renda, propriétaire du commerce et bénéficiaire de l'assurance, reçut une peine beaucoup plus sévère que celle qu'on infligea à Vito, que l'on considérait comme ayant simplement servi d'accessoire à son acolyte dans la réalisation du méfait. Le 29 janvier 1972, Vito fut condamné à deux ans de prison pour incendie criminel et conspiration, et à neuf mois pour chacun des autres chefs d'accusation, à être purgés concurremment. Renda écopa de quatre ans de détention pour incendie criminel et conspiration, et de 18 mois pour chaque chef d'accusation additionnel, à être également purgés concurremment. En bon membre de la Sixième Famille, il reçut sa sentence sans broncher. Pour Renda, il s'agit d'une première et unique condamnation au criminel. Vito n'avait récolté précédemment qu'une petite tache sur son casier judiciaire, une condamnation pour avoir troublé la paix durant l'été de 1965, alors qu'il n'avait que 19 ans. Il avait écopé d'une amende de 25 $ et passé huit jours en prison.

Pour le futur chef de la Sixième Famille, il ne s'agissait décidément pas de débuts très prometteurs...

*

À l'époque où Vito Rizzuto s'amusait à jouer avec le feu, son père Nick avait déjà bâti dans la métropole une organisation à l'efficacité surprenante. Il disposait d'un noyau de loyaux collaborateurs qui, s'ils juraient officiellement leurs grands dieux de protéger et d'aider l'organisation Bonanno, étaient d'abord et avant tout fidèles à leur chair et à leur sang. Avec les unions matrimoniales et les liens familiaux, la croissance de la Sixième Famille pourrait se décrire au mieux en termes d'affaires : ses membres adhéraient scrupuleusement à une infaillible stratégie de fusions et d'acquisitions choisies de façon méticuleuse. Comme les multinationales les plus déterminées, ils recherchaient d'abord à annexer les entreprises plus petites en leur faisant des offres profitables aux deux parties en cause. Quand cette tactique s'avérait inefficace, une OPA hostile était, la plupart du temps, entreprise.

La première fusion significative pour les Rizzuto au Canada survint dans les années 1960, lorsque Nick tissa un nouveau lien avec la famille Caruana-Cuntrera, un clan de la ville sicilienne de Siculiana qu'une route sinueuse d'une quinzaine de kilomètres de long liait à Cattolica Eraclea. Pendant des décennies, dans le triangle mafieux d'Agrigente, les clans, liés parfois par le sang, parfois par des luttes communes, se montrèrent amicaux. Lorsque le père de Nick était arrivé au Nouveau Monde en 1925, deux hommes d'Eraclea et trois de Siculiana l'accompagnaient. Tous ces personnages, d'une façon ou d'une autre, étaient apparentés. L'un d'entre eux, Vincenzo Marino, était marié à une Caruana. Un autre, Giuseppe Sciortino, était parent avec Calogero Renda qui, à son tour, était parent avec Nick. Au Canada, ces liens se renforcèrent. La fusion des Rizzuto avec les Caruana-Cuntrera se révéla une alliance stratégique aux retombées inestimables pour les deux parties, qui affichaient de l'intérêt pour des activités semblables. Cette fusion donna à l'organisation de Nick un considérable essor, augmentant sa présence internationale et ses possibilités d'accès aux stupéfiants et au blanchiment d'argent. Les familles Caruana et Cuntrera, qui s'étaient unifiées pour former une seule organisation criminelle, avaient également une influence fort appréciable sur la faction sicilienne de Montréal. Par ailleurs, leur association avec les Rizzuto offrait aux Caruana une forme de protection physique et une présence beaucoup plus musclée dans les rues de Montréal, leur permettant de se concentrer davantage sur des affaires se déroulant à l'étranger. Enfin, alors que les Caruana renforçaient les contacts des Rizzuto en Europe et en Amérique du Sud, les Rizzuto assuraient aux Caruana des liens directs avec New York.

Un rapport du FBI précise ce qui suit : « Lorsque les Caruana et les Cuntrera déménagèrent à Montréal au milieu des années 1960, ils s'affilièrent à Nicolò Rizzuto et à son fils Vito, puis ils commencèrent à travailler ensemble pour se livrer au trafic de stupéfiants. »

En elle-même, la configuration interne de la Sixième Famille commençait à imiter la vaste structure transatlantique qui avait été mise sur pied, au terme de quatre jours de discussions animées dans le Grand Hôtel et des Palmes, par deux douzaines de mafiosi en provenance de deux pays. Il en résulterait une autre fusion, et une prise de pouvoir qui se déroulerait dans une atmosphère nettement dépourvue d'animosité.

MONTRÉAL ET TORONTO, NOVEMBRE 1966

Le 28 novembre 1966, en soirée, deux agents de police montréalais demandèrent à trois hommes de sortir lentement de leur véhicule, stationné dans une rue transversale. Les agents étaient inquiets ; malgré leur apparence soignée et leurs complets-veston de bonne coupe, les trois types n'avaient pas l'air d'enfants de chœur, d'autant plus que trois revolvers de calibre .32 traînaient sur le siège de la voiture. Des agents supplémentaires arrivèrent en renfort tandis que les hommes étaient arrêtés. C'est alors que déboula sur les lieux une autre voiture, transportant quatre individus en civil. On somma également ceux-ci de descendre. Lorsque les policiers trouvèrent un pistolet de départ sous le siège de la seconde voiture, ils embarquèrent aussitôt ses occupants.

Au poste de police, les sept suspects affichaient leur impatience, fumaient des cigares et demandaient aux policiers d'accélérer la procédure, mais les agents prirent tout leur temps : ils avaient devant eux une exceptionnelle brochette de personnages et avaient beaucoup de questions à leur poser. L'un des hommes en particulier était bien connu des forces de l'ordre : Luigi Greco, un malfrat local dont l'étoile semblait ces derniers temps s'élever au firmament de la pègre. Les autres étaient tous des Américains. Portant pantalon noir et chemise de ville légèrement froissée, Bill Bonanno, de sa haute silhouette, dominait Greco. Étaient également présents Vito DeFilippo et son fils Patrick. Ce dernier, qui se fit connaître chez les gangsters sous le sobriquet de «Patty du Bronx», organiserait 30 ans plus tard l'exécution de l'un des membres clés de la Sixième Famille, une agression plutôt rare au sein du clan. La police identifia aussi Peter Magaddino, de Brooklyn, le cousin de Joe Bonanno et son fidèle allié. Il portait un costume presque identique à celui de Patty DeFillipo, mais semblait pour sa part s'y trouver inconfortablement entortillé, des bourrelets de graisse saillant par endroits. Carlo «Buddy» Simaro, du New Jersey, et Peter Notaro, de New York, tous deux des gorilles des Bonanno, faisaient également partie du défilé. (Notaro suivit plus tard Joe Bonanno lorsqu'il fut renversé et s'exila en Arizona.) Bill Bonanno déclara qu'il était venu au Canada avec les hommes qui étaient demeurés fidèles à son père Joseph, à la suite des divisions acrimonieuses qui eurent lieu au sein de l'organisation à New York.

«Ils ont fait preuve de loyauté envers nous. Patty était là avec son père, Vito DeFilippo, un de nos confidents les plus proches. Il a été très loyal envers nous...» tint à dire Bonanno.

Les policiers auraient certes été fort étonnés, si un pur hasard les avait conduits à Bill Bonanno et à ses petits copains, dans la deuxième ville française du monde. Ce n'était pas le cas. Le tout faisait partie d'une vaste opération de surveillance déployée par la police. Toute la journée, des limiers avaient suivi en douce ces touristes alors qu'ils rencontraient Paolo Violi, le jeune gangster montréalais favori de Vic Cotroni, Cotroni lui-même, ainsi que Giacomo Luppino, un vieux chef de la 'Ndrangheta, une organisation mafieuse originaire de la Calabre, dans le sud de l'Italie. Luppino résidait maintenant à Hamilton, en Ontario, et était récemment devenu le beau-père de Violi. Les policiers avaient aperçu Bill Bonanno en compagnie de Notaro et de Cotroni dans un centre commercial, en train de faire des dizaines d'appels téléphoniques sur un appareil public. Au poste, ils se montrèrent toutefois moins bavards. Cuisinés par les détectives sur des questions de stupéfiants, d'immigration illégale, de paris et d'extorsion, les gangsters feignirent l'ignorance devant toutes ces horreurs. Ils assurèrent les policiers qu'ils ne se trouvaient au Canada que pour assister à un mariage.

D'une certaine façon, ils ne mentaient pas. C'était bien un mariage qui les avait amenés à franchir la frontière. Mais la situation précaire dans laquelle ils se trouvaient à New York avait rendu nerveux les hommes du clan Bonanno, qui, dans un accès de paranoïa, s'étaient démesurément armés. Il faut dire que, dans la Mafia, la plupart du

temps, les événements sociaux et les affaires criminelles s'enche-
vêtrent de manière inextricable.

•

Deux jours plus tôt, le 26 novembre 1966, à une demi-journée de route
à l'ouest de Montréal, Vito Rizzuto se mariait à l'occasion d'une
élégante cérémonie à Toronto. Il s'agissait d'un réarrangement de la
vie du jeune homme qui laissait deviner qu'il commençait à prendre
son rôle au sein de la Sixième Famille de plus en plus au sérieux. Cela
se passait deux ans avant la pitoyable histoire d'incendie volontaire du
salon de coiffure de Boucherville, et deux mois après que Vito eut
obtenu sa citoyenneté canadienne. En effet, le 27 septembre 1966, on
lui avait remis un certificat gouvernemental (n° 947663) qui lui donnait accès aux avantages considérables que dispensait la citoyenneté
de sa patrie d'adoption.

Selon la tradition sicilienne, le jeune marié, sa famille, et leurs
amis et associés devaient se rendre dans la ville d'origine de la mariée
et de son clan, en l'occurrence Toronto, pour la cérémonie et la
réception qui suivait. Ces amis et associés comprenaient, semble-t-il,
six représentants de la mafia américaine.

La veille du mariage, avant de prendre la route de Toronto, Vito
et sa fiancée avaient signé au Québec un contrat prénuptial devant le
notaire Gaétan Reid. Ce document stipulait que les époux se mariaient
en séparation de biens; chacun d'entre eux demeurait propriétaire
exclusif des biens qu'il apportait à la communauté, était responsable
de leur administration et assumait la responsabilité de ses propres
dettes. En cas de séparation, le contrat prévoyait que chaque époux
pouvait recouvrer ses biens à condition d'en prouver la propriété.

La fiancée de Vito était Giovanna Cammalleri, sa cousine ger-
maine au premier degré du côté de sa mère. La famille Cammalleri
avait choisi de s'établir à Toronto après avoir quitté Cattolica Eraclea.
Tout comme celui de Vito, ce clan possède une longue histoire de
comportement hors-la-loi et de combines mafieuses. La police suit
d'ailleurs les agissements des Cammalleri depuis deux générations.
En compagnie d'autres familles, elle forme ce que les autorités
appellent le «Groupe sicilien de Toronto», une organisation de mafiosi
qu'elles suspectent d'exploiter des tripots clandestins, et de pratiquer
l'extorsion et le trafic de stupéfiants. Dans un rapport de la GRC, on
découvre que ce groupe entretient des relations avec ses homologues
de New York, Detroit et Montréal.

Les promis étaient jeunes. Vito, yeux bruns, cheveux si foncés
qu'ils semblaient noirs, mesurait 1 mètre 85 et n'était âgé que de

20 ans. Giovanna, arborant une chevelure châtaine, était plus petite que son fiancé, et avait, pour sa part, tout juste 18 ans.

Les investigateurs spécialisés dans le crime organisé qualifient souvent l'union de Vito et Giovanna de «mariage de raison», suggérant ainsi que les vœux échangés ou encore le sentiment d'amour qui liait les tourtereaux étaient bien futiles par rapport aux immenses bénéfices que retirerait de ce mariage la famille Rizzuto. Mais qui pourrait dire que ce n'était pas à la fois histoire d'amour et affaire de raison? Les photos de fiançailles montrent des jeunes gens heureux qui semblent se plaire en compagnie l'un de l'autre. Néanmoins, il est vrai que cette union établissait un pont important entre les Cammalleri de Toronto et les Rizzuto de Montréal. Les deux villes les plus populeuses du Canada constituaient des plaques tournantes, non seulement pour les activités économiques légales du pays, mais également, bien entendu, pour les entreprises illicites. Enfin, ce qui ne gâtait rien, l'épouse de Vito était une femme intelligente et vive, douée pour la comptabilité et les finances ménagères; elle était toujours prête à y aller de ses suggestions de placements, autant pour sa famille immédiate que pour sa belle-famille.

L'aspect du mariage de Vito dans lequel on pouvait nettement percevoir l'astucieuse diplomatie de sa mise en place était le choix des témoins qui accompagneraient le marié lors de cette journée mémorable. Il y avait d'abord Frank Dasti, qui avait alors 52 ans et était l'une des figures emblématiques de la pègre montréalaise. L'un des plus vieux mafiosi actifs de l'époque, Dasti n'envisageait guère la retraite. (Quelques années après le mariage de Vito, il s'évertua à faire circuler des stupéfiants à travers le Canada et les États-Unis pour finalement se faire pincer en 1973; il fut condamné à 20 ans d'emprisonnement aux États-Unis. Il est mort depuis.) Aux côtés de Vito se tenait également Angelo Sauro, qui avait alors 30 ans. L'épais casier judiciaire de ce Montréalais est farci de condamnations mineures s'étalant sur cinq décennies, de 1950 à 2002. Orlando Veri, un copain de Vito, le plus jeune garçon d'honneur, n'avait que 23 ans au moment de la noce. Il était, parmi les témoins, celui qui s'impliqua le moins dans des affaires véreuses, même s'il devait plus tard être inculpé pour association de malfaiteurs. Chose la plus étonnante, Paolo Violi, qui avait alors 34 ans, gorille calabrais qui s'apprêtait à être admis dans la Mafia par le biais de «l'homme d'affaires montréalais bien connu» Vic Cotroni, faisait partie des invités à ce joyeux événement, selon un rapport policier.

Le fait que Vito eût invité Violi à assister à son mariage démontre très clairement qu'en dépit des frictions qui existaient entre les factions Cotroni-Violi et Greco-Rizzuto, les relations ne s'étaient pas encore détériorées à un point tel que toute manifestation de respect entre les clans fût devenue impossible. Signalons toutefois qu'à l'occasion de ses visites à Montréal, Bill Bonanno rencontrait ces deux factions séparément, ce qui donne à penser que la pègre montréalaise n'était pas précisément un modèle de solidarité. Mais Bonanno ne devait guère remarquer le manque de confiance pouvant exister entre les deux camps, car il se trouvait lui-même au cœur de la Banana War ou «guerre des Bananes [1]», un conflit complexe, autrement plus sérieux que celui qui opposait les clans montréalais, et qui avait scindé la famille de son père en deux. Pendant que les factions des Bonanno s'expédiaient des charges de plomb et semaient les cadavres dans les rues de Brooklyn, des transactions subtiles se déroulaient entre les membres loyaux du clan Bonanno et les clans sicilien et calabrais de Montréal, ce qui laissait entendre que Joseph Bonanno jouissait toujours de l'appui de son aile canadienne, un avant-poste qu'il avait créé de toutes pièces pendant que la plus grande partie de sa famille new-yorkaise le laissait tomber. Bill Bonanno ne nie pas avoir assisté au mariage de Vito lors de ce malheureux voyage au nord du 42e parallèle.

«Peut-être que j'y étais, a-t-il déclaré, mais ce n'était pas le premier but de mon voyage. C'était à cause de ce qui se passait à New York, où le milieu était en pleine effervescence. Nous avions besoin de rencontrer nos amis et alliés au Canada…»

La «guerre des Bananes» aurait pu avoir des conséquences catastrophiques pour la mafia canadienne. Au cours d'une conversation qui eut lieu le 10 juin 1965, Simone «Sam le Plombier» DeCavalcante, le parrain d'une petite famille mafieuse du New Jersey, avait discuté des problèmes de l'organisation Bonanno avec Joseph «Joe Bayonne» Zicarelli, un capitaine des Bonanno qui vivait au New Jersey. DeCavalcante agissait comme intermédiaire entre les loyalistes du clan Bonanno et la Commission de la Mafia. Il avait confié à Zicarelli que Carlo Gambino, le *boss* de la famille Gambino à cette époque, lui avait rapporté les problèmes que la Commission avait éprouvés avec Joe Bonanno. Cette édifiante conversation s'était déroulée dans le commerce de plomberie de DeCavalcante et avait été dûment enregistrée par le FBI à l'aide d'un micro de type NK 2461-C. Après avoir chassé Joe Bonanno et l'avoir remplacé par Gaspar DiGregorio à la tête de la famille, la Commission voulait même aller plus loin, avait alors dévoilé Gambino. Selon DeCavalcante, l'un des châtiments que l'organisme régulateur de la Mafia souhaitait infliger aux Bonanno était de redistribuer leur territoire.

---

1   Jeu de mot facile des journalistes new-yorkais, Bonanno et Banana (banane) étant pratiquement homophones. Les Bonanno avaient pour sobriquet «The Bananas». (N.d.T.)

«Vous savez, ils vont peut-être refiler les Canadiens à Buffalo...» avait dit DeCavalcante, évoquant un transfert possible des membres de la famille Bonanno de Montréal qui aurait eu pour objectif de les placer sous la coupe de la famille Magaddino. Si ce projet s'était concrétisé, il aurait eu des répercussions beaucoup plus profondes pour le crime organisé en Amérique du Nord que tout autre événement, et le malveillant Stefano Magaddino aurait peut-être été le seul pour qui cela n'aurait pas été une surprise. Montréal, plaque tournante du trafic de stupéfiants, se serait retrouvée sous le contrôle de Magaddino, qui contrôlait déjà le sud de l'Ontario ; Toronto se trouvait donc sous sa juridiction. Si Montréal et Toronto s'étaient retrouvés aux mains d'un seul clan si tôt dans cette lutte de pouvoir, Magaddino aurait fort bien pu nommer son délégué Johnny «Pops» Papalia grand patron au Canada et en faire l'un des gangsters les plus riches et les plus influents du continent. Il était donc vital que Montréal demeurât l'apanage des Bonanno, mais Joe Bonanno devait perdre la bataille pour conserver la direction de l'organisation qui, jusqu'à ce jour, porte son nom. Il quitta donc New York et se retira à Tucson, en Arizona, où il mourut d'une crise cardiaque en 2002 à l'âge de 97 ans. Jusqu'à la fin, le vieux parrain en exil conserva des liens avec ses copains de la mafia canadienne. Vers la fin de son existence, des agents du FBI réussirent à suivre ses activités grâce à des centaines d'appels qu'il plaçait de téléphones publics, notamment dans le 514, l'indicatif régional de Montréal.

Très peu de parrains mêlés à de telles querelles de familles eurent le luxe d'une longue vie et d'une mort paisible. Ainsi, l'entente apparemment cordiale qui sembla régner entre Vito Rizzuto et Paolo Violi au mariage de Vito ne devait pas durer, et leur dispute ne connaîtrait pas une fin aussi idyllique que celle de l'increvable «Joe Banana».

Chapitre 7

MONTRÉAL, 1969

Mauro Marchettini était un immigrant qui avait emporté au Canada ses modestes rêves d'entrepreneur. En 1969, il décida d'ouvrir une petite salle de billard dans Saint-Léonard, un quartier de l'est de Montréal. Il signa le bail d'un local vacant situé rue Jean-Talon, à l'est du boulevard Lacordaire, et engloutit les économies de sa femme pour acheter le mobilier et décorer son petit commerce. Dans son plan d'affaires, il n'avait omis qu'une seule chose : sa salle se trouvait à 120 mètres environ du Reggio Bar, sis au 5880 de la même rue, une adresse que de nombreux Montréalais connaissaient comme étant celle de Paolo Violi, bras droit du parrain local Vic Cotroni.

Marchettini avait fait un choix désastreux. Violi lui envoya deux de ses sbires. « On m'a expliqué que je pouvais ouvrir un commerce de ce genre, mais pas sur le boulevard Lacordaire ni sur Jean-Talon, à l'est de Lacordaire », relata le malheureux. On lui affirma que s'il choisissait un autre endroit, Violi l'aiderait même à le sécuriser. Marchettini semblait bien décidé à occuper malgré tout son petit local sur Jean-Talon, mais la nature des revendications changea : Violi envoya son jeune frère Francesco, qui emmena l'entrepreneur infortuné faire une promenade en voiture. Ce dernier fut copieusement rossé à l'aide d'une arme insolite, une palette de bois de 120 centimètres de long que les restaurateurs utilisent pour brasser la crème glacée. Le corps meurtri, une dent cassée et les yeux au beurre noir, le petit commerçant aux vertes espérances comprit finalement qu'il lui serait impossible d'ouvrir une salle de billard dans le voisinage de Violi sans obtenir au préalable sa permission expresse.

C'était une triste affaire, l'une de celles qui se produisaient couramment depuis des décennies dans la communauté italienne montréalaise. En effet, les petits commerçants et les entrepreneurs italiens indépendants faisaient constamment l'objet d'intimidation et de sévices de la part de Violi et de ses fiers-à-bras. Mauro Marchettini fut l'une de ces personnes qui apprirent à leurs dépens l'efficacité, la portée et la puissance de persuasion de Paolo Violi sur certaines parties de Saint-Léonard, un quartier où, de manière systématique et cruelle, il imposait sa loi.

Durant plusieurs années, Violi jouit d'un statut privilégié au sein de la pègre montréalaise en vertu des pouvoirs qui lui avaient été conférés par Cotroni qui, au fil des ans, était parvenu au sommet du monde interlope de la ville pendant que, se concentrant sur le trafic d'héroïne, Luigi Greco, son alter ego sicilien, était demeuré au rang de sous-fifre. Avec l'appui considérable de Cotroni, Violi continua à prendre du galon à un point tel qu'en 1975, un ténor de la pègre, forcé de témoigner devant une commission gouvernementale, s'exprima en termes choquants et sans équivoque à propos du malfrat. « Votre Seigneurie, dit-il au juge, son nom est comme celui de Dieu. Tout le monde le craint. Violi n'est pas un homme. Il est mille hommes à la fois... »

Cependant, tous les Montréalais ne capitulaient pas si facilement devant la volonté de Violi. Au moins une personne refusait de reconnaître son autorité, ne craignait pas le caïd ni ne se pliait aux exigences de ses présumés « mille » hommes.

Nick Rizzuto, le patriarche de la Sixième Famille, était décidé à contester la suprématie de Violi. Si ce dernier se prenait pour Dieu, alors Rizzuto était un hérétique. La méfiance et l'antipathie qu'ils entretenaient l'un envers l'autre ne furent pas sans agiter le milieu, dès le moment où Cotroni fit de Violi son bras droit, même au temps où Luigi Greco était encore là pour maintenir un semblant d'équilibre entre les Siciliens et les Calabrais. Alors que, pour tous les observateurs, les dissensions étaient flagrantes, Greco, du moins, semblait toujours prêt à jouer le jeu. Son habitude de faire les choses à l'américaine le gardait bien d'entrer en guerre ouverte contre le patron. Il s'inclinait respectueusement devant les Bonanno à New York lorsque cela s'avérait nécessaire, et faisait de même avec Cotroni. Tout affrontement ne pouvait donc être initié que par quelqu'un qui n'avait pas adhéré à la « paix de la Mafia » qu'avaient signée Carmine Galante et Joe Bonanno. Cette entente s'effondra finalement, non à coups de revolver, mais à cause d'un incendie causé par des produits chimiques.

MONTRÉAL, DÉCEMBRE 1972

Luigi Greco était un homme courtaud et trapu, dont le visage taciturne trahissait une vie menée en marge des braves gens. Ses yeux bruns, perçants, surmontaient un nez de boxeur, et son front arborait une large cicatrice. Né le 19 septembre 1913, il était encore adolescent lorsqu'il fut accusé d'agression. À l'âge de 23 ans, il fut condamné à 11 ans de prison pour attaque à main armée. Le temps qu'il passa à l'ombre lui permit d'affiner ses dispositions naturelles pour la criminalité et, en 1954, il se trouvait à la tête d'hommes de main aux ordres de Carmine Galante.

« Luigi Greco, que nous appelions Louie, était tout un personnage. C'était un ancien, loyal et coriace. Quand il s'était mis quelque chose en tête, vous ne pouviez pas lui faire changer d'idée, raconte Bill Bonanno. Son poing droit avait un punch incroyable. Un jour qu'il montait à cheval, sa monture le jeta à terre. Luigi tomba durement sur le sol, se releva, s'épousseta et rajusta sa chemise. Puis il se plaça devant le cheval, le regarda dans les yeux et lui dit : "Comment oses-tu me faire ça, à moi?" Puis il décocha un formidable coup de poing à la tête de l'animal qui fut sonné puis s'effondra sur ses pattes de devant!»

Les affaires de Greco s'étaient développées proportionnellement à sa propre progression dans la pègre montréalaise. Il était propriétaire de plusieurs *night-clubs* et restaurants et détenait, avec Galante, des parts dans le Bonfire. Une pizzeria, dont les propriétaires étaient officiellement d'autres membres de la famille, lui appartenait également. À la fin des années 1960, enrichi par les profits issus du commerce de l'héroïne, il avait adouci certains aspects de sa fruste personnalité en s'habillant plus élégamment et en déambulant parfois avec à la main une jolie canne incrustée d'argent.

Même après que Bonanno eut déterminé leur rang respectif, la concurrence qui existait entre Greco le Sicilien et Cotroni le Calabrais s'accrut, envenimant leurs relations. Il s'agissait de deux têtes fortes. Cotroni était un cérébral, et Greco prisait davantage la manière musclée. Cependant, la police commençait sérieusement à s'intéresser aux nombreux voyages de Greco, qui se rendait régulièrement à Detroit, à Chicago et à New York, des déplacements qui, curieusement, suivaient des séjours au Mexique et en France. Dans les années 1960, Greco avait notamment accompagné Bill Bonanno dans ses pérégrinations à travers l'Europe. La carrière de Greco se trouva prématurément freinée par les transactions d'héroïne qu'il réalisait pour le compte de Galante, et ses nombreux voyages prirent abruptement fin en 1962, lorsqu'il fut mis en examen aux États-Unis pour trafic de narcotiques. Même s'il était en sécurité au Canada, le statut de fugitif qui lui collait aux semelles aux États-Unis lui rongeait singulièrement les ailes. Dans de telles conditions, sa valeur diminua sensiblement à New York et, peu après, il en fut de même à Montréal. Plusieurs fois, Greco avait été déjoué par Cotroni qui, les doigts dans le nez, assumait dorénavant le leadership de la mafia montréalaise. Mais les Rizzuto ne le voyaient pas de cet œil, car ils soutenaient qu'un Sicilien devait se trouver à la tête de l'organisation — un postulat que Nick ne se gênait pas pour proclamer à tout vent.

Dès l'été de 1967, on pouvait déjà percevoir des fissures dans l'alliance entre les Siciliens et les Calabrais. On parlait de « relations peu harmonieuses » entre Greco et Cotroni, une nouvelle qui fit même la manchette du *New York Times* cette année-là. Bien qu'à une certaine époque Greco eût tenu le haut du pavé à Montréal, Cotroni l'avait maintenant éclipsé. Un officier de police canadien qui en avait vu d'autres fut cité en ces termes par le *Times* : « Pour Vic Cotroni, Greco n'est qu'une sorte de portier. » Il importe toutefois de mentionner qu'à cette époque, même si l'on n'était que l'un des violons de Cotroni, on ne faisait pas moins partie des caïds du monde interlope montréalais.

Les entreprises de Greco, sa situation enviable au sein du milieu et sa part croissante du trafic d'héroïne ne l'empêchèrent toutefois jamais de se salir les mains pour fignoler un de ses restaurants montréalais. Lorsque le patron met la main à la pâte, cela porte rarement à conséquences, mais, dans ce cas précis, ce fut un véritable désastre.

Le 3 décembre 1973, un dimanche, Greco se rendit à la Pizzeria Gina, située près du poste de police du parc Jarry, au sud de Saint-Léonard. Lui et son frère Antonio effectuaient des rénovations dans l'établissement et, cet après-midi-là, les entrepreneurs s'apprêtaient à poser du carrelage sur le plancher afin de remplacer le vieux linoléum. Avec l'aide des ouvriers, on débarrassa le plancher des meubles qui l'encombraient. Puis, les deux frères entreprirent de décaper le sol. Greco saisit une vadrouille imbibée de kérosène et un racloir de métal pour ôter la colle et la saleté accumulées. Ce fut un choix funeste. L'explosion et la boule de feu qui s'ensuivirent furent brèves mais mortelles. Greco fut horriblement brûlé et, quatre jours plus tard, mourut à l'hôpital du Sacré-Cœur. Une mort aussi inhabituelle pour un particulier de son acabit ne tarda pas à soulever des soupçons, mais une enquête du Service des incendies démontra qu'il s'agissait davantage d'une imprudence dans l'utilisation d'un solvant hautement volatil plutôt que d'un banal règlement de comptes. La mort du *capo* de la faction sicilienne fut un choc considérable pour tout le milieu montréalais. Ses funérailles furent célébrées selon les rites traditionnels italiens, et leur envergure fut à l'image de l'émotion que causa son départ.

La perte de Greco fut profondément ressentie par sa famille, ses proches, ses partenaires dans le crime organisé, Nick Rizzuto y compris. Malgré la tristesse ambiante, la mort de Greco représentait également une place à prendre. L'équipe de Nick avait acquis beaucoup d'influence au cours des quelque deux décennies qui s'étaient écoulées depuis l'arrivée de son chef au Canada. Celui-ci était parvenu à rassembler des mafiosi siciliens éparpillés, venus à Montréal pour empocher le fruit de manigances criminelles. Tandis que la vague d'immigration se poursuivait, les rares truands référés par des mafiosi de la Sixième Famille se mettaient immédiatement à graviter autour des Rizzuto. La famille leur trouvait du travail, d'abord le plus légalement du monde, question de les aider à justifier leur moyen de subsistance et à satisfaire aux demandes de l'Immigration, puis elle les affectait à des occupations plutôt inavouables. Nick avait besoin de personnel pour consolider son empire criminel. Ce n'était pas par vanité qu'il se considérait comme un dauphin naturel destiné à diriger le monde interlope montréalais ou, du moins, comme le candidat tout désigné pour succéder à Greco. En plus de son pouvoir croissant et de sa présence bien sentie sur la rue, l'alliance que sa famille avait tissée avec un clan de Toronto, grâce au mariage de son fils Vito avec Giovanna Cammalleri, assurait à son organisation une forte présence canadienne. Encore plus important, ses liens avec le clan Caruana-Cuntrera avaient renforcé sa tête de pont outre-Atlantique.

On trouve dans un rapport privé de la GRC datant du début des activités de la famille Rizzuto l'évaluation suivante : « L'appartenance de cette famille à la mafia italienne de Sicile, avec son expertise internationale dans l'importation de stupéfiants et le blanchiment d'argent, permet de placer Nick Rizzuto, qui fut un temps le lieutenant de Cotroni, en bonne position pour diriger la faction sicilienne en sol canadien. »

Nick avait utilisé les liens de la Sixième Famille à bon escient, ailleurs au Canada et autour du monde. Ses intérêts étaient fort diversifiés dans les milieux du crime et dans les activités internationales illicites. Mentionnons pour preuve cette curieuse arrestation qui eut lieu à Paris le 22 juin 1972. Selon la DEA, l'agence américaine de lutte contre le trafic et la consommation de narcotiques, Nick fut trouvé dans la capitale française avec environ un million de dollars américains en fausse monnaie, en compagnie de comparses non identifiés. Cette arrestation ne semble guère lui avoir porté préjudice, car aucun chef d'accusation ni mention d'incarcération en France ne figurent à son casier judiciaire. Tout cela prouve simplement que Rizzuto était un combinard au-dessus de la moyenne, une personnalité de premier plan dans le milieu de Montréal, et qu'il méritait — du moins, si l'on tenait à respecter l'accord passé entre les Siciliens et les Calabrais sous les auspices de Galante — de devenir le premier lieutenant de Cotroni. Ce ne devait toutefois pas être le cas.

Reconnaissant probablement combien ses relations avec Greco avaient pu s'éroder au cours des dernières années et conscient des efforts que déployaient les Rizzuto pour ouvrir la ville à leurs associés siciliens, Cotroni ne semblait pas intéressé à se rapprocher de Nick, ni d'ailleurs à maintenir l'équilibre précaire entre Siciliens et Calabrais. Au lieu de Nick ou de tout autre «homme d'honneur» sicilien, il choisit comme successeur Paolo Violi. Celui-ci accepta de remplacer Greco et hérita du même coup de ses opérations illicites. Des informateurs du milieu ont affirmé que Cotroni transféra à Violi tous les «actifs» criminels de Greco. Non seulement les hommes de main qu'il employait, mais toutes les sommes dues à Greco ainsi que ses combines en voie d'élaboration appartenaient désormais à Violi, ce qui constituait pour ce dernier une promotion de taille que Nick et sa famille, bien évidemment, ne cautionnèrent pas. Plusieurs mafiosi siciliens se considérèrent offensés et rabaissés. Pour Nick Rizzuto, les enjeux étaient beaucoup plus élevés que les minables sommes d'argent que l'on extorquait aux commerçants effrayés de Saint-Léonard, ou qui provenaient du jeu clandestin.

Au cours de sa longue existence, Nick avait eu à dissimuler bien des choses, mais s'il y eut un élément qu'il ne voulut — ni ne put — cacher, c'était bien ses sentiments envers Paolo Violi.

Cette antipathie était mutuelle, bien sûr. Lorsqu'ils discutaient en privé ou avec quelque personnage important du milieu qui voulait bien prêter l'oreille, Violi et Cotroni ne se gênaient pas pour étaler les multiples travers et péchés de Rizzuto. Cotroni, comme Violi, accusaient Nick de se comporter indûment. On a entendu Cotroni s'indigner du fait que Nick était un «loup solitaire» plus intéressé par les affaires internes de sa Sixième Famille qu'à contribuer au développement de l'organisation montréalaise, et qu'il ne se montrait pas suffisamment respectueux, particulièrement envers Violi. La litanie se poursuivait: Nick mentait sur ses intentions à l'égard de la famille, il court-circuitait la hiérarchie habituelle, agissait sur sa propre initiative sans demander l'autorisation de l'administration, même sur des questions importantes. Violi poursuivait ses jérémiades en affirmant que Nick et sa bande allaient et venaient sans daigner le tenir au courant de leurs déplacements, et sans en informer quiconque à l'extérieur de leur clique. Rizzuto ne lui racontait jamais non plus les coups qu'il préparait ni ne révélait avec qui il les planifiait. Selon Violi, cela le rendait très dangereux.

Ces reproches n'étaient pas entièrement dénués de fondement. Après la mort de Greco, Nick ignora Violi et Cotroni de manière flagrante chaque fois que l'occasion se présentait. Il afficha son mépris de l'administration du parrain en dédaignant ses réunions et en brillant par son absence à l'occasion d'événements touchant l'organisation. Lorsque leurs chemins se croisaient, Nick n'affichait pas la déférence à laquelle Violi se serait attendu, pas même hypocritement. Beaucoup de caïds du crime organisé entretenaient des griefs contre Cotroni, et beaucoup d'autres vomissaient en sourdine sur le belliqueux Violi, mais presque tous ravalaient leur rancœur en faisant mine, même s'ils n'estimaient guère l'individu qui l'occupait, de respecter son rang. Malheureusement, Nick ne se montrait pas aussi diplomate.

Mais Nick avait aussi des raisons de se plaindre. Il s'objectait à ce que Violi s'ingérât dans la direction de son clan et soutenait que des brutes à la solde de Violi avaient fait main basse sur des cadeaux à l'occasion d'un mariage dans la famille Cuntrera, ce qui l'avait personnellement offensé. Cette histoire de larcin pourrait fort bien se révéler exacte. Violi aurait en effet magouillé dans le but de subtiliser les enveloppes bourrées de dollars qu'il est coutume d'offrir aux jeunes mariés à l'occasion de grands mariages italiens. La plainte concernant le vol commis lors du mariage chez les Cuntrera est d'ailleurs consignée dans les dossiers de la DEA.

À travers tous ces démêlés, Nick agissait comme s'il dirigeait une organisation distincte de celle de Violi, et c'est précisément de cette manière qu'il commença à envisager réellement les choses.

Un rapport du FBI mentionne ceci : « Ce que l'on sait, c'est qu'il existe une rivalité traditionnelle entre le bras droit [du parrain] Paolo Violi et Rizzuto. Des rapports de la GRC indiquent que Rizzuto était un lieutenant dans l'organisation Cotroni jusqu'à ce qu'il soit déçu de la hiérarchie de cette bande. »

Mises à part les jérémiades que formulaient Nick et Violi et l'antipathie mutuelle qui les liait, ce ne fut pas là que le bât blessa le plus. Le centre du débat ne portait pas sur les lazzis et les insultes, sur la sensibilité de l'un à l'égard d'une promotion, ou encore sur le statut d'« homme d'honneur » sicilien ou de membre de l'« honorable société calabraise ». Ces éléments jetaient bien sûr de l'huile sur le feu, toutefois, et contribuaient à alimenter l'émotivité des partisans comme celle des détracteurs, qui montaient déjà aux créneaux bien avant la disparition de Greco. Mais tout ce boucan ne faisait que masquer le véritable enjeu du combat : le libre accès aux marchés des narcotiques en Amérique du Nord. La Sixième Famille avait besoin d'utiliser Montréal pour faire transiter l'héroïne de l'Europe aux États-Unis. Avec des mafiosi siciliens en Europe pour expédier la camelote et d'autres en Amérique pour la faire passer par Montréal et la réceptionner en divers points de la région new-yorkaise, Nick estimait qu'une telle filière devait impérativement être placée sous le contrôle de Siciliens. Il savait fort bien que celui qui détenait les clés de la métropole deviendrait riche et puissant sur la scène interlope planétaire.

Contrairement aux commerçants et aux petits malfrats de Montréal, Rizzuto ne représentait pas pour Violi un problème que l'on pouvait régler facilement. Il savait qu'il ne pouvait pas simplement faire liquider Nick s'il souhaitait agir selon les us et coutumes de la Mafia. D'abord, Nick était un Sicilien et un membre du gang Bonanno. Il se trouvait donc à l'abri d'une solution aussi primaire, à moins que, selon les règles de la Cosa Nostra, Violi se vît accorder la permission de passer à l'acte. Or, une telle autorisation n'était pas facile à obtenir. En effet, son implication grandissante à titre d'intermédiaire dans des affaires d'envergure de la filière de trafic de narcotiques de la Sixième Famille conférait à Nick un rôle de premier plan dans la collecte des revenus considérables associés à ce trafic. Pour le supprimer, il fallait que Violi obtînt l'accord de New York et de la Sicile, et il s'estimait prêt à relever le défi.

Il est rare qu'un différend entre mafiosi rivaux perdure aussi long-temps que le fit la querelle opposant Rizzuto et Violi, et on n'assista jamais plus par la suite au déploiement de tant d'efforts par des gangsters des deux continents pour trouver une solution pacifique à une telle rivalité. Pendant sept ans, les mafiosi les plus sages d'Italie et de New York vinrent à Montréal pour écouter les doléances de Violi, celles de Nick et celles de ses associés. Ils essayèrent de trouver le moyen de combler le ravin qui séparait les antagonistes, et toutes ces tentatives représentaient un acharnement sans précédent à mettre fin à la discorde. Le sérieux avec lequel ces parrains examinèrent ces diffé-rends, les difficultés à trouver une solution et leur implication dans cette affaire étaient une indication de l'importance qu'avaient à leurs yeux la ville de Montréal et les *capi* ou «capitaines» mafiosi qui y faisaient la loi. Cela donnait également une idée du respect et du pouvoir que la Mafia sicilienne et la 'Ndrangheta calabraise s'accor-daient mutuellement en de telles matières, mais il s'agissait là d'une culture qui se traduisait difficilement selon les paramètres du Nouveau Monde.

NEW YORK, DÉBUT DES ANNÉES 1970

À New York, la famille Bonanno semblait à l'aise avec l'évolution du leadership des chefs de son fief montréalais. Le clan de New York faisait ainsi preuve d'un manque de perspective mais, à sa décharge, on peut dire qu'il en avait suffisamment sur les bras avec ses propres querelles intestines pour prêter une oreille attentive aux rumeurs qui lui parvenaient de sa lucrative machine à sous nordique. Alors que Violi consolidait ses assises, la famille Bonanno de New York se remet-tait d'une suite d'événements chaotiques. Joseph, le vieux parrain, s'était fait tellement d'ennemis parmi les familles rivales de la Mafia qu'au milieu des années 1960, la Commission décida de le démettre de ses fonctions. S'ensuivit une brève période de dissensions et de contestation pendant laquelle des fusillades éclatèrent. La Commission nomma des remplaçants, mais aucun d'entre eux n'occupa son poste très longtemps. En l'espace de quelques années, deux chefs démissionnèrent pour raison de santé. Personne ne pouvait battre le record de longévité de Joe «Banana» Bonanno, qui avait tenu les rênes du pouvoir durant 35 ans.

En 1970, Natale «Joe Diamonds» Evola, un trafiquant d'héroïne notoire, accéda à son tour au trône vacillant de Bonanno. Parmi le cercle de ses intimes se trouvait Philip «Rusty» Rastelli. Ce dernier avait une petite dette envers la mafia montréalaise (non directement envers Violi, précise-t-on). En effet, comme tant d'autres malfrats de la bande de Bonanno ayant eu certains démêlés avec la justice, il s'était caché au Canada alors qu'il avait la police au train. Vers 1961, Rastelli vivait en cavale à Montréal, où il était protégé et pris en charge par les truands en attendant que la poussière retombât.

Ce n'était par la première ni la dernière fois que les gangs de New York planquaient au Canada de mauvais garçons en difficulté. Avoir des points de chute à l'étranger constituait justement l'un des bénéfices marginaux des ententes. Joe Valachi, un vieux soldat de la famille Genovese, associée aux gangs canadiens dans le trafic d'héroïne, avait passé discrètement la frontière en 1959 et s'était caché à Toronto. (Quelques années plus tard, il devait retourner sa veste pour devenir délateur.) En juillet 1964, Joe Bonanno était arrivé en personne à Montréal. Son séjour avait pris la forme d'une relocalisation semi-permanente, un moyen de se mettre au vert et d'échapper aux pressions et aux menaces des autres parrains de New York. Tout comme Carmine Galante avant lui, il avait même demandé le statut de résident permanent au gouvernement canadien en se faisant passer pour un brave homme d'affaires de l'Arizona intéressé par la fabrication de fromage et de produits laitiers. Pour appuyer sa demande, il avait présenté une lettre du propriétaire de la fromagerie Saputo, qui lui offrait un partenariat représentant un tiers des actions de la société. (Une telle offre se serait révélée mirifique si Bonanno avait réussi à obtenir son visa d'immigrant et à acquérir une partie de la société Saputo. En effet, il aurait conclu là une excellente affaire. Saputo et fils est devenue une multinationale, l'un des consortiums laitiers et fromagers les plus considérables en Amérique du Nord, avec 45 usines et 8 500 employés aux États-Unis, au Canada et en Argentine, et un chiffre d'affaires de 1,03 milliard de dollars, selon son bilan de l'année 2005. Le fondateur de la société, Giuseppe Saputo, soutint plus tard qu'à cette époque, il n'était aucunement au courant des relations interlopes de Joe Bonanno.)

C'est grâce à de tels services sur les plans organisationnel et personnel que Cotroni et Violi avaient réussi à tisser des liens harmonieux avec la hiérarchie de Bonanno à New York. Il s'agissait de relations que se remémoraient les deux parties lorsqu'elles désiraient obtenir une faveur. Dix ans après le retour de Rastelli à New York, lorsqu'il fut nommé bras droit de Bonanno, Violi n'eut aucun scrupule à tenter d'obtenir un retour de bons procédés. Pour sa part, Rastelli faisait appel à Violi lorsqu'il avait un travail à accomplir au nord de la frontière américaine. En avril 1971, Rastelli appela Violi et lui demanda de «s'occuper» de quelqu'un à Toronto, un type qui lui devait une somme d'argent conséquente. Le 21 janvier 1973, Joseph Napolitano, de Pointe-Claire, rencontra Violi au Reggio Bar et lui transmit un message de la part des *boys* de New York ; ceux-ci souhaitaient qu'il retrouvât et livrât à Napolitano un débiteur récalcitrant qui s'était enfui de la Grosse Pomme pour se réfugier au Canada après avoir oublié de régler une ardoise de 30 000 $, dont une partie devait revenir à Evola. Violi, qui ne manquait pas une occasion de se mettre dans les bons papiers du patron, promit de s'occuper personnellement de la question.

Violi aidait donc New York lorsqu'il le pouvait. De telles demandes de services confirmaient l'autorité dont il jouissait à Montréal, et il était satisfait qu'on la reconnût. Bien entendu, il profitait de chaque occasion pour se plaindre de Nick Rizzuto. Violi voulait démontrer qu'il était aussi décidé à faire face aux défis de Nick que ce dernier l'était à relever les siens. Une confrontation majeure semblait inévitable. Si les Rizzuto triomphaient, cela constituerait une étape cruciale dans leur histoire personnelle et dans celle de leur organisation.

L'enjeu était de taille : la famille deviendrait la représentante d'une mafia locale et demeurerait un pion se contentant de gérer son bout de trottoir, ou alors elle s'élèverait au rang de joueur de premier plan au sein d'une entreprise internationale. Mais avant tout, il s'agissait de survivre…

CHAPITRE 8

CATANE, SICILE, 1972

Catane est la deuxième ville en importance de la Sicile. Elle est située sur la côte orientale qui borde la mer ionienne à l'ombre du mont Etna, le volcan le plus haut et le plus actif d'Europe. La ville bourdonne d'activité. Son architecture baroque noircie par la poussière volcanique et ses vestiges romains, dont certains furent incrustés dans la lave au fil des éruptions de l'Etna, attirent de nombreux touristes.

Au cours d'un pèlerinage dans sa patrie d'origine, Paolo Violi, pour sa part, ne manifesta pas beaucoup d'enthousiasme à la vue des monuments antiques de Catane. Son intérêt se porta plutôt vers les gens, et vers l'un d'eux en particulier. Violi avait à résoudre d'importantes affaires en Sicile avant de pouvoir se permettre une visite à sa Calabre natale.

À Catane, près du détroit qui sépare la Sicile de la Calabre, Violi était à la recherche d'Antonio Calderone, un mafioso qui contrôlait le port de la ville et deviendrait plus tard informateur. Il accorda une audience à Violi, et le Montréalais se renseigna sur d'autres «hommes d'honneur». Violi cherchait-il à planter ses propres jalons sous la forme de nouvelles entreprises au niveau international pour entrer ainsi en compétition avec celles de son rival, Nick Rizzuto, ou bien, comme l'a plus tard suggéré Calderone, essayait-il de renouer avec les traditions de la Mafia? Sa démarche, quelles qu'en fussent les motivations, n'attira cependant que dérision.

«Paolo Violi, le célèbre mafioso canadien natif de Calabre, est arrivé à Catane, se remémora plus tard Calderone. Il est resté dans mon bureau pendant une demi-heure, suffisamment longtemps pour que nous ayons le temps de prendre une tasse de café et pour qu'il me demande si je connaissais des hommes d'honneur en Calabre. Violi était originaire de Sinopoli, une petite ville de la province de Reggio de Calabre, et il m'a expliqué qu'il était le chef d'une *decina* [au Canada].» (*Decina*, qui signifie dix en italien, est le mot que la Mafia utilise pour désigner des cellules souvent divisées en groupes de 10 hommes. Aujourd'hui, on accorde le plus souvent à ce terme la signification de sous-groupe de gangsters à l'intérieur d'une famille.)

Selon Calderone, Violi lui aurait confié que seuls comptaient les dollars de sa *decina* pour son patron new-yorkais. La famille de New York lui laissait le champ libre, mais à la fin de l'année, Violi devait lui apporter l'argent. «Paolo Violi ne m'a pas laissé une bonne impression, déclara Calderone. C'était un fanfaron, un homme de grande taille, un plein de soupe qui ne semblait pas avoir grand-chose dans la caboche. De toute façon, il allait en Calabre parce qu'il pensait y trouver des hommes d'honneur. Les choses sont bien différentes en Amérique. Les hommes d'honneur américains ne sont pas seulement Siciliens, on trouve aussi des Calabrais et des Napolitains. Mais cela n'a pas d'importance, ajouta le vieux don. Les Calabrais parlent, jasent, discutent tout le temps. Pas avec d'autres personnes, c'est certain. Ils parlent entre eux. Leurs discussions interminables portent sur leurs propres règles, spécialement devant nous, les hommes d'honneur siciliens. Ils sont mal à l'aise parce qu'ils se savent inférieurs à la Cosa Nostra [la mafia sicilienne].

«Nous avons toujours considéré que les Calabrais étaient des êtres inférieurs, des rognures. Sans mentionner les Napolitains, en qui nous n'avons jamais eu confiance», déclara encore Calderone. Ces dures paroles en disaient long sur le mépris que certains mafiosi siciliens ressentaient pour leurs homologues calabrais. Ce point de vue faisait pratiquement l'unanimité chez les membres de la Sixième Famille, même lorsqu'ils étaient en train d'échafauder des liens et des alliances avec des Calabrais assez puissants pour leur être utiles ou assez dangereux pour devenir une menace. Les amis de Rizzuto auraient probablement partagé l'opinion qu'avait Calderone au sujet de Violi. Les nouvelles voyageaient rapidement par téléphone arabe, et Calderone ne fut pas le seul «homme d'honneur» sicilien que Violi rencontra lors de son voyage. À Agrigente, le centre même de la base sicilienne des Rizzuto, il s'entretint avec Giuseppe Settecasi. Violi avait demandé à le voir pour se plaindre de Nick directement et personnellement, tout à fait conscient que le vieux don avait le pouvoir d'influencer la Sixième Famille.

Settecasi était un homme imposant; la plupart des individus auraient pensé deux fois avant d'aller formuler une plainte auprès de lui. Violi sembla toutefois tout excité à cette idée, prenant sans doute plaisir à se faire croire qu'il s'agirait là de la rencontre de deux grands esprits, de la réunion de deux mafiosi d'envergure. Il est tout à fait improbable que Settecasi eût partagé son enthousiasme...

Settecasi avait évité qu'on lui collât des surnoms embarrassants ou pittoresques durant toutes ses années de criminalité. À Agrigente et dans les environs, on l'appelait invariablement «Monsieur Settecasi» en signe de reconnaissance de l'équilibre qu'il avait toujours su préserver dans ses activités secrètes. Il était dangereux de se fier à son apparence agréable, car un physique avenant peut se révéler trompeur. Dans sa jeunesse, il avait représenté la quintessence du paysan mafioso au comportement tranquille et aux actes réfléchis. Sa violence était légendaire, malgré le fait que la police n'a jamais vraiment pu prouver quoi que ce soit contre lui. On murmurait son nom lorsqu'il était question de meurtres, d'extorsion, de corruption de politiciens, de disparitions mystérieuses et de vol de bétail. Il obtint le titre de *capo-provincia*, ou patron de la province, au terme des dizaines d'années durant lesquelles il fit partie de la mafia sicilienne. Aux yeux des personnes qui habitaient les villes natales de la Sixième Famille, peu de gens exerçaient dans la région une autorité si grande.

L'héroïne avait pris de plus en plus de place dans les affaires de Settecasi. On le vit participer à des réunions à Montréal, à des mariages à Toronto, à des conclaves à New York, à des conférences de la Mafia à Palerme. Ses contacts étaient presque sans exception des compatriotes, des Siciliens, des expatriés de la Mafia — comme les Rizzuto — qui implantaient un réseau de trafic de drogue en Amérique et de l'autre côté de l'Atlantique sans se soucier des litiges que leur arrivée soulèverait chez les mafiosi qui y avaient des intérêts déjà établis. Settecasi reconnaissait l'autorité de la mafia américaine sur son propre terrain aux États-Unis et au Canada. Cependant, il n'en avait que faire.

Arrivé à la cinquantaine, Settecasi était considéré comme étant un homme d'État au sein de la Cosa Nostra. Sa position à Agrigente était solide. Lorsque son statut au sein de la mafia de Sicile occidentale fut évoqué par une commission parlementaire, les autorités locales se moquèrent de la chose et alléguèrent que Settecasi n'était qu'un vieux monsieur qui passait ses journées en compagnie d'autres retraités à jouer aux cartes et à parler du bon vieux temps. Ces démentis persistèrent même après qu'il eut été assassiné en 1981.

En dépit de la perception populaire répandue à la fin des années 1960 et pendant les années 1970, Settecasi fut fort actif dans des affaires criminelles, en grande partie dans des questions de politique et de règlement de différends, en s'appuyant sur différentes traditions : le code de l'«homme d'honneur» sicilien, celui de la 'Ndrangheta de Calabre et celui de la mafia américaine. Le problème de la compatibilité ou de l'équivalence entre les vieilles fraternités italiennes du crime — un problème placé dans un contexte aigu par Calderone, le vieux chef de Catane — était des plus délicats et minait nombre de relations jadis cordiales. De telles situations se multipliaient de manière exponentielle en Amérique, là où les membres et les associés de la Sixième Famille se retrouvaient en conflit avec les groupes déjà implantés du crime organisé. On rencontrait des tensions dans tous les lieux importants de transit de la drogue — à New York, à Montréal et, à un moindre degré, en Amérique du Sud. Nick Rizzuto et Paolo Violi se trouvaient à l'avant-garde d'une dangereuse tendance émergeante qui allait se propager partout où débarquaient des expatriés de la Mafia. La prudence, pour tous, aurait pourtant été de mise.

Les doléances que Paolo Violi formula à Settecasi concernant Nick Rizzuto n'avaient rien de nouveau. Le vieux don, en tant que diplomate expérimenté, écouta le plaignant avec patience et lui promit de se rendre à Montréal pour traiter directement du problème. Mais sa sollicitude et même sa sympathie n'étaient que pure comédie. Il est absolument inconcevable que Settecasi ait pu envisager de se ranger du côté de Violi contre les Rizzuto. Toutes les preuves suggèrent qu'en coulisse, Settecasi gagna du temps tout en laissant entendre qu'il faisait ce que l'on attendait de lui pour satisfaire aux vieux codes.

Pendant que la Sixième Famille se débattait à Montréal contre l'entêtement frustrant de Violi, Settecasi manœuvrait pour organiser sa propre filière d'héroïne à partir d'Agrigente. Les analystes des réseaux de renseignements sur la drogue possèdent énormément de preuves démontrant l'implication, à un très haut niveau, de Settecasi dans le trafic international de narcotiques : «Settecasi, à ce qu'on dit, serait l'un des rares "hommes d'honneur" siciliens à avoir participé aux deux réunions qui eurent lieu à Apalachin et au Grand Hôtel et des Palmes, en octobre et en novembre 1957», peut-on lire dans un rapport de police faisant référence aux deux sommets de la Mafia au cours desquels les réseaux mondiaux d'acheminement de l'héroïne furent définis. La réunion qui avait eu lieu au Grand Hôtel de Palerme s'était déroulée sans anicroche, mais celle d'Apalachin, un village de l'État de New York, s'était révélée désastreuse [1]. La police canadienne pense que Settecasi et d'autres participants s'étaient enfuis dans les bois avoisinants lorsque la rencontre avait été éventée par les autorités. La police cueillit des dizaines de bonzes ce jour-là. Cependant, la rumeur soutient qu'un certain nombre de mafiosi auraient réussi à s'échapper. D'après ce que soupçonne la police, Montréal était

---

1. Le 14 novembre 1957, une centaine de chefs de la Mafia se réunirent dans la propriété du vieux don Joseph Barbera. Le nombre de voitures voyantes portant des plaques minéralogiques d'États éloignés intrigua une police rurale soupçonneuse qui avisa d'autres corps policiers ayant déjà eu vent de la réunion. Une descente s'ensuivit. Après une débandade mémorable, on interpella une soixantaine de mafiosi venus, prétendirent-ils, prendre des nouvelles de Barbera, qui était souffrant. On les relâcha, mais cet incident historique mit en lumière l'existence d'un syndicat du crime organisé aux États-Unis et fit connaître au grand public les trognes et le pedigree de nombre de ses dirigeants. (N.d.T.)

représentée par Luigi Greco et Pep Cotroni. En dépit de nombreuses références, largement spéculatives, indiquant la présence de Settecasi et des gangsters de Montréal à la réunion d'Apalachin, il semble improbable que ces trois personnes se soient trouvées parmi les chanceux qui ne furent ni arrêtés ni identifiés par les autorités américaines. Les Siciliens et les Canadiens avaient probablement rencontré les mafiosi américains désireux de s'impliquer dans leur partenariat naissant de trafic d'héroïne au cours de réunions «sectorielles» qui avaient eu lieu avant la débâcle d'Apalachin.

Il existe une chronologie surprenante concernant Nick Rizzuto dans une des premières notes des autorités américaines à son sujet. Sa première entrée aux États-Unis fut consignée à la frontière exactement neuf mois avant le sommet notoire d'Apalachin. Nick avait voyagé en automobile vers l'État de New York le 9 février 1957. Il avait franchi la frontière à Champlain, à moins d'une heure de route au sud de Montréal. (Aucune alarme n'avait été déclenchée lorsqu'il avait passé la douane, que ce fût d'un côté ou de l'autre, et le seul rapport mentionnant ce passage, dans le volumineux livre où sont notés les détails des déplacements transfrontaliers, n'attira pas l'attention de qui que ce fût pendant 10 ans. Ce rapport fut retiré des archives le 10 mai 1967, et le dossier contenant les renseignements sur Nick fut soumis à une enquête active de la U.S. Law Enforcement à St. Albans, Vermont, une autre ville partageant sa frontière avec le Canada et située à environ 90 minutes de Montréal.)

La position de leader à Montréal de la famille Bonanno de New York qu'avait occupée Violi dans les années 1970 — et son statut de 'ndranghetisti, ainsi que les très fortes relations familiales qui le liaient à de puissants criminels d'origine calabraise en Amérique du Nord et en Italie — rendait délicate toute négociation, même pour quelqu'un qui avait l'autorité et l'expérience de Settecasi.

Settecasi n'aimait pas beaucoup les gangsters calabrais, que ce fût en Italie ou en Amérique du Nord. Entre les truands italiens régnait cependant une reconnaissance formelle des codes de la mafia sicilienne et de la 'Ndrangheta calabraise, une acceptation, un respect mutuel et une déférence historiques. Aux yeux de vieux «hommes d'honneur» siciliens comme Settecasi, la mafia calabraise était constituée principalement de ploucs à grande gueule dont la discipline s'avérait très relâchée en ce qui concernait le choix de leurs complices ; de plus, ils ne s'intéressaient pas au monde qui se trouvait à l'extérieur de leurs fiefs ridiculement petits. Néanmoins, on les reconnaissait comme de vrais hors-la-loi faisant partie de la malavita — la «mauvaise vie». C'est pour cette raison qu'il était si difficile pour Violi d'obtenir la permission de s'occuper de Nick Rizzuto et que, de son côté, ce dernier se voyait forcé de faire preuve de modération envers Violi. C'est ainsi que ce problème, qui aurait normalement pu être résolu au moyen d'un assassinat nocturne par l'un ou l'autre des deux groupes, exigeait en fait une certaine dose de respect pour la procédure établie. Insistons sur le fait que, pour compliquer les choses, Montréal était sous la protection et la direction de la famille Bonanno — celui des cinq clans américains à la plus forte composition sicilienne, et en même temps l'un des maîtres d'œuvre des sommets de 1957 de la Mafia concernant l'héroïne. Les hommes de la mafia sicilienne, des traditionalistes, ne pensaient pas grand-chose des familles américaines appartenant au crime organisé, en dehors de leur utilité à convoyer l'héroïne. Quelques dizaines d'« hommes d'honneur » siciliens avaient déjà pris le chemin des États-Unis, utilisant bien souvent le Canada comme porte d'entrée en Amérique, pour défricher et organiser les routes que prendrait la drogue. Les Siciliens pouvaient toujours afficher un certain mépris pour les gangsters américains ; toutefois, il fallait bien qu'ils tinssent compte de leur puissance de feu et de l'importance de leurs effectifs. Le problème était international, sans cesse croissant, et il imposait une tension interne aux groupes de criminels les plus actifs au monde.

Alors qu'il prétendait chercher une solution pour Violi, Settecasi se rendit en fait à Rome en février 1973 pour rencontrer deux membres importants du clan Caruana : Alfonso Caruana, dont l'avenir s'avérait prometteur, et Giuseppe Cuffaro, un blanchisseur d'argent qui s'était établi à Montréal pour aider à mettre sur pied l'alliance entre le clan Caruana-Cuntrera et les Rizzuto. Deux des points débattus lors de cette rencontre furent le leadership de Violi à Montréal et son attitude de plus en plus agressive envers la faction sicilienne.

Tomasso Buscetta, mafioso sicilien qui avait à l'époque déjà connu son heure de gloire (il devint plus tard informateur pour le gouvernement), déclara que Violi n'était pas d'accord avec la Sixième Famille pour faire transiter l'héroïne par Montréal. On peut se demander si cette opposition à la drogue lui était dictée par des critères moraux — tel que le veut une certaine croyance populaire — ou par un certain ressentiment à l'égard de la richesse qu'accumulaient ses rivaux grâce à ce trafic. La preuve que Violi prit part au trafic de stupéfiants ne provient pas seulement de l'implication majeure de la famille Cotroni dans les plus importantes opérations de contrebande de drogue à l'époque où Violi en était le chef, mais bien de témoignages présentés en 1979 à un tribunal italien. Deux enquêteurs américains travaillant comme agents secrets avaient voulu acheter de grandes quantités de cocaïne et d'héroïne de Saverio Mammoliti, un mafioso calabrais. Mammoliti avait déclaré qu'il pouvait leur procurer n'importe quelle quantité de cocaïne s'il recevait l'accord de deux autres membres de la 'Ndrangheta, patrons des territoires annexes ; en ce qui concernait l'héroïne, il allait devoir entrer en contact avec son ami Paolo Violi, « un mafioso italo-américain célèbre » de Montréal.

Settecasi, qui avait promis à Violi qu'il se rendrait à Montréal pour étudier personnellement la situation, fit cependant, avant de s'y rendre, un voyage au Venezuela et au Brésil pour prendre contact avec toutes les branches des expatriés de la mafia sicilienne qui s'étaient rangées du côté de la Sixième Famille.

En dépit de la promesse d'une audience impartiale que Settecasi avait faite à Violi, il semble donc, comme nous l'avons mentionné, qu'il prétendait simplement lui venir en aide, satisfaisant ainsi le protocole obligatoire sans agir réellement, avant que Violi pût être éliminé, en dernier ressort. Le vrai motif de Settecasi semblait être de renforcer le pouvoir des clans siciliens du Canada, des États-Unis, d'Amérique du Sud, une orientation diamétralement opposée, bien sûr, à celle que Violi souhaitait prendre.

Le pèlerinage de Violi ne fut pas le seul aspect de ses efforts diplomatiques contre Nick. Il était tout à fait conscient de l'importance capitale de mettre à la fois Agrigente et New York de son côté s'il voulait vaincre la Sixième Famille. Il reconnut sans doute également à quel point il avait été futile de sa part de s'attendre à ce que Settecasi se retournât contre l'un des siens.

Au début de 1972, quelques mois après sa visite en Sicile et en Calabre, Violi alla à New York pour rencontrer le patron de la famille Bonanno, Natale Evola. Lors des réunions qui eurent lieu à Brooklyn et à Manhattan, Violi parla ouvertement et de façon méprisante de la mauvaise conduite de Nick. Comme pour Settecasi, les disputes de gangs ne représentaient rien de nouveau pour Evola. L'homme avait participé à plus d'une session de médiation pour arranger les brouilles entre petits et gros futés. Tout comme Settecasi, Evola était prêt à s'occuper du dilemme de Montréal. Il semblait croire que pour y arriver, il lui suffirait d'écouter les deux parties en cause et de prononcer un jugement que tous accepteraient. Toutefois, Evola avait besoin de plus de temps. Il était devenu le chef pendant une période de grande incertitude pour la Famille, et déclara à Violi qu'en premier lieu, il devait mettre en ordre les affaires de New York.

Ainsi, puisque l'issue de ses luttes intestines se voyait désormais confiée à des puissances extérieures, Montréal devint un foyer d'intrigues pour le monde interlope, et reçut dès lors des attentions toutes spéciales de sa part.

Chapitre 9

MONTRÉAL, MAI 1972

Giuseppe Settecasi, de la province d'Agrigente, fut le premier à répondre aux supplications diplomatiques de Paolo Violi et il arriva à Montréal pour faciliter l'arbitrage. Au mois de mai 1972, pendant plusieurs jours consécutifs, Settecasi eut des conversations du plus haut niveau avec Cotroni et Violi au sujet de ces plaintes. Il était accompagné d'une figure bien connue en Sicile comme à Montréal, Leonardo Caruana, un mafioso né en Sicile, venu d'Agrigente au Québec en 1966 après que les tribunaux italiens eurent émis un ordre d'arrêt préventif contre lui à cause de son appartenance à la Mafia. Settecasi accordait beaucoup de valeur à sa contribution; ses liens directs et soutenus avec Agrigente et sa profonde connaissance de la métropole lui conféraient une grande crédibilité. La présence de Caruana était une erreur aux yeux de Violi, qui connaissait bien les liens étroits que la famille Caruana maintenait avec les Rizzuto. Violi était certain que quoi qu'il pût raconter à Settecasi devant Caruana, ses paroles seraient immédiatement rapportées à Nick Rizzuto. Violi, Settecasi et Caruana tinrent néanmoins de très longs entretiens les 11, 13 et 21 mai 1972. Cotroni se joignit à eux lors de la réunion du 21 mai qui eut lieu au Reggio Bar, un estaminet appartenant à Violi. Il semble que Settecasi et Caruana aient demandé conseil à des tiers peu de temps après. Pour eux comme pour de nombreux autres gangsters, consulter des tiers signifiait tâter le terrain du côté d'Hamilton. La célébration d'un mariage important au sein de la Mafia servit de prétexte à la visite de Settecasi et de Caruana à Hamilton: la fille d'un certain Luppino s'unissait au fils d'un Commisso, un clan calabrais puissant de la 'Ndrangheta de Toronto. La fête ne se déroula toutefois pas sans heurts, car Caruana, qui était entré illégalement au Canada, fut arrêté au City Motor Inn d'Hamilton durant la soirée et déporté en Italie.

Les rencontres qu'eut Settecasi avec plusieurs « hommes d'honneur » siciliens durant sa visite au Canada eurent beaucoup de conséquences et furent certainement tenues dans le plus grand des secrets. Par exemple, celle avec Giuseppe Bono, dont le mariage, quelque temps plus tard, serait suivi avec un intérêt passionné de la part de la police. Settecasi conféra également avec Giovanni Gambino, membre du clan sicilien mafieux que l'on connaîtrait plus tard sous le nom des Gambino de Cherry Hill (précisons qu'il ne s'agit pas de la même famille Gambino que celle qui fait partie des Cinq Familles). Enfin, il contacta également certains membres du clan Caruana-Cuntrera. Le fait que ces personnes se soient retrouvées plus tard parmi les plus importants trafiquants de drogue au monde révèle bien où se trouvait leur intérêt commun.

Ces entrevues, qui eurent lieu en 1972 à Montréal, ne furent connues que des dizaines d'années plus tard, lorsqu'un informateur du nom de Giuseppe Cuffaro se confessa au juge Giovanni Falcone. À ne pas confondre avec son homonyme — qui s'occupait du blanchiment d'argent pour les gangs de Montréal —, ce Cuffaro-ci fut arrêté en 1988. Il donna alors aux autorités un aperçu du pont que la Sixième Famille assurait entre Montréal et le Venezuela, des activités de la mafia expatriée sur l'île d'Aruba et des liens avec le cartel colombien, liens qui offriraient aux Siciliens une « franchise » qui leur permettrait de trouver des débouchés pour la cocaïne sur le marché européen. Cuffaro, qui aboutit par la suite aux États-Unis en participant au programme de protection des témoins, révéla que la plupart des plans pour déterminer les routes que l'héroïne devait éventuellement suivre avaient été conçus à Montréal en présence de Settecasi.

Ces réunions ayant mis au jour les vrais motifs de Settecasi, personne ne s'étonna lorsqu'il refusa finalement son aide à Violi.

De son côté, Natale Evola réussit à mettre suffisamment d'ordre à New York dès septembre 1972 pour se permettre d'envoyer à Montréal des délégués chargés d'entendre ce que Paolo Violi et Nick Rizzuto avaient à dire au sujet du conflit qui les opposait. Evola choisit Michael « Mickey Z » Zaffarano, un homme de forte stature, pour donner le coup d'envoi aux efforts d'arbitrage. Zaffarano était un gangster d'expérience qui avait, de longue date, agi à titre de conciliateur lors de différends et de luttes entre gangs. Il avait tenu une place de premier plan dans une querelle tout aussi acerbe qui s'était déroulée à New York à l'époque de l'éviction de Joseph Bonanno. Zaffarano avait non seulement survécu à cette période d'hostilités mais s'en était très bien sorti, devenant l'un des personnages qui rapporta le plus d'argent à la famille Bonanno lorsque son clan commença à s'intéresser au monde de la pornographie, tout d'abord en dominant la distribution de films érotiques puis en dirigeant la chaîne de salles de cinéma pour adultes Pussycat à travers les États-Unis. Lorsque le porno prit de l'ampleur et acquit sa grande popularité, avec des films tels *Debbie Does Dallas* et *Deep Throat*, Zaffarano fit un véritable malheur financier (malheur qui finit par le tuer, le jour de la Saint-Valentin de 1980, lorsque le FBI fit irruption dans son bureau de New York pour l'arrêter sous l'accusation d'obscénité et de racket. Zaffarano mourut d'une crise cardiaque en serrant dans ses mains une bobine de film porno qu'il essayait de détruire).

Malgré l'intérêt énorme que Zaffarano portait à cette forme particulière de divertissement, Violi se sentit plus à l'aise pour traiter avec lui qu'il ne l'était avec Leonardo Caruana. Tout comme Philip Rastelli, Zaffarano avait le sentiment d'avoir une petite dette personnelle envers Vic Cotroni et Paolo Violi. Les deux Montréalais avaient fait l'impossible pour cacher le beau-frère de Zaffarano, Joseph Asaro, lorsqu'il avait dû passer 13 ans en cavale après avoir fui la police américaine. Asaro, qui était un soldat de Bonanno et un gangster de seconde génération (son père avait travaillé pour le légendaire Al Capone), avait été planqué par Cotroni pendant des années. Il gagnait son gîte et son couvert en travaillant dans des boîtes de nuit contrôlées par son ami Vic. Le 21 juin 1966, sa grande cavale s'était terminée lorsque la police avait pénétré dans une maison de Repentigny, au Québec, où elle l'avait trouvé en compagnie de Vic et de Frank Cotroni. L'endroit où l'arrestation s'était produite avait un caractère embarrassant pour Cotroni, car il s'agissait de la maison de sa maîtresse. Il avait tenté de soudoyer les policiers en leur refilant 25 000 $ pour que l'arrestation se fît ailleurs afin que sa femme ne fût pas mise au courant de sa présence dans ce petit nid d'amour. Il avait doublé l'offre devant le refus des policiers. Cotroni avait été subséquemment accusé de tentative de corruption.

Avec Zaffarano, Violi sentit qu'il avait regagné la mise perdue au moment où Settecasi avait choisi Caruana comme conseiller. Zaffarano n'était cependant que l'un des New-Yorkais qui avaient été désignés pour intervenir sur le sujet. Au cours des mois suivants, Nicolino Alfano, qui était un des *consiglieri* des Bonanno, Nicholas « Nicky Glasses » Marangello, qui allait devenir plus tard le chef en second des Bonanno, Nick Buttafuoco et Joseph Buccellato devaient tous faire leur tour à Montréal pour essayer de faciliter la médiation. Violi profita de chaque réunion pour essayer de faire aboutir ses deux demandes ; non seulement voulait-il que Nick Rizzuto fût puni pour avoir défié son autorité, mais il souhaitait en outre recevoir la permission de New York d'incorporer des membres supplémentaires dans l'organisation.

« Comprenez-moi, nous avons besoin de quelques *picciotti* de plus », déclara-t-il à Zaffarano lors d'une des premières visites de ce dernier, utilisant le vieux terme calabrais pour désigner les soldats, les hommes de main. Il semble que Violi désirait gonfler ses rangs en prévision de la bagarre qui se tramait avec Nick. Violi se sentait de plus en plus frustré. Comme d'autres conversations le révélèrent par la suite, il pensait que l'équipe de Rizzuto avait été injustement garnie de nouveaux immigrants siciliens faisant partie du milieu, des «importés» qui semblaient se ficher éperdument du statut qu'ils pouvaient avoir vis à vis de Violi.

La réponse de Zaffarano fut la suivante : «Paolo, nous ne pouvons rien faire à l'heure actuelle. Arrange-toi avec ce que tu as pour le moment. Nous en reparlerons plus tard.» Violi orienta ensuite la conversation vers son problème le plus pressant, ses ennuis avec Nick.

«Il passe d'une chose à l'autre, il va d'un endroit à un autre et ne dit jamais quoi que ce soit à qui que ce soit», déclara Violi pour se plaindre de son rival.

«Si jamais les choses sont telles que tu les racontes, la sécurité de tous... même la nôtre...» Mais Zaffarano ne termina pas sa phrase, qu'il accompagna probablement d'un haussement d'épaules. «Donc, s'il fait sa tête de cochon comme tu le dis, s'il ne veut pas changer, d'accord, lorsque les autres arriveront — Angelo et Nicolino — ils parleront à Vincent [Cotroni] et avec vous tous et vous discuterez du problème. Tu leur diras exactement ce qui se passe», reprit Zaffarano, qui préparait ainsi une autre session de manœuvres diplomatiques. Violi apprit ensuite la meilleure nouvelle qu'il eût entendue jusque-là dans ses efforts pour se faire obéir de Rizzuto : Zaffarano l'autorisa à annoncer aux Rizzuto que New York s'occupait désormais du problème. Il souligna spécialement que le message devait parvenir directement à Nick. Violi devait lui dire : «Nous [Violi et Cotroni] n'avons plus rien à faire avec toi. Va à New York. Nous n'avons plus de temps à perdre avec toi. Va t'expliquer avec eux.» Violi était enchanté. C'était un message qu'il livrerait avec un réel plaisir et un immense soulagement.

Peu de temps après l'une de ses réunions avec les visiteurs américains, Violi mit Cotroni au courant des changements qui avaient eu lieu dans le paysage interlope de New York. «Joe [le sobriquet d'Evola] est le *capo* [le chef], Mike [qui était le sobriquet de Rastelli à Montréal] est le *sotto capo* [le sous-chef]», expliqua Violi en utilisant les formules traditionnelles qui, depuis longtemps, avaient été anglicisées par la majorité des gangsters nord-américains.

«Qui est le conseiller?» demanda Cotroni.

«Don Nicolino», répondit Violi, référant à Nicolino Alfano. «Il n'aime pas beaucoup ce poste parce qu'il est vieux et que cela implique beaucoup de déplacements. Le travail de conseiller est énorme...» ajouta le parrain de Saint-Léonard en rapportant la conversation des Américains. «Il m'a dit que lorsqu'il [Nick Rizzuto] se rendra à New York, les patrons aimeraient lui dire un mot...» conclut-il.

Les New-Yorkais régalèrent Violi et Cotroni d'histoires se déroulant dans les rues de Brooklyn, et les visiteurs siciliens informèrent les Canadiens des événements importants qui s'étaient produits chez les «hommes d'honneur» de l'île. Ces conversations, tenues dans la plus grande intimité, devaient rester secrètes. Mais les rencontres de Montréal avec les gangsters américains et siciliens entraînèrent de nombreuses répercussions sur l'avenir de Violi, de son organisation et des nombreuses personnes qu'il avait suppliées de lui accorder leur aide, puisque, dans les faits, ces échanges n'atteignirent pas que les seules oreilles de Violi.

La police de Montréal, à l'insu de tous, à l'exception d'un petit groupe d'enquêteurs et de personnes haut placées dans la hiérarchie, avait réussi un coup d'éclat. Robert Ménard, un agent secret du SPCUM, se faisait alors passer pour un jeune électricien qui cherchait un appartement. Il parvint à louer une chambre située juste au-dessus du Reggio Bar. Dès qu'il emménagea dans son nouvel appartement, Ménard, avec l'aide de son équipe technique de surveillance, commença à installer le matériel qui lui permettrait d'écouter ce qui se passait au-dessous. Le sanctuaire de Violi avait ainsi été profané. Au moyen de micros hypersensibles qui transmettaient toutes les conversations, et grâce à Ménard qui continuait à mener son hasardeuse double vie à l'étage, la police canadienne se retrouva au premier rang pour surveiller les activités des gangsters, non seulement au Canada mais également en Sicile et à New York. Ménard, évoluant parmi les gangsters les plus violents, poursuivit son audacieuse mascarade pendant plus de six ans. Toutes les conversations murmurées, les colères intempestives et les négociations secrètes furent assimilées par les enquêteurs canadiens qui, à leur tour, transmettaient les informations pertinentes au FBI et aux autorités italiennes. Les enregistrements allaient bientôt attirer une attention embarrassante et soutenue au Canada.

Le 15 septembre 1972, Cotroni et Violi exposèrent leurs positions finales aux gangsters de New York. Cotroni justifia son droit de punir Nick Rizzuto. S'il lui était impossible de le tuer à cause de certaines susceptibilités externes, il avait toutefois le pouvoir d'agir.

«Je suis *capo decina*, déclara Cotroni, revendiquant ainsi sa suprématie sur l'organisation montréalaise. Je possède le droit d'expulser qui que ce soit.»

MONTRÉAL, SEPTEMBRE 1972

Le vendredi 22 septembre 1972 fut une journée de grande animation à travers le Canada. Les Canadiens de Montréal, l'équipe de hockey tant adulée, se retrouva sur la glace d'une patinoire de Moscou pour y mener une bataille rangée contre l'équipe soviétique. Il s'agissait du cinquième des huit matchs historiques de la Série du siècle, mais du premier à être disputé en sol russe, et l'honneur du Canada allait être éraflé par un adversaire d'une puissance surprenante.

Au moment où la nation tout entière était collée à son téléviseur ou à son poste de radio pour le cinquième match de la série (au début, elle exprima bruyamment sa joie alors que le Canada gagnait par 3 à 0, et ensuite son désespoir profond, lorsque les Soviétiques reprirent le dessus et remportèrent la victoire par un score de 5 à 4), les gangsters montréalais avaient d'autres chats à fouetter. Selon les rapports de surveillance de la police, Domenico Arcuri était au volant de sa voiture pour se rendre à l'aéroport de Dorval, où il devait accueillir certains passagers d'un vol en provenance de New York : Nicolino Alfano et Nick Buttafuoco, les deux tiers d'une délégation importante de l'état-major new-yorkais de la famille Bonanno. L'accueil fut facilité par l'apparente affinité existant entre les Arcuri et les Alfano.

La famille Arcuri occupait une position stratégique dans les affaires de la pègre. Trois membres très liés du clan, tous nés sur les terres de la Sixième Famille à Cattolica Eraclea, avaient déménagé en Amérique du Nord et s'occupaient de trois lieux importants de transit de l'héroïne ; tous entretenaient des relations très étroites avec la Sixième Famille. Domenico Arcuri, né en 1933, s'était installé à Montréal et était considéré par la police comme étant un ami intime des Rizzuto. La police pense que Domenico a épousé une nièce de Nicolino Alfano, et l'identifia comme l'un des invités aux côtés de Vito Rizzuto à un mariage important qui eut lieu à New York en 1980. Un autre membre de la famille Arcuri, Giacinto Arcuri, né en 1930, avait émigré à Toronto en même temps que Leonardo Cammalleri, le beau-père de Vito, après que les deux hommes eurent été désignés par la police italienne comme ayant pris part à l'assassinat du maire de Cattolica Eraclea, selon des rapports secrets de la police italienne et des notes de tribunal. La police affirme que Domenico et Giacinto sont frères. Toutefois, une personne proche de la famille assure qu'ils sont, en fait, cousins germains. Une fois au Canada, Giacinto resta très proche des mafiosi siciliens associés à la Sixième Famille, dont Vito Rizzuto et le clan Cammarelli de Toronto. Lorsque Gerlando «Georges le Canadien» Sciascia, le représentant de la mafia montréalaise à New York, faisait une visite au Canada, il lui arrivait souvent de loger chez Giacinto. Le troisième homme, qui d'après la police était un cousin des deux autres, était Giuseppe Arcuri. Né lui aussi en 1930, il avait émigré à New York et s'était à la fois placé du côté des Bonanno et de la Sixième Famille et associé avec Sciascia dans une pizzeria de Long

Island. Giuseppe allait plus tard payer la caution de Sciascia, lorsque lui et Joe LoPresti, un des autres membres clés de la Sixième Famille, furent arrêtés sous l'accusation de trafic d'héroïne. Giuseppe Arcuri allait continuer d'être identifié comme étant un soldat de Bonanno et, lorsqu'il mourut à New York en juin 2001, des agents du FBI virent plus d'une douzaine de membres du clan Bonanno, dont cinq capitaines, présenter leurs hommages à la famille pendant la veillée funéraire. Ces nombreux liens avec New York furent sans doute la raison pour laquelle on demanda à Domenico Arcuri d'aller quérir les New-Yorkais à l'aéroport, et cet état de choses mit probablement les Américains suffisamment en confiance pour qu'ils s'installassent chez lui pendant cette époque troublée. Les liens qui unissaient Arcuri à la Sixième Famille rendaient toutefois Violi bien nerveux.

Le jour suivant, alors que la nation ruminait sans fin la déconfiture de son équipe de hockey en troisième période, Alfano et Zaffarano, l'autre membre de la délégation de New York qui était arrivé séparément à Montréal, se retrouvèrent au Reggio Bar de Violi pour discuter calmement de la façon dont ils allaient se conduire lors de l'«audience». Plus tard au cours de la même journée, Alfano et Zaffarano retournèrent à la maison d'Arcuri pour accueillir Nick Rizzuto, Paolo Violi et Vic Cotroni, qui devaient livrer leur témoignage. Les Calabrais étaient en faveur de l'expulsion de Nick de la *decina* de Montréal. Nick s'y opposant évidemment, les New-yorkais déclarèrent alors que la nuit leur porterait conseil, puis rendirent visite à Violi chez lui le lendemain pour lui communiquer leur verdict : il était impossible d'expulser Nick. Toutefois, celui-ci devrait se montrer mieux disposé à informer ses chefs de ses actions, tout particulièrement quand celles-ci impliquaient des personnes étrangères à l'organisation. La délégation Bonanno reprit donc le chemin de New York.

Qu'il y ait eu ou non colère et déception d'un côté comme de l'autre à la suite du verdict, les gangsters n'en laissèrent rien paraître. On avait affaire à des mafiosi éduqués et bien au fait des coutumes ; ils savaient que les décisions prises lors de telles réunions n'étaient pas négociables, à moins que survînt un changement de circonstances. Nick et Violi commencèrent à tirer des plans en prévision du moment où la décision pourrait être changée mais, entre-temps, ils l'acceptèrent, conformément aux vieux codes.

Le matin du 26 septembre 1972, deux jours après que New York eût rendu sa décision, Nick et Violi discutaient au Reggio Bar sur fond de musique douce. Les deux hommes semblaient amicaux et parlaient affaires, laissant de côté leurs disputes. Quelque temps plus tôt, des coups de feu avaient été échangés qui avaient failli atteindre un de leurs collègues, et la *decina* de Montréal voulait savoir qui était responsable de ces actes de violence avant d'user de représailles.

« Ces jeunes sont sous notre responsabilité », déclara Violi.

« Nous devons trouver qui a fait cela, mais je ne pense pas qu'il s'agisse de types de l'autre monde, répondit Nick. Je pense que nous pourrons arriver à une entente… »

« Toutefois, je ne pense pas qu'ils puissent nous baiser », ajouta Violi. Les affaires sont les affaires, même lorsque vous détestez l'homme avec qui vous devez traiter.

Malgré cette petite démonstration de cordialité, Nick, un Sicilien très méfiant, n'était pas très heureux de devoir s'en remettre à Violi. Il ne croyait pas que ce dernier adopterait une philosophie de vivre et laisser vivre. Et la déclaration de Vic Cotroni indiquant sa volonté ferme de l'expulser avait un certain poids, même pour un Nick Rizzuto. Ce dernier décida donc de déménager dans un lieu plus sécuritaire. S'il ne pouvait agir comme il l'entendait à Montréal, il irait ailleurs.

Son départ rapide n'était cependant pas un signe de résignation. Il ne s'agissait pas non plus d'une retraite en bonne et due forme. Même si sa décision de partir fut interprétée à l'époque, aussi bien dans la rue que dans les rapports de police, comme une victoire, même temporaire, avec le recul du temps on ne peut que conclure que cet exode offrait au vaincu une occasion extraordinaire d'aller fonder une nouvelle base d'opérations pour le commerce de stupéfiants de la Sixième Famille. Cette nouvelle colonie ne se trouverait pas en Italie ni en Amérique du Nord, mais dans un pays qui semblait avoir été choisi avec soin pour sa situation géographique. Son climat agréable n'était pas la seule raison du choix ; le très conciliant climat politique qui y régnait était encore bien plus important.

Chapitre 10

CARACAS, VENEZUELA, 1973

Bien qu'il s'ennuyât probablement de sa ville et de la famille qu'il avait laissées derrière lui, Nick Rizzuto avait trouvé un endroit confortable et accueillant où poser ses valises. Situé sur la façade nord du continent sud-américain, le Venezuela a presque deux fois la superficie de la Californie. Ce pays à la végétation luxuriante et au climat chaud et humide n'était pas sans rappeler à Nick sa Sicile natale, mais il présentait également d'autres avantages.

C'était là, en effet, que se retrouvaient les expatriés de la Mafia.

Les Vénézuéliens se plaignent volontiers des dispositions géographiques qui incitent les narcotrafiquants à élire domicile chez eux. Cette malédiction que déplorent les citoyens soucieux de saine administration et de salubrité publique constitue, bien entendu, la raison pour laquelle les barons de la drogue affectionnent tant ce sympathique pays. En effet, ce dernier partage avec la Colombie — le plus gros producteur de cocaïne au monde — une frontière très poreuse sur 2 050 kilomètres. De plus, il se trouve relativement près des États-Unis, le plus formidable marché où écouler la « coke », que l'on peut atteindre par des voies maritimes grouillantes d'embarcations, des mers parsemées de petites îles dont plusieurs ne sont surveillées que d'un œil distrait par les autorités internationales. Le Venezuela est donc un point de transit naturel entre les deux parties du continent américain. Mais la position géographique du pays de Bolívar n'est pas la seule à blâmer pour sa douteuse réputation de refuge pour les narcotrafiquants. Il y a autre chose…

« Il s'agit avant tout d'un lieu où la corruption règne en maître », affirme Oreste Pagano, un important trafiquant de cocaïne, membre de la Camorra et associé à la Sixième Famille dans d'importantes transactions de narcotiques. Avant son arrestation en 1998, Pagano partageait son temps entre l'Amérique du Sud, Mexico et Miami, avec des séjours épisodiques à Montréal, d'où provenaient la majorité de ses affaires.

L'homme n'hésite pas à renchérir : « Avec de l'argent, vous pouvez obtenir n'importe quoi, mais sans argent, vous êtes fait… » Et il parle en connaissance de cause. Pagano était en effet propriétaire de terrains d'une superficie de 2 485 kilomètres carrés au cœur du pays, près de la ville de Bolívar, dans une riche région minière voisine du Brésil. Ces terres renferment des mines de titane, d'or et de diamants, ainsi qu'un village indigène. Pagano connaissait bien les relations qu'avaient établies et entretenues les clans Rizzuto et Caruana-Cuntrera dans le pays, et la protection que de telles accointances pouvaient garantir.

Au début des années 1970, le Venezuela était donc un paradis pour les narcotrafiquants. Tous les expatriés de la Mafia semblaient s'y être donné rendez-vous. Certains fuyaient la justice italienne, d'autres la Sicile, où survenaient de constantes explosions de violence. Le phénomène naquit à la fin des années 1950, peu après le conclave du Grand Hôtel et des Palmes, et se poursuivit au cours des années 1960 et 1970. Les membres de la Sixième Famille et les clans qui leur étaient associés quittèrent donc la Sicile pour s'installer confortablement ailleurs. Tandis que les Rizzuto se fixaient à Montréal, d'autres prenaient le chemin du Brésil ou du Venezuela pour former une mafia d'outre-mer. Il s'agissait en fait de véritables clans extraterritoriaux de la mafia sicilienne. Les «hommes d'honneur» avaient donc abandonné leur pays d'origine pour jouir, en cette terre, d'incalculables avantages.

Peu importe où ils choisissaient de s'établir, ils se taillaient rapidement une place dans le monde interlope local, surveillant d'un œil de faucon les possibilités de passage de la drogue qu'offrait leur pays d'adoption. Ils jetaient donc leur dévolu sur des destinations choisies avec discernement et prévoyance. Les États-Unis constituant leur principal marché, Montréal représentait le lieu de transit idéal au nord, tandis qu'au sud, le Venezuela tenait lieu d'avant-poste. Au Canada, on s'occupait de l'exportation de la drogue vers les États-Unis, tandis qu'au Venezuela, on administrait tranquillement les achats et les points de transit de la camelote. Agissant parfois avec rapidité et brutalité, s'insinuant en d'autres occasions pernicieusement comme des métastases envahissant un organisme, les clans expatriés de la Mafia ont, depuis les 50 dernières années, créé plusieurs satellites du crime qui ont consolidé leur domination sur le marché des stupéfiants. Après avoir quitté la Sicile, le personnel des avant-postes de la Cosa Nostra pouvait lever le camp pratiquement du jour au lendemain et adopter une existence nomade. Nombre de ces «garnisons» devaient éventuellement disparaître, mais Montréal conserva sa valeur et son statut aux yeux de la Sixième Famille, qui faisait preuve d'une indéfectible fidélité à la ville.

Au Venezuela, les trois frères Cuntrera — Pasquale, Gaspare et Paolo — avaient établi une tête de pont solide. Le clan Cuntrera venait de Siculiana, une localité faisant partie du triangle d'Agrigente, et ses membres représentaient le fer de lance d'une organisation mafieuse connue comme étant celle des Caruana-Cuntrera. Ils avaient passé quelque temps à Montréal après avoir quitté la Sicile et étaient soit des amis, soit des associés, soit des parents par alliance des Rizzuto et d'autres membres de la Sixième Famille. Aussi, lorsque Nick Rizzuto se joignit aux Cuntrera au Venezuela, une confiance et une complicité de longue date le liaient à eux. Ils s'associèrent dans des affaires de stupéfiants et dans des entreprises prétendument honnêtes. L'épouse de Nick expliquerait plus tard aux autorités que son mari dirigeait plusieurs entreprises bien établies, spécialisées notamment dans le lait en poudre, le fromage, la volaille et la fabrication de meubles. Avec les Cuntrera, il ouvrit un cabaret dont le nom suggérait que ses propriétaires n'étaient pas dénués d'humour, puisqu'ils l'avaient en effet appelé Il Padrone — «le patron, le *boss*» en italien.

En 1972, Tomasso Buscetta s'associa à Nick pour importer illégalement au Venezuela une fine poudre blanche. Bien entendu, Buscetta insista jusqu'à sa mort sur le fait qu'il ne s'agissait que de lait en poudre. Étant donné l'intérêt que Nick portait au commerce des denrées alimentaires autant qu'à celui des drogues, le plus drôle est que Buscetta, le premier «repenti» important de la Cosa Nostra, a peut-être dit la vérité! Des documents gouvernementaux issus de plusieurs pays attestent que, ces transactions mises à part, Nick Rizzuto et les frères Cuntrera commencèrent à mettre sur pied d'abord leur trafic d'héroïne, puis celui de la cocaïne. Leur présence au Venezuela, sinon leurs opérations illégales, étaient sanctionnées par des personnalités gouvernementales pourries jusqu'à la moelle, au grand dam du gouvernement américain qui aurait préféré voir ces fripouilles sous les verrous, pour la simple et bonne raison que la plupart des drogues dont elles faisaient le commerce aboutissaient dans les veines ou dans les narines de citoyens des États-Unis.

•

Le major Benedetto Lauretti, un spécialiste du crime organisé et des opérations antinarcotiques du Ragruppamento Operativo Speciale (ROS) Carabinieri, affirme que les autorités italiennes, depuis longtemps, sont bien au fait des activités des mafiosi siciliens arrivés au Venezuela en passant par le Canada.

«Nous parlons de l'existence d'une excroissance de la Mafia que nous appelons la Famille vénézuélienne, explique Lauretti. Elle se compose de gens liés à la mafia de Siculiana qui ont émigré au Canada et au Venezuela dans les années 1950.» Il ajoute que la croissance de cette filière vénézuélienne fut accélérée par l'arrivée de Nick Rizzuto et l'engagement subséquent de sa famille, son fils Vito compris, dans des opérations ayant eu lieu dans ce pays. Lauretti mentionne notamment une société spécialisée dans l'élevage de bétail, la Ganaderia Rio Zappa, propriétaire d'un vaste ranch comprenant une piste d'atterrissage et un petit aéroport privé près de la frontière colombienne. Nick Rizzuto aurait été l'un des fondateurs de cette *ganaderia*.

Maintenant qu'ils étaient en mesure de se brancher directement sur les fournisseurs de cocaïne sud-américains et sur les fabricants d'héroïne, la Sixième Famille et ses alliés de la diaspora mafieuse commencèrent à gérer une partie importante de l'un des trafics les plus rentables au monde.

Malgré les grandes quantités de renseignements recueillis à l'occasion d'écoutes électroniques effectuées au Reggio Bar, l'omerta — ou loi du silence — ainsi que la méfiance de Nick Rizzuto firent en sorte que, même aujourd'hui, les meilleurs limiers des trois continents en sont encore à spéculer sur la véritable raison du déménagement au Venezuela de Nick Rizzuto. Le FBI prétend qu'il s'agissait là d'une « apparente expulsion » de Montréal sur les ordres de Cotroni. Cette institution policière note également qu'il est possible que la Mafia y ait volontairement placé Nick pour infiltrer les groupes locaux et développer le trafic de narcotiques. Du côté de la GRC, on suggère au contraire que cette relocalisation était en fait un repli stratégique de la part de Nick pour éviter d'être abattu par Violi.

D'ailleurs, le rapport de la GRC est on ne peut plus clair : « Rizzuto a échappé à un destin tragique en s'exilant au Venezuela, où il a consolidé les liens entre sa famille, le clan Caruana-Cuntrera et les cartels colombiens », peut-on y lire.

Au Venezuela, Nick devait confier en personne à Buscetta qu'il avait quitté Montréal parce qu'il se sentait menacé et que Violi voulait lui faire la peau.

Même en exil, Nick n'avait pas renoncé à ses prérogatives ni abandonné ses intérêts dans la métropole. Il y revenait occasionnellement lorsque sa famille ou ses affaires l'exigeaient, ou encore lorsqu'il avait des ennuis de santé et qu'il décidait de faire un tour vers le nord pour prendre avantage de l'assurance-maladie du Québec, qui donnait accès gratuitement à des soins médicaux. Violi trépignait furieusement lorsqu'il entendait dire que Nick traînait dans les parages. Généralement, il était informé de sa présence alors que Nick avait déjà regagné la sécurité de sa retraite sud-américaine, ce qui faisait monter d'un cran l'animosité qui pouvait opposer les hommes de Nick à ceux de Violi dans les rues de Montréal. Il arrivait également à des truands canadiens de s'offrir des « vacances » au Venezuela. Celles-ci prenaient cependant la forme de réunions privées en compagnie de Nick aux alentours de Caracas ou de Valencia, une ville voisine, plutôt que de baignades et de séances de bronzage sur la plage.

Afin de s'assurer que ses affaires et intérêts au Canada fussent protégés en son absence, Nick en confia la responsabilité à l'un de ses associés les plus fiables, Calogero Renda. Ce pilier de la Sixième Famille, comme on l'a vu, avait été le compagnon du père de Nick et avait fait avec lui le voyage vers les États-Unis en 1924. Il avait toujours été du côté des Rizzuto et assurait la continuité de la tradition. La nomination de Calogero en tant que fondé de pouvoir de Nick et de figure emblématique de la Mafia à Montréal lui donnait toute autorité pour assurer le suivi des affaires courantes de la famille.

•

Nonobstant le développement des affaires de Rizzuto à l'étranger et la bonne gestion de ses intérêts montréalais par Renda, tout n'était pas rose pour l'expatrié. L'organisation était sur le point d'entrer en guerre avec le leadership de sa propre *decina* à Montréal, qui semblait perdre de la crédibilité aux yeux du patron new-yorkais. Vito Rizzuto et Paolo Renda — respectivement, les fils de Nick et de Calogero — étaient tous deux en prison pour l'incendie volontaire du salon de coiffure de Boucherville, et les épouses Rizzuto souffraient aussi des difficultés qu'éprouvait leur mari. Libertina, la femme de Nick, ainsi que sa fille, Maria Renda, l'épouse de Paolo, vivaient ensemble dans une maison que Nick avait gardée à Montréal. Elles attendaient que l'orage passe pendant que leur époux était au vert.

L'absence de Nick dans les rues de Montréal ne suffit pas à mettre un terme à ses disputes avec Violi ni à son ambition de le détrôner. On se demande d'ailleurs comment il aurait pu en être autrement, puisque l'enjeu de la Sixième Famille était justement d'avoir la main haute sur les activités illicites à Montréal — la vraie pomme de discorde, au fond. Il était difficile de conserver le pouvoir dans une ville clé comme Montréal, même pour un 'ndranghetisti dûment reconnu comme étant un membre de la mafia américaine. Cela créait un sentiment d'insécurité pour les truands siciliens qui ne faisaient guère confiance aux individus hors de leur clan. Si Violi avait fait marche arrière et permis à la Sixième Famille d'avoir le monopole de l'héroïne dans « sa » ville, on est en droit de se demander s'il aurait pu échapper à son sort. Rien n'est moins certain. La férocité de la Sixième Famille, son instinct de possession, la méfiance qu'elle manifestait envers toutes les personnes externes à son orbite sont autant d'éléments convergeant vers la nécessité imminente d'évincer le parrain de Saint-Léonard. D'autre part, Violi ne reculait à peu près jamais. Le temps semblait donc jouer en faveur des Rizzuto, affairés à consolider et à étendre leur empire. Infiniment patient, excellent planificateur, Nick le comprenait fort bien. Violi poussa certainement un grand soupir lorsque Rizzuto quitta la ville. Il dut croire qu'il avait remporté la guerre des nerfs et celle des mots, et se considérer lui-même comme un habile stratège. Il s'imagina sans doute qu'il avait réussi à s'imposer sérieusement dans le milieu montréalais. Mais alors qu'il se sentait de nouveau en sécurité, ses rêves allaient s'effriter en douce.

L'insécurité qui commençait à poindre à New York s'insinuait lentement à Montréal.

Chapitre 11

MANHATTAN, AOÛT 1973

Les efforts qu'avait déployés Paolo Violi pour mettre les gens de New York de son côté furent réduits à néant lorsque les pressions que subissait Natale Evola, dues, en majeure partie, à sa position de chef de la famille Bonanno, eurent raison de lui. Le 28 août 1973, son court règne prit fin : il mourut, succombant non aux blessures causées par les balles de gangsters rivaux, mais bien à un cancer. Son poste était donc en jeu, et Violi fit pression pour que Philip «Rusty» Rastelli fût l'homme désigné pour combler le trône vacant. Violi craignait qu'un candidat avec lequel il aurait moins d'affinités ou, pire, qui serait trop proche des mafiosi siciliens, prît le pouvoir. Violi connaissait, mieux que quiconque au sein de la mafia nord-américaine, les vraies intentions et les intérêts des Siciliens.

Le 20 octobre 1973, John DeMateo, un membre de la famille Gambino basé dans le Bronx, rendit visite à Violi au Reggio Bar et lui porta un message de la part de la mafia new-yorkaise, qui intimait à Violi l'ordre d'être présent à une réunion à l'Americana Hotel de New York. Le 6 novembre, Rastelli en personne téléphona à Violi pour l'inviter à la même réunion et lui demanda que Frank Cotroni, le frère de Vic, l'y accompagnât. Le jour suivant, Violi mit Cotroni au courant de ces derniers développements. Cotroni, fin stratège, regimba immédiatement à l'idée que son frère participe à une réunion aussi délicate. «Il n'est pas question que Frank aille à New York ! Il est sous surveillance étroite de la police», lança Cotroni. Ce dernier commentaire se voulait un clin d'œil au trafic de drogue de Frank, bien que son implication dans la poudre fût peut-être la raison même pour laquelle Rastelli tenait tant à le voir…

Le vendredi 9 novembre, Violi avait déjà mis un plan au point et demandé à Joe DiMaulo, un mafioso loyal en qui il pouvait avoir confiance, de faire le voyage avec lui à la place de Frank. Violi et DiMaulo devaient partir pour New York séparément, au cas où l'un d'entre eux serait arrêté par les autorités à la frontière. Ils s'entendirent sur leur couverture, au cas où ils seraient arrêtés et interrogés par la police ou par des douaniers. C'est ainsi que DiMaulo partit en début d'après-midi, ce même vendredi, dans une voiture conduite par Raynald Desjardins, son beau-frère. Violi prit l'avion le dimanche. Le trajet, en auto comme en avion, se déroula sans encombre, et ils arrivèrent tous deux à New York. Les représentants de Montréal rencontrèrent au moins trois New-Yorkais — Rastelli, Nicholas « Nicky Glasses » Marangello et Joseph Buccellato. Les agents du FBI surveillaient de près les gangsters qui entraient et sortaient de l'Americana Hotel et les photographiaient. Ils avaient été prévenus largement à temps par la police canadienne, car celle-ci écoutait toujours ce qui se passait au Reggio Bar grâce aux micros que l'on y avait installés. Violi se plaignit plus tard de la présence des agents du FBI à l'hôtel. Il avait remarqué que quelqu'un l'avait pris en photo à son arrivée.

La Commission avait choisi Rastelli pour être le chef intérimaire de la famille Bonanno. En privé, celui-ci fit à Violi l'annonce de cette affectation. Il déclara également son intention de garantir la permanence de son poste lors d'une élection organisée parmi les capitaines de la famille Bonanno, qui devait avoir lieu à New York quelques semaines plus tard. Les gens de Montréal auraient donc droit à une voix, et Rastelli voulait l'appui de Violi. Celui-ci, sans s'embarrasser du décorum, demanda immédiatement la permission de faire entrer de nouveaux soldats dans son organisation. Rastelli lui répondit que cela était impossible pour le moment. Malgré ce refus, Violi se montra enchanté d'aider la nomination à un haut rang de quelqu'un avec qui il avait une relation solide.

Quelques mois plus tard, le 19 mars 1974, Violi fut très satisfait, pour une rare fois, d'une rencontre avec Nick Rizzuto à son bureau du Reggio Bar. À cette occasion, Violi sentit qu'il avait enfin le dessus sur Nick, et crâna sans doute un peu trop lorsqu'il mit celui-ci au courant des derniers événements et lui fit savoir que les choses changeaient à New York. Il lui apprit que Rastelli avait été élu chef, que Nicky Marangello était son second et Stefano « Stevie Beef » Cannone, son *consigliere*. Violi dit à Nick qu'il avait envoyé Roméo Bucci, un membre senior de la *decina* à New York, comme le décrivait Violi, pour placer le bulletin de vote de Montréal dans l'urne. De plus, il ne put résister au plaisir d'ajouter qu'il était allé en personne à New York après la nomination de Rastelli le 25 février 1974, pour rencontrer le nouveau chef et la nouvelle administration.

Nick savait très bien quel était le sujet qui avait dû dominer la conversation lors de cette rencontre. La distance entre Montréal et le Venezuela n'avait pas réussi à faire diminuer l'animosité qui existait entre eux.

MONTRÉAL, 1974

Avec Nick Rizzuto en exil, tremblant peut-être pour sa carcasse, Violi se sentait beaucoup plus à l'aise d'exercer son pouvoir à Montréal. Lors d'une réunion avec Pietro Sciarra et Leonardo Caruana, deux gangsters d'origine sicilienne, Violi décréta que tous les mafiosi étrangers devraient désormais obéir à ses ordres lorsqu'ils se trouveraient sur son territoire — une décision visant à réduire le risque d'invasion soudaine d'«hommes d'honneur» de la Sicile à Montréal.

En avril 1974, Pietro Sciarra envoya Giuseppe Cuffaro et un autre gangster sicilien à Montréal pour mettre Violi et Cotroni au parfum des derniers changements survenus à Agrigente. Lors d'une rencontre avec Violi, le 22 avril, les gangsters siciliens annoncèrent que Leonardo Caruana, qui avait résidé à Montréal auparavant et avait été déporté plusieurs fois du Canada à Agrigente, avait été élu au poste de *capo-de-madamento*, ou chef de district, de la Cupola, la direction de la Mafia en Sicile. Les mouvements des mafiosi entre l'Italie et l'Amérique du Nord étaient devenus un problème épineux pour tous les patrons du crime organisé. Comment fallait-il traiter ces voyageurs? Un «homme d'honneur» sicilien pouvait-il s'installer et monter une affaire en Amérique du Nord comme s'il faisait automatiquement partie de l'une des Cinq Familles? Un gangster de la mafia américaine pouvait-il être considéré de la même façon qu'un homme élevé en Sicile selon le code de la Cosa Nostra? Un gangster pouvait-il être intronisé à deux endroits différents? Et si c'était possible, envers qui devait-il se montrer loyal? La Mafia était désormais marquée par la globalisation, et ces problèmes furent longuement débattus lors de réunions au sommet des membres du crime organisé.

La faction des Rizzuto qui était restée à Montréal continua à faire pression sur Violi pour que celui-ci reconnût officiellement quelques-uns des nouveaux collègues fraîchement débarqués de Sicile. Ils voulaient tous des «privilèges de travail» avec l'appui de Montréal et de New York. Violi exprima son point de vue sur les Siciliens à Sciarra et à Cuffaro: «Je sais exactement comment ça se passe, ici en Amérique. Une personne venant d'Italie — ce sont les ordres et vous pouvez me croire — doit rester ici pendant cinq ans sous notre autorité. Lorsque la période de cinq ans est terminée, alors nous pouvons tous savoir ce qu'elle vaut.»

Peu de temps après, les gangsters siciliens buvaient à nouveau un café en compagnie de Violi au Reggio Bar et échangeaient les dernières nouvelles concernant Leonardo Caruana, dont l'ascension à la direction centrale de la Sicile avait provoqué des controverses; plusieurs le considéraient comme un étranger à cause de son long exil à Montréal. Des soupçons entre le Nouveau et l'Ancien Monde étaient affaires courantes des deux côtés de l'océan, malgré les liens étroits et les transactions commerciales. Le problème de l'allégeance revint à l'esprit de nombreuses personnes. Les visiteurs se posaient la question suivante : Si un Montréalais peut faire partie d'un conseil en Sicile, sous quelles conditions un gangster arrivant de Sicile peut-il faire partie d'une organisation montréalaise ? Violi réaffirma sa position : Les « hommes d'honneur » en visite allaient être acceptés. Toutefois, le cas était différent pour ceux qui désiraient se fixer en permanence à Montréal. Il était obligatoire qu'ils fissent la preuve de leur loyauté à Violi.

« Il arrive ici avec ses pénates, il vient nous rencontrer. Eh bien ! Il doit demeurer pendant cinq ans avec nous et c'est seulement après qu'il pourra prendre du galon — bien entendu, si un poste se libère et si nous pouvons le lui accorder. C'est ainsi que cela se passe, point final », déclara Violi. Les visiteurs de Sicile ne furent nullement impressionnés par son laïus.

« Chez nous, déclara l'un des mafiosi siciliens avec un mépris évident, un visiteur est un ami et nous le traitons comme tel. C'est aussi simple que cela... » La rebuffade de Violi représentait pour eux une insulte.

La Sixième Famille ressentait une irritation de plus en plus prononcée contre Violi, et elle allait bientôt avoir de l'aide pour le culbuter de son trône. Cette aide lui serait apportée par un participant inattendu. Nick Rizzuto se trouvait au Venezuela, et son fils Vito croupissait toujours en prison pour l'incendie criminel raté. Bien que l'offensive ne fût pas le fait de la Sixième Famille, elle allait néanmoins grandement aider sa cause.

MONTRÉAL, 1975

La Commission d'enquête sur le crime organisé (CECO) était une démarche publique ordonnée par le gouvernement du Québec. Les sessions, dont certaines furent tenues en privé et d'autres en public, firent beaucoup de tapage et commencèrent à mettre en lumière quelques aspects mystérieux des mafiosi montréalais et autres gangsters maison. Les audiences étaient similaires en style et en protocole aux audiences de la commission Kefauver du Sénat américain en 1951, qui avait obligé Frank Costello, un des chefs des Cinq Familles — un homme surnommé « Le premier ministre de la pègre » — à prendre place à la barre des témoins. Il y eut également des échos du Permanent Subcommittee on Organized Crime (sous-comité permanent sur le crime organisé) du Sénat américain, tenu en 1963 et présidé par le sénateur John McClellan, qui avait exposé Joe Valachi comme étant un mafioso renégat.

Du 27 septembre 1972 au 31 mars 1977, la Commission d'enquête sur le crime organisé du Québec exerça le pouvoir dont elle jouissait d'assigner des témoins à comparaître, de les interroger aussi longtemps que cela était nécessaire et de présenter les résultats dans un forum quasi judiciaire appuyé par gouvernement. Elle avait également le pouvoir de condamner pour outrage au tribunal les personnes qui refusaient de comparaître ou de livrer des témoignages sérieux et véridiques.

La première cible de cette commission fut l'organisation Cotroni-Violi.

Bien des membres de la mafia montréalaise ridiculisèrent d'abord la commission, qui avait le droit de fouiller dans la fange sans avoir le pouvoir de porter des accusations. On rapporte que peu avant Noël 1973, Violi faisait des gorges chaudes des travaux de la commission. «Ces types s'agitent les couilles parce que, au fond, ils ne savent rien...» disait-il. Ce qu'il ignorait, c'est que son organisation était sur le point d'être gravement exposée. Il ne savait pas non plus que la police avait en mains une quantité impressionnante d'enregistrements compromettants de lui, de ses conseillers les plus proches ainsi que de tous ceux qui conspiraient avec lui. Un des rares hommes qui parût réaliser l'ampleur du danger était un des confidents de Violi, Joe DiMaulo. Le 19 septembre 1974, alors que la police interrogeait DiMaulo sur un autre sujet, il alla droit au but et demanda si le voyage à New York au cours duquel, l'année précédente, il était allé voter en faveur de Philip Rastelli comme grand patron de la famille Bonanno serait déposé comme preuve lors des audiences de la commission.

«DiMaulo a pensé que la divulgation de l'élection d'un chef de la mafia américaine serait synonyme de désastre pour lui comme pour la famille. Pour DiMaulo, il s'agirait là d'une sérieuse violation à la loi du silence et du secret relativement aux affaires de toutes les familles», peut-on lire dans plusieurs rapports de la commission.

L'enquête eut de profondes répercussions sur Violi et sur son organisation. En 1974, la commission entendit Vic Cotroni. Ce dernier, qui répondait à une assignation à comparaître, voulut donner l'impression d'être un individu à l'esprit embrouillé, repoussant une question après l'autre, espérant ainsi passer pour quelqu'un de légèrement attardé. Les commissaires ne furent pas dupes de cette mascarade. Sur plus de mille pages de transcriptions de la commission, Cotroni ne révéla rien d'important, ce qui poussa un observateur à le décrire comme étant «aussi impassible que le Sphinx».

«Je ne possède aucune autorité...» susurra Cotroni devant les trois juges de la commission d'enquête. Celle-ci ne fut pas satisfaite, et l'homme qui ne savait rien écopa d'une peine d'un an d'emprisonnement pour outrage au tribunal. Violi passa immédiatement à l'action lorsqu'il fut mis au courant de la prompte incarcération de Cotroni. Craignant que Rizzuto n'attaquât sur-le-champ son leadership, il prit l'initiative de consulter New York afin de confirmer formellement son propre rôle. Le 9 janvier 1975, il téléphona à Pietro Sciarra à son bureau et lui demanda de se rendre directement à New York pour voir ce qui pourrait être fait.

«Tu vas devoir lui parler, lui dit Violi pour le préparer à une audience avec Rastelli. La meilleure chose à faire est d'expliquer ton cas en premier. Tu lui diras : "En fait, Paolo m'a envoyé car, pendant que Vincent est à l'ombre, quelqu'un doit assumer ses responsabilités."»

Rastelli comprit très bien ce que désirait Violi et le lui accorda. À sa requête, il répondit ceci : «Lorsque Vincent sortira, dis-lui de m'appeler et si des changements doivent se produire à ce moment-là, je lui parlerai à mon tour. Cependant, pour l'instant, prends les choses en main.» Quelques jours plus tard, on rapporta que Violi était allé se vanter à Joe DiMaulo de sa nomination de chef intérimaire par New York. Sa joie fut toutefois de courte durée.

À la suite du témoignage de Cotroni, Violi reçut l'ordre de se présenter devant la commission. Son apparition fut digne d'un spectacle médiatique. Vêtu d'un complet gris perle confectionné par un grand tailleur, il arborait une cravate à la mode à grandes rayures. Il apparut comme un homme austère, grognon, afficha une attitude autoritaire et parut sur la défensive dans le box des témoins. Ses cheveux noirs, grisonnants aux tempes, étaient bien coiffés et brillaient sous les projecteurs de la télévision. Au contraire de Cotroni, qui avait paru se rabougrir devant la commission, Violi semblait bien plus grand que sa taille réelle. Son témoignage fut tout aussi peu significatif aux yeux de la commission que l'avait été celui de Cotroni. Cependant, comme dans tout ce qu'il entreprenait, le parrain de Saint-Léonard se montra moins subtil que son mentor.

«Je ne refuse pas de témoigner, déclara-t-il à la barre. J'ai beaucoup de respect pour la commission, mais je n'ai rien à dire...» Ces mots, ainsi que son refus de prêter serment pour témoigner, poussèrent le président de la commission à condamner Violi à un an de prison pour outrage à magistrats.

Bien que Violi affirmât n'avoir rien à déclarer à l'enquête, il avait toujours eu beaucoup de choses à raconter en privé, et les enregistrements secrets de la police furent rejoués pour la commission, qui n'en manqua pas une seule bribe. Les paroles étaient choquantes, non seulement pour le public qui suivait de près les événements grâce à la couverture qu'en faisaient les médias, mais aussi pour les associés de Violi ainsi que pour ses rivaux, qui étaient les auditeurs les plus attentifs. Le scandale commença à éroder le respect qu'on lui portait. Tout comme ce qui se produirait des années plus tard pour John Gotti, l'ancien «Don Téflon» (ainsi surnommé parce qu'il semblait impossible que des preuves fussent jamais retenues contre lui) de la famille Gambino à New York, dont on entendait également des déclarations compromettantes sur les enregistrements policiers, les paroles de Violi se résumaient à un manquement total — bien qu'involontaire — à l'omerta. Il s'agissait d'une faute que ses rivaux ne pouvaient ignorer. Les supporters de Rizzuto s'appuyèrent très vite sur la dangereuse inconduite de Violi pour afficher leur mécontentement. Les plaintes concernant les accrocs aux règles de la pègre avaient soudainement renversé la vapeur, et Violi était désormais l'objet de chuchotements...

Dans ses rapports, le FBI nota à cette époque «l'augmentation de la discorde qui régnait à l'intérieur des rangs de la Famille de Montréal».

«Bien que Nick Rizzuto ait été banni au Venezuela, il restait encore un certain nombre de Siciliens dans l'organisation montréalaise, dit le rapport du FBI. D'autres groupes de personnes liés au crime organisé dans la région de Montréal ont commencé à prendre un contrôle croissant sur les activités criminelles.»

Violi, par ses propres gaffes, s'était brusquement placé dans une position encore plus vulnérable que celle dans laquelle l'avaient jadis maintenu les manigances des Rizzuto. On raconte que c'est lorsqu'il est dangereux ou isolé qu'un mafioso est le plus à risque d'être attaqué. Violi répondait à ces deux conditions.

Les enregistrements de la police avaient révélé un problème important qui concernait tous les centres névralgiques de la Mafia à travers le monde. Le problème des «hommes d'honneur» siciliens qui opéraient sur le territoire de la mafia américaine allait se présenter partout où les mafiosi expatriés se trouveraient confrontés à la présence d'une pègre organisée, particulièrement à New York, à Montréal, à Philadelphie et à Toronto. Il faudrait des années pour que l'envahissement parasitaire des Siciliens se fasse ressentir à New York. Si la police et les analystes des services secrets avaient saisi avec plus de justesse la situation prévalant entre Violi, les Rizzuto et la Sixième Famille, ils auraient pu éviter aux enquêteurs new-yorkais de patauger inutilement comme ils le firent pendant de nombreuses années.

On pense que si les médiateurs new-yorkais de la famille Bonanno chassèrent de leurs pensées la dispute Rizzuto-Violi, qui ne représentait à leurs yeux qu'une simple prise de bec mesquine entre gangs, c'est qu'ils n'avaient pas examiné à fond le problème. S'ils avaient porté une attention plus soutenue, ils auraient comparé la situation de Montréal avec celle qui prévalait dans leurs propres rues, et ils auraient sans doute été mieux préparés à ce qui allait se produire à New York.

Rien ne suggère que cela ait été le cas.

Chapitre 12

QUEENS, NEW YORK, 4 NOVEMBRE 1976

Par une froide soirée d'automne, vers 23 h 30, Pietro «Peter» Licata, 70 ans, fit glisser sa longue Cadillac dans l'allée de sa jolie propriété new-yorkaise de Middle Village, dans le quartier de Queens. Licata et son épouse revenaient d'un souper au restaurant. Avant même qu'il pût ouvrir les grilles de sa maison, la quiétude des lieux fut perturbée par la détonation d'un fusil de chasse. Sept fragments de métal se logèrent dans la tête et le buste de l'homme sous les yeux de sa femme Vita, glacée d'horreur sur le siège avant de la voiture. La pauvre dame expliqua aux enquêteurs qu'un individu était sorti d'une voiture jaune — peut-être une Cadillac —, s'était approché de son mari et avait tranquillement fait feu après avoir visé sa tête. Le meurtrier était ensuite remonté dans son véhicule, conduit par un complice.

Licata, un retraité qui avait fait carrière dans l'industrie du tricot, était en fait un vieux truand, l'un de ces rares *Mustache Pete* — un surnom désignant les pépés italiens de la Mafia aux moustaches de marchands ambulants — à avoir survécu jusqu'à cet âge vénérable. Les détectives des Homicides et les spécialistes du crime organisé spéculèrent beaucoup sur les motifs de son assassinat. Ce geste était-il lié à la mort naturelle, trois semaines auparavant, de Carlo Gambino, le chef de la famille du même nom, ou bien à l'ascension, à l'influence ou à l'avarice de Carmine Galante, du clan Bonanno? L'exécution de Licata avait peut-être aussi quelque chose à voir avec le meurtre d'un de ses parents, impliqué dans les paris clandestins, qui s'était fait descendre quatre ans plus tôt...

Des événements subséquents fournirent des indices plus substantiels. Le meurtre de Licata, en réalité, trouvait sa raison d'être dans de profonds bouleversements du crime organisé, qui surpassaient largement en importance les simples histoires de tripots clandestins locaux ou même la mort d'un important chef de bande. En effet, on assistait à un remue-ménage radical dans les centres de la Mafia autour du monde, et deux des avant-postes les plus avancés de la Mafia, New York et Montréal, subissaient également ces changements démographiques.

Knickerbocker Avenue, à Brooklyn, est une longue artère encombrée qui passe par Bushwick, un quartier situé près des limites du Queens. Pietro Licata y commandait une équipe de soldats et de comparses du clan Bonanno. Chef mafioso italo-américain typique, son fief personnel était Knickerbocker Avenue et les rues l'avoisinant, un territoire où la famille Bonanno régnait depuis belle lurette, tout comme le faisait Paolo Violi à Saint-Léonard.

« Pour bouger quoi que ce soit ici, même un arbre, on devait obtenir l'autorisation du *boss*. Autrement, rien », rappelle Luigi Ronsisvalle, un ancien exécuteur de basses œuvres à la solde de Licata. Sur l'ordre de l'organisation Bonanno, il a arpenté les rues de Brooklyn pendant des années. Il décrit Licata comme un vieux *padrone* local impliqué dans des affaires pas très payantes, comme le prêt usuraire et les paris. Licata était propriétaire, directement ou par personne interposée, de plusieurs commerces dans le quartier, y compris quelques cafés italiens où l'on organisait des parties de cartes. Licata touchait évidemment sa quote-part chez tous les parieurs. En l'espace d'une soirée, un seul café pouvait engranger des milliers de dollars de profits.

Licata tranchait nettement sur les autres résidants du quartier, car il était constamment vêtu de blanc. La légende veut qu'un jour où sa fille était malade, le vieux truand promit à Dieu que s'il la guérissait, il porterait toujours des vêtements blancs en signe de gratitude. L'enfant survécut et, dès lors, on put voir Licata déambuler, tout de blanc vêtu, tel un fantôme dans les rues de Brooklyn.

Il gardait ses hommes occupés et leur laissait suffisamment d'argent pour vivre. Leurs seules obligations étaient de lui témoigner le respect traditionnel, de lui obéir sans discuter et d'éviter de fricoter avec les narcotiques. Comme beaucoup d'anciens de sa trempe, Licata était convaincu que la drogue représentait non seulement le mal personnifié, mais qu'elle détruirait les fondements mêmes des assises économiques de la Mafia. Les paris, les prêts usuraires et autres bricoles du genre étaient des activités illégales, mais on les acceptait dans de nombreuses couches de la société. Nul n'aurait pu en dire autant du trafic de stupéfiants. Licata, tout comme Ronsisvalle, avait une vision nostalgique, voire illusoire, de ce qu'était vraiment la Mafia.

« Tout comme un jeune Américain peut devenir fou de baseball, je suis tombé amoureux de la Cosa Nostra, expliqua un jour Ronsisvalle dans un anglais hésitant. Un homme d'honneur ne se balade pas en volant ou en tuant pour de l'argent. Un homme d'honneur tue pour une bonne raison : pour aider les gens ! » aimait-il répéter. Depuis son arrivée en Amérique en 1966, il avait lui-même tué 13 personnes et estimait sans nul doute avoir accompli là une œuvre utile pour la société. Ronsisvalle s'était établi à Brooklyn à une époque où il avait pu voir les vestiges de sa bien-aimée Cosa Nostra disparaître, si tant est que les nobles sentiments qu'il prêtait à cette organisation eussent jamais existé. Lorsqu'il avait débarqué en Amérique, il s'était dirigé droit vers Knickerbocker Avenue sur les conseils d'un ami sicilien, et s'était alors mis à aider Licata à percevoir les dettes de débiteurs récalcitrants.

Mais la routine bien établie depuis des générations commençait à prendre un coup de vieux. Ronsisvalle et Licata s'aperçurent que leur chère Mafia avait lentement commencé à subir les changements qui devaient la bouleverser profondément, et ces changements s'amorcèrent avec Carmine Galante.

En 1976, la mort du puissant chef de famille Carlo Gambino amena Carmine Galante à s'imaginer qu'il réaliserait finalement son rêve de devenir à la fois le patron d'une entreprise internationale de trafic d'héroïne et le chef suprême de la mafia américaine. Difficile de dire laquelle de ces deux perspectives suscitait en lui le plus de désir, la première prédisposant généralement à la deuxième. Après avoir été reconnu coupable de complot pour trafic d'héroïne et purgé, en compagnie de Pep Cotroni, une peine de 12 ans d'emprisonnement, Galante, dès l'instant où il fut remis en liberté, révéla au grand jour ses ambitions désordonnées. La famille Bonanno était sans chef. Ancien *consigliere* et deuxième en autorité au sein de cette famille, Galante était éminemment qualifié pour en prendre la direction. Tant le public que la police se préparaient au pire, alors que Galante s'apprêtait à reprendre sa place d'homme clé dans l'axe Sicile-Montréal-New York du trafic d'héroïne.

Comme dans toutes les légendes urbaines, il y avait des bribes de vérité parmi toutes ces exagérations et suppositions. Galante semblait en effet entretenir l'ambition insensée de devenir le patron de toute la mafia américaine. C'était toutefois un homme du passé. Sur le plan international, le monde interlope, en son absence, s'était réorganisé. La Filière française, tout comme les acolytes corses et français de Galante, périclitaient ou, du moins, avaient perdu beaucoup de leur influence. Les trafiquants européens s'étaient éparpillés à travers l'Ancien et le Nouveau Continent pour former, sans inclure Galante dans le portrait, des alliances directes avec les familles Bonanno et Gambino à New York, ou encore avec d'autres clans.

Ailleurs, en Sicile, les laboratoires fonctionnaient à pleine capacité et commençaient à produire de la drogue en quantités industrielles. On aurait cru que tous les clans de la mafia sicilienne se consacraient au trafic de narcotiques. Les expatriés de la Mafia formaient, au Venezuela et au Brésil, leurs propres alliances. La Sixième Famille conspirait pour éliminer l'obstruction que causait Paolo Violi à Montréal, ce qui mettait en péril les vieilles relations que Galante entretenait avec Cotroni.

En l'absence de Galante, la famille Bonanno avait aussi beaucoup changé. Il y avait maintenant de nouveau joueurs sur le terrain, de jeunes émigrés — légalement ou non — qui, au fil des années, étaient arrivés de Sicile et étaient demeurés fidèles aux clans d'Agrigente, de Palerme ou de Trapani.

C'étaient ces jeunes trafiquants siciliens qui, à Brooklyn, tout comme les Rizzuto au Canada, se heurtaient aux gangsters bien établis de la vieille mafia américaine. Et parmi tous ces gens évoluait un malfrat de la vieille école, convaincu que la tradition saurait être un atout pouvant faire contrepoids à la richesse soudaine apportée par le trafic de narcotiques. Pour Licata, comme pour Galante au Canada, il s'agissait là d'une position fort dangereuse.

BROOKLYN, 1977

Des hommes comme Pietro Licata furent les premiers à noter les changements qui se produisirent dans le paysage interlope.

Alors qu'il parcourait son territoire, Licata ne manqua pas de remarquer l'afflux de nouveaux immigrants siciliens qui avaient ouvert des commerces et s'étaient immiscés au cœur de la mafia américaine. À New York, ils se regroupaient autour de la famille la plus sicilienne qui existât, celle que les Bonanno avaient fondée. Ces nouveaux arrivants causèrent tout un émoi parmi les mafiosi aux États-Unis, qui les appelaient les « Zips », probablement à cause de leur patois, qu'ils débitaient à un rythme très rapide.

Selon Kenneth McCabe, un ancien détective de la Ville de New York décédé en 2006, les mafiosi américains affublaient en secret leurs homologues siciliens du surnom de *greaseballs*[1] — un terme plutôt insultant. Les Zips de Knickerbocker Avenue appartenaient à la famille Bonanno. Plusieurs d'entre eux y avaient été intronisés et, en théorie du moins, tous devaient prêter allégeance à Licata ou à l'un des autres capitaines de Bonanno. Les mafiosi nés en Amérique se méfiaient de ces gens qui ne se fréquentaient qu'entre eux, parlaient un jargon incompréhensible et s'impliquaient dans des combines qu'ils se gardaient bien de dévoiler aux Américains. Bref, on les considérait comme une espèce à part.

« Les Zips ne roulaient que pour eux-mêmes », explique Sal Vitale, un vieux membre du clan Bonanno et un ancien *sotto capo* de la

---

1. Littéralement : « boules de suif ». On attribue souvent l'origine de ce sobriquet à l'utilisation en Italie de l'huile pour la cuisson. (N.d.T.)

famille. Franco Lino, un ancien capitaine de Bonanno, renchérit : «Il était facile de repérer les Zips. Nous pouvions tout de suite voir qui était un Gino fraîchement débarqué d'Italie. Comment ? Il suffisait de les regarder ! »

•

À Brooklyn, Salvatore «Toto» Catalano, né en 1941 dans la ville sicilienne de Ciminna, au sud-est de Palerme, était le patron de la faction sicilienne des Bonanno — les Zips. Catalano et ses deux frères, également membres de la Mafia, avaient été envoyés aux États-Unis en 1966 par des trafiquants européens soucieux de développer le marché sicilien des narcotiques. De plus, les descentes qu'avait effectuées la police italienne à la suite d'un massacre de policiers survenu à Ciaculli, au sud de Palerme, avaient fait fuir quantité de mafiosi dans toutes les directions.

Catalano avait de la parenté à Brooklyn, dont un cousin homonyme surnommé «Saca». Ce dernier magouillait dans le trafic de narcotiques depuis 1950. Menant une vie tranquille et sans extravagances, Catalano tenait boutique sur Knickerbocker Avenue. Capitalisant sur sa réputation de membre de la mafia sicilienne et sur ses relations familiales, il était devenu — officiellement — un modeste homme d'affaires ayant des intérêts dans des boulangeries et plusieurs pizzerias. Tous ses associés étaient des mafiosi, et toutes ses affaires servaient de couverture au réseau de trafic d'héroïne qui devait être connu plus tard sous le nom de «Pizza Connection» — la Filière des pizzerias. Tous ceux qui ont rencontré Catalano en gardent le même souvenir, celui d'un homme possédant un grand contrôle de lui-même et des nerfs d'acier. Consacré membre de la famille Bonanno au même titre que Nick et Vito Rizzuto de Montréal, il n'arborait pas, toutefois, l'allure m'as-tu-vu et fanfaronne de ses semblables de la mafia américaine. Son rôle en Amérique, tout comme celui des Rizzuto, des Caruana et des Cuntrera au Canada et au Venezuela, était de s'occuper principalement du «franchisage» pour l'écoulement de l'héroïne, mais en bons gangsters, ces singuliers citoyens ne crachaient jamais sur une bonne affaire lorsqu'elle se présentait.

Six mois après l'assassinat de Licata, Catalano fut nommé capitaine de la famille Bonanno, et on lui accorda le territoire du défunt *Mustache Pete*, ce qui indique probablement qu'il eut un rôle à jouer dans ce meurtre.

Le contact le plus important de Catalano pour le trafic d'héroïne était Carmine Galante qui, bien que né de parents siciliens, était un pur produit de la mafia américaine. Pour nombre d'immigrants fraîchement débarqués tels que Catalano, l'expertise et les contacts de Galante étaient cruciaux pour établir des ponts avec les bandes américaines désireuses de se mouiller dans les réseaux de distribution de drogue. Galante était un dur ; il avait passé sa vie dans les combines de stupéfiants et entretenait d'excellents contacts aux États-Unis, au Canada et en Italie. Et ce qui était encore plus important pour les Zips, c'était que Galante était disposé à partager le gâteau avec eux.

Du point de vue américain, l'arrivée de gangsters siciliens a souvent été attribuée à une initiative de Galante qui aurait «importé» les Zips pour faire le sale boulot à sa place. Aujourd'hui, on pense plutôt que les Zips ont en fait pratiqué une lente invasion du milieu. Ils auraient été envoyés en Amérique du Nord par les Siciliens et non invités par les Américains. Il s'agit là d'une distinction considérable.

La mafia américaine, principalement les Cinq Familles de New York, s'est développée différemment de celle de son pays d'origine, c'est-à-dire l'Italie.

«Au début, il ne s'agissait que d'une simple succursale de l'organisation italienne. Elle est née dans le sillage des mouvements migratoires des Italiens du Sud vers le Nouveau Monde», écrivait Giovanni Falcone, le juge enquêteur italien qui a peut-être passé plus de temps avec des mafiosi repentis au cours de sa vie que tout autre investigateur au monde. «Les deux organisations, poursuivait-il, ont adopté des habitudes et des façons de penser selon les pays où elles se développaient. Cette évolution distinctive a, en pratique, provoqué une autonomie croissante chez la mafia américaine qui, aujourd'hui, est totalement indépendante.»

C'est au moment où une nouvelle génération d'«hommes d'honneur» infiltra la mafia américaine, à New York et à Montréal, que les différences entre les Zips et les gangsters américains apparurent clairement aux yeux de tous.

«Avec la mise sur pied de laboratoires de fabrication d'héroïne en Sicile, il était nécessaire de réorganiser les dispositifs de distribution nord-américains», explique Tom Tripodi, un ancien agent de première ligne de l'ancien U.S. Bureau of Narcotics and Dangerous Drugs (aujourd'hui, la Drug Enforcement Administration (DEA) ou Agence de lutte contre le trafic et la consommation de drogue des États-Unis). Tripodi, un limier possédant une vaste expérience outre-mer et une vision lucide de ce milieu (il a notamment interrogé, en Italie et en Amérique, des criminels aussi notoires que Joe Valachi ou Tomasso Buscetta, devenus délateurs de la Mafia), assure qu'il s'agissait d'une ouverture imputable à la mafia sicilienne et non à sa contrepartie américaine. Ce sont les Siciliens qui furent responsables de l'envahissement opéré par les Zips à New York et à Montréal.

«Les trafiquants français connaissant une baisse de tonus, la sphère d'influence sicilienne prit de la vigueur, une initiative qui faisait l'affaire des mafiosi de New York et de Palerme, reprend Tripodi. Les Siciliens voulaient remettre de l'ordre dans les rangs de leurs frères américains en réaffirmant, par des moyens diplomatiques, la suprématie des traditions du réduit sicilien.»

Peu importe, d'ailleurs, les raisons de l'invasion des Zips. Il est certain que Carmine Galante les aimait bien. Ils répondaient à sa vision idéaliste de la Mafia : la loyauté, la force, la ruse, et une disposition inconditionnellement favorable au trafic de stupéfiants. Il intronisa plusieurs Zips au sein de la famille Bonanno, même si ce rôle était habituellement dévolu au patron.

En 1977, à Brooklyn, Galante présida une cérémonie d'initiation dont l'un des postulants était Frank Coppa. Vingt-cinq ans plus tard, Coppa allait faire d'importants ravages au sein de la famille Bonanno, mais son initiation n'est pas dénuée d'intérêt ; il fut intégré officiellement à la Cosa Nostra le même jour que deux Zips particulièrement ambitieux et agressifs.

«On m'a emmené dans un appartement de Brooklyn ; à l'intérieur se trouvaient Carmine Galante et d'autres *capi* de Bonanno, relata plus tard Coppa. Moi et un autre type, dont je ne me rappelle plus le nom, attendions dans la salle de bains pendant qu'ils initiaient les deux autres gars…» À travers la mince cloison, il entendait Galante prononcer dans le salon l'ancienne formule rituelle d'initiation pour Cesare Bonventre et Baldassare «Baldo» Amato.

«Ils causaient en italien, ce qui fait que je n'ai pas compris, reprit Coppa, qui était né à Brooklyn. Ils sont sortis, alors nous sommes entrés dans le salon. À ce moment-là, ils nous ont dit que si nous ne voulions pas être initiés, nous avions le droit de nous en aller. Sinon, nous devions joindre les mains, et la cérémonie qui rendait officielle notre entrée dans la famille Bonanno commencerait. Nous avions l'impression que Carmine Galante était le *boss*…»

Les Siciliens étaient initiés séparément des Américains. Bonventre et Amato avaient probablement déjà été initiés par la mafia sicilienne avant d'émigrer, mais la question de double appartenance ou de loyauté concurrente ne semblait pas poser de déchirant cas de conscience à Galante. Il appréciait le sentiment de pouvoir qu'il ressentait dans la rue grâce à l'affiliation de ces nouveaux soldats. Convaincu que ceux-ci dépendaient de lui et ne reculeraient devant rien pour l'aider à se propulser encore plus haut, il considérait les Zips comme ses vassaux. Ces derniers, toutefois, avaient d'autres idées en tête…

Ainsi, l'organisation de Catalano, qui émergeait lentement à Brooklyn, consistait en une bande de Siciliens de naissance, membres en règle de la Mafia. Parmi ces hommes, certains entretenaient de solides liens avec la Sixième Famille : Bonventre, Amato, Giovanni Ligammari, Santo « Tony » Giordano, Filippo Casamento et Giuseppe Baldinucci. Bonventre et Amato arrivèrent à New York en passant par le Canada. Beaucoup plus tard, Casamento et Baldinucci devaient tous deux retourner à New York après avoir été déportés en Italie. Ils avaient probablement rendu visite aux associés de la Sixième Famille au Canada. Ligammari a été également vu en train de converser et de travailler avec certains membres clés de la Sixième Famille.

Non seulement les Zips envahissaient-ils New York, mais ils fournissaient les trafiquants de Philadelphie, de Boston, de Chicago et de Detroit. La faction de Catalano, pour rapatrier les profits réalisés en Amérique vers l'Europe et le Canada, utilisait des réseaux légitimes de transferts de fonds, ceux de la Banque Royale du Canada et de la Banque de Nouvelle-Écosse, entre autres, deux importants établissements financiers canadiens possédant des succursales de par le monde. Une autre partie des profits était acheminée à la Sixième Famille, qui s'occupait de faire passer le gros de l'argent comptant à travers le réseau bancaire montréalais, beaucoup plus perméable que les autres, vers la Suisse et le Lichtenstein.

Vers le milieu des années 1970, grâce à plusieurs informateurs, Catalano fut démasqué. Cet homme toujours mystérieux ne cessait de surgir au cœur d'enquêtes visant des cibles secondaires, alors que d'autres membres du clan Bonanno étaient encore directement sous surveillance. En 1975, il fut arrêté dans une voiture en compagnie de deux autres mafiosi. La police saisit un pistolet non enregistré et Catalano fut condamné à cinq ans de prison ; il fut libéré après avoir passé trois ans sous les verrous. À cette époque, il se querellait déjà avec Licata. On raconte que le jeu de baccarat qu'organisait Catano « flottait », c'est-à-dire qu'il devenait itinérant une fois par année en empruntant un circuit d'établissements déterminé par la pègre régionale. Licata se rebiffait devant une telle approche. Il n'aimait guère les Zips et méprisait Catalano. Bref, Licata faisait tout pour s'opposer à ce qu'il considérait comme une indésirable engeance.

Malgré la présence de plus en plus visible de Catalano à Brooklyn, une réalité qui ne passait pas inaperçue pour la police, il ne représentait qu'un nom parmi tant d'autres sur l'arbre généalogique touffu de la famille Bonanno. Son vrai rôle, son importance au sein du monde interlope ne devaient être révélés que lorsque la Sixième Famille ferait main basse sur Montréal.

Il semblait que, pour Catalano, son appartenance à la famille Bonanno ne relevait que d'une vague question administrative. Il avait avant tout un travail à accomplir, qui était de faire circuler de l'héroïne.

Il semble n'avoir fait preuve d'aucune loyauté envers les patrons de la famille Bonanno, et n'avoir eu que peu de contacts avec ses complices de la mafia américaine, qui le regardaient avec envie alors qu'il gagnait peu à peu un pouvoir et un respect contrastant avec sa vie plutôt prosaïque.

«Le plus important *boss* de la mafia américaine est considéré comme inférieur en stature et en puissance à la plus minable recrue de dernière heure, lorsque celle-ci est sicilienne, déclara le fidèle copain d'un trafiquant de drogue sicilien. En effet, en Sicile, les membres de chaque famille portent sur leurs épaules le poids de la famille entière...» Lorsqu'on lui raconta ce que Frank Coppa avait dit à la cérémonie d'initiation de Bonventre et d'Amato, au cours de laquelle ils avaient juré de protéger la famille Bonanno jusqu'à la mort, le vieux truand secoua la tête.

«Si c'est exact, je peux vous parier que les Siciliens ont dû se croiser les doigts, répondit-il avec un sourire narquois, parce que la loyauté n'est due qu'à une seule chose : à la Sicile...»

Sur Knickerbocker Avenue, où les affaires des autres truands allaient en cahotant, Catalano et ses séides, accumulant les profits de la vente d'héroïne, commençaient à afficher leur prospérité. Ils conduisaient des voitures de luxe et achetaient des maisons qui faisaient l'envie de truands locaux qui, dans certains cas, végétaient. Cesare Bonventre, en particulier, causait tout un émoi avec ses vêtements dernier cri sortis de chez les meilleurs tailleurs, On remarquait ses chics chemises rayées à col ouvert et ses lunettes de soleil, portées tant le jour que la nuit, signées par quelque célèbre designer. Sur Knickerbocker Avenue, un costume griffé à 2 000 $ ne passait pas inaperçu. D'autre part, lors de parties de cartes nocturnes, les Zips pariaient de fortes sommes à un rythme étourdissant.

L'argent était justement l'élément que des gens comme Pietro Licata, de Brooklyn, et Paolo Violi, de Montréal étaient incapables de contrôler, de limiter ou de supprimer. C'étaient évidemment les stupéfiants qui généraient ces fortunes. Licata, tout comme Violi, tentèrent d'intervenir.

«Il [Licata] n'aimait pas les drogues, explique Ronsisvalle. Il avait dit : "Non, non et non ! Je ne veux pas d'héroïne sur Knickerbocker Avenue..." Alors ils ont dit OK, mais après, ils l'ont dessoudé...»

Vétéran de la Cosa Nostra locale, Licata ne pouvait être protégé des Zips qu'en vertu du code de la mafia américaine, mais cela ne s'avéra pas suffisant. Licata fut liquidé, et les Zips comblèrent le vide. Comme cela devait arriver dans plusieurs cas similaires, le meurtre de ce gangster américain n'entraîna pas de représailles pour les Zips.

En dépit des idées passéistes qu'il entretenait concernant la Mafia, Luigi Ronsisvalle était certainement plus souple que Licata. Il parvint à s'adapter à la nouvelle administration en devenant passeur d'héroïne. À partir de Knickerbocker Avenue, il entreprit des dizaines de trajets qui le menèrent en Floride ou à Los Angeles pour transporter la camelote des Zips. Certains chargements pouvaient peser 45 kilos, et d'autres, quatre kilos seulement. Il passait son temps dans les trains, les avions, les voitures. Selon ses propres dires, il fit plus d'une douzaine de voyages à Chicago par l'Amtrak en transportant plus de 40 kilos d'héroïne dans ses bagages. Il donna également des détails sur la quinzaine de chargements qu'il convoya par train de chez la famille Bonanno jusque chez les Gambino. Après une brève interruption de ses déplacements, occasionnée par une pénurie de marchandise, le filleul de Carmine Galante, Felice Puma, l'avisa que la drogue circulait de nouveau en abondance.

«Les affaires reprennent, lui annonça Puma. Luigi, connais-tu le pipeline qui amène le pétrole canadiens aux *States*? Eh bien! Nous avons maintenant la même chose... avec l'héroïne!»

MONTRÉAL, 1977

La tension qui avait entraîné le meurtre de Pietro Licata reflétait fidèlement la situation qui régnait à Montréal entre Violi et la Sixième Famille. À la grande déception de cette dernière, Violi ne pouvait être éliminé aussi facilement que l'avait été Licata à Brooklyn. Si le code de la mafia américaine était souvent transgressé par les Zips, celui de la 'Ndrangheta était entièrement différent. Pourtant, la recrudescence record du trafic d'héroïne qui suivit le meurtre de Licata démontra combien il avait été rentable de faire sauter l'obstacle que constituait le vieux mafioso.

Avec la violence qui se profilait à l'horizon, la Sixième Famille décréta l'état de guerre. Son noyau se resserra et elle accrut les mesures de sécurité. Les complots étaient courants, et on mettait constamment à l'épreuve la loyauté des personnalités du milieu. Les armes furent fourbies et soigneusement stockées, tandis que Vito Rizzuto, l'espoir de cette famille, était placé à l'abri.

En 1976, après sa sortie de prison, lorsque les tensions atteignirent leur apogée à Montréal, Vito rejoignit son père au Venezuela, où il se trouvait protégé des bandes rivales et de la police. Il demeura en Amérique du Sud pendant les trois années qui suivirent, tandis que les tambours de guerre vibraient dans la métropole.

Chapitre 13

MONTRÉAL, FÉVRIER 1976

Le jour de la Saint-Valentin, fête des amoureux, n'est pas toujours célébré par les couples mariés depuis longtemps. Cette journée fut pourtant celle où Pietro Sciarra décida d'oublier les dévorantes intrigues de la lutte pour le pouvoir à Montréal qui opposait les Rizzuto et les Violi pour se rapprocher de sa femme. Quelque temps auparavant, il avait été mis sur des charbons ardents et placé sous une très forte pression, plus forte encore, d'une certaine façon, que celle que subissaient Paolo Violi et Nick Rizzuto ; Sciarra, lui, se retrouvait entre l'arbre et l'écorce. Bien que Sicilien, il n'en était pas moins un conseiller en qui le Calabrais Violi avait toute confiance. La police disait de lui qu'il était son *consigliere*, et il avait pris publiquement la défense de son patron. La Sixième Famille avait essayé, à plusieurs reprises, de lui faire comprendre la nouvelle réalité, centrée sur la Sicile. Mais il était demeuré obstinément sourd à ces prières.

Pietro Sciarra était un mafioso sicilien que Violi avait accueilli à bras ouvert quand il avait fui au Canada. Violi estimait Sciarra pour sa capacité d'écoute et pour les conseils sages et utiles qu'il lui prodiguait. Il partageait avec lui quelques-unes de ses pensées les plus secrètes et lui donnait en toute confiance des affaires à traiter, tout particulièrement lorsqu'elles devaient impliquer des gens ne faisant pas partie du milieu. Sciarra était, en quelque sorte, le ministre des Affaires étrangères de Violi. Lorsque Vic Cotroni fut mis à l'ombre par la CECO, Sciarra fut celui que Violi, désireux d'être nommé chef de la *decina* de Montréal, envoya à New York pour plaider en sa faveur. Lorsqu'un dénommé Frank Tutino se porta candidat lors des élections municipales de 1974, c'est à Sciarra qu'on fit appel pour suggérer à Tutino de retirer sa candidature, après que Violi eut décidé de donner son appui à un autre candidat. (Tutino refusa mais fut battu à plates coutures lors des élections.) Et c'est encore sur Sciarra que Violi compta pour obtenir des conseils sur la façon de s'occuper des Rizzuto et de la Sixième Famille. Sciarra, en retour, reçut de la part de Violi, en signe de respect, le surnom affectueux de Zio — «Oncle».

Malgré ses prouesses en tant que diplomate, Sciarra ne faisait pas que parler. En Italie, il avait été déclaré membre actif de la Mafia par un tribunal et condamné à la détention préventive selon les lois antigang. Pour éviter la prison, il avait fui à Montréal. Son statut de fugitif et de mafioso ne l'empêcha pas, cependant, de faire nombre d'allers et de retours, entrant et sortant du Canada et de la Sicile comme il le voulait. Bien que les autorités canadiennes eussent émis des ordres de déportation contre lui, il alla plusieurs fois en appel, ce qui lui permit de prolonger son séjour pendant de nombreuses années. Il fut libéré sous caution d'un procès intenté par Immigration Canada lorsqu'il se vit assigné à comparaître devant la Commission d'enquête sur le crime organisé, quelques semaines avant la sortie prévue avec sa femme, le jour de la Saint-Valentin. Sciarra, vêtu d'un costume impeccable à fines rayures et d'une cravate à pois, fut interrogé au sujet de ses relations avec de peu recommandables citoyens.

«Savez-vous ce qu'est la Mafia? lui demanda le juge Jean Dutil, président de la CECO, après avoir entendu de nombreux témoignages qui faisaient état de son implication avec Violi dans la gestion des affaires de la Cosa Nostra à Montréal.

— Non, répondit Sciarra d'un air perplexe.

— Vous n'avez aucune idée de ce qu'est la Mafia?

— Non, fut encore la réponse que donna Sciarra, le visage impassible.

— Et pourtant, vous avez été désigné par la loi antimafia! s'exclama le juge.

— Je ne sais pas ce que signifie antimafia.»

Sciarra, après avoir subi toutes ces tensions, n'avait donc qu'un désir, celui de passer une soirée tranquille en compagnie de son épouse, et cela est compréhensible. Pour leur sortie de la Saint-Valentin, il avait choisi d'aller voir un film américain doublé en italien — *Il Padrino, parte seconda* (*Le Parrain, 2ᵉ partie*). De nombreux mafiosi avaient exprimé leur admiration pour cette célèbre trilogie sur la Mafia, qui présentait leurs traditions sous un éclairage romantique. Le couple, après avoir observé avec délices deux générations de la famille Corleone résoudre les problèmes à coups d'assassinats, quitta la petite salle de cinéma qui, en fait, faisait partie des biens de la famille, puisqu'elle appartenait à Palmina Puliafito, la sœur de Vic Cotroni[1].

Si un réalisateur de films avait cherché un lieu où tourner une scène d'assassinat, il aurait probablement trouvé son compte aux

---

1.   Elle fut l'inusable productrice de l'émission de radio *Voce d'Oltremare* pendant les années 1950 et 1960 et avait la main haute sur quantité de spectacles italo-canadiens dans la métropole. (N.d.T.)

alentours de ce cinéma, qui se trouvait dans un quartier déshérité enclavé par les sinistres tentacules de béton d'un échangeur routier. Sciarra et sa femme quittèrent la salle bras dessus bras dessous et se dirigeaient vers le stationnement lorsqu'un homme encapuchonné sortit de l'ombre. L'individu masqué brandit un fusil de chasse de calibre 12 et visa Sciarra. Le gangster ne dut traverser qu'un bref instant de panique avant que la détonation l'arrache du bras de sa femme et le projette à terre, où il mourut.

Si Sciarra s'était imaginé que son sang sicilien pouvait, d'une manière ou d'une autre, le protéger de la Sixième Famille, ou encore que son patron, Violi, était assez puissant pour le préserver de ses violences, il souffrait certainement de myopie. Sciarra avait pagayé entre deux mondes, et c'est ce qui l'avait rendu particulièrement vulnérable. Il était membre de la mafia sicilienne, et cette dernière n'avait pas besoin de passer par les voies diplomatiques ou de prendre en considération le code d'un autre groupe de la pègre. Les Siciliens pouvaient s'occuper de lui comme ils l'entendaient.

Le coup de feu qui tua Sciarra fut le signal de départ d'une guerre qui, en fait, avait été déclarée trois ans plus tôt. Les enquêteurs de la police et les membres de toutes les pègres, dans la foulée du meurtre de Sciarra, se préparèrent donc pour une guerre totale.

Un joueur d'échecs prudent peut choisir de s'emparer de toutes les pièces maîtresses du jeu de son adversaire avant de faire avancer son propre roi. Cette tactique affaiblit son opposant, sécurise son assaut final, minimise les risques de pertes et, ce qui est le plus important, empêche le concurrent d'effectuer une contre-attaque efficace. De telles manœuvres, soutenues par un joueur qui réfléchit et fait bouger ses pions sans se hâter, peuvent exiger un peu plus de temps. Cependant, elles sont calculées pour mener inexorablement à la victoire finale. C'est cette patience et cette minutie de joueur d'échecs que la police utilise pour qualifier la stratégie de l'organisation Rizzuto, lorsque celle-ci décida finalement d'agir contre Violi. L'élimination de Sciarra avait été une bonne mise en jeu ; elle avait attiré l'attention, clarifié une position et, en même temps, éliminé un des atouts de l'ennemi. Cependant, des obstacles bloquaient toujours le chemin vers le pouvoir, de même qu'il restait des cibles supplémentaires à abattre pour réussir ce coup d'État, plus graduel que définitif.

Francesco Violi, le frère de Paolo, était de neuf ans son cadet, ce qui ne l'empêchait pas d'être physiquement le plus grand et le plus imposant de la famille. Le sommet du crâne de Paolo atteignait à peine les oreilles de Francesco et, si Paolo possédait une certaine corpulence, son centre de gravité se trouvait plus bas que celui de son jeune frère, dont les épaules étaient larges et musclées. Les attributs physiques de Francesco avaient été bien utilisés ; il était chargé de faire appliquer les décisions de la famille à la force des bras. Il était l'homme à poigne le plus fidèle de la famille, et il s'acquittait de tous les sales boulots sans faire preuve d'aucune émotion. Capable de tout pour protéger son frère et le nom de sa famille, il pouvait se montrer cruel et sauvage, était toujours prêt à frapper et ne pliait pas facilement. Francesco avait la réputation d'être plus instable que son frère, pourtant réputé pour sa mauvaise humeur. Si Paolo Violi déclarait la guerre, Francesco Violi se trouverait sur la ligne d'attaque. Et si Paolo était touché, on attendait de Francesco qu'il explosât dans une rage meurtrière pour venger l'honneur de son clan. La dynamique familiale était notoire.

Le 8 février 1977, six jours avant l'anniversaire du meurtre de Sciarra, Francesco Violi travaillait à la société d'importation de son frère, Violi Importing and Distributing Co. Ltd., une affaire familiale située dans le quartier industriel de Rivière-des-Prairies, sur la rive nord de l'île de Montréal. On raconte qu'il était seul et qu'il parlait au téléphone à son bureau, situé tout au fond du local, lorsque des agresseurs firent irruption dans la pièce et ouvrirent le feu. Les tueurs — la police estime qu'ils étaient au moins deux — ne bâclèrent pas le travail ; en plus du projectile qu'il reçut en plein visage, Francesco eut le corps criblé d'une volée de balles de revolver.

Dans un rapport du FBI, on trouve ceci : « Bien que cela n'ait pas été prouvé, Nick Rizzuto a été soupçonné d'avoir commandité le meurtre. »

Paolo Violi était en prison à cette époque, purgeant sa dernière peine pour outrage au tribunal. Il avait été très perturbé par le meurtre de Sciarra, et fut sans doute encore plus bouleversé par l'assassinat de son frère. Il aurait dû savoir à ce moment-là, s'il ne s'en était pas douté plus tôt, qu'il était un homme condamné. Et pourtant, lorsqu'il fut libéré de prison, il demeura impassible et maître de lui-même. Il n'existe pas d'indication démontrant qu'il rassembla ses troupes en prévision de la guerre. Il continua à suivre sa routine habituelle et à rencontrer les mêmes personnes. Il rendit visite à des gangsters et amis le long des rues familières de Saint-Léonard. Et bien que le Reggio Bar, son ancien quartier général sur Jean-Talon, eût été vendu à deux truands siciliens, il continua à s'y rendre, et il était courant de le voir dans ce bistro en train de siroter son espresso.

•

Malgré la mort de Pietro Sciarra et de Francesco Violi, on tenta — bien que la démarche pût paraître incroyable — de poursuivre les pourparlers de paix, dans un dernier effort pour dissiper les tensions. On ne sut jamais qui insista pour qu'il y eût une réunion, car il est difficile d'imaginer quelqu'un de suffisamment naïf pour croire que le différend pût être réglé autrement que dans une effusion de sang. Et pourtant, une réunion fut bel et bien organisée en 1977 entre Nick Rizzuto et Paolo Violi, un événement rare depuis que Nick s'était établi au Venezuela.

Si l'on met de côté tous ses défauts, une chose est certaine : peu de gens peuvent accuser Violi de lâcheté. Il dut faire preuve de beaucoup de courage pour retourner de son propre gré à la maison des Arcuri, dans ce contexte aussi brutal qu'enflammé.

Nick et Violi arrivèrent séparément à ce dernier rendez-vous. Les micros qui avaient jadis été placés au Reggio avaient été enlevés, et les entretiens s'y déroulaient de nouveau dans le plus grand des secrets. C'est pourquoi il est impossible de dire à quel point ils furent sincères dans leur ambition de faire la paix. Violi ne démontra aucune intention d'abdiquer, et Nick refusait toujours de se soumettre. À ce qu'il paraît, aucun des deux n'exprima le désir d'une réconciliation. Nick souhaitait peut-être transmettre, à visage découvert — *faccia a faccia* —, un ultimatum officiel à Violi. De son côté, Violi montra sans doute qu'il était indifférent, qu'il n'avait pas peur, qu'il n'était pas prêt à plier et qu'il était l'héritier en droit de la *decina* de Montréal. Quelle que fût la teneur des discussions des deux hommes ce jour-là, rien ne put régler leur désaccord ni atténuer la tension existante. Ils étaient, pour reprendre les termes utilisés dans les jugements de divorce, absolument irréconciliables.

Dans des notes du FBI, on peut lire que «la rencontre qui s'est déroulée à Montréal n'a rien fait pour stopper la violence».

MONTRÉAL, FIN JANVIER 1978

La police réalisa que quelque chose clochait lorsque le ton et la teneur des propos que tenait la pègre au sujet de Paolo Violi passèrent de moqueurs à hostiles. À l'intérieur du cercle de la clique sicilienne, les idées exprimées se modifiaient. On n'en était plus à souhaiter des malheurs ; on les planifiait désormais activement. La police était au courant de rumeurs qui provenaient de la rue et savait que la position de Violi était précaire, ce que confirmaient des conversations enregistrées.

S'il était évident pour les enquêteurs qu'il se tramait un complot contre Violi, ce dernier devait également se douter de ce qui se passait. La police, en fait, essaya d'en discuter avec lui, mais il les repoussa, tout comme il avait refusé de participer à l'enquête de la CECO. Violi n'était pas de ceux qui prennent la fuite ou qui cherchent de l'aide, pas même lorsque cela constituait sa meilleure — et sa seule — chance de survie. Lorsque la police de Montréal apprit que plusieurs hommes à la solde de Rizzuto étaient en train de comploter l'assassinat de Violi, des inspecteurs commencèrent immédiatement à surveiller de près les suspects. Ils passaient la plupart de leur temps à épier les allées et venues des clients du restaurant Mike's Submarines de Saint-Léonard. Les policiers assurèrent chaque jour la surveillance, jusque tard dans la nuit, pendant de nombreuses semaines, sans que rien ne s'y produise.

Le 20 janvier 1978, les équipes de surveillance de la police furent retirées pour le week-end, déclara plus tard un officier de police impliqué dans cette opération. La raison de cette interruption était financière. Le coût des heures supplémentaires commençait à être trop élevé et l'opération semblait stérile, les agents n'ayant pas obtenu de renseignements pouvant conduire à des inculpations. On était à 19 jours de l'anniversaire du meurtre de Francesco Violi, à 25 jours de celui de l'assassinat de Sciarra, survenu deux ans plus tôt. Violi devait certainement ruminer de sombres pensées.

Le soir du dimanche 22 janvier, deux jours après que la police eut reçu l'ordre d'interrompre la surveillance du Mike's Submarines, Violi se rendit à ses anciens quartiers généraux du Reggio Bar, sur Jean-Talon. Il y avait été invité par téléphone, après un dîner passé en famille. Probablement qu'une douzaine de visages familiers se trouvaient au bar, où une partie de cartes était en cours à l'une des tables. Violi, qui portait une tenue sport et chemise blanche, un style à la mode à l'époque, avait pris place sur une chaise à armature d'acier, à une autre table située à l'arrière du bar aux murs lambrissés de bois.

Une personne au bar fit un appel téléphonique : « Le cochon est ici », dit-elle.

Peu de temps après, à 19 h 32 précisément, un homme masqué armé d'un court fusil italien à double canon, une *lupara*, s'approcha lentement de Violi par-derrière. L'homme colla le canon de son arme derrière la tête de sa victime et tira. Le corps de Violi s'affaissa sur le sol en faux marbre et il s'affala, jambes et bras écartés, dans une mare de sang.

Le téléphone fut de nouveau utilisé.

« Le cochon est mort… », dit l'informateur.

•

Le coup avait réussi. Cependant, il ne s'était pas déroulé sans bavures. La police possédait plus de preuves que pour n'importe quel autre crime perpétré par la Mafia, des crimes habituellement difficiles à

résoudre sans l'aide de témoins coopérants. Les preuves circons-
tancielles réunies avant le meurtre étaient incontestables. La police
lança des mandats d'arrêt contre cinq suspects. Trois hommes furent
arrêtés peu de temps après à Montréal : Domenico Manno, l'oncle de
Vito Rizzuto du côté de sa mère ; Agostino Cuntrera, un des propriétaires du Mike's Submarines, un cousin d'Alfonso Caruana ; et
Giovanni DiMora, beau-frère à la fois d'Agostino Cuntrera et de Liborio
Cuntrera, l'un des patriarches du clan Caruana-Cuntrera. Une autre
des personnes arrêtées fut Vincenzo Randisi, un des propriétaires du
Reggio Bar et ami de Nick Rizzuto. Il fut rapidement relâché, cependant, et les accusations qui pesaient contre lui furent abandonnées,
faute de preuves. Le dernier suspect officiel prit la fuite. Paolo Renda
quitta Montréal pour le Venezuela, où il était hors d'atteinte des
autorités canadiennes.

La Sixième Famille avait frappé.

Le 15 septembre 1978, Domenico Manno, Agostino Cuntrera et
Giovanni DiMora plaidèrent coupable, reconnaissant avoir conspiré
pour liquider Violi. Ils ne reçurent que des peines plutôt légères, car
le juge avait été convaincu que leurs efforts pour s'engager dans une
carrière légitime et pour s'implanter au sein de la communauté faisaient d'eux d'excellents candidats à la réhabilitation. En fin de
compte, l'assassinat de Violi avait été une affaire de famille. Tous ceux
qui avaient été condamnés étaient liés entre eux, soit par le sang soit
par mariage, l'une des clés du succès de la Sixième Famille.

Curieusement, lorsque Manno fut arrêté, il s'empressa d'éloigner
Nick et Vito Rizzuto du crime et affirma aux autorités qu'ils n'étaient
pas impliqués dans le complot.

Dans un rapport de la police de Montréal, on peut lire : « Après
avoir été arrêté, Dominico Manno a signé une déclaration écrite qui
mentionnait notamment que Nicolò Rizzuto était son beau-frère et
que Vito Rizzuto était son neveu. Il déclare que tous les deux ont vécu
au Venezuela pendant deux ans. Il est important de souligner que
[Vito] Rizzuto a conservé des liens avec les individus impliqués dans
le meurtre de Paolo Violi pendant les années subséquentes. » En effet,
les trois conspirateurs, durant les années qui suivirent, demeurèrent
proches les uns des autres ainsi que de Vito et de Paolo Renda. Le
3 mars 1983, la police effectua une descente au club social Consenza,
le quartier général de la Sixième Famille, un petit peu avant 22 h.
Parmi les 22 personnes présentes se trouvaient Vito, Renda et Agostino
Cuntrera. En décembre de la même année, lors d'un match de boxe
qui eut lieu au Forum de Montréal, on vit Vito converser avec les trois
hommes qui avaient été accusés du complot pour meurtre. Ils furent
à nouveau vus ensemble le 25 mars 1984, lors d'un match de boxe où

Dave Hilton fils se mesurait à Mario Caisson. Vito était assis aux côtés de Cuntrera et de Renda, et DiMora, lui, était assis pas très loin au bout de la rangée. Manno et Cuntrera figuraient parmi les invités, le 3 juin 1995, au mariage du fils de Vito, Nicolò, avec Eleonora Ragusa, la fille d'Emanuele Ragusa, une autre étoile de la constellation de la Sixième Famille.

« [Nick] Rizzuto est soupçonné d'avoir commandité le meurtre », disait un rapport du FBI. Les autres suspects étaient Paolo Renda, le gendre de Rizzuto, et Joseph LoPresti, un autre membre de la faction sicilienne de Montréal.

Une fois les sentences prononcées, les autorités semblèrent satisfaites. Le seul mandat d'arrêt en suspens dans ce procès était celui qui avait été émis contre Paolo Renda. Il fut par la suite annulé, et ce dernier put rentrer à Montréal en toute liberté. LoPresti demeura libre, malgré les sérieux soupçons qui pesaient contre lui.

La fin de Paolo Violi ne signifiait pas, cependant, la fin des hostilités entre la Sixième Famille et les Violi.

Deux ans et demi après la mort de Paolo Violi, Rocco, le dernier des frères Violi (un autre frère, le jumeau de Rocco, avait péri dans un accident de la route en 1970) réalisa brusquement que la pègre n'en avait pas encore fini avec sa famille. Au volant de son Oldsmobile, Rocco était arrêté à un feu rouge lorsqu'une moto s'approcha de la voiture. Un fusil à canon tronqué apparut sans autre préambule et le coup partit. Le projectile manqua Rocco de peu. En dépit du choc, il appuya sur l'accélérateur. La moto le rattrapa et le motard fit feu une seconde fois ; le coup l'atteignit à la tête. Il fut truffé de plomb mais survécut miraculeusement et, comme son frère, refusa l'aide que lui offrirent les autorités.

L'été se terminait, et on arrivait en automne. Rocco s'imagina peut-être qu'on lui avait accordé un sursis. Il n'avait jamais été un joueur de première ligne au sein de la pègre. Il n'envisageait pas de participer à une possible course à la direction à Montréal, et n'avait pas cherché à venger la mort de ses frères.

Le 17 octobre 1980, Rocco était assis avec sa famille dans la cuisine de sa maison de Saint-Léonard lorsqu'un tireur isolé appuya sur la gâchette d'un fusil puissant. Le coup traversa la fenêtre et atteignit le corps de Rocco. Personne ne pourra jamais accuser les gangsters d'être négligents, lorsqu'ils décident d'aller au bout de leur idée. Les frères Violi étaient tous morts, et furent enterrés ensemble au cimetière Notre-Dame des Neiges, sur les hauteurs du mont Royal à Montréal. Une génération avait été effacée.

New York avait peut-être tourné le dos aux Violi dans leur dispute avec les Rizzuto, mais un vieux mafioso se souvint de l'hospitalité offerte par la famille. Une couronne fut envoyée pour les funérailles de Rocco Violi. Elle portait la signature de Joe Bonanno.

Le FBI attribua le meurtre de Rocco à la guerre qui opposait les Violi aux Rizzuto. «Nous croyons que Nick Rizzuto a également ordonné ce meurtre, décrit par la GRC comme étant un autre acte de vengeance de Rizzuto pour faire payer aux Violi son expulsion au Venezuela», soutient un rapport de cet organisme.

On pouvait bien faire porter le blâme à la Sixième Famille ; cependant, il ne s'agissait pas d'une vengeance. Ce meurtre devait servir à consolider l'avenir, non à redresser quelque tort appartenant au passé.

Violi et ses frères étant éliminés, l'obstacle le plus irritant pour la Sixième Famille avait disparu — tout comme ce fut le cas à New York à la mort de Pietro Licata. La transformation qui allait par la suite se produire au sein du crime organisé au Canada était facile à prédire.

Malgré des délais qui avaient paru interminables, la pègre avait pris le contrôle de Montréal à temps pour que les clans de Siciliens expatriés des deux côtés de la frontière du Canada et des États-Unis pussent placer la dernière pierre de ce qui allait devenir la Filière des pizzerias. Cette entreprise de contrebande et de distribution de drogues allait introduire de l'héroïne de première qualité obtenue dans des laboratoires clandestins de Sicile. La plus grande part de cette héroïne passait par le Canada pour entrer aux États-Unis et se rendre à New York, où elle était distribuée grâce à un réseau de revendeurs, propriétaires de pizzerias, qui utilisaient ce commerce légitime pour dissimuler leurs activités criminelles. La Filière d'un milliard de dollars des pizzerias allait éclipser les réseaux d'héroïne du passé, y compris la French Connection, la célèbre Filière française. Et tout comme le système précédent, il s'agissait en fait un système sinueux de filières qui, plutôt que se faire concurrence, se croisaient et se complétaient.

La disparition de Violi provoqua deux changements que la police canadienne nota dans ses rapports internes. Le premier fut le retour de Vito Rizzuto à Montréal. Vito était revenu du Venezuela pour «s'emparer tranquillement du pouvoir», disent les documents de la GRC. Le deuxième changement fut, comme on s'y était attendu, une recrudescence du trafic de drogue à Montréal.

«À la suite du meurtre de Paolo Violi, dit un rapport interne secret de la police canadienne datant de 1990, les Siciliens ont commencé rapidement et tranquillement des opérations d'importation de drogue sur une grande échelle. Ils ont transformé le port de Montréal en une porte d'entrée en Amérique du Nord pour les cargaisons de haschisch venues du Pakistan et du Liban, ainsi que pour les grandes quantités d'héroïne venues de Sicile et de Thaïlande. Ils vendaient la plus grande partie de cette drogue à New York et au New Jersey.»

Nick et Vito ne se saisirent pas immédiatement du contrôle des trafics de narcotiques. Vic Cotroni demeurait le patron officiel de la *decina* de Montréal, et c'était lui qui avait confié à Violi le travail routinier. Il est certain que la Sixième Famille désirait lui régler son compte, mais ce geste aurait été mal accueilli. La Sixième Famille n'avait pas besoin de supprimer Cotroni. Le vieux don était un sage, et il savait qu'il avait mieux à faire que d'essayer de se joindre à l'organisation Rizzuto. Tant et aussi longtemps que la Sixième Famille pouvait s'acquitter de ses obligations auprès des filières de la drogue, la patience de ses membres n'aurait pas de limites. Bien que Cotroni conservât ses fonctions de patron, la mort de Violi allait permettre une réorganisation des pouvoirs qui continuerait à tendre à la faveur des Siciliens.

«L'alliance déjà fragile qui existait entre les factions calabraise et sicilienne a continué à s'effriter. La faction sicilienne a commencé à prendre le dessus», relatent des notes secrètes de la GRC.

La relève de la garde fut lente à se manifester dans les rues de Montréal. Elle fut cependant fulgurante partout ailleurs. Immédiatement après le meurtre de Violi, les Rizzuto se montrèrent très actifs auprès de la majorité des mafiosi italiens, des *narcotraficantes* d'Amérique du Sud et de la plupart des gangsters importants de New York. La Sixième Famille paraissait satisfaite de se concentrer sur l'édification d'une structure internationale, de consolider ses réseaux et de traiter de ses affaires personnelles jusqu'à ce que Montréal lui fût définitivement ouverte. Elle savait que l'attente ne serait pas longue, car Cotroni se mourait d'un cancer. Nick et sa famille recouvrèrent leur statut officiel de leaders de la pègre montréalaise, bien que Nick eût passé beaucoup, si ce n'est la plupart de son temps au Venezuela et en Europe au cours des années qui suivirent la mort de Violi. Vito était le représentant de la famille à Montréal, et il préparait le terrain pour que la Sixième Famille obtînt un contrôle solide et stable sur la ville. La rumeur, au moment où Violi dirigeait les affaires à sa place, avait colporté que Cotroni était en semi-retraite; mais maintenant que les Rizzuto faisaient ce qu'ils voulaient, il n'y avait plus grand-chose qui pouvait être qualifié de «semi». Son titre était à peu près tout ce qui restait à Cotroni.

•

En septembre 1981, Nick, Vito et les autres membres de la famille Rizzuto, ainsi que leurs associés les plus proches, firent l'acquisition d'une longue bande de terrain le long de l'avenue Antoine-Berthelet, dans un quartier sélect de Montréal situé près de l'eau, à la pointe nord-ouest de la ville. Ils y construisirent plusieurs demeures vastes et voyantes où ils emménagèrent, claironnant ainsi non seulement leur retour, mais aussi leur triomphe.

Au bout de la rue, à la fin d'une subdivision à l'écart, on peut voir une série de coûteuses maisons. Près de l'une des extrémités se trouve la maison de Nick et de Libertina. Elle est de style colonial, en briques rouges, ornée de touches blanches décoratives et d'un porche specta-culaire comprenant des colonnes hautes de deux étages. Des conifères ont été plantés devant la maison et, avec le temps, ont poussé suffi-samment pour dépasser le toit en forme de pagode. Leur fille Maria et son mari Paolo Renda habitaient la maison voisine. Entourée d'une galerie, à double porte d'entrée, façade en pierre et toit en tuiles romaines, cette demeure présente une version surdimensionnée des toits typiques de leur village sicilien natal. Tout à côté se dresse la maison de Vito et de sa femme Giovanna, la plus spectaculaire de la rue. Son architecture majestueuse est en partie de style Tudor, avec des colombages apparents décoratifs, et en partie de style renouveau médiéval, avec d'imposantes portes principales de couleur foncée et des portes en retrait. C'est à cause de l'intérêt de Vito pour les voitures de luxe que la construction inclut un impressionnant garage conçu pour abriter trois véhicules, un garage plus grand que la majorité des maisons du commun des mortels. Tout au bout du pâté, en face de la maison de Vito, on peut voir une autre demeure de taille imposante, recouverte de briques blanches, que jouxte un garage pour deux voitures. Joe LoPresti et sa famille s'y étaient installés. Cette propriété était flanquée à l'époque d'un terrain vague qui devait accueillir la construction d'une autre demeure, réservée à Gerlando Sciascia. Elle ne devait jamais être érigée. Bien que les gens en lien avec la pègre eussent été, somme toute, peu nombreux à y vivre, cette rue, à Montréal, porte toujours le surnom de « rue de la Mafia ».

Étant donné que leurs affaires devaient rester éloignées du foyer, la famille Rizzuto et ses proches établirent un quartier général où ils pouvaient recevoir plus facilement la visite de personnages peu recom-mandables. Bien avant le décès de Cotroni, le club social Consenza, rue Jarry Est à Montréal, fonctionnait fort bien ; on y opérait un tripot, des quartiers généraux ainsi qu'on club social conçu dans la tradition de la mafia new-yorkaise.

Tout comme son parrain Joe Bonanno, Cotroni jouissait d'une vie relativement luxueuse comparée à celle que menaient les autres patrons de la pègre depuis qu'ils s'étaient inclinés devant leurs rivaux, lors de l'épreuve de force à laquelle ceux-ci les avaient défiés. C'est cependant la nature qui lui prit la vie, et non les hommes. Il mourut du cancer le 16 septembre 1984, alors qu'il regardait à la télévision la retransmission de la visite du pape au Canada, d'après ce que l'on raconte. Il connut une fin plutôt sereine, pour un homme qui avait passé sa vie dans le vice, le crime et la violence, à faire carrière dans les hautes sphères de la pègre. Les funérailles de Cotroni, qui eurent lieu au nord de Montréal, constituèrent pratiquement une cérémonie d'adieux à une personne de sang royal. Un orchestre de cuivres de 17 instruments y joua, et il y eut embouteillage de limousines chargées de transporter les fleurs. Parmi les nombreuses personnes qui suivirent le cercueil, deux hommes richement vêtus affichaient le respect et l'affliction de circonstance pour la mort du parrain. La police les identifia comme étant Vito Rizzuto et son loyal collègue de la Sixième Famille, Joe LoPresti.

Le contrôle des Rizzuto sur la ville de Montréal fut total après la mort de Cotroni. Les hommes de troupe et les associés de la Mafia entrèrent vite dans le rang, changeant ainsi rapidement d'allégeance et réservant désormais aux Rizzuto une obéissance aussi servile et respectueuse que celle qu'ils avaient jadis vouée aux Cotroni et à Violi.

Leslie Coleman, par exemple, avait été un fier-à-bras de Luigi Greco dans les années 1950. Violi en avait hérité à la mort de Greco. Après la disparition de Violi et de Cotroni, on vit fréquemment Coleman en train de faire de la musculation aux côtés des membres de l'organisation Rizzuto. De façon similaire, Joe DiMaulo, qui avait été une personne très proche de Violi et du petit cercle de personnes haut placées qui l'entouraient, et à qui Violi avait demandé de représenter la communauté montréalaise lors des réunions tenues sous la direction des Bonanno à New York, semblait tout aussi heureux de faire son travail sous la direction des Rizzuto. Et, ce qui en surprit plusieurs, les survivants de la famille Cotroni prêtèrent allégeance à Nick et à Vito Rizzuto. En 1979, Frank Cotroni avait été libéré d'une prison américaine et était rentré à Montréal, qui était devenue une ville totalement différente de celle qu'il avait quittée. Frank, en bon membre de la pègre qu'il était, accepta la relève de la garde et joua son rôle au sein du nouvel ordre de la *decina* de Montréal. Trafiquant de drogue enthousiaste, Frank Cotroni s'intégra à la Sixième Famille et s'y sentit chez lui beaucoup plus qu'au sein du clan Violi. Il mourut d'un cancer en 2004, à l'âge de 72 ans.

La prise de Montréal constituait une prouesse dans le contexte du crime organisé.

«Durant les 25 dernières années, Montréal avait été la plaque tournante qui permettait l'accès aux États-Unis», déclara un enquêteur haut placé de la lutte antimafia en Italie, un homme qui avait passé toute sa carrière à enquêter sur le crime organisé et le commerce de la drogue alors qu'il était officier chez les Carabinieri. «Le personnage qui possède le pouvoir se trouve au pinacle. On peut faire voyager les stupéfiants ; cependant, s'il n'existe personne pour faciliter leur réception et leur transport jusque chez le petit détaillant, il est impossible de faire des profits. Les Montréalais ont occupé cette position clé pendant longtemps. À partir de 1970, les "hommes d'honneur" siciliens expatriés de Sicile — beaucoup d'entre eux rejoignirent le consortium de drogue de la Sixième Famille — ont réussi à contenir la mafia américaine du Canada et des États-Unis...

«Ils ont été fascinants. Très peu de ce qui a transpiré en Amérique a été connu. Toutefois, en ce qui concerne les activités de Catalano Salvatore [en général, les enquêteurs italiens mettent le nom de famille avant le prénom], il est clair qu'il a été capable de réaliser de bons profits pour les grands patrons [de la mafia américaine]», tint-il à préciser au sujet du leader Zip qui avait investi Brooklyn. «Au Canada, les choses sont un peu plus transparentes grâce aux transcriptions de Violi. La famille Rizzuto a été capable d'assurer un transport entre les mafias d'Europe et celle d'Amérique. La richesse était promise à tous. Les codes ne signifiaient plus rien devant le déferlement d'argent facile. Il s'agissait d'une situation dominée par le cynisme. Si le problème Violi était survenu dans les années 1990, sa disparition n'aurait pas demandé des années. Il aurait été tué instantanément», conclut l'ancien *carabinieri*.

Le transfert final du pouvoir aux Rizzuto avait pris beaucoup plus de temps que prévu — six années de lutte contre Violi, suivies de six années à attendre la mort de Cotroni. Au cours de ces années, la Sixième Famille eut un impact explosif sur la mafia américaine, alors que ses gens continuaient à travailler avec les autres clans d'expatriés de la Mafia, des «hommes d'honneur» siciliens et des membres des Cinq Familles pour arriver à mettre sur pied une nouvelle forme de crime organisé international.

L'ampleur et l'envergure de la nouvelle organisation, à Montréal et à New York, allaient dépasser de très loin tout ce dont Paolo Violi aurait pu rêver.

Chapitre 14

MANHATTAN, JUILLET 1978

«Dis-moi donc, qu'est-ce qu'on branle ici?» demanda une nouvelle recrue de la famille Bonanno, arpentant le trottoir dans la chaleur suffocante de New York. Il se trouvait devant la Casa Bella, un restaurant de Mulberry Street, dans la Petite Italie. Une demi-douzaine de soldats de Bonanno se tenaient aux alentours de cet établissement, où on leur avait demandé de se poster.

«Nous sommes là pour nous assurer que rien n'arrive au Vieux, qui est là-dedans…», répondit celui qui semblait être une sorte de mentor.

L'homme qui posait des questions était connu sous le nom de Donnie Brasco, un voleur de bijoux au grand potentiel mafieux. En réalité, comme devaient plus tard l'apprendre avec horreur les mafiosi, il s'agissait de l'agent spécial Joseph D. Pistone, du FBI, qui s'était infiltré en sous-marin dans la bande pour y jouer les affranchis. Son aimable mentor était Benjamin «Lefty» — «le Gaucher» — Ruggiero, un homme de main de la famille Bonanno, tueur de grand renom et joueur invétéré. Le «Vieux» dont il parlait n'était nul autre que Carmine «Lilo» Galante.

«Quel est le problème? Qu'est-ce qui pourrait bien lui arriver?» demanda Brasco.

«Y a des choses qui se passent. Beaucoup de choses que tu ne sais pas, Donnie, des choses dont je ne peux te parler, répondit Lefty. Tu n'as aucune idée combien ce type est tordu. Lilo est un fils de pute, un tyran. Entre toi et moi, c'est tout ce que j'ai à te dire. Beaucoup de gens le haïssent. Ils disent qu'il ne pense qu'à lui. Il est le seul à faire de l'argent et il n'a que très peu d'amis, dont les principaux sont des Zips, comme [Cesare] Bonventre et d'autres qui se tiennent autour de Toyland…» Lefty parlait du Toyland Social Club, à la limite de la Petite Italie, un repaire des Bonanno.

«Ces mecs sont toujours avec lui. Il les a ramenés de Sicile et il les utilise pour toutes sortes de boulots, et pour écouler sa came…» poursuivit Lefty, utilisant l'argot du milieu pour désigner la drogue. «Ils sont aussi malfaisants que lui, continua-t-il. Personne ne peut faire confiance à ces bâtards de Zips, sauf le Vieux. Ces culs-terreux lui obéissent parce qu'il les a sortis de Sicile et qu'il peut les contrôler. Tous les autres feraient mieux de se tenir loin de lui. Il y a un paquet de gens qui aimeraient le voir six pieds sous terre…»

Lefty Ruggiero était un soldat d'une grande loyauté, qui avait souvent tué pour la famille. Hélas ! Sa contribution la plus inoubliable en tant qu'homme de main serait d'avoir introduit Donnie Brasco auprès de la famille Bonanno. Mais, pour Lefty comme pour ses compagnons, Galante était le patron, ce qui démontre bien le désarroi qui régnait au sein de la famille, à un moment où la direction de l'organisation était constamment remise en question. D'autres soutenaient que Philip «Rusty» Rastelli, alors en prison, était toujours le chef, car il avait été élu à ce poste en 1974 à l'occasion d'un conclave auquel avait assisté Paolo Violi, de Montréal. Lefty avait raison de croire que la présence abrasive de Galante et ses plans monomaniaques occasionnaient des frictions au sein de la famille et à l'extérieur de celle-ci, mais là où Lefty se trompait, c'était au sujet du véritable rang de Galante.

«Il n'était pas le chef. Je pense qu'il aurait bien voulu l'être, mais il n'y est jamais parvenu, explique Frank Lino, un ancien capitaine des Bonanno. Carmine était un ancien *capo* de la bande de Montréal. À une époque, il avait voulu conquérir cette ville, mais ne tenait aucunement à devenir le caïd de New York…»

Sal Vitale, quant à lui, parlait de l'affreux Carmine avec volubilité. «Il [Galante] n'a jamais été officiellement le grand *boss*. Ce n'était qu'un capitaine de la famille Bonanno, mais il était très puissant malgré tout…»

Ce que Galante souhaitait, c'était utiliser ce pouvoir pour contrôler la famille, l'unifier sous sa direction et ensuite inonder l'Amérique d'héroïne de première qualité. Les bénéfices seraient toujours en hausse jusqu'à ce qu'ils arrivent dans ses poches, et il s'arrangerait alors pour qu'aucune de ces sommes ne se rende en Sicile, ni au Canada, ni aux autres familles de New York. Même s'il n'était pas officiellement le patron, Galante exigeait déjà sa «part de grand *boss*» de tous les petits dégourdis de la bande à Bonanno. Singeant l'attitude que Nick Rizzuto avait adoptée à Montréal envers Violi, Galante passait tout simplement outre au fait que la famille avait déjà un chef.

Galante avait réussi à s'improviser patron, non par la force, mais grâce à la faiblesse de Rastelli. Dans la rue, cela plaçait les capitaines et les soldats dans une position délicate. Galante les mettait au pied du mur et les forçait à prendre parti, et il était très difficile de lui refuser quelque chose. Les gangsters, tout comme les policiers, savaient combien le regard impitoyable de cet individu pouvait être effrayant.

Parmi les ambitieux capitaines et soldats de la famille Bonanno qui essayaient de ménager la chèvre et le chou se trouvait Joseph «Big Joey» Massino, un gangster brillant, doué pour la stratégie. Bien en chair, avec de gros bras et un double menton, il n'avait pourtant pas l'air bonasse. Portant ses cheveux noirs beaucoup plus longs que la plupart des truands, toujours vêtu de t-shirts révélant son bras gauche orné d'un tatouage représentant une panthère, il avait moins l'allure d'un capitaine de la Mafia que celle d'un voyou. Tout comme l'apparente respectabilité de «Monsieur» Settecasi pouvait réserver des surprises, il en était de même avec Massino, que des yeux inexpérimentés auraient pu confondre avec un épais tordeur de bras. Sa coiffure et ses excentricités vestimentaires défrisaient certes les vieux mafiosi, mais une chose faisait pardonner tous ses écarts : c'était un gagneur. Il avait prouvé sa débrouillardise, était intelligent et prudent. Né en 1943 dans le Queens, Massino y avait grandi et, comme Sal Vitale, son ami d'enfance et futur complice ès criminalité, il avait fréquenté l'école secondaire Grover Cleveland. C'était la sœur de Vitale, une copine de «Big Joey», qui présenta ce dernier à son frère, alors qu'il n'était encore qu'un garçonnet. Plus âgé que lui de quatre ans, Massino avait appris à Vitale à nager dans la piscine du quartier. Après avoir décroché très tôt de l'école, Massino faisait pas mal d'argent en détournant des camions dont il revendait la marchandise. Puis, il avait changé d'activité. Vers la fin des années 1960, il s'occupait de camionnettes de cantines mobiles pour chantiers de construction, vendant à boire et à manger aux ouvriers. Il s'agissait en fait d'une couverture pour des activités plus lucratives, comme les paris et le prêt usuraire. Il accorda la franchise de l'une de ces cantines à Vitale pour 16 000 $.

«C'était une camionnette dans laquelle on vendait du café, des sandwiches, des gâteaux, etc., ce qu'on appelle dans le métier une "caisse à cancrelats"», relate Vitale. Lorsque Vitale avait commencé à commettre de petits larcins dans les usines en compagnie de deux copains, la nouvelle avait rapidement atteint les oreilles de Massino. Vitale était un jour en train de décharger sa camionnette lorsque Massino était venu le trouver.

«J'ai entendu dire que tu piques des trucs…, lui avait-il dit.

— Pas vrai, s'était contenté de répondre Vitale.

— Ho! Me raconte pas d'histoires, veux-tu? Rastelli m'a mis au parfum. Si tu veux faire des coups, on les fait ensemble, OK?»

C'est ainsi que Vitale s'était mis à travailler pour son ami, car il ne pouvait plus lui mentir. À cette époque, Vitale ignorait ce qui se tramait au sein du crime organisé.

«Je n'en avais pas la moindre idée, explique Vitale. On n'apprend pas ça dans les livres. Vous essayez de suivre une personne que vous respectez, que vous admirez. Et elle vous apprend des choses.» Massino forma donc Vitale «sur le tas», et ce fut le commencement d'un long partenariat. Vitale avait accroché son wagon à une bien drôle de locomotive. Au milieu des années 1970, Massino fut intronisé dans la famille Bonanno sur la recommandation de Rastelli.

«Il était copain avec Louis Rastelli. Louis était le neveu de Philip Rastelli, celui qui était le *boss*, et c'est comme ça qu'il devint un de ses proches», dira Vitale au sujet de Massino. Ce dernier appelait même Rastelli Unc'— «Mon on'» —, copiant la façon dont Louis saluait son oncle Philip. Massino servit d'abord comme soldat dans l'équipe de James Galante, le neveu de Carmine, et plus tard, dans l'équipe de Philip «Philly Lucky» Giaccone.

Alors que Carmine Galante commençait à reluquer le trône terni de Bonanno, Massino, considérant tous les liens qui l'unissaient au vrai patron, avait besoin de tout l'appui qu'il pourrait trouver. Rastelli se trouvant en prison, Galante voulait couper tous les contacts entre le prisonnier et ses soldats à l'extérieur. Un jour, à la fin des années 1970, Galante convoqua Massino à une réunion.

Vitale conduisit son mentor au rendez-vous et l'attendit dans la voiture, stationnée au coin de la rue.

«Ce type-là va me tuer, dit Massino à Vitale lorsqu'il revint de son rendez-vous. Imagine-toi qu'il ne veut pas que je rende visite à Rastelli en prison.» Il s'agissait là d'une interdiction à laquelle Massino estimait devoir désobéir. «Rastelli est comme mon oncle. Il m'a élevé, m'a baptisé. Je ne peux pas le laisser tomber. Il faut que j'aille le voir», reprit Massino. Il est vrai que Joseph devait son existence de mafioso à Rastelli. Quand au «baptême», il s'agissait en fait de la cérémonie d'initiation dans la Mafia.

Toutefois, s'il avait de la gratitude envers Rastelli, cela ne l'empêchait pas de le critiquer en privé.

«Au fond, Rastelli n'est peut-être pas aussi malin qu'on le pense, fit-il remarquer un jour à Vitale. Après tout, il a passé la moitié de sa vie en prison...»

D'autres militaient en faveur de Rastelli, tout particulièrement certains des éléments conservateurs de la Commission. Les patrons des Cinq Familles s'accordaient à penser que l'assassinat de parrains était loin d'être une bonne idée. Bien entendu, ils affirmaient ouvertement cette opinion, dans le but de se protéger eux-mêmes davantage que pour faire l'étalage de leur honneur, mais elle constituait néanmoins une règle omniprésente, même si on ne la respectait pas tout le temps. Lorsque Rastelli protesta contre le droit de préemption que s'accordait Galante, on lui prêta une oreille favorable. Lorsque les autres parrains eurent vent de l'intention qu'avait Galante de devenir le premier parmi ses pairs à New York, leur désir de le voir disparaître augmenta sensiblement. En s'aliénant les autres patrons de la mafia américaine, Galante renonçait à tout filet de sécurité que la Commission pût lui fournir. Il perdit d'ailleurs des amis à gauche et à droite dans New York et sembla s'en moquer éperdument. En effet, il accordait une confiance aveugle aux Zips, qui — ce qu'ignoraient le FBI et les autres gangsters — ne tiendraient absolument pas compte des suggestions et des considérations de la Commission. Tout comme l'avait fait Violi avant lui, Galante était en train de s'isoler de plus en plus.

Trop sûr de sa propre valeur, trop confiant dans la loyauté des Zips qu'il croyait inconditionnelle, il avait bien mal placé ses pions. Ce n'était pas à lui que les Zips avaient prêté allégeance, mais à eux-mêmes, à leurs parents siciliens et à leur trafic d'héroïne. En effet, le pipeline commençait à transporter ses flots de poison. Les clans siciliens disposaient de postes avancés peuplés d'expatriés en Amérique du Sud, et d'autres comparses en Amérique du Nord. Entre-temps, la Sixième Famille avait mis la main sur Montréal et tranché les solides liens que Galante, sous le règne de Violi, avait tissés avec la ville. Quel besoin avait-on maintenant de Carmine Galante et de ses lourdes exigences ?

Contrairement au portrait de la situation que dressa Lefty à Donnie Brasco, imputant les réussites de Galante à la loyauté des Zips, les gangsters siciliens semblaient avoir leur propre mission secrète…

Galante avait ouvert la porte et invité les «hommes d'honneur» siciliens à entrer chez lui. Une fois installés, ceux-ci se sentirent parfaitement à l'aise pour attaquer leur hôte.

VALLEY STREAM, LONG ISLAND, 5 JUIN 1979

Les promoteurs cyniques disent souvent qu'ils baptisent leurs projets de construction du nom du lieu-dit qu'ils ravagèrent avant de le bétonner. C'est peut-être ainsi que le centre commercial Green Acres — «Les Arpents verts» — récolta son nom. Il s'agit de l'un des centres du genre les plus importants de l'État de New York. Il comprend des douzaines de détaillants et de restaurants, et trois magasins à rayons. Pour les deux policiers en civil installés ce jour-là dans une Plymouth Valiant banalisée, un seul de ces commerces présentait de l'intérêt. Chez California Pizza, on pouvait bien sûr se procurer le produit qui justifiait la raison sociale, mais aussi, à l'époque où la boutique appartenait à Gerlando Sciascia de la Sixième Famille, de l'héroïne en quantités appréciables sous le manteau. Évidemment, les profits générés par la vente de drogue excédaient largement ceux que rapportaient les pizzas.

La Valiant entra dans le stationnement du centre commercial vers 9 h 30, le mardi 5 juin 1979, et en fit le tour. Dans une Cadillac bleue stationnée face aux vitrines, deux hommes attendaient. Lorsque la Valiant dépassa leur véhicule, ils détournèrent la tête, mais trop tard. L'un des policiers reconnut le conducteur, Baldo Amato, et son passager, Cesare Bonventre. Ces Zips étaient les deux gangsters les plus teigneux de la faction sicilienne de Brooklyn et les chouchous de Carmine Galante. La Valiant passa, se plaça hors de vue de la Cadillac, exécuta un large virage et se rangea près du grand magasin Gimbel Brothers. Les policiers surveillèrent la Cadillac pendant une demi-heure, jusqu'à ce qu'elle s'approchât plus près de California Pizza. Les limiers continuèrent leur filature à pied. L'un d'entre eux surveillait la Cadillac et l'autre, la pizzeria. C'est alors qu'ils remarquèrent la présence dans le stationnement d'une deuxième Cadillac, dont le moteur tournait au ralenti.

L'heure de la fermeture approchait. À travers ses jumelles, l'un des policiers vit un homme et une femme verrouiller la porte de la pizzeria. L'homme, plutôt râblé, à la chevelure argentée, était de toute évidence Sciascia. Il s'éloigna du commerce et se dirigea vers une troisième Cadillac, stationnée devant la pizzeria. Sa voiture fit demi-tour et retrouva la Cadillac numéro deux, stationnée à cet endroit, moteur au ralenti. Les deux Cadillac se stationnèrent de manière à ce que les portières du côté conducteur se touchent presque. Une minute plus tard, la deuxième Cadillac démarra sur les chapeaux de roue à travers le stationnement derrière Gimbel Brothers. La Cadillac numéro trois, celle de Sciascia, se dirigea vers le nord et s'arrêta soudainement au beau milieu du stationnement. Entre-temps, la Cadillac numéro un, celle dont les occupants étaient Amato et Bonventre, effectua un virage serré et se retrouva face au sud. Cet étrange ballet piqua la curiosité des agents, qui appelèrent des renforts. Peu après, une autre voiture de police banalisée entra dans le stationnement et se dissimula derrière un grill. Tout le monde était dans l'expectative.

«J'ai remarqué que la Cadillac numéro trois faisait des appels de phares, expliqua plus tard l'un des agents, faisant allusion à la voiture de Sciascia. J'ai vu que la Cadillac numéro un, celle d'Amato et Bonventre, faisait la même chose. C'est alors que la voiture numéro trois s'est approchée de la voiture numéro un.» Serrant un paquet contre lui, Bonventre sortit en trombe de sa voiture et monta à l'arrière de l'autre véhicule. Lorsqu'il en ressortit, il trimballait un objet d'environ un mètre de long emballé dans sa veste de cuir. C'était de toute évidence un fusil à canon tronçonné. Il s'arrêta brièvement pour passer le long paquet aux occupants de la Cadillac numéro deux — qui ne furent d'ailleurs jamais identifiés —, puis revint vers la voiture d'Amato. Puis, comme si elles s'étaient donné le mot, les trois voitures se mirent en route, accélérateur au plancher. Les inspecteurs dans la Valiant poursuivirent la Cadillac de Sciascia, mais elle avait déjà disparu « à une vitesse incroyable », déclara un agent. Selon lui, on aurait cru que cette voiture voulait remporter le record du monde des 0 à 100 km/h, départ arrêté. La Cadillac numéro deux quitta également le centre commercial en trombe et se perdit dans la circulation. On ne sut jamais si le long paquet contenait une arme ou de la came. La voiture des policiers envoyés en renfort poursuivit la voiture d'Amato et Bonventre. Ils réussirent à la coincer près de la voie d'accès de l'autoroute Sunrise, vers l'ouest. Les truands s'identifièrent comme étant Bonventre, 28 ans, de Brooklyn, propriétaire d'une pizzeria, et Amato, 27 ans, propriétaire d'un *delicatessen*. Ils déclarèrent être des cousins originaires de Castellammare del Golfo, en Sicile.

Dans la voiture, les enquêteurs trouvèrent de quoi faire des dégâts. Dans un sac en papier, il y avait un revolver chargé, au numéro de série limé. Dans un sac accroché au dossier d'un des sièges, ils découvrirent une autre arme de poing chargée. La police mit aussi la main sur un couteau à cran d'arrêt, des balles, des passe-montagnes noirs, des gants et un masque en caoutchouc d'Halloween, ainsi que d'autres couteaux. Bonventre avait sur lui 1 800 $ en billets de 50 $; Amato, seulement quelques centaines de dollars. Parmi ce que les policiers américains appellent des « raclures de poches » — c'est-à-dire des bouts de papier, des notes, des pochettes d'allumettes et toutes autres choses du genre —, ils trouvèrent les noms et numéros de téléphone des cafés de Brooklyn exploités par différents gangsters associés aux Zips. On y trouvait aussi le nom de trafiquants d'héroïne en Amérique et en Sicile. Il faudrait une dizaine d'années pour que ces noms et ces numéros prennent toute leur signification, lorsqu'on finirait par établir un lien entre les accusés qui faisaient partie de la Filière des pizzerias. À cette époque, les policiers se contentèrent de noter les numéros, car ils étaient davantage intéressés à savoir ce qu'était devenu le présumé fusil que l'on avait vu dans la voiture de Sciascia. Bonventre et Amato furent arrêtés pour possession d'armes illégales, furent libérés sous caution et reprirent le cours des affaires qui semblaient nécessiter pistolets, masques et gants en caoutchouc. Le fusil manquant, selon toute apparence, réapparut le mois suivant.

BROOKLYN, 12 JUILLET 1979

New York suffoquait sous une chaleur étouffante. Sur Knickerbocker Avenue, Carmine Galante sortit d'une Cadillac noire conduite par son neveu, James Galante, et entra dans l'un de ses restaurants favoris, le Joe and Mary. Il s'agissait d'une affaire familiale administrée par un parent de Galante ; le «Joe» du restaurant n'était nul autre que Giuseppe «Joe» Turano, cousin de Galante et membre de la famille Bonanno qui aimait la bonne cuisine de son pays. Galante était assis sur l'une des chaises dépareillées de la terrasse en plein air, encadré de ses gardes du corps favoris, les Zips Cesare Bonventre et Baldo Amato. Turano et Leonardo Coppola, un capitaine des Bonanno, vinrent le rejoindre à sa table. Il était déjà tard pour le lunch — 14 h 25 —, mais les truands n'en firent pas moins honneur à la cuisine de l'établissement.

Alors que Galante finissait son repas, une Mercury Montego, moins voyante sur Knickerbocker Avenue que la Cadillac noire de Galante, se stationna en double file devant le restaurant, bloquant la circulation. Un homme resta derrière le volant tandis que quatre autres, armés de fusils et portant des passe-montagnes, sortirent du véhicule. L'un d'entre eux se posta près de la voiture et les trois autres pénétrèrent chez Joe and Mary. Une fois à l'intérieur, ces derniers se séparèrent. L'un pointa son arme sur le personnel, lui ordonnant de la boucler et de se tenir tranquille. Les deux autres se précipitèrent vers la cour arrière. De la terrasse, on entendit la voix du propriétaire, Joe Turano, qui s'exclama : «Hé ! Là-dedans ! Qu'est-ce que vous foutez ? » En guise de réponse, on entendit une salve de coups de feu.

Après la fusillade, les tueurs s'en furent aussi rapidement qu'ils avaient surgi, accompagnés de Bonventre et d'Amato, indemnes et apparemment peu affectés par les événements. Sur le sol de la terrasse gisaient Galante, Turano et Coppola, morts. Le corps de Galante s'était effondré en prenant une posture plutôt inesthétique. Sa tête reposait sur le trottoir de pierre. L'œil gauche, arraché par des plombs ou par une balle, pendouillait, mais le tyran serrait encore son cigare entre les dents pendant qu'il se vidait lentement de son sang dans une bouche d'égout.

•

Le meurtre d'un individu aussi célèbre que Galante fit autant de vagues parmi la pègre que dans les tabloïds new-yorkais. L'agent spécial Pistone, toujours infiltré sous le nom de Donnie Brasco, se trouvait à Miami lorsque Galante fut assassiné. Le lendemain matin, il reçut un appel de Lefty, son mentor, l'enjoignant de sortir pour se procurer un des quotidiens de New York. Plusieurs d'entre eux exposaient à la une la dépouille de Galante.

«Va y avoir de gros changements...» déclara Lefty à Brasco. Il y en eut, en effet. Lors d'une rencontre qui suivit, car on ne pouvait discuter de tels sujets au téléphone, Lefty raconta toute l'histoire à Brasco et, du même coup, au FBI.

«Le nouveau patron, c'est Rusty Rastelli, même s'il est encore à l'ombre, expliqua Lefty, sans savoir quelle était réellement la situation de Galante au moment de sa mort. Nous allons travailler pour Sonny Black. Il a été nommé capitaine.» La nomination de Dominick «Sonny Black» Napolitano ne constituait qu'une infime partie de la vaste réorganisation qui s'amorça au sein de la famille Bonanno après que Galante eut été retranché de l'équation. Ceux qui avaient laissé Galante s'autoproclamer patron, tout particulièrement Nicky Marangello, le sous-chef en titre, et Mike Sabella, un capitaine qui exploitait le restaurant Casa Bella où Galante tenait parfois ses réunions, furent rétrogradés et n'échappèrent à des sentences de mort qu'en redevenant simples soldats. Ceux qui étaient demeurés loyaux envers Rastelli bénéficièrent de promotions. Enfin, ceux qui avaient participé à l'assassinat de Galante furent les grands gagnants de cette affaire.

Cesare Bonventre, l'un des gardes du corps de Galante, avait indubitablement trempé dans le complot, puisqu'il était l'un des tireurs. Sa trahison lui obtint le rang de capitaine. À 28 ans, il était le plus jeune *capo* à figurer dans les annales. Peu après le meurtre, Bruno Indelicato, le fils de Sonny Red, devint également *capo*, tout comme Joe Massino. Lefty confia à Brasco que Sal Catalano était devenu le «patron de rue» des Zips. Cette réorganisation fut la manifestation la plus décisive du leadership de Rastelli. Celui-ci venait ainsi de bouleverser la façon dont sa famille se conduisait dans la rue et de rallier ceux qui occupaient les postes clés. Avec le recul, il semble que Rastelli récompensa ceux qui l'avaient débarrassé de Galante et, malgré le danger que cela représentait, il accepta les Zips dans la famille comme une puissance officielle avec laquelle il allait falloir composer. Si Galante leur avait ouvert la porte, Rastelli leur réserva dès lors une place à sa table.

Les masques qui recouvraient les visages des tueurs protégèrent leur secret pendant des années, mais la participation de Bonventre et Amato à l'assassinat semble évidente pour la police.

«Baldo Amato et Cesare Bonventre, qui étaient tous deux présents dans la cour arrière avec Galante au moment de la fusillade, sont toujours des suspects de premier plan», peut-on lire sur une mise à jour datant de 1981, envoyée par un agent spécial du FBI au bureau de Brooklyn-Queens, en particulier aux procureurs fédéraux de l'Organized Crime Strike Force — la Force de frappe contre le crime organisé. La fuite temporaire de Sal Catalano en Italie, où il se mit au vert pour cinq mois, laisse soupçonner qu'il avait également quelque chose à cacher. Lorsqu'on retrouva la voiture dans laquelle les agresseurs avaient pris la fuite, on y releva les empreintes du médius et de l'annulaire de Santo Giordano, un autre Zip, à l'intérieur de la vitre de la portière du chauffeur. Des années plus tard, grâce à une nouvelle technologie, les autorités purent identifier une autre empreinte dans la Mercury, celle de la paume de la main de Bruno Indelicato, ce qui confirma les soupçons qui pesaient déjà contre ce dernier. Après le meurtre, il s'était rendu au Ravenite, un club social de la Petite Italie exploité par Aniello Dellecroce, le sous-chef du clan Gambino. Stefano «Stevie Beef» Cannone, alors *consigliere* de Bonanno, l'y attendait. Bruno semblait lui apporter quelque bonne nouvelle, car il fut accueilli en héros. Cette touchante réception avait été captée par le matériel de surveillance de la police, qui enquêtait en ces lieux à propos d'une autre affaire.

Selon les procureurs du Ministère public fédéral des États-Unis, qui consignèrent le meurtre de Galante dans un document juridique soumis en 1985, ce crime avait pour mobile «d'assurer aux Siciliens l'importation libre de narcotiques, que Galante avait menacé d'interrompre». La poursuite affirme que Galante «essayait de contrôler ce trafic bourgeonnant qui prenait de l'ampleur entre la Sicile et les États-Unis», et que les Zips, tout spécialement Bonventre et Catalano, «avaient conspiré pour éliminer les gens présentant un obstacle à l'écoulement des narcotiques». À titre de preuve, le gouvernement soulignait que Galante s'était accaparé «une large part de pouvoir et de bénéfices» et comment, après sa mort, «la faction sicilienne parvint à récupérer non seulement le pouvoir mais aussi les profits». Les dissensions au sein de la famille Bonanno, résultant du refus de Galante de partager les bénéfices réalisés avec les autres factions de la famille, étaient si importantes que la survie de la faction sicilienne et de son trafic de narcotiques «dépendaient de la formation de nouvelles alliances et de la liquidation de Galante», conclurent les agents fédéraux. Tout cela explique-t-il l'ascension, dans la hiérarchie, de Bruno Indelicato, de Joe Massino et de Sonny Black, tous promus capitaines après le meurtre de Galante?

Frank Lino, un ancien capitaine de la famille Bonanno, assure que ces hommes, ainsi que d'autres, étaient responsables de l'assassinat audacieux de Galante, que Bruno Indelicato était effectivement l'un des tireurs masqués cet après-midi-là et que celui-ci lui aurait confié qu'il avait tiré sur Joe Turano et sur Coppola. Russel Mauro, un soldat des Bonanno très proche de Sonny Red, était un des autres tireurs de la terrasse. Bonventre et Amato étaient également dans le coup. Big Trinny était le braqueur qui avait tenu le personnel de cuisine en respect à la pointe de son fusil. Toujours selon Lino, Joe Massino, Philly Lucky, J.B. Indelicato et Sonny Red étaient à l'extérieur du restaurant afin de s'assurer que rien ne clochait.

Si Lino dit la vérité, le meurtre de Galante n'était l'œuvre ni de voyous arrivistes ni de quelque faction vengeresse des Zips. Il s'agissait bel et bien d'un soulèvement. Les trois clans principaux — les Zips, Sonny Red et Joe Massino — s'étaient unis pour mettre fin à l'oppression du sinistre Galante. Mais sa mort ne mettrait pas un terme au bain de sang dans lequel se déroulait la lutte pour le marché de l'héroïne à New York. Elle ne restaurerait pas non plus la stabilité aux plus hauts échelons de la hiérarchie. Elle sembla tout au plus rétablir un certain esprit de coopération, pour un temps.

Avec Galante hors du portrait, les nouveaux distributeurs d'héroïne attendirent donc que la Sixième Famille et ses mafiosi expatriés s'allient, pour que puisse enfin s'ouvrir le robinet à poudre et à fric.

Chapitre 15

MANHATTAN, 16 NOVEMBRE 1980

Il était prévu que le mariage serait une affaire tape-à-l'œil et mémorable, depuis la cérémonie religieuse, à l'église, jusqu'aux festivités qui s'ensuivraient. Giuseppe Bono avait réservé la cathédrale Saint-Patrick, sur la Cinquième Avenue à Manhattan, pour la cérémonie solennelle qui se tiendrait sous la grande rosace, un vitrail absolument remarquable. Les 300 invités marcheraient derrière l'heureux couple le long de l'allée de marbre italien et descendraient ensuite les marches usées du parvis entre les flèches jumelles pour se rendre 10 pâtés de maisons plus loin au nord-est, à la somptueuse réception donnée à l'hôtel Pierre, une élégante tour de 44 étages de style géorgien, surmontée d'un toit octogonal recouvert de cuivre surplombant Central Park.

Les invités venaient de New York et des banlieues et villes environnantes, mais aussi du Canada, d'Italie et d'Angleterre. Les faire-part étaient simples et de bon goût : « Mademoiselle Antonina Albino et Monsieur Giuseppe Bono sollicitent l'honneur de votre présence à leur mariage le dimanche 16 novembre mille neuf cent quatre-vingt à trois heures à la cathédrale Saint-Patrick, Cinquième Avenue, New York, État de New York. »

De nombreux invités se dispensèrent d'assister à la cérémonie religieuse et se rendirent directement à la réception où cocktails, spiritueux, champagne et vin coulaient à flots. La foule était composée en majeure partie de durs, des individus qui avaient passé plus de temps à comparaître devant les tribunaux qu'à faire leurs dévotions devant les autels des églises. Le scotch et le cognac étaient de grands favoris, même avant que le dîner fût servi. Signe d'une époque révolue : sur chaque table — au milieu de bouquets d'une taille ostentatoire composés d'anthuriums rouge foncé et de lys trompette blancs — se trouvait une coupe en verre soufflé contenant quantités de cigarettes mises à la disposition des convives. Et ceux-ci se servirent sans hésiter, à en juger par les cendriers au logo de l'hôtel Pierre remplis de mégots, disposés parmi les bouteilles d'eau minérale San Pellegrino et de vin rouge.

Les invités ne portaient pas d'habit de soirée, malgré l'aspect raffiné de l'hôtel et le caractère solennel de l'occasion. Les hommes avaient préféré des costumes classiques, des chemises blanches et des cravates à rayures, et les femmes, des robes du soir de style bon chic bon genre pour la plupart, ce qui laissait supposer que les gangsters étaient accompagnés de leur épouse légitime et non de leur «petite amie».

Pour Giuseppe Bono, cet événement représentait une journée passée avec ses meilleurs amis et, ce qui est le plus important, avec des associés d'affaires en qui il avait toute confiance. Il est évident qu'il désirait que la fête fût mémorable. Même après avoir bénéficié d'un rabais, les frais de la réception — réglés en totalité par Bono sous forme de mandats postaux — atteignirent la somme de 63 120 $. De plus, pour la modique somme de 4 746 $, il avait retenu les services d'un photographe professionnel qui devait immortaliser l'événement. Les uns après les autres, les invités furent photographiés avec les mariés, se mélangeant entre eux et organisant des photos de groupes différentes suivant qu'ils étaient amis, parents ou époux. Le photographe se promena ensuite de table en table et prit de nouveaux clichés des invités, assis ou debout, souriant d'un air pincé pour la caméra.

Plus tard, lorsque Giuseppe et Antonina Bono feuilletèrent l'album où furent regroupées ces photos, ils durent se rappeler de fort heureux moments. Cependant, il leur aurait été difficile de les scruter plus attentivement que ne le firent des centaines de policiers éparpillés sur trois continents.

Giuseppe Bono, un homme de petite taille, à l'aspect malingre, à la chevelure noire clairsemée, aux grandes lunettes et aux dents de devant de travers, avait 47 ans au moment de son mariage. Lorsqu'il était de bonne humeur, il pouvait avoir l'air espiègle d'un jovial professeur de collège. Quand il était bien habillé et affichait un air sérieux, il pouvait facilement passer pour un banquier. Lorsqu'il était en colère ou qu'il avait un problème, il devenait blême et ses traits prenaient une expression glacée qui donnait une indication du milieu dangereux dans lequel il évoluait. Bono, comme le révéla le FBI un an après son mariage, était un trafiquant de drogue prodigieux, très doué et possédant un exceptionnel réseau de relations. Il était un des chefs de la Mafia en Italie, et un joueur clé dans le blanchiment d'argent. Un dossier du FBI le décrit comme étant «une des personnalités les plus au fait des réseaux de drogue internationaux dans les opérations outre-mer». Ses invités, au cours de cette journée d'automne à New York, étaient les mafiosi les plus importants et les narcotrafiquants les plus notoires en Occident. Des policiers tomberaient des nues en l'apprenant... Il s'agissait peut-être du plus grand rassemblement de gangsters liés au trafic de stupéfiants à travers le monde.

Le photographe qui butinait d'un convive à l'autre ne paraissait pas représenter de menace pour ces hommes habitués à se méfier. Pour la plupart d'entre eux, il ne s'agissait pas de la première soirée passée au restaurant Chez Pierre. Comme de nombreux New-Yorkais ayant l'argent facile, les gangsters utilisaient depuis longtemps les salles de cet hôtel prestigieux. Carmine Galante y avait même donné une réception pour sa fille en 1975.

Lorsque le FBI et la DEA apprirent qu'un mariage avait réuni à New York la crème des mafiosi nouveaux riches de la drogue, ils fouillèrent les détails de l'événement. Et grâce à un coup fumant de la part des services secrets — un geste dont les retombées leur sont toujours profitables aujourd'hui —, ils découvrirent les photos du mariage.

«Ces photos ont été obtenues par voie d'assignation. Les autorités ont en effet ordonné au photographe qui les avait prises de les leur remettre», a dévoilé Charles Rooney, maintenant sous-directeur adjoint par intérim de la division des enquêtes criminelles du FBI. En 1981, lorsque les corps policiers eurent connaissance du mariage Bono, Rooney était inspecteur au service du bureau du FBI du quartier Brooklyn-Queens, et il était chargé de l'affaire qui devait devenir plus tard la Filière des pizzerias.

«Nous avons saisi les photos parce que nous avions commencé à entendre parler d'un mariage impressionnant qui avait eu lieu à New York, et qu'un grand nombre de personnes venues de différents pays y avaient assisté. Nous avons commencé par rechercher l'endroit où avait eu lieu cette fête, explique Rooney. Nous avons alors appris que Giuseppe Bono était le chef de la famille du crime organisé de Milan, en Italie. Et qu'il était arrivé aux États-Unis.»

La quantité de photos qui avaient été prises était impressionnante.

«Je pense qu'il y avait au moins 100 photos, peut-être même plus», a précisé Rooney. Avant cette découverte, Bono était cependant un personnage mystérieux pour le FBI et la DEA, alors qu'ils lançaient une nouvelle enquête au sujet d'une bande de mystérieux gangsters siciliens s'étant établis à New York, et possédant de nombreux amis et de l'argent à ne plus savoir qu'en faire. Jusque-là, Bono n'avait été répertorié qu'en tant qu'«inconnu» sur les photos de surveillance prises par les agents du FBI chargés de garder un œil sur les repaires des Zips à Brooklyn. Peu de temps avant le mariage, il avait été photographié au moment où il visitait la boulangerie de Sal Catalano. Les inspecteurs avaient suivi l'énigmatique petit bonhomme jusqu'à une demeure de 14 pièces de construction récente à Pelham, en banlieue de New York, et ils avaient découvert l'identité de son propriétaire. À partir de ce moment-là, ils purent accoler un nom à la photo du binoclard au visage étroit : Giuseppe Bono.

Mais ce nom ne leur disait rien.

Les pollinisations croisées ainsi que l'amélioration des relations entre les divers groupes du crime organisé de nombreux pays font partie des développements les plus importants et les plus déterminants de la criminalité. La mafia de New York travaillait main dans la main avec les «hommes d'honneur» de Sicile qui, à leur tour, collaboraient avec les chefs asiatiques et les personnalités officielles corrompues au Proche-Orient. La forme la plus pure de mondialisation existait déjà, et ces gangsters en étaient les premiers instigateurs. Les liens entre eux et le système selon lequel l'organisation fonctionnait furent établis bien longtemps avant que les services chargés de faire respecter la loi ne se décident à imiter la façon de faire de la Mafia. De nombreux inspecteurs de police aux États-Unis ne faisaient pas confiance aux autorités italiennes, et rejetaient d'emblée tout ce qui provenait de régions situées au-delà des frontières de l'Europe de l'Ouest.

Bien que les relations entre Américains et Canadiens se fussent améliorées, quelques-uns des renseignements les plus délicats et les plus cruciaux étaient jalousement gardés. La méfiance existait des deux côtés de la frontière. Les autorités et les services de renseignements des pays étrangers ignoraient comment seraient utilisées les informations qu'ils détenaient. La Guerre froide ainsi que les intérêts supérieurs de la nation américaine à l'étranger menaient parfois à un conflit entre les priorités imposées par le maintien de l'ordre et les impératifs de la sécurité nationale. Les forces policières étrangères se demandaient souvent si les renseignements qu'elles transmettaient aux autorités américaines seraient utilisés par le FBI pour combattre la criminalité, ou si la CIA s'en servirait à ses propres fins, et dans un cas comme dans l'autre, elles agissaient en conséquence. Même entre les diverses agences de renseignements aux États-Unis, comme entre le FBI et la DEA, la confiance mutuelle n'était que superficielle, et c'est souvent à contrecœur qu'elles partageaient les renseignements, dont certains demeurèrent secrets. Il exista toujours de la rivalité entre les diverses agences.

Cette attitude contribua grandement à l'expansion des expatriés de la Mafia. Il est étrange de constater que même lorsque les renseignements sont partagés entre différents corps de police, ces derniers ne leur accordent pas forcément l'attention qu'ils méritent. Les enregistrements réalisés au Reggio Bar dans les années 1970, par exemple, sur lesquels on trouvait des conversations secrètes entre Paolo Violi et les mafiosi les plus importants, avaient été partagés entre les autorités canadiennes, italiennes et américaines. En 1976, les transcriptions des conversations les plus pertinentes avaient été transmises au ministère de l'Intérieur du gouvernement italien, qui devait les faire passer à tous les services afin qu'elles arrivent aux tribunaux d'Agrigente, où Carmelo Cuffaro, un gangster sicilien dont la voix se trouvait sur les bobines, subissait son procès. Incroyable mais vrai : ces enregistrements furent classés et oubliés ! Ce n'est qu'en 1984, selon Giovanni Falcone, le magistrat renommé pour sa participation à la lutte antimafia, qui allait être assassiné par la suite, qu'un jeune magistrat d'Agrigente tomba par hasard sur les enregistrements, réalisa à quel point ils étaient importants et les fit enfin parvenir au bureau du juge Falcone. Ces enregistrements, placés entre les bonnes mains, constituaient de vraies bombes. Ils contribuèrent à faire comparaître devant la justice des dizaines d'accusés presque 10 ans après le fait, lors de l'un de ces méga procès que connut l'Italie. La mise en application de la loi se devait de s'appuyer sur une solide coopération, et les individus qui en étaient responsables l'avaient finalement compris.

Cela débuta par l'interaction non officielle d'officiers qui agissaient pour leur propre compte au sein d'organisations policières et qui se mirent à discuter directement avec les contacts qu'ils avaient personnellement établis dans d'autres agences. Un agent du FBI parlerait à un officier de la Gendarmerie royale du Canada, un agent de la GRC à un officier de police à Rome ou à Milan. Un enquêteur de Palerme pouvait appeler un agent de la DEA, et chacun transmettrait les renseignements et l'expertise accumulés à un petit groupe de policiers new-yorkais qui étaient, depuis des décennies, sur la piste des auteurs du crime organisé. Dans un nombre grandissant de pays, les voies non officielles prirent de l'importance au fur et à mesure que s'ouvraient de nouveaux procès. La valeur de ces interactions devint évidente aux yeux de jeunes agents du FBI qui commençaient à découvrir le grouillement des gangsters siciliens à Brooklyn ainsi que les courants qui entraînaient l'argent hors du pays.

Tout a commencé par une simple question que posèrent aux autorités italiennes deux agents spéciaux plutôt fouineurs, Charles Rooney et Carmine Russo. « Le nom de Giuseppe Bono a-t-il une résonance spéciale pour la police italienne ? » demandèrent-ils. Cette question eut l'effet d'un ouragan. Lorsque les enquêteurs antimafia italiens apprirent que Bono, qu'ils connaissaient bien, était à New York, ils furent surpris. Bono était l'un des chefs importants de la Mafia qui avaient disparu lorsque leurs enquêtes avaient commencé à les menacer. L'homme avait été considéré comme étant en fuite, sans que l'on sût où il avait abouti, bien que la police eût soupçonné sa présence au Venezuela avec Nick Rizzuto et les Caruana-Cuntrera.

Bono avait travaillé avec les gangsters montréalais pendant des dizaines d'années, depuis 1964 tout au moins, selon le mafioso sicilien Tomasso Buscetta.

Le FBI réalisa alors à quel point il devait se méfier des Zips.

L'enquête concernant l'organisation fut rouverte en Italie. Les enquêtes — et les mises en examen — allaient se multiplier dans les deux pays, mais on n'en était pas encore là...

Le FBI commença à partager discrètement les photos du mariage Bono avec la DEA, la police de New York, la GRC et plusieurs services d'enquête italiens. Cela devint comme un jeu de société pour les officiers de police concernés ; il suffisait de placer des noms sur les photographies des gangsters. Le FBI voulait connaître l'identité de toutes les personnes présentes au mariage Bono. Pendant des années, les photos furent montrées à tous les informateurs qui avaient accepté de coopérer avec les autorités. On demanda à chaque informateur d'identifier le plus grand nombre de personnes possible.

La liste qui finit par être consolidée était incroyable. Presque tous les hommes présents au mariage de Bono étaient impliqués dans le crime organisé et le trafic de stupéfiants. On avait l'impression que Bono avait ouvert le *Who's Who* contenant tous les noms et adresses de ses contacts internationaux impliqués dans ce trafic, et qu'il leur avait envoyé d'élégantes invitations pour son mariage. Peut-être fut-il lui-même surpris par le nombre de réponses positives. Cela suggère que les membres de la pègre présents à la noce étaient tous désireux d'entretenir de bonnes relations, avec lui comme avec ses collègues. Les photographies du mariage de Bono constituaient une encyclopédie illustrée des crapules magouillant dans l'entreprise mondiale de la drogue.

« Toutes les personnes importantes du crime organisé italien ont été invitées », a reconnu Tom Tripodi, un ancien agent de l'U.S. Bureau of Narcotics.

Il va sans dire que la Sixième Famille était là. Sur plusieurs des photos, on peut voir un homme de grande taille, aux cheveux noirs, au visage allongé. Parmi les mieux habillés de tous les invités, il portait un complet noir avec chemise blanche et une cravate de soie argent à pois noirs. Il s'agissait de Vito Rizzuto.

Sur l'une des photos, Rizzuto se tient élégamment debout auprès de la radieuse mariée, la main bien en évidence pour afficher sa nouvelle bague, un solitaire monté sur un massif anneau d'or. De son autre main, elle serre celle de la femme de Vito, Giovanna, qui, à son tour, pose son bras libre sur les épaules de Giuseppe Bono. Ce portrait, pris devant un treillage recouvert de marguerites shasta, respire la chaleur et la convivialité. Une autre photo montre un marié souriant comme s'il venait de raconter une bonne plaisanterie. Il est debout avec Vito et son lieutenant, Joe LoPresti, un homme de taille imposante, un des rares dans la pièce à être plus grand que Vito.

La troisième photo montre Vito et sa femme, debout en compagnie des invités assignés à leur table. Avec eux se trouvent LoPresti et sa femme, Rosa Lumia. Assis à la même table, nous retrouvons Gerlando Sciascia et sa seconde épouse, Mary Elizabeth MacFadden. Sciascia était très proche du marié, si intime en fait que Bono avait demandé à la fille de Sciascia d'être bouquetière lors de la cérémonie. Autour de Vito se trouvent Domenico Arcuri, le Montréalais qui avait été l'hôte de la dernière rencontre entre Nick Rizzuto et Paolo Violi. Michel Pozza était un autre invité venu du Canada. Il agissait comme une sorte de «gestionnaire de patrimoine» et travaillait étroitement avec l'organisation Cotroni à Montréal, mais s'était vite rangé du côté des Rizzuto lorsqu'il avait vu de quel côté le vent tournait. La présence des Rizzuto au mariage fut perçue comme un signe évident que Vic Cotroni ne commettrait pas les mêmes erreurs que Violi en barrant le chemin à la Sixième Famille. Il lui donnait ainsi le droit de régner sur la métropole.

D'après un rapport du FBI, «cet événement donne force à la théorie voulant que Nick Rizzuto dirige maintenant les opérations pour la faction des Siciliens de Montréal et qu'il agit indépendamment de la hiérarchie du groupe Cotroni».

Les enquêteurs qui étudiaient les photos — et en particulier le groupe montrant les invités à table aux places où ils avaient été assignés — remarquèrent autre chose. Un schéma étrange semblait émerger. Lors d'un mariage important, les places à table ne sont pas désignées au hasard. Choisir où et à côté de qui s'assiérait chaque gangster dut représenter bien des tiraillements pour le marchand de mort organisateur de la fête. En fin de compte, les invités semblaient avoir été placés judicieusement à table avec des oiseaux de même plumage.

Une photo montre le jeune Vincent Basciano à table avec Philly Lucky, Big Trinny, Frank Lino, Bruno Indelicato, son oncle J.B. Indelicato et Joseph Benanti. Basciano, dont le surnom était «Vinny Gorgeous» — «Vinny la Belle Gueule» —, serait nommé chef de la famille Bonanno bien des années plus tard, à une époque plus difficile. Ce groupe d'hommes devait éventuellement être décrit à un tribunal comme étant la première phalange de la distribution de l'héroïne de la Sixième Famille à New York. À une autre table se côtoyaient Sal Catalano, tout sourire sur la photo, et Santo Giordano.

La table des Zips de New York se trouvait tout près de celle de Vito, ce qui sous-entend les relations amicales et la familiarité qui existaient entre eux. On avait fait preuve de courtoisie en asseyant les Zips de New York à côté des gangsters siciliens du Canada. Les membres des deux groupes se connaissaient bien. Cesare Bonventre, mielleux comme toujours, portait ses lunettes d'aviateur teintées et était l'un des rares hommes en smoking. Il était assis à table avec sa femme Theresa, Baldo Amato et la sémillante épouse d'Amato. Giovanni Ligammari était également présent, tout sourire, en costume gris perle et cravate rouge. Il était assis à une table d'hommes plus âgés accompagnés de leur épouse.

Durant la même année, Bonventre et Amato furent arrêtés au moins trois fois pour excès de vitesse par la police routière de l'État de New York, lors d'une folle équipée. Ils allaient chaque fois à plus de 160 kilomètres heure. Les deux Ralph Schumacher d'occasion sortirent une énorme liasse de billets pour payer sur-le-champ l'amende de 100 $. À la troisième arrestation, le policier refusa d'être payé sur place. Il s'empara du permis de conduire de Bonventre et lui donna un procès-verbal pour qu'il aille payer son amende au tribunal. Amaro prit alors le volant et ils poursuivirent leur route. Les affaires à traiter au Canada devaient être urgentes, car ils repartirent vers les États-Unis dans un avion privé canadien pour s'occuper de l'amende. Cela donne une idée des activités peu ordinaires des convives au mariage de Bono, ainsi que de leur facilité à dépenser leur argent.

«Cela fait des années que Bono nous intéresse, rappelle Tripodi. Il est une étoile montante de la mafia sicilienne. Il avait été envoyé à Milan au début de sa carrière pour surveiller leurs intérêts au centre des finances italien.» Les capacités diplomatiques de Bono ainsi que son excellente relation avec la Sixième Famille, comme l'avaient démontré les premiers meetings qui l'avaient conduit à Montréal, avaient fait de lui un bon candidat pour devenir l'émissaire de la mafia sicilienne à New York. «Bono était la personne choisie dans le but d'unifier les affaires. En effet, il a agi en tant qu'ambassadeur de Palerme auprès des groupes italiens du crime organisé à New York», constate Tripodi. La nouvelle du mariage de Bono lança donc le signal du réveil pour tous les enquêteurs s'occupant du crime organisé et du trafic de drogues.

Un document interne du FBI faisant allusion au mariage de Bono rapporte ceci: «Au cours de cette période, il est devenu plus évident qu'une faction sicilienne est apparue au sein du clan mafieux Bonanno, similaire à celle qui existait à Montréal. Le chef de la faction sicilienne de la famille Bonanno, Salvatore Catalano, est très impliqué dans l'importation d'héroïne de Sicile. Une chose encore plus significative réside dans le fait que les factions siciliennes de Montréal et la famille Bonanno aient, criminellement parlant, des activités synchrones. Les chefs des deux factions, Rizzuto à Montréal et Catalano à New York, sont tous les deux des trafiquants de narcotiques confirmés.»

Le rapport poursuit : «Il existe des preuves irréfutables que des individus de ces deux groupes se sont rencontrés à maintes reprises pour discuter d'activités criminelles. Les groupes de surveillance du Canada comme ceux des États-Unis ont la preuve de bon nombre de ces réunions.» Ces fameuses réunions avaient été rapides, frénétiques et incroyablement productives.

Les choses allaient pour le mieux chez les mafiosi, comme le démontrent les figures réjouies apparaissant sur les photos de l'événement. La réception du mariage de Bono, en 1980, marquait une nouvelle époque pour les membres de la pègre. C'était comme si la soirée bien arrosée et haute en couleur était également la célébration d'une autre réussite : une entente concernant une nouvelle franchise pour le commerce de l'héroïne avait été conclue, et les hommes présents au mariage à l'hôtel Pierre en étaient les premiers architectes. Les efforts fournis par tous avaient été importants et... sournois. La police et les organisations criminelles rivales avaient été prises par surprise lorsque des événements qui, pendant une décennie, n'avaient nullement semblé être liés entre eux s'étaient soudainement rejoints pour devenir une entreprise mondiale insurclassable s'occupant du commerce de l'héroïne. Beaucoup de travail avait été abattu, bien qu'un petit nombre de personnes, même parmi celles qui avaient assisté au mariage de Bono, eussent été vraiment conscientes de ce qui s'était produit.

La mafia sicilienne avait été fort occupée à New York, au Canada, en Italie et en Amérique du Sud. Pour aboutir là où ses membres désiraient arriver, ils avaient besoin de gens et de produits. Ces deux éléments prenaient d'abord la route du Canada, pour ensuite changer d'itinéraire et se retrouver aux États-Unis.

Chapitre 16

COMTÉ DE BUCKS, PENNSYLVANIE, JANVIER 1973

Niché dans le sud-est de la Pennsylvanie, le comté de Bucks revêt pour la Mafia une importance qui trouve principalement sa source chez ses voisins. Bordé à l'est par le fleuve Delaware et la ville de Trenton, New Jersey, et au sud par Philadelphie, il se trouve en effet en plein corridor New York-Washington et est pratiquement équidistant de New York et d'Atlantic City. Un tel territoire ne pouvait passer inaperçu aux yeux de la pègre.

C'est à cet endroit que peu avant midi, le 5 janvier 1973, un livreur trébucha littéralement sur un homme très refroidi qui gisait, face contre terre, derrière un restaurant Red Barn abandonné du canton de Bristol. Le corps du défunt, qui mesurait plus de 1 mètre 80 et pesait 85 kilos, occupait le premier espace de l'ancien terrain de stationnement, les bras et les jambes étalés selon des angles insolites sur le trottoir. Le vieux bâtiment de briques, vide depuis six mois, était devenu le repaire des adolescents du coin, mais il était évident que ce meurtre n'avait rien à voir avec une quelconque bêtise qu'auraient pu commettre ces jeunes. Les mains de la victime avaient été attachées devant lui, et on l'avait abattue par-derrière au moyen d'un calibre .45. Dans ses poches, on trouva 21 $, les clés d'un appartement et une lettre provenant des services d'immigration.

On identifia l'homme comme étant Stefano Sciarrino, 27 ans, de Cinisi, en Sicile. La police apprit que Sciarrino était entré aux États-Unis suivant la route traditionnelle des immigrants clandestins. En avril 1971, un billet d'avion devant assurer son transport de l'Italie au Mexique avait été émis à son attention. Parvenu à l'aéroport John F. Kennedy de New York sur un long-courrier d'Air France, au lieu de changer d'appareil, le voyageur s'était contenté de se perdre dans les rues de la métropole américaine. Il n'eut que des contacts épisodiques avec les autorités américaines, à l'exception d'une arrestation dont il fit l'objet à cause de son statut d'étranger non recensé. On régla rapidement sa caution et il recouvra sa liberté. Il n'était après tout que l'un des quelque 100 Siciliens à avoir été cueillis dans le nord-est des États-Unis cette année-là. Sciarrino passa quelque temps à Brooklyn sur le territoire de la famille Bonanno avant de déménager dans le comté de Bucks, où il trouva un emploi dans une pizzeria.

Éberlués, les policiers ne parvinrent pas à trouver le motif de son assassinat, mais une piste subséquente les mena directement à la mafia montréalaise et aux crapoteuses combines d'immigration clandestine de Siciliens.

Il ne fallut guère de temps pour que la police découvre que Stefano Sciarrino était apparenté avec Lorenzo Sciarrino, connu sous le sobriquet d'«Enzo the Quarrelsome One» — «Enzo le Bagarreur» —, surnommé ainsi à cause de son abominable tempérament. On suspectait depuis longtemps Enzo d'opérer un réseau illégal d'immigrants convoyant des gens de la Sicile au Canada puis, de là, aux États-Unis. Il avait deux genres de clients : ceux qui appartenaient à la Mafia et que l'on envoyait dans des régions clés du nord-est américain, et les immigrants illégaux «légitimes», de braves gens qui changeaient de pays pour améliorer honnêtement leur sort. La plupart de ses clients n'arrivaient pas en Amérique comme les mafiosi reconnus. Le moyen le plus utilisé et le moins dispendieux consistait à traverser la frontière en des endroits où elle n'était pas surveillée, ou encore à passer par des réserves autochtones limitrophes aux deux pays. Étant donné la piètre collaboration des autorités américaines et italiennes et le peu d'information qu'elles échangeaient, certaines des personnalités criminelles les plus actives de Sicile s'infiltrèrent facilement aux États-Unis en se faisant passer pour de prosaïques hommes d'affaires ou pour des entrepreneurs.

On trouve dans les dossiers de la police canadienne des preuves irréfutables de la présence d'Enzo à des réunions avec des gangsters montréalais haut gradés, presque tous des Siciliens reliés à Nick Rizzuto et à Pep Cotroni. L'une de ces réunions eut lieu au cours de l'été de 1971, très peu de temps avant l'arrestation d'Enzo en Italie, où il fut condamné pour activités mafieuses. Pour les mafiosi en cavale, il existait des planques à Montréal et surtout à Toronto, où la famille qui accueillait les immigrants était liée par mariage aux Rizzuto. Si l'on en juge par les archives américaines, le Canada était un lieu de transit particulièrement achalandé : rien qu'en 1972, quelque 10 000 Siciliens — la plupart n'ayant rien à voir avec le monde de la drogue — étaient passés par le Canada pour se rendre chez son grand voisin du sud. Ces immigrants, qui n'avaient aucune intention de se joindre à la pègre, devaient payer 500 $ pour traverser la frontière. Lorsqu'ils voulaient convertir leurs lires en dollars, on exigeait des frais de service de 25 pour cent ! Moyennant quelques milliers de dollars supplémentaires, on leur fournissait de fausses pièces d'identité, incluant carte de sécurité sociale et permis de conduire, le tout à tempérament s'ils étaient sans argent. Lorsqu'on leur trouvait du travail, presque toujours dans la construction ou dans une pizzeria, leur employeur faisait main basse sur une partie de leur salaire. Lorsqu'ils avaient la mauvaise idée d'aller se distraire dans quelque tripot, ils jouaient invariablement contre des tricheurs qui les dépouillaient de leurs quatre sous, puis on leur proposait aimablement des prêts à des taux exorbitants pour éponger leurs dettes. Incapables de rembourser leurs débiteurs, plusieurs malheureux acceptaient de retourner au Canada pour y devenir des mulets chargés de ramener de l'héroïne aux États-Unis.

Pour Stefano Sciarrino, arrivé au Canada avec des antécédents mafieux et un casier judiciaire, ces manœuvres illégales n'avaient rien de révoltant. En plus d'Enzo le Bagarreur, ses relations sur le Vieux Continent comprenaient Gaetano Badalamenti, l'un des participants au « Yalta de l'héroïne » qui s'était tenu au Grand Hôtel et des Palmes en 1957. Beaucoup d'eau coulerait sous les ponts avant qu'on découvre que Badalamenti était un élément clé de la Filière des pizzerias, mais le mystère du meurtre de Sciarrino permit de dévoiler une foule d'indices cruciaux se rapportant à la mise en œuvre de cette filière.

Dans le comté de Bucks, Sciarrino avait trouvé du travail dans une pizzeria contrôlée par la pègre et faisant partie d'une chaîne comprenant deux douzaines de franchises dans les États de New York, du New Jersey et de la Pennsylvanie. Plusieurs d'entre elles étaient la propriété de pionniers de la Filière des pizzerias. Pour arrondir ses revenus, la société vendait du matériel et des produits de base à d'autres pizzerias. Plusieurs de ces transactions servaient à camoufler des opérations de blanchiment d'argent provenant de la vente d'héroïne. La pizzeria où travaillait Sciarrino en Pennsylvanie était la propriété du fils d'un autre franchisé qui, à son tour, était associé à Frank Rappa, un employé d'un restaurant de la même chaîne situé dans le quartier de Queens. C'était un passeur d'héroïne affilié à un réseau qui utilisait Montréal comme lieu de transit.

Vers cette même époque, Luigi Ronsisvalle, le mafioso qui avait travaillé pour Pietro Licata, le *Mustache Pete* de Knickerbocker Avenue, commença à travailler pour les Zips. Il partageait donc son temps entre la contrebande d'héroïne et le passage d'immigrants illégaux du Canada aux États-Unis. D'ailleurs, Ronsisvalle se rendit au Canada à au moins trois occasions.

« Nous possédions des contacts pour amener des passeports du Canada, et nous les donnions à des Siciliens voulant se rendre aux États-Unis, confia-t-il par la suite. La première fois, nous sommes allés à Niagara. Il y avait six passeports qui, je m'en souviens, avaient déjà la photo de leur futur détenteur à l'intérieur. »

À l'époque de l'effervescent mariage de Giuseppe Bono, les entrées illégales de gangsters siciliens étaient parfaitement rodées. En 1981, dans un rapport du FBI où l'on faisait le point sur la situation relativement à un examen des activités de Gerlando Sciascia, les agents signalaient qu'une « enquête approfondie sur l'influence du crime organisé sur l'immigration clandestine » était en cours. Le rapport souligne que de nombreux immigrants italiens au passé douteux furent arrêtés dans des commerces dont les propriétaires et exploitants appartenaient à un petit cercle d'individus en lien avec la Mafia. Un analyste de la mise en application des lois explique que l'examen du pedigree de la plupart de ces gens a dévoilé qu'ils étaient déjà ciblés par les enquêteurs des services antinarcotiques dès la fin des années 1950 et dans les années 1960, et qu'il était possible de suivre leur trace au Canada, et même jusqu'en Sicile. Gerlando Sciascia et sa parenté de la Sixième Famille de Montréal étaient sans contredit des intermédiaires.

« Ils ont inondé le Canada, explique l'analyste, en parlant des immigrants italiens. Si vous veniez du Canada, vous étiez pratiquement sûr d'être accepté. » Plusieurs des Zips qui se retrouvaient à Brooklyn, comme Cesare Bonventre et Baldo Amato, étaient d'abord passés par le Canada avant de se rendre à New York.

Même si le meurtre de Stefano Sciarrino ne fut jamais élucidé, son assassinat permit de jeter quelque lumière sur certains mystères en amenant les enquêteurs à découvrir, notamment, d'où venait le personnel employé par les trafiquants. Les policiers en déduisirent que, tout comme le trafic de stupéfiants, le trafic humain passait par Montréal et la Sixième Famille.

AÉROPORT DE FIUMICINO, ROME, 1980

Étant donné sa nature très occulte, le succès d'une filière de stupéfiants ne peut être mesuré qu'au moyen des bavures que commettent ses promoteurs. Tant que l'on n'a pas effectué de saisies ou d'arrestations, il est très difficile d'évaluer sa taille, de tester le degré de pureté de ses poisons ou de s'émerveiller devant les astuces ingénieuses qu'elle déploie.

Vers 1965, huit ans après la rencontre au sommet de l'héroïne au Grand Hôtel et des Palmes, les autorités commencèrent à percevoir des signes encourageants. Un réseau de contrebande et d'importation de drogue fut démantelé. Selon la police italienne, il s'agissait d'un « super gang reliant la mafia italienne à la Cosa Nostra américaine ». Parmi ceux qui furent mis en examen, on trouvait Giuseppe « Genco » Russo, le chef de la mafia sicilienne, ainsi que plusieurs individus déportés d'Amérique. L'année suivante, la police mit au jour un réseau mafieux géré par les frères Salvatore et Ugo Caneba. Basés à Trapani, une ville voisine de la province d'Agrigente, les Caneba étaient devenus célèbres vers la fin de la Seconde Guerre mondiale, lorsqu'ils avaient été arrêtés pour avoir détourné des cargaisons d'opium et de morphine, qu'ils avaient l'intention de raffiner. Ces produits avaient été envoyés d'Amérique aux hôpitaux de campagne italiens pour alléger les douleurs des soldats américains blessés au front. Ayant gagné beaucoup d'argent grâce à cette triste activité, les frères Caneba s'étaient lancés dans des entreprises plus élaborées.

Les problèmes de sécurité concernant la frontière entre les États-Unis et le Mexique éclipsèrent pendant longtemps ceux de l'interminable frontière canadienne, souvent non gardée puisque les États-Unis considèrent depuis toujours le Canada comme un voisin sans histoires. Pourtant, des agents infiltrés de l'ancien U.S. Bureau of Narcotics and Dangerous Drugs découvrirent au cours de la plupart de leurs enquêtes l'existence de filières canadiennes. En suivant la piste avec plus d'acharnement, ils parvinrent le plus souvent à trouver des liens avec la Sixième Famille.

•

La ville canadienne de Windsor est à Detroit ce que Montréal est à New York — une ville frontière satellite pour les intérêts de la Mafia. L'intérêt stratégique de Windsor est d'autant plus marqué que cette ville est directement adjacente aux États-Unis. En effet, Windsor se trouve juste de l'autre côté de la rivière de Detroit. Cette ville n'est pas seulement la plus méridionale du Canada, mais également son poste frontière le plus achalandé, notamment à cause de sa proximité avec la capitale américaine de l'automobile. Avec tous les liens qui existent entre les usines de fabrication de voitures des deux côtés de la rivière, les gangsters, depuis belle lurette, utilisent Windsor pour des opérations de contrebande entre les deux pays.

Aux États-Unis, la Prohibition commença en 1920 et dura jusqu'en 1933. La loi Volstead, qui interdisait la fabrication, la vente, le transport et l'importation d'alcool, fut un cadeau de taille pour les gangsters des deux rives. Ce n'était peut-être qu'une coïncidence, mais deux des hommes qui avaient voyagé de Sicile en Amérique en compagnie du père de Nick Rizzuto, Mercurio Campisi, de Cattolica Eraclea, et Francesco Giula, de Siciliana, déclarèrent avoir déjà vécu à Detroit durant les premières années de la Prohibition. Si ce voyage avait constitué la première incursion dans cette région par deux associés de la Sixième Famille, il y en eut bien plus au cours des décennies qui suivirent. Au cours d'enquêtes sur le marché des stupéfiants dans la région de Detroit dans les années 1960 et au début des années 1970, des agents tombèrent sur des membres de la famille Badalamenti. Dans les années 1980, Gaetano, le patriarche de la famille, fut mis en examen pour avoir été la cheville ouvrière de la Filière des pizzerias, ce qui avait assuré une notoriété durable au clan. Avant cela, le cousin de Gaetano, Cesare Badalamenti, avait été arrêté pour avoir fait entrer en contrebande de la drogue en Amérique. Lorsqu'il fut libéré, il déménagea à Detroit où il ne tarda pas à rencontrer Giuseppe Indelicato.

Ce dernier, tout comme les Rizzuto, avait quitté la province d'Agrigente, en Sicile, pour s'établir au Canada. Au Nouveau Monde, il conserva ses liens avec la Sixième Famille pendant qu'il se fixait à Windsor, tout en gardant un œil sur la ligne d'horizon, de l'autre côté de la rivière. En 1964, une équipe de surveillance de la GRC qui épiait une réunion à Montréal entre les Cotroni et le beau-père de Nick Rizzuto, Antonio Manno — une de ces rencontres destinées à aplanir les difficultés entre les deux familles —, remarqua que l'un des véhicules utilisés par les Siciliens était immatriculé au nom d'Indelicato.

Une première tentative de contrebande ne se passa toutefois pas comme prévu. Au débarcadère de New York, Indelicato fut trouvé en possession d'un demi-million de dollars d'héroïne cousue dans la doublure de son gilet. Il prétendit alors qu'il s'agissait de sucre en poudre pour décorer un gâteau de mariage! Indelicato se montrant incapable d'expliquer pourquoi la garniture d'un gâteau exigeait un transport aussi clandestin, le tribunal tira ses conclusions et le mit en accusation. On ne sait pas si les douaniers ou le jury firent des gorges chaudes à la suite de la piètre excuse invoquée par Indelicato, mais celui-ci, alors âgé de 31 ans, écopa de cinq ans de prison. Après avoir purgé sa peine, il fut déporté au Canada, et reprit à Windsor ses occupations là où il les avait laissées. Postés chacun sur une rive de la rivière de Detroit, Badalamenti et Indelicato établirent un modeste réseau de passage d'héroïne.

Des écoutes téléphoniques effectuées chez les deux trafiquants révélèrent, en 1970, les contacts réguliers qu'entretenait nul autre que Nick Rizzuto avec les deux comparses. Les Rizzuto consolidaient leurs points d'accès aux États-Unis. Les relations entre la mafia américaine de Detroit et les patrons de la 'Ndrangheta ontarienne étaient empreintes d'urbanité. Les gangsters siciliens prenaient soin de distribuer équitablement leurs bénéfices et d'éviter d'empiéter sur le terrain des autres. Partout, on essayait d'en arriver à des accommodements. Partout, sauf à Montréal.

Ses réussites et ses erreurs apprirent beaucoup à la Mafia, qui perfectionna peu à peu sa technique, ses routes et ses méthodes. Elle visait plus que la perfection. Elle recherchait l'hyperefficacité. Le réseau de distribution d'héroïne de la nouvelle génération, qui fit les manchettes à l'occasion de la découverte de la Filière des pizzerias, n'avait aucune commune mesure avec les machinations précédentes.

Les signes extérieurs du succès qu'obtenaient les nouveaux canaux de distribution devenaient difficiles à dissimuler. De vastes arrivages d'héroïne pratiquement pure en provenance d'Italie étaient de plus en plus fréquemment interceptés aux États-Unis, car les nouveaux laboratoires en Sicile occidentale travaillaient presque jour et nuit. Vers la fin de 1977, des bagages remplis d'héroïne, placés sur des vols Alitalia faisant la liaison entre Punta Raisi, l'aéroport de Palerme, et John F. Kennedy à New York, étaient régulièrement saisis. En juin 1979, une valise destinée à Gaetano Badalamenti, en Sicile, contenait la somme de 497 000 $. Les billets avaient été négligemment enveloppés dans des tabliers de cuisine. La Filière des pizzerias était solidement établie, fonctionnait avec la régularité d'une horloge et fut profitable dès le début.

Puis, en 1980, une saisie effectuée à Rome permit, plus que toutes les précédentes, de mettre en lumière le succès de la nouvelle opération.

Le Belge Albert Gillet débarqua à l'aéroport de Fiumicino, à Rome, en provenance de New York. Quand les douaniers eurent l'idée de fouiller ses bagages, ils firent alors une singulière trouvaille : l'homme transportait 10 kilos d'héroïne soigneusement empaquetée. Les tests démontrèrent que son degré de pureté était de 86 pour cent. Une découverte comme celle-ci aurait semblé banale dans n'importe quelle ville nord-américaine, mais à Rome, puisque la drogue voyageait toujours en sens inverse, un tel incident était inédit. Habituellement, l'héroïne partait d'Italie, où elle était produite, pour atteindre New York, où elle était achetée puis revendue à des prix exorbitants. Personne n'achetait d'héroïne à prix fort à New York pour l'exporter en Italie, où elle n'aurait pu être liquidée qu'à une fraction de son prix coûtant. Giovanni Falcone, le magistrat antimafia, enquêta sur cette étrange affaire et découvrit la clé du mystère. Ce colis, expédié par la Sixième Famille et vendu à un de ses clients réguliers de la mafia new-yorkaise, avait été retourné à l'expéditeur, car l'acheteur américain en avait trouvé la qualité inacceptable. Les nouveaux réseaux étaient si efficaces et la qualité de leur marchandise si exceptionnelle que les acheteurs pouvaient se payer le luxe de faire des caprices.

« Nous ne savions pas à l'époque que les Américains trouvaient que de l'héroïne d'un taux de pureté de 86 pour cent n'était pas suffisamment bonne pour eux, et que c'était la raison pour laquelle ils la renvoyaient à l'expéditeur…» admit plus tard Falcone.

Renvoyer 10 kilos d'héroïne pure à 86 pour cent parce qu'elle ne répond pas aux critères des destinataires peut sembler absurde, mais cela explique bien que les trognes des malfrats, sur les photos de mariage de Bono qu'examinèrent les policiers, eussent pu afficher des sourires aussi satisfaits. Ces clichés avaient été pris dans un moment de convivialité extrême parmi ces gens qui, ensemble ou concurremment, travaillaient d'arrache-pied à huiler la mécanique de la machine extraordinaire que constituait cette énorme conspiration d'importation de narcotiques.

Mais cette joyeuse atmosphère ne pouvait pas durer, car trop de candidats rapaces avaient l'œil sur la même galette. Les photos de mariage de Bono, dans les faits, reviendraient hanter nombre de ceux qui y apparaissaient, y compris Vito Rizzuto.

CHAPITRE 17

BROOKLYN, PRINTEMPS DE 1981

Malgré que Carmine Galante eût été éliminé de la circulation, et peut-être même à cause de cela, la situation à Brooklyn au printemps de 1981 était encore chaotique. Les gangsters de la famille Bonanno commençaient à accepter la présence des Zips comme faisant partie du nouveau paysage de New York. Si les Siciliens faisaient encore l'objet de soupçons et d'un certain mépris, ils n'étaient plus considérés comme des étrangers, mais davantage comme l'une des nombreuses factions de la famille Bonanno.

La mort de Galante sembla atténuer la pression qui s'exerçait sur le leadership de Philip Rastelli, tout au moins au début. Rastelli était un homme au visage blême et à l'aspect cadavérique. Il avait été nommé capitaine pour les Bonanno en 1968, était devenu le second de Natale Evola en 1971 et avait ensuite pris tranquillement la place de ce dernier, quelques mois après sa mort, en 1974. Bien que son ascension fût constante, il n'avait jamais eu l'étoffe d'un grand chef. Les fréquents séjours qu'il effectua en prison lui nuisirent considérablement, et même après avoir été libéré, il éprouva de la difficulté à inspirer ses hommes et à améliorer la situation de la famille. Toutefois, la position de Rastelli se trouva réaffirmée par le décès de Galante. Lefty Ruggiero prit même Donnie Brasco — un non-initié — à part pour lui confirmer que Rastelli était le chef. Il semble que tous le reconnaissaient alors comme tel. Mais si le reconnaître était une chose, se comporter en conséquence en était une autre. Si le meurtre de Galante avait semblé être un soulagement pour tous les acteurs en cause, il ne contribua cependant que très peu à aplanir les querelles qui minaient la famille Bonanno depuis que son chef et fondateur, Joe Bonanno, avait été évincé par la Commission au milieu des années 1960. Pendant 15 ans, l'organisation Bonanno, qui avait été à une époque la plus fière des Cinq Familles, connut un déclin, et celui-ci fut imputé en grande partie à Rastelli.

Les gangsters de New York ont un dicton : «On est aussi fort que son chef.» Cet adage est porteur d'une certaine reconnaissance envers le chef de la famille. Il est celui qui plaide les intérêts de son clan devant les autres familles et devant la Commission. C'est lui qui guide l'organisation lors de son expansion dans d'autres domaines de la criminalité. Après un certain temps, de nombreux membres de la famille Bonanno réalisèrent que Rastelli ne les menait nulle part. Les profits du trafic de la drogue qui affluaient à New York provoquaient jalousie et complots, ce qui faisait encore remonter les enchères, et la situation, déjà intenable, empirait. Une idée semblait faire son chemin, l'idée qu'un autre que Rastelli serait plus à même de faire le travail. Le chef incarcéré se retrouva rapidement dans l'embarras ; il devait défendre ses propres intérêts au sein d'une famille divisée et chancelante, et ce, depuis une cellule de prison. Dehors, des voix s'élevaient pour réclamer un nouveau patron ; Alphonse «Sonny Red» Indelicato était celui dont la voix se faisait entendre avec le plus de véhémence.

La famille Bonanno était en train de se scinder en plusieurs factions bien définies, dont chacune était prête à se ruer sur ce qu'elle considérait comme sa juste part des bénéfices du lucratif commerce des drogues. Les factions se faisaient concurrence pour conserver ou s'approprier un rôle dans les opérations, calculant les intérêts dont elles pourraient bénéficier à l'issue d'une course au leadership. Parmi les capitaines, des alliances se nouaient pour ensuite se défaire. Les gangsters qui possédaient des réseaux de distribution étaient recherchés par ceux qui s'occupaient d'importation et, parallèlement, les personnes qui contrôlaient l'arrivée de la drogue formaient agressivement des alliances stratégiques pour améliorer leurs bénéfices, sans se soucier de la susceptibilité de certains mafiosi concernant les structures de la famille ou ses règles obscures. Un nouvel ordre était en train de naître parmi la pègre, un ordre où les contributions apportées au trafic des drogues comptaient davantage que les liens du sang, créant ainsi de bien étranges partenariats ; les capitaines de la famille Bonanno s'allièrent à des soldats de Gambino qui pensaient comme eux, plutôt qu'à des fantassins de leur propre famille.

Les capitaines de la famille Bonanno — il y en avait plus d'une quinzaine —, qui, ensemble, contrôlaient environ 150 hommes, commencèrent à prendre parti chacun de leur côté. Le clan Bonanno, qui, à une époque, avait été la plus unie des Cinq Familles, continuait à se désintégrer. D'après ce qu'en dirent certains membres de la famille, quatre factions principales émergèrent.

«Les Zips d'Italie formaient une faction, affirme Frank Lino, un membre de longue date du clan Bonanno. Joseph Massino et Sonny Black en formaient une autre, puis Sonny Red et Philly Lucky, une autre encore.»

Mécontent, Sonny Red était devenu le chef d'une faction dissidente dans le cadre de cette querelle concernant le leadership de

Rastelli. Il avait mis sur pied une base puissante avec l'aide de proches et de membres de sa propre famille, initiant d'abord son fils, Bruno Indelicato. Bruno avait été promu au rang de capitaine en récompense pour le rôle qu'il avait joué dans l'assassinat de Carmine Galante. Bruno était un grand supporteur de son père. Ensemble, ils menèrent à bien des affaires très importantes et, vu que Sonny Red avait l'air très jeune, ils pouvaient passer pour frères. Un autre membre de la famille était Joseph «J.B.» Indelicato, le frère de Sonny Red, également capitaine dans l'organisation Bonanno. Deux autres capitaines, qui n'étaient pas liés par le sang, n'en étaient pas moins très proches d'eux : Dominick «Big Trinny» Trinchera et Philip «Philly Lucky» — «le Chanceux» — Giaccone, un gangster à l'allure placide. Lors du mariage Bono, six mois auparavant, Big Trinny et Philly Lucky étaient assis en compagnie de J.B., de Bruno et de Lino à l'hôtel Pierre. Leurs qualités de revendeurs de drogue pour la Sixième Famille leur avaient gagné des invitations à ce rassemblement de malfaiteurs.

«Philly Lucky, Trinny et Sonny Red voulaient évincer Phil Rastelli de la famille», a déclaré Sal Vitale qui, en tant que bras droit de Massino, était totalement dévoué à la faction de ce dernier. Serrant les rangs derrière Massino se trouvaient également Sonny Black, James «Big Louie» Tartaglione, Gabe Infanti ainsi que d'autres. La faction Massino était loyale à Rastelli, le chef en titre. Selon Massino, il s'agissait de la meilleure façon de conserver un certain pouvoir à l'intérieur de la famille, en attendant le jour où Rastelli partirait ou mourrait, laissant Massino comme héritier.

La troisième faction, composée de vieux de la vieille, sembla vouloir demeurer en dehors des conflits pendant cette époque trouble. Salvatore «Sally Fruits» Ferrugia, Matty Valvo, Stefano «Stevie Beef» — «le Bœuf» — Cannone, Nicholas «Nicky Glasses» — «Nick le Binoclard» — Marangello, Nicholas «Nicky the Battler» — «le Batailleur» — DiStefano et Joseph «Joe Bayonne» Zicarelli furent des observateurs passifs, alors que les plus jeunes s'affrontaient.

Les Zips, dont la façon agressive d'aborder le trafic d'héroïne avait été la cause de bien des dissensions, se composaient de Sal Catalano, de Santo Giordano, de Bonventre, d'Amato et de Giovanni Ligammari. La Sixième Famille se rangeait également du côté des Zips.

Un membre de la Sixième Famille en particulier se trouvait en fait au cœur de la tourmente et de la fureur qui régnaient à New York. Cet homme, Gerlando Sciascia, avait accès à des quantités apparemment illimitées d'héroïne. C'était un homme de forte corpulence, et son sourire était chaleureux et engageant. Il possédait un pouvoir et une présence certains à New York, bien qu'il eût toujours été considéré un peu comme un étranger.

CATTOLICA ERACLEA, SICILE

Un homme habillé de façon décontractée déambulait entre les tombes, dans le labyrinthe du cimetière de Cattolica Eraclea, le long des imposants mausolées ornés d'images d'anges agenouillés, de chérubins fantaisie, de croix et d'un Christ ressuscité, bras levés, mains percées. Ce visiteur, un ancien Montréalais, était revenu à Cattolica Eraclea dans des circonstances qu'il préférait passer sous silence.

« C'est à leur sujet que vous devriez écrire, dit-il en pointant du doigt une tombe contenant les restes de la famille Sciascia. Vous connaissez Sciascia ? C'était un des hommes les plus influents à avoir été expatrié. Il est mort à l'heure actuelle... » L'homme jeta un coup d'œil vers le cimetière, jonché de tombes et de cryptes. « Assassiné », ajouta-t-il inutilement.

Gerlando Sciascia, né le 15 février 1934 à Cattolica Eraclea, avait presque 12 ans de plus que Vito Rizzuto, qui était un de ses proches amis. Sciascia grandit à 10 maisons de celle de la famille Rizzuto et à une distance similaire de celle de Joe LoPresti.

Sciascia n'avait pas 25 ans lorsque, accompagné d'autres natifs d'Agrigente, il suivit les Rizzuto en Amérique du Nord, où il débarqua un an après le sommet qui avait eu lieu au Grand Hôtel. Au moment où il s'établit au Nouveau Monde, l'héroïne avait commencé à y circuler grâce aux nouvelles voies d'entrée et, par conséquent, de plus en plus de trafiquants siciliens s'installaient à Toronto, Montréal et New York. Sciascia semble avoir rapidement profité des nouvelles percées dans le trafic des drogues, qui devint sa vocation tout comme celle de Carmine Galante.

Tout cela lui était totalement inconnu lorsqu'il eut à faire face pour la première fois aux autorités américaines, en septembre 1958. Il fut catalogué par le ministère de la Justice américain comme étant un « clandestin ». Bien que son entrée aux États-Unis fût illégale, il reçut cependant un visa d'immigrant. On lui attribua simultanément le visa d'immigration n° A11628312 et le numéro de fichier 726030D au FBI. Cet organisme avait établi une fiche à son nom uniquement parce qu'il était entré illégalement aux États-Unis, bien qu'à ce moment, son casier judiciaire fût encore vierge. Ce dossier du FBI allait s'épaissir au fil des années pour atteindre une taille phénoménale, mais on ne connaissait rien de lui à son arrivée. Il mesurait 1 mètre 70 et pesait 72 kilos, et il était réputé pour être très fier de son abondante chevelure. Il avait mentionné être né à Cattolica Eraclea et avoir quitté l'école à la fin de sa huitième année. Son père, Giuseppe, mourut un mois après l'arrivée de Sciascia aux États-Unis ; sa mère, Domenica LaRocca, décéderait en 1974.

Une fois en Amérique, Sciascia s'en fut à Montréal pour retrouver les Rizzuto, et d'autres amis et parents qui s'y trouvaient. Il retourna aux États-Unis le 17 janvier 1961, fit le voyage de Montréal à New York en auto et passa la frontière à Rouses Point, à une heure de voiture au sud de Montréal. Les agents de l'Immigration commencèrent tranquillement à établir leur dossier sur lui cette journée-là. De retour en Amérique, Sciascia s'installa d'abord à Newark, au New Jersey, et travailla pour Ridoni Gardeners, à Summit (N.J.), ainsi qu'à la Pizzeria Como sur Broadway à Manhattan. Deux ans plus tard, désormais résidant du Bronx, il fut employé de la Mac Asphalt Contracting Company Inc. à Flushing, dans l'État de New York. La même année, il devint membre du local 1018 du Syndicat des ouvriers de l'asphalte. En mars 1974, il emménagea au 1646 Stadium, dans le Bronx, où il vécut jusqu'à la fin de ses jours — quand il n'était pas en prison, au Canada ou en fuite. Pendant un certain temps, il mena une vie sans histoire, sans être repéré par les radars de la justice, bien qu'il eût été vu dans les clubs sociaux italiens et en compagnie de personnes qui devinrent par la suite les cibles de la surveillance policière.

«Nous ne savions pas grand-chose sur Georges. Il existe des milliers de Georges, a expliqué un officier chargé de surveillance. Personne n'était au courant des accords sur l'héroïne qui avaient été conclus à Palerme. Personne ne savait que les Siciliens étaient entrés sur ce marché. Il y a tout simplement eu des jeunes gens, beaucoup de jeunes gens, qui sont arrivés à New York et au New Jersey et qui avaient beaucoup de temps libres. À l'époque, les enquêtes fonctionnaient de l'extérieur vers l'intérieur : vous enquêtiez sur un crime, et les personnes faisant l'objet de votre enquête vous menaient à d'autres, à des clubs sociaux, à des réceptions... Il n'existait pas d'arbres généalogiques ni d'organigrammes des familles, pas plus que des taupes. Si jamais vous entendiez leurs conversations, cela ne vous avançait pas davantage, même si votre langue maternelle était l'italien. Ils baragouinaient un dialecte et, en général, parlaient très peu.»

Comme cela arrive souvent pour les mafiosi qui se sont consacrés au trafic de l'héroïne, il existe de nombreux trous dans la biographie de Sciascia. Parfois, on n'entendait pas parler de lui pendant des mois ou même pendant des années, et puis il réapparaissait, alors qu'il était impliqué dans des transactions d'héroïne toujours plus importantes et faisait l'objet d'enquêtes toujours plus poussées. On le retrouvait constamment en compagnie des criminels les plus notoires — les Siciliens expatriés de la Mafia, les Bonanno, Gambino et Rizzuto. Tout comme de nombreux Zips, Sciascia fut incorporé à la famille Bonanno. Une note de service du FBI datant du mois de mai 1981 indique qu'une accusation de racket avait été portée contre lui et commence ainsi : « Selon des sources sûres, il apparaît que Sciascia a récemment été "promu" *capo* au sein de la famille Bonanno [...] et qu'il était principalement impliqué dans le trafic de stupéfiants. »

Sciascia était un capitaine dévoué pour la famille Bonanno. Il était connu comme le « chef de l'équipe montréalaise ayant son antenne à New York », ce qui signifie que l'organisation Rizzuto avait pris le contrôle de l'exploitation satellite des Bonanno à Montréal. Mais la loyauté de Sciascia semblait profondément divisée, et cela était perceptible au premier coup d'œil. Il était un des capitaines de la famille Bonanno ; cependant, il était connu par les gangs de New York sous le nom de « Georges le Canadien ». Les New-Yorkais disent de lui qu'il était le chef de l'équipe montréalaise ; toutefois, l'équipe montréalaise dépendait des Rizzuto, qui vivaient principalement au Venezuela et dont les intérêts se trouvaient davantage à Agrigente qu'à Brooklyn. Les Bonanno considéraient Sciascia comme l'un des leurs, comme un capitaine fidèle à la famille. Toutefois, il faisait en même temps partie de la Sixième Famille.

Sciascia s'occupait-il en réalité des intérêts de la famille Bonanno à Montréal ou des intérêts de la Sixième Famille à New York ?

Si la loyauté de Sciascia soulevait quelque interrogation, d'autres problèmes concernant la fraternité et la loyauté semblaient à nouveau consumer la famille Bonanno à New York, éclipsant toute confusion hâtive qu'eût pu susciter son statut.

Au moment où Sciascia utilisait ses relations avec la Sixième Famille pour devenir un protagoniste à New York, le leadership de Rastelli fut à nouveau mis au défi.

La lutte pour la course à la direction au sein de la famille se déroulait généralement sur fond de loyauté envers le chef ou de protection de la hiérarchie officielle. La réalité sous-jacente relevait cependant d'un contexte beaucoup moins romantique et noble. Pour les personnes qui devaient choisir de quel côté elles allaient se ranger, l'enjeu était le marché de la drogue et le contrôle de réseaux d'héroïne représentant un milliard de dollars. Sciascia et ses amis de la Sixième Famille n'avaient qu'une seule préoccupation lors de ces luttes internes, celle de pressentir laquelle des factions serait la plus susceptible de les aider à inonder les rues d'Amérique du Nord d'une héroïne de qualité supérieure.

CHAPITRE 18

BROOKLYN, PRINTEMPS DE 1981

Alphonse «Sonny Red» — «le Rouquin» — Indelicato était un homme à la carrure imposante, aux bras musclés et tatoués et aux cheveux noirs, malgré son sobriquet. Il aimait porter des verres fumés de grande taille, peut-être pour imiter son collègue Cesare Bonventre, capitaine des Bonanno. Mais toute ressemblance avec l'élégant et décontracté Bonventre s'arrêtait là. Sonny Red préférait les vêtements sport aux couleurs criardes : t-shirts orange, shorts rouge sang, vestes de baseball bigarrées, costumes rayés, chaussettes multicolores et jeans délavés faisaient partie de sa garde-robe. Il affectionnait particulièrement ses bottes de cow-boy de cuir brun, qui auraient certainement fait sourciller Bonventre. Si ce dernier s'habillait à l'européenne décontractée, Sonny Red préférait le style kitsch américain.

Sonny Red, malgré ce que suggérait sa tenue, avait du pouvoir dans les rues de New York. Il y était né le 16 février 1927 et avait démontré à un âge précoce son intérêt pour le commerce des narcotiques et pour la violence. Il fut accusé de possession d'héroïne en 1950 et condamné. Peu de temps après avoir purgé une peine de six mois de prison, il fut reconnu comme l'un des agresseurs lors d'une fusillade dans un club social, qui eut lieu le lendemain de Noël, en 1951. Cette volée de balles fit un mort et un blessé — un des témoins de l'incident. L'attentat, mal préparé, conduisit Sonny Red à une condamnation pour meurtre et tentative de meurtre, et lui valut un séjour de 12 ans à la prison de Sing-Sing. Son incarcération ne le corrigea absolument pas de ses mauvaises habitudes. Une fois relâché sous surveillance à vie — sans doute la raison pour laquelle il ne se trouvait pas parmi ses congénères au mariage Bono —, selon des documents du FBI, il fut souvent cité par des informateurs comme étant un trafiquant de drogue important.

Durant les 15 années qui suivirent sa libération en 1966, Sonny Red réussit à imposer sa présence au sein de la famille Bonanno, non seulement en raison de ses opinions très arrêtées et de sa personnalité charismatique, mais surtout grâce à au moins quatre des capitaines de la famille Bonanno, qui appuyaient chacun de ses gestes. Ces capitaines contrôlaient chacun de 6 à 12 hommes. Ce groupe, tricoté serré, représentait donc une force appréciable et se plaçait certainement en bonne position pour prendre le contrôle du clan. De nombreux membres du groupe de Sonny Red avaient démontré leur infaillible efficacité lors du meurtre de Galante ; bien qu'ils ne fussent pas les seuls à le planifier et à l'exécuter, les hommes de Sonny Red avaient pris l'initiative. Ce dernier entretenait d'étroites relations avec ses alliés : les Bonanno, de nombreuses autres familles du crime organisé à New York, d'anciens membres de la famille Colombo et son beau-père, Charles «Charlie-les-Prunes» Ravolo, un soldat de la famille Lucchese. En connaissance de cause, Joe Massino et les Zips prirent au sérieux la faction de Sonny Red. Ce dernier menaçait à la fois l'autorité du chef Philip Rastelli et les grandes ambitions de Massino.

En ce qui concerne les Zips, leurs raisons de s'opposer à la révolte de Sonny Red relevaient de préoccupations beaucoup plus pragmatiques. Sonny Red ne s'était pas seulement montré impudent et irrespectueux envers Rastelli, Massino et Sonny Black, mais, pour en remettre, il semble qu'il ait sous-estimé le pouvoir des Zips — une erreur que Paolo Violi et Pietro Licata avaient commise avant lui.

Sonny Red et sa faction récoltaient à pleine main les profits de la distribution de la drogue de la Sixième Famille à New York. À la fin de 1980 et au début de 1981, on raconte qu'il prit en consignation de la poudre pour une valeur de 1,5 million de dollars de Gerlando Sciascia et de Joe LoPresti, et qu'il refusa ensuite de payer ce qu'il devait. Ce genre de comportement, bien entendu, n'est absolument pas cautionné par la pègre ; de nombreux individus furent liquidés pour des dettes mille fois moins importantes. Qui plus est, on craignait que si Sonny Red devenait le chef, il ferait inévitablement diminuer les profits de la Sixième Famille, et peut-être même déciderait-il d'obtenir l'exclusivité de l'accès aux drogues, ce qui mettrait des bâtons dans les roues du commerce d'héroïne à grande échelle et parfaitement rodé qu'opéraient les Zips.

Les autres familles de la mafia new-yorkaise étaient tout à fait conscientes de l'hostilité croissante. Parmi les rires sarcastiques que provoquait le chaos de la famille Bonanno, qui semblait incapable de mettre de l'ordre dans sa propre maison, chacune des autres familles cherchait à savoir où se situaient ses intérêts dans cette lutte de pouvoir. Vincent «The Chin» — «le Menton» — Gigante, le chef de la famille Genovese, appuyait Sonny Red et, selon un des soldats des Genovese, faisait campagne pour lui. John Gotti, qui était alors un capitaine très agressif de la famille Gambino, ainsi que son second, Aniello Dellecroce, et plusieurs de ses capitaines et de ses hommes, appuyaient massivement à la fois Sciascia et Massino. Gotti et Massino étaient des amis de longue date, depuis leurs années de jeunesse, alors qu'ils détournaient ensemble des camions. Les Gambino étaient des acheteurs importants d'héroïne de la Sixième Famille. Ils rencontraient souvent Sciascia et LoPresti pour effectuer avec eux des transactions lucratives pour les deux parties. Il n'était pas difficile de deviner où iraient les préférences des Gambino. Plusieurs membres de la famille Colombo penchaient également en faveur de Massino, bien que certains des anciens de la famille Colombo eussent des liens avec Sonny Red.

L'appui des familles Gambino et Colombo était de bon augure pour Massino qui, sur les conseils de Rastelli, décida de porter plainte au sommet, auprès de la Commission elle-même. Celle-ci constituait la plus haute autorité de la Mafia dans les tractations entre les nombreuses factions de la pègre new-yorkaise. L'organisme non officiel était dirigé par Paul Castellano, le chef de la famille Gambino (jusqu'à ce qu'il fût assassiné sur les ordres de John Gotti lors d'un coup d'État en 1985). Castellano écouta attentivement la plainte de Massino contre Sonny Red. Il semble que la Commission écouta également ce que Sonny Red avait à dire. Elle livra un peu plus tard ses conclusions et communiqua ses décisions à Massino. Nul ne fut surpris d'apprendre que les forces conservatrices du jury étaient favorables à l'idée de conserver Rastelli à la tête du clan Bonanno, et avaient refusé à Massino l'autorisation de frapper ses adversaires. La Commission déclara que les Bonanno devaient régler leurs problèmes en privé et pacifiquement.

« Aucune effusion de sang », fut l'ordre de Castellano à Massino.

« La Commission avait interdit toute fusillade et ordonné qu'ils s'arrangent entre eux », relate Sal Vitale, qui fut instruit par Massino des directives de la Commission très peu de temps après. Pour obéir à ces ordres, une série de réunions entre les factions rivales de la famille Bonanno furent planifiées afin d'essayer de trouver un terrain d'entente qui pût satisfaire tout le monde et mettre fin à l'impasse de façon pacifique. Lors de la première réunion, qui eut lieu le 4 février 1981, tous les capitaines furent convoqués au Ferncliff Manor, une salle de réception situé sur la 11e Rue Ouest, près de l'avenue U. Lorsque Sonny Red reçut l'ordre de rencontrer les autres capitaines au Ferncliff, il demanda à ses hommes d'inspecter les lieux en premier.

« Lorsqu'ils m'ont demandé si je connaissais l'endroit, j'ai dit oui. Il est situé à six pâtés de maison de mon bar », a dit Frank Lino. Sonny Red décida de rassembler ses hommes au bar de Lino avant la réunion. Sonny Red, Philly Lucky, Big Trinny et Bruno Indelicato se manifestèrent. Curieusement, Sciascia, LoPresti et d'autres gangsters aux noms inconnus arrivèrent du Canada. Les hommes marchèrent ensemble jusqu'à la salle de réunion, où ils furent rejoints par d'autres gangsters du contingent des Zips : Salvatore Catalano, Cesare Bonventre et Baldo Amato.

« Pour leur indiquer l'endroit, j'ai marché jusque-là avec Georges le Canadien et les autres de Montréal. Je les ai tous emmenés sur les lieux du rendez-vous », a déclaré Lino.

La première réunion se révéla un fiasco.

À la suite de discussions au sujet d'une trêve, les inquiétudes de Sonny Red, au lieu de s'apaiser, s'amplifièrent. En fait, elles augmentèrent tant qu'avant la deuxième réunion, qui devait se tenir un mois plus tard, Sonny Red se prépara à une guerre en règle contre les Bonanno. Le deuxième rendez-vous devait avoir lieu à l'Embassy Terrace de Brooklyn, un établissement situé au coin de l'avenue U et de la 2e Rue Est, là encore, tout près du bar de Lino.

« Ils craignaient des problèmes, et comme mon bar n'était qu'à deux pâtés de maison de l'Embassy Terrace, ils sont donc venus et nous nous sommes armés à bloc. Nous avions des fusils et des pistolets », a expliqué Lino. En dépit des craintes de Sonny Red, Lino ne s'inquiétait pas ; la date de la deuxième réunion coïncidait avec celle d'un défilé qui passerait dans les rues de Brooklyn.

« Lorsqu'ils m'ont prévenu de l'endroit où se déroulerait la réunion, je leur ai dit qu'il y aurait un grand défilé et que, par conséquent, les forces policières seraient certainement très nombreuses à patrouiller dans les rues. Je doutais donc qu'il puisse se produire quelque chose cette journée-là », s'est souvenu Lino. Il s'agissait d'un défilé en l'honneur des otages de l'ambassade américaine qui venaient d'être relâchés après avoir été emprisonnés pendant 444 jours à Téhéran, en Iran. Curieusement, un des otages était un cousin de l'un des soldats les plus féroces de Sonny Red. Les armes à feu, au bout du compte, ne furent pas nécessaires lors de cette réunion, mais elles ne passèrent toutefois pas inaperçues.

« Nous étions au J and S Cake lorsque Tutti Francese, un ami de Joe Massino, est venu le prévenir que les adversaires étaient en train de s'armer. Ils avaient acheté des armes automatiques, ce qui signifiait que les trois autres capitaines se préparaient à faire la guerre », a déclaré Vitale. Francese était un soldat de la famille Colombo.

Massino rapporta cette nouvelle à Castellano ainsi qu'à Carmine Persico, le patron de la famille Colombo. Massino était un petit futé. Il savait que Persico faisait partie de la Commission et qu'il ne prendrait pas cette information à la légère, surtout venant de quelqu'un de sa propre famille. Massino supplia la Commission de lui donner le champ libre « pour se défendre ainsi que ses hommes ». La guerre était mauvaise pour les affaires. Trop de violence et de sang dans les rues — ce que les gangsters avaient vécu lors d'anciennes guerres de gangs — attirait toujours l'attention de la police, des politiciens et de la presse et, en conséquence, réduisait les bénéfices. Devant ce dilemme, la Commission céda à Massino, car elle ne voyait pas d'un bon œil les efforts que déployait Sonny Red pour s'emparer du pouvoir de la famille Bonanno.

«Vous devez vous défendre. Faites ce que vous avez à faire», lui dit Castellano. Dans le langage de la pègre, c'était là une permission de tuer, et Massino sauta sur l'occasion.

Massino et Sciascia formèrent donc une alliance pour éliminer les trois *capi* et ils commencèrent à tirer des plans. Le défi était de trouver une façon de les liquider tous les trois en même temps, afin de s'assurer qu'il n'y aurait pas de vengeance. Un piège devait donc être mis au point. Une troisième réunion pour la «paix» fut organisée par Massino. Sonny Red avait vu les choses à peu près de la même façon que Massino et Sciascia, et il se montrait donc inquiet, car il savait que son opposition pouvait le conduire à une embuscade. Il avait raison de s'en faire. À l'insu de Sonny Red, la réunion fut prévue exprès le mardi soir — le soir où Joe Massino et ses copains avaient l'habitude de jouer aux cartes et de dîner longuement au J and S Cake, le club privé de Massino.

«Joe Massino a cru que nous pourrions y aller, les tuer et revenir au club, ce qui nous fournirait un excellent alibi», dit Vitale.

Grâce à Sciascia, on prit des arrangements pour que Vito Rizzuto et deux de ses proches collègues viennent à New York et s'occupent des «détails encombrants», comme l'apprit en 2004 un tribunal américain. Lorsqu'ils n'affectaient pas directement ses affaires, Vito ne montrait qu'un intérêt mitigé pour les démêlés des petits malins de New York. La tâche qu'on lui confiait, toutefois, lui semblait justifiée. Il pouvait reconnaître la nécessité de se débarrasser de nuisibles opposants, tout comme la Sixième Famille venait de le faire à Montréal.

Massino rencontra également Sonny Black, un autre capitaine important de la famille Bonanno promu après le meurtre de Galante. Sonny Black, soucieux de ses propres intérêts, profita de sa discussion avec Massino pour lui proposer la candidature d'un nouvel associé. Ainsi, cette nouvelle recrue aurait des chances d'être incorporée à la famille.

«Nous devrions le prendre avec nous,» déclara Sonny Black à Massino, en désignant Donnie Brasco. Massino rejeta l'idée d'emblée et élimina Brasco de la liste, ce qui s'avéra l'une des décisions les plus intelligentes et fortuites de sa longue carrière de gangster. Lorsque Massino retourna à sa voiture après cette réunion, il déclara à Vitale, qui assumait le rôle de chauffeur, que Sonny Black faisait dorénavant partie du plan.

« Sonny Black est avec nous, annonça Massino à Vitale. Il veut initier Donnie Brasco. » Ces paroles démontrent éloquemment à quel point l'agent Pistone avait réussi à berner les gangsters. Par la suite, Massino s'entretint également avec John Gotti, Aniello Dellecroce et Angelo Ruggiero, qui faisaient tous partie de la famille Gambino, et obtint leur collaboration. Massino et Gotti, dont le pouvoir s'affirmait au sein de la famille Gambino, avaient été des collègues au début de leurs carrières de criminels, quand leur spécialité était le détournement de camions, et étaient ensuite devenus voisins.

Le 5 mai 1981, la nuit précédant la troisième réunion fut des plus occupée pour tous les conjurés. Joe Massino et Sal Vitale se rencontrèrent au J and S Cake, comme ils le faisaient tous les mardis. Ils y furent rejoints par Duane « Goldie » Leisenheimer et James « Big Louie » Tartaglione. Un peu plus tard au cours de la soirée, Sciascia et Santo « Tony » Giordano arrivèrent. Les deux Zips discutèrent avec Massino dans le vestibule.

Goldie serait le principal chauffeur ce soir-là. Il transporterait les tueurs et les capitaines là où on aurait besoin d'eux. Il offrit également son appartement, pour servir de planque si jamais un pépin survenait. Massino désigna Goldie pour monter la garde à l'extérieur du club. Goldie était au service de Massino depuis qu'il était tout jeune, suivant ce dernier comme un petit chien. Cela avait amené de nombreux membres de la Mafia à l'affubler du surnom de « Golden retriever de Joey ». Bien qu'il eût gagné la confiance de Massino, il n'avait jamais pu devenir un vrai membre de la famille à cause de ses racines irlandaises et allemandes. Sciascia, qui préférait toujours placer sa confiance dans ses compatriotes siciliens, se montrait nerveux à l'idée d'inclure Goldie dans le plan.

« Joey leur a présenté Goldie, a dit Vitale. Ce jeune avait des cheveux blonds et des yeux bleus. Il n'était pas Italien, mais Joey a fait valoir qu'il était le meilleur conducteur, qu'il savait bien utiliser les miroirs et qu'il connaissait bien le maniement des walkies-talkies. C'était donc une affaire conclue. » (« Savoir bien utiliser les miroirs » signifiait qu'il était capable d'identifier les voitures dans ses rétroviseurs et de voir s'il était suivi par la police.) Goldie reçut un walkie-talkie, ce qui permettrait à la garde, à l'extérieur du club, de communiquer avec ceux qui se trouvaient à l'intérieur. Goldie, Big Louie, Sonny Black ainsi que cinq autres membres fiables de l'équipe de Sonny Black en qui on pouvait avoir toute confiance — dont Lefty Ruggiero et John « Boobie » Cerasani — attendaient discrètement à bonne distance du club et surveillaient l'arrivée possible de la police ou d'autres gangsters rivaux. Ils devaient également s'assurer qu'aucun des trois capitaines ne pût échapper au piège qui les attendait. Goldie devait conduire ceux qui n'étaient pas condamnés à mourir loin du club, quand l'affaire serait terminée, et les autres devaient être prêts à nettoyer les traces de l'hécatombe.

Vitale conduisit Massino au club bien avant la réunion. Il le déposa devant l'établissement, puis il stationna l'auto deux pâtés de maisons plus loin et retourna au club à pied.

Vitale savait déjà qu'il avait été choisi comme un des tireurs. Lorsqu'il arriva au club, Massino le présenta pour la première fois aux autres, qui venaient tous de Montréal : il y avait Vito Rizzuto, Emanuele Ragusa et un homme que l'on surnommait simplement «le Vieux». Ce dernier avait des cheveux gris-argent et des allures de «gentleman âgé», selon Vitale. (Il l'a décrit par la suite comme ayant entre 65 et 70 ans. Il s'agissait d'un des contemporains de Nick Rizzuto, probablement envoyé pour observer le comportement de Vito sous le feu. La famille possédait plusieurs membres fort habiles au maniement du fusil de chasse, comme Domenico Manno, l'oncle de Vito qui avait été condamné à la suite du meurtre de Paolo Violi quelques années plus tôt. Bien qu'âgé de 47 ans, Manno était trop jeune pour être catalogué parmi les vieux de la vieille par Vitale, qui avait alors 33 ans.)

Les présentations étant faites, les hommes se munirent des armes à feu qui se trouvaient déjà à l'intérieur du club. On leur distribua également des cagoules de ski afin que les autres capitaines «ignorent qui étaient les tueurs», rapporte Vitale.

«J'avais une mitraillette, a-t-il déclaré. Ils appelaient ça un "fusil-graisseur". C'est un fusil automatique qui tire par salves.» Vitale n'avait pas gardé un souvenir clair des armes qu'il avait eues entre les mains à l'époque où il avait été l'armurier de sa compagnie dans l'armée américaine. Il examina l'arme, de la crosse à la chambre, tapotant toutes les pièces, puis enleva le cran d'arrêt.

«Lorsque j'ai remis la chambre à sa place, la purée est partie et cinq balles se sont logées dans le mur. La salve a manqué de peu Giovanni Ligammari, qui a sursauté d'étonnement.

«J'ai été renversé et tout le monde aussi, a dit Vitale. J'ai vraiment retenu l'attention de tous.» Massino ne voulait pas que Vitale utilise sa mitraillette pendant l'embuscade, à moins d'y être forcé. L'espace était restreint, et n'importe qui pouvait être blessé par des balles perdues si une fusillade générale éclatait.

Toujours selon Vitale, Vito et Emanuele furent désignés pour être les principaux tireurs. Vitale et le Vieux reçurent l'ordre de surveiller la porte de sortie.

«Personne ne devait passer devant moi ou devant le Vieux, s'est remémoré Vitale. Joey et Georges nous ont dit que si Sonny Red ne se montrait pas, ils allaient tout annuler. Avant qu'ils n'arrivent, Sciascia a dit : "Si jamais Sonny Red vient, je passerai ma main dans mes cheveux sur le côté de ma tête. Cela signifiera : allez-y !"»

Massino leur ordonna d'annoncer qu'il s'agissait d'un hold-up et de demander aux autres de s'aligner contre le mur. Il avait espéré que les trois capitaines seraient exécutés proprement et de façon ordonnée pour éviter une fusillade. Les conjurés étaient maintenant fin prêts pour l'arrivée de leurs proies.

«Lorsque nous sommes entrés dans le placard, a dit Vitale, nous avons laissé la porte légèrement entrouverte pour voir ce qui se passerait. Cachés dans ce trou-là, nos armes chargées, nous nous sommes assis et avons attendu.»

Chapitre 19

BROOKLYN, 5 MAI 1981

Au moment où les chasseurs se rassemblaient au club où devait avoir lieu la troisième rencontre, leurs futures proies se réunirent également. Sonny Red avait conçu ses propres plans, qui n'étaient toutefois pas aussi élaborés que ceux de Massino et de Sciascia.

Sonny Red avait convoqué Frank Lino, un soldat de l'escouade de son fils, pour avoir un entretien sérieux avec lui. Il lui confia qu'ils se rendaient à une réunion dangereuse et que, par mesure de prudence, il préférait garder Bruno Indelicato en dehors de cette affaire. Sonny Red demanda donc à Lino de les accompagner à cette assemblée à la place de Bruno.

« Ils soupçonnaient qu'ils pourraient se faire descendre, a indiqué Lino. Ils m'ont demandé d'y aller parce qu'ils pensaient qu'il y avait un genre de problème. Cela ne m'a pas vraiment enchanté, mais j'ai obéi... » Il s'agissait d'une manœuvre stratégique pour s'assurer que tous les hommes de main de Sonny Red ne se retrouveraient pas coincés au même endroit en même temps. Le fait de garder en réserve, tel un atout, son propre fils donnait à Sonny Red l'impression d'avoir conçu un plan particulièrement habile.

Au cas où il ne reviendrait pas, les ordres que Sonny Red avait donnés à Bruno étaient bien clairs : « Tue tous les Zips, Joe Massino et Sonny Black. Ne les manque pas. » Sonny Red donna à ceux de ses hommes qui ne participaient pas à la réunion l'ordre de s'éparpiller en ville cette nuit-là, de façon à éviter qu'ils fussent tous éliminés, au cas où la purge appréhendée prendrait de l'ampleur.

« Ils avaient tous pris leurs positions, quelques-uns à Staten Island, d'autres chez Tommy Karate à Brooklyn, a mentionné Lino. Sonny Red a donné un dernier ordre aux hommes qui allaient se rendre à la réunion avec lui : "Si jamais il y a des coups de feu, c'est chacun pour soi. Essayez tous de vous en sortir." »

•

Sonny Red, Philly Lucky et Big Trinny arrivèrent au My Way Lounge, le club de Frank Lino, au début de la soirée pour y prendre Lino. Le quatuor partit ensuite, Lino et Big Trinny dans une voiture, Philly Lucky et Sonny Red, dans une autre. Ils allèrent à un dîner où ils rencontrèrent deux capitaines — neutres dans l'histoire — qui avaient également été conviés à la rencontre, Joseph «Joe Bayonne» Zicarelli et Nicholas «le Batailleur» DiStefano. Ces deux personnages avaient été invités pour écarter les soupçons de Sonny Red, mais n'avaient aucune idée, du moins en apparence, des plans de la soirée. Deux membres des Zips les rejoignirent pour le dîner, et tous laissèrent leur propre voiture devant le comptoir de hot-dogs Nathan's Famous pour monter à bord des véhicules conduits par les Zips. Ils roulèrent dans les rues de Brooklyn jusqu'au club social qui avait été mis à leur disposition ce soir-là par Salvatore «Sammy le Bœuf» Gravano et Frank DeCico, deux membres de la famille Gambino. Lino connaissait bien le club; il y passait beaucoup de temps à boire et à jouer avec ses amis.

«J'avais l'habitude de fréquenter ce club», a révélé Lino par la suite. Sa connaissance des lieux allait d'ailleurs lui sauver la vie. Sonny Red et ses hommes n'étaient pas armés lorsqu'ils se rendirent à la réunion. Cela fait partie des règles de base de la Mafia: un membre ne peut pas être armé lorsqu'il se rend à une assemblée dite administrative; c'est pour cette raison que nombre de plénums du genre finissent par se transformer en massacres planifiés. Les règles ne paraissent pas être les mêmes pour tous.

●

Le club où devaient se rencontrer les capitaines se trouvait dans un modeste bâtiment en briques de deux étages, pratiquement indiscernable des autres immeubles, desquels une grille basse en fer forgé le séparait. À leur arrivée, les gangsters sonnèrent à la porte d'entrée qui était fermée à clé. Il n'y avait rien d'exceptionnel à cela, car dans la majorité des clubs sociaux appartenant à la pègre, ainsi que dans les bars ouverts en dehors des heures régulières et les tripots de jeu, on contrôlait fort étroitement les accès au public.

«Lorsque la sonnette a retenti, nous avons regardé par la fente du garde-robe pour voir qui arrivait», a déclaré Sal Vitale. Sonny Red et sa bande entrèrent et constatèrent que les autres capitaines de la famille Bonanno étaient déjà là. «Lorsque nous sommes arrivés, nous sommes allés immédiatement à une pièce en bas. Elle ressemblait à un espace de rangement, se souvient Lino. Joe Massino s'y trouvait. Georges le Canadien aussi, avec Anthony Giordano et quelques autres Italiens. Je ne connais pas leurs noms — vous savez comment nous sommes…» Giordano se rendit à la porte pour accueillir Sonny Red et son entourage.

«Nous sommes en train de finir de tout préparer en haut, leur dit Giordano. Donnez-moi quelques minutes.»

À l'intérieur du placard, Vito, Vitale et leurs collègues surveillaient la scène de près et attendaient. Dans la pièce principale, le groupe d'hommes manifestait une certaine nervosité.

«Sonny Red tenait le bras de Joe, comme on le fait avec un ami...» a remarqué Lino. Mais il s'agissait d'autre chose que d'un signe d'amitié. Sonny Red s'imaginait que plus il se trouvait près de Massino, moins il avait de chances d'être atteint par une balle.

«Il y avait des conversations un peu en arrière. Philly Lucky était en retrait et parlait à Joe Bayonne et aux deux Italiens. Je parlais à Georges le Canadien, Big Trinny et Nick le Batailleur», a ajouté Lino. Sciascia plaça ensuite fermement son bras autour de Lino, qui était un invité surprise à la réunion. Sciascia tenta de faire passer ce geste pour une manifestation d'amitié. Cependant, Lino, nerveux dès le départ, ne sembla pas apprécier. Puis, Sciascia leva intentionnellement son autre bras et passa lentement ses doigts dans ses cheveux argent.

«Vito était le premier, a dit Vitale. J'étais le dernier. Vito est entré dans la pièce avec Emanuele, tandis que moi et le Vieux gardions la porte de sortie.»

«Mon rôle consistait à crier "C'est un hold-up" au moment où j'entrais dans la pièce, et "Que personne ne bouge"», a dit plus tard Vito Rizzuto, insistant sur le fait qu'il n'a pas appuyé sur la détente du pistolet qu'il a toutefois admis avoir tenu. «Les autres sont entrés et ils ont commencé à arroser», a-t-il dit. Vitale n'est pas d'accord avec cette déclaration.

«J'ai vu Vito tirer. Je ne sais pas qui il a atteint», a rectifié Vitale. Tous ceux qui se trouvaient dans la pièce sont plutôt d'accord avec sa version des événements qui suivirent.

«La situation est devenue infernale», a conclu Vitale. Sonny Red et ses hommes s'étaient attendus à de la violence. Cependant, comme ils n'étaient pas armés, ils ne purent pas faire grand-chose.

«Lorsqu'ils sont arrivés avec les fusils de chasse, Big Trinny s'est rué contre eux en hurlant. Ils ont tiré et il est mort sur-le-champ, a relaté Lino. J'ai fait tomber Georges. Je ne sais pas, mais dans ce bordel, j'ai sauté par-dessus Trinny. Au moment où je faisais ça, j'ai vu Philly Lucky en arrière, prêt à se faire tuer, et j'ai vu Joe atteindre Sonny Red avec un objet, je ne sais pas ce que c'était...

«J'étais donc en train de sauter par-dessus Trinny pour m'enfuir, a repris Lino. Il fallait que je bondisse par-dessus la carcasse d'un type qui mesurait plus de deux mètres et pesait 181 kilos...» L'hésitation de Vitale avait donné à Lino la chance de s'en tirer.

«J'ai figé pendant cinq secondes, a convenu Vitale. Au moment où je suis arrivé à la porte avec le vieux monsieur, Frank Lino nous a dépassés en courant comme un dératé et il n'a pas arrêté de courir.» Pendant ce temps, Sonny Red fut atteint d'une balle dans le dos qui lui traversa le corps, et en encaissa une seconde, qui l'atteignit au côté. Blessé mais toujours vivant, il se précipita vers la porte. Sciascia remarqua alors que leur cible principale n'était pas encore morte, et se dirigea vers elle.

«J'ai vu Georges le rattraper par-derrière, dégainer et tirer. Il l'a atteint sur le côté gauche de la tête, a soutenu Vitale. À ce moment-là, c'était terminé.»

À l'extérieur du club, Lino ne rencontra aucun des soldats de Bonanno qui étaient censés surveiller la sortie au cas où une telle éventualité se serait présentée. Il ne lui fallut pas beaucoup de temps pour décider de ce qu'il allait faire.

«Je suis sorti et j'ai couru, a-t-il dit. J'ai tourné à gauche et j'ai emprunté la 68e Rue, j'ai sauté par-dessus quelques clôtures et suis entré dans la maison de bonnes gens après avoir frappé à leur porte. C'étaient des personnes âgées. L'homme était en chaise roulante. Je leur ai dit que je n'étais pas là pour leur faire du mal et que je ne voulais qu'utiliser leur téléphone. Ils ont été gentils et m'ont laissé téléphoner.

«En premier, j'ai appelé My Way Lounge. Ensuite, chez moi», a raconté Lino. Il parla d'abord au barman, ensuite à son frère et à quelques-unes des personnes qui traînaient régulièrement à son club. Il était à la recherche de quelqu'un qui pourrait venir le chercher rapidement pour le sortir du quartier. «Ensuite, j'ai raccroché. J'ai appelé chez moi et c'est mon fils Frankie qui a répondu. Je lui ai répété l'histoire. Il a été le premier à arriver», a-t-il conclu.

Pendant ce temps, les capitaines qui restaient n'avaient qu'un seul désir : quitter au plus vite la scène du massacre. Cependant, Vitale et le Vieux, brandissant leur arme, leur ordonnèrent de rester sur place jusqu'à ce que Vitale eût reçu le signal de l'extérieur du club. Les conspirateurs ne voulaient pas voir une foule de gens paniqués se précipiter dans la rue. Un bon moyen d'attirer l'attention… et la police, par la même occasion.

«Je ne voulais pas les laisser sortir, a déclaré Vitale. J'ai appelé Goldie avec le walkie-talkie. "Goldie, où es-tu ?" Il est arrivé en passant par le coin de la rue avec la fourgonnette. Quand j'ai été certain qu'il était à l'extérieur, j'ai laissé les gens sortir du club.» Les autres capitaines s'entassèrent ensuite dans la fourgonnette de Goldie, qui les emmena loin de là. Cependant, Vito, Emanuele et leurs collègues siciliens semblaient avoir disparu mystérieusement.

«J'ai fermé la porte, me suis retourné et la seule personne qui se trouvait dans la pièce à l'exception des trois cadavres était Joseph Massino», s'est remémoré Vitale. On avait raconté à Massino et à Vitale qu'il n'y avait pas d'autre issue que l'entrée principale, et pourtant, des gens s'étaient évaporés sans passer par la porte qui était gardée. «Nous nous sommes regardés. Par où ces types avaient-ils bien pu passer? Monsieur Massino et moi ne savions pas qu'il existait une autre sortie. Après la fusillade, tous les Zips étaient partis par la porte de derrière. Nous nous tenions au milieu de la pièce sans savoir que cette porte existait…» a raconté Vitale.

Il semble que l'équipe canadienne et ses compatriotes siciliens basés à New York choisirent une autre route pour se mettre en sécurité — et qu'ils ne partagèrent leur secret avec personne.

Le corps de Sonny Red gisait sur le plancher du vestibule. Celui de Big Trinny se trouvait dans la pièce principale, et celui de Philly Lucky, près du mur du fond. Massino et Vitale quittèrent le club.

«Nous sommes sortis de l'immeuble en passant par la porte d'entrée principale, et avons marché jusqu'au coin, où nous avons rencontré Sonny Black», a dit Vitale. Massino et Vitale eurent une brève conversation. Ce dernier se rappelle ceci : «Je suis resté à l'écart, et ensuite ils ont dit que c'était le moment de rentrer au club pour emballer les cadavres.»

Une grande agitation envahit de nouveau le club. L'équipe de Sonny Black arriva sur les lieux pour s'occuper du nettoyage et se retrouva devant le problème de bouger l'encombrant cadavre de Big Trinny. Lefty Ruggiero essaya en vain de soulever la masse inerte; il ne put la déplacer d'un centimètre. Boobie déploya ensuite sa force herculéenne pour effectuer le travail. Lefty régalerait par la suite ses amis gangsters du récit des prouesses de Boobie. Les corps furent tous enveloppés dans des draps blancs et ficelés avec des cordes à linge — un tour de corde autour du cou, un autre à la taille et un troisième aux chevilles.

«Les hommes ont déplié des bâches, les ont placées sur le plancher, ont transporté les corps, les ont enroulés dans les bâches et ont placé des cordes autour d'eux afin de pouvoir les transporter plus facilement», a expliqué Vitale. Les cadavres furent ensuite transportés à l'extérieur du club, déposés dans une fourgonnette qui attendait et emmenés au loin, pour que l'on pût s'en débarrasser discrètement. En ce qui concernait cette partie du travail, Angelo Ruggiero (qui n'avait aucun lien de parenté avec Lefty), Gene Gotti et John Carneglia — les partenaires de Sciascia de la famille Gambino pour le trafic d'héroïne — furent appelés à mettre la main à la pâte.

«Lorsque je suis retourné au club avec l'équipe de Sonny Black, il y avait tellement de sang, a déclaré Vitale, que nous ne pouvions pas tout nettoyer, c'était impossible.» Ils se tournèrent alors vers une forme très primitive de nettoyage. Massino demanda à Vitale de donner les clés du club à l'un des Montréalais.

«Il va foutre le feu à la cabane...», dit Massino.

•

La fuite de Lino ne fut pas la seule bavure qui survint cette nuit-là. Santo «Tony» Giordano, le Zip qui avait, dans le subterfuge de la pseudo-rencontre, posé en hôte sympathique, fut atteint accidentellement par une balle quand les tueurs ouvrirent le feu. Deux collègues Zips s'emparèrent du malheureux Giordano, le soulevèrent du sol et le sortirent précipitamment du club par la porte secrète dont Massino et Vitale ignoraient l'existence.

Giordano fut conduit à l'appartement de son oncle Gaspare Bonventre, à Brooklyn. Celui-ci, qui habitait au sous-sol, gravit les marches pour ouvrir ; la sonnette d'entrée se faisait insistante. Il était tard, presque 11 heures du soir et, avant d'ouvrir la porte, il demanda qui était là.

«Nino, c'est Tony», lui répondit-on. Santo Giordano était souvent surnommé Tony et il appelait souvent son oncle Nino, un surnom affectueux. Lorsqu'il ouvrit la porte, l'oncle de Giordano vit son neveu dans un bien piteux état. Il était seul, souffrant, recroquevillé contre le mur extérieur, plié en deux, presque agenouillé.

«Mon oncle, mon oncle, aide-moi, dit Giordano.

— Qu'est-il arrivé? Qu'arrive-t-il? demanda Gaspare.

— Aide-moi. Aide-moi...», répéta Giordano.

Son oncle le prit par les épaules et l'aida à entrer dans la maison et à descendre l'escalier. Giordano ne pouvait pratiquement pas marcher seul. D'un côté, il s'appuyait fermement sur son oncle et de l'autre, il s'aidait du mur de l'escalier. Arrivé en bas, il s'effondra par terre, car il n'y avait plus de mur pour le soutenir, et refusa d'aller plus loin. Son oncle offrit de le porter sur une chaise qui se trouvait à proximité, mais Giordano le supplia de ne pas le bouger ni de le toucher.

«Non, laisse-moi ici. Laisse-moi ici», cria-t-il. Il demanda ensuite à son oncle de faire venir un médecin.

«Pourquoi? Que s'est-il passé? Pourquoi ne peux-tu pas te lever?» insista Gaspare, de plus en plus inquiet. Ce qu'il ne savait pas, c'est que les associés de son neveu s'occupaient déjà de lui fournir un secours médical — des arrangements qui seraient à coup sûr plus discrets que d'appeler une ambulance ou, pis encore, la police.

Le docteur Edward Salerno était en pyjama et venait de s'installer devant le poste de télévision pour regarder le bulletin de nouvelles de fin de soirée. Salerno était un médecin de la communauté italienne dont le cabinet de consultation et le logement se trouvaient dans le même immeuble, sur Suydam Street à Brooklyn, où il pratiquait la médecine depuis 25 ans. Giordano faisait partie de sa clientèle depuis 1968. Sal Catalano était également un de ses patients. Le cabinet de Salerno se trouvait près du bar de Catalino, le Café del Viale, situé sur Knickerbocker Avenue. Le docteur s'y rendait presque tous les matins pour prendre une tasse de café avant de commencer ses rendez-vous. L'attention de Salerno fut brusquement détournée des nouvelles.

«La sonnette de la porte d'entrée a retenti et j'ai ouvert la porte. J'ai vu cet homme que je connaissais de vue. Il m'a demandé si je pouvais aller avec lui parce qu'il y avait une urgence», s'est souvenu le Dr Salerno par la suite. Il avait vu l'homme à plusieurs reprises au Café del Viale, sans toutefois connaître son nom. Le Dr Salerno lui demanda en quoi consistait l'urgence.

«Je vous le dirai plus tard», lui répondit l'homme. Le praticien se montra réticent. Il était prêt à aller se coucher, il était tard et la situation était mystérieuse. Mais son visiteur insista. Une liasse de billets lui fut tendue. Il ignorait combien d'argent on lui avait mis dans les mains, et il ne prit pas le temps de le compter. Il découvrit plus tard que la liasse contenait 500 $. Salerno s'habilla, saisit sa trousse médicale et s'assit sur le siège arrière de la voiture qui attendait. Assis à côté de lui se trouvait Cesare Bonventre. La voiture démarra en trombe.

«J'ai demandé au chauffeur où nous allions quand nous avons emprunté l'autoroute. Il m'a répondu que nous allions à Bensonhurst. C'est la seule conversation que j'ai eue avec lui», a dit le médecin. Lorsqu'il arriva à l'appartement de Gaspare, on l'invita à descendre et il reconnut un de ses anciens patients. Giordano était couché sur le sol et criait de douleur. Le Dr Salerno prit son pouls, qui était faible. Sa tension artérielle était extrêmement basse. Son patient était pâle et du sang coulait à flots d'une blessure qu'il avait dans le dos. Salerno lui fit une injection de morphine pour atténuer la douleur.

«Il avait reçu une balle. J'ai vu qu'elle s'était logée sous sa peau, dans sa poitrine. Alors, je l'ai retourné pour voir où la balle était entrée et j'ai remarqué que le point d'impact se situait dans le dos, a expliqué le Dr Salerno. Cela venait de se produire, mais je ne pouvais pas dire depuis combien de temps. Il y avait trop de sang par terre.» Le médecin réalisa rapidement qu'il ne pouvait pas faire grand-chose dans l'appartement. L'état de Giordano était plus grave que les gangsters l'avaient imaginé. Il exigeait beaucoup plus que quelques points de suture. Giodano avait besoin d'une opération importante, le genre d'intervention qui ne peut être faite que dans un hôpital. Il informa les compagnons du blessé que sa condition était critique. Leur ami était mourant.

« Je vais appeler une ambulance », déclara le Dr Salerno. Giordano protesta et insista pour que le médecin s'occupât de lui personnellement. Ce dernier répéta qu'il devait se rendre le plus vite possible à l'hôpital. Le centre hospitalier auquel le Dr Salerno était affilié était le Wyckoff Heights Medical Center, de l'autre côté de Brooklyn. Ce dont Giordano avait besoin était une ambulance qui le transporterait à l'hôpital le plus près, c'est-à-dire au Coney Island Hospital, pour y être immédiatement opéré. Giordano, en pleine agonie, se montrait résolument obstiné.

« Je l'ai averti que le trajet n'était pas bon pour lui à cause de son état. Il était déterminé. J'ai alors appelé une ambulance privée et en attendant qu'elle arrive, j'ai également appelé l'hôpital et la salle d'opération pour que celle-ci soit prête à notre arrivée. Je suis monté dans l'ambulance avec monsieur Giordano, a dit le Dr Salerno.

« Il a été immédiatement conduit en salle d'opération. L'opération a réussi à arrêter l'hémorragie. Toutefois, le patient était paralysé et... le resterait », a ajouté le médecin.

Bien que ni Salerno ni Giordano n'eussent appelé la police à la suite de la blessure par balle, tel que l'exige la loi, un policier qui se trouvait à l'urgence remarqua l'agitation et s'approcha du personnel médical. Un rapport sur l'événement finit par aboutir dans les bureaux du FBI. Quelques jours après la fusillade, Carmine Russo, un inspecteur de l'organisme fédéral, un des agents qui enquêtaient sur le trafic de drogue des Zips à Brooklyn, rendit visite à Giordano à l'hôpital. Le blessé, couvert de pansements, était alors d'un calme olympien, voire effronté, qui contrastait brutalement avec la panique qui s'était emparée de lui et avec les hurlements qu'il avait lancés durant toute la nuit des meurtres.

« J'ai entendu dire que vous avez eu des petits problèmes..., dit Russo au gangster qui se trouvait bien calé contre des oreillers, sur son lit d'hôpital.

— Qui ? Moi ? Oh ! Ce n'est rien, répondit Giordano.

— Les médecins ont dit que quelqu'un vous a tiré dessus, poursuivit l'inspecteur.

— C'est un accident, répéta Giordano.

— Comment cela est-il arrivé, Santo ?

— Une bagarre au sujet d'une place de stationnement.

— Où ?

— Je ne me rappelle pas... »

LE BRONX, 6 MAI 1981

À 9 h 30 du matin, le lendemain des trois meurtres, l'agent spécial du FBI William Andrew faisait de la surveillance à partir d'une maison qui avait été louée secrètement par les Fédéraux. De cette maison, ils avaient une vue en plongée sur la «boulangerie» des frères Catalano, un café sur Metropolitan Avenue dans le Middle Village, à Queens. Ce café servait de base à Sal Catalano pour ses transactions d'héroïne. Andrew, caché derrière son appareil photo et ses longues-vues, attendait et surveillait jusqu'à ce qu'on lui donne par radio l'instruction de déplacer sa caméra de l'autre côté du pont Whitestone, vers le Bronx, pour surveiller le Capri Motor Lodge. Une équipe de surveillance de la police qui s'occupait de la Filière des pizzerias avait vu Sciascia et Massino partir dans une voiture noire dont le propriétaire pourrait bien être Catalano. On les avait vus changer d'auto dans Queens pour monter dans une Buick Regal de couleur bleue qui, elle, avait été suivie jusqu'au Capri Motor Lodge. C'est à ce moment que Andrew et sa caméra furent appelés en renfort. L'inspecteur trouva un petit coin discret à l'extérieur et s'y installa dès 10 h 30, pour surveiller la façade du motel. Rien ne se passa avant midi; quatre hommes apparurent alors, et Andrew commença à prendre des photos. En fait, il en prit une dizaine durant la minute qui suivit.

Massino et Sciascia furent les premiers à sortir. Ils longèrent la façade du motel faite de pierres de taille et de briques blanches pour se diriger vers le stationnement. Massino avait pris Sciascia par le bras tout en discutant. Deux autres hommes, que l'inspecteur ne connaissait pas, les suivaient à environ cinq mètres de distance. Eux aussi discutaient, et l'un d'entre eux portait nonchalamment un sac de sport à l'épaule, et une cigarette pendouillait de sa lèvre inférieure. L'autre avait une chevelure noire épaisse et portait un veston par-dessus un t-shirt.

«J'ai pris des photos alors qu'ils progressaient sur l'allée centrale pour se diriger vers la Buick bleue», a déclaré l'agent Andrew. Massino et Sciascia se retournèrent vers les deux autres hommes pour leur parler pendant un instant, puis Massino se dirigea vers la portière du passager de la Buick Regal pendant que Sciascia cherchait les clés. «Ils étaient suivis par les deux autres types et à un moment, ils étaient très près les uns des autres et ils ont même échangé quelques mots, a encore affirmé Andrew. Ils leur disaient quelque chose et semblaient être d'accord avec eux. Je ne pouvais pas entendre ce qu'ils se disaient.» Pendant que Massino et Sciascia montaient dans la Buick, les deux autres hommes les dépassèrent pour grimper dans une camionnette Ford de couleur rouge qui était stationnée à côté. Les deux véhicules démarrèrent au moment où Andrew prenait sa dernière photo, saisissant Sciascia et Massino au vol au moment où ils passaient devant lui.

Sciascia, tout comme Massino, était bien connu du FBI, tandis que les deux autres individus représentaient un point d'interrogation. Les agents investiguèrent à partir de la plaque minéralogique du pick-up, émise au New Jersey, et il apparut qu'il était immatriculé au nom de Giovanni Ligammari, un entrepreneur de cet État et l'un des Siciliens impliqués dans les transports d'héroïne à travers la ville. On ne sait pas quand les agents apprirent qui était l'homme à la cigarette et au sac de sport. Son identité fut probablement établie lorsque des agents comparèrent son visage en lame de couteau avec les profils des invités photographiés au mariage Bono. Il s'agissait de Vito Rizzuto.

Au moment où Vito, Massino, Sciascia et Ligammari tenaient leur *post-mortem* après l'embuscade et où Giordano réalisait qu'il était devenu un être unique au sein de la pègre — un gangster paraplégique —, Frank Lino, de son côté, continuait à craindre pour sa peau.

«Je pensais que j'allais être éliminé à un moment ou à un autre,» a-t-il dit. Cela semblait couler de source, à cause de sa loyauté envers Sonny Red et de sa présence à la purge. Après les meurtres, Lino passa la nuit chez un ancien ami, un truand qui se nommait Frank Coppa. Mais les événements de la soirée n'étaient pas terminés. Le cousin de Frank Lino, Eddie Lino, qui faisait partie de la famille de John Gotti de l'équipe Gambino, l'appela chez Coppa pour lui demander de participer à une réunion. Lorsque Lino arriva en compagnie d'Eddie, il se trouva devant le gang de Gambino qui avait apporté son aide au complot: Gene Gotti, Angelo Ruggiero, Frank DeCico et Aniello Dellecroce.

«Ils m'ont affirmé que même à la suite de ces règlements de comptes, on ne me descendrait pas», a dit Lino. Dellecroce demanda à Lino s'il avait mis la police au courant de la tuerie et, après que Lino l'eut assuré qu'il n'en était rien, Dellecroce se tourna vers Angelo Ruggiero: «Dis-leur de se débarrasser des corps», dit-il. Dellecroce avait encore une question à poser: «Sais-tu où est Bruno?»

Lino mentit en lui disant qu'il n'avait aucune idée de l'endroit où pouvait se trouver Bruno ni de ce qu'il pouvait être en train de faire. Le second de la famille Gambino l'enjoignit alors de le trouver et de le tuer.

Le jour suivant, Lino fut appelé une fois de plus à assister à une autre réunion, avec sa propre famille cette fois. La rencontre débuta à la maison d'Angelo Ruggiero, à Howard Beach. À l'intérieur se trouvaient Sciascia et Nick le Batailleur. À l'arrivée de Lino, ils partirent tous ensemble vers la maison de Massino, qui se trouvait à peu de distance. En chemin, Sciascia et Nick parlèrent à Lino de sa miraculeuse évasion de la nuit précédente. Sciascia admit qu'il avait fait exprès de placer son bras autour des épaules de Lino : « Il devait me retenir pour éviter que je me sauve : je devais mourir... » a conclu Lino. Nick déclara simplement : « Ne recommence jamais ce que tu as fait. Si tu dois mourir, eh bien ! Meurs ! » Cette conversation rendit certainement Lino fort inquiet de ce qui pouvait bien l'attendre à la maison de Massino. Cependant, une fois sur place, il fut rassuré en voyant que d'autres capitaines de la famille Bonanno étaient présents : Sally Fruits, Sonny Black et Joe Bayonne faisaient partie du groupe. Cela ressemblait bien plus à une réunion familiale classique qu'à une exécution, bien qu'il eût été possible que Sonny Red se fût imaginé la même chose la nuit précédente... Cette fois-ci, une véritable offre de paix fut faite à Lino.

« Ils ont dit qu'ils me laisseraient être capitaine suppléant si je pouvais faire en sorte de rallier les autres, s'est souvenu Lino. Le jour suivant, j'ai pris contact avec Joey D'Amico. Il a convoqué tout le monde et je les ai fait revenir dans le quartier. Je leur ai raconté ce qui s'était produit, que des types s'étaient fait descendre et que les autres avaient dit que si tout le monde était d'accord pour ne pas se venger, ils oublieraient tout. Les seuls qui ne se rallièrent pas furent Bruno et Tommy Karate. »

Massino et Sciascia étaient d'accord pour laisser Lino en vie ; cependant, leur magnanimité ne s'étendait pas à Bruno Indelicato, le fils de Sonny Red. Massino et Sciascia refusaient d'avoir à vivre avec l'idée que quelque part, un truand endeuillé se baladait librement en nourrissant des idées de vengeance. Les ordres que Massino donna à ses hommes quant au sort de Bruno étaient explicites : « Contentez-vous de le tuer et laissez-le dans la rue. » Sonny Black vit en cette occasion une chance supplémentaire de permettre à son associé préféré, Donnie Brasco, de gagner son titre de membre de la Mafia. Il ordonna à Lefty Ruggiero et à Brasco de trouver Bruno et de l'abattre.

Sally Fruits fut alors nommé patron pour la période où Rastelli serait en prison. Il s'agissait d'un candidat que Massino et les Zips pouvaient tolérer. Ils savaient tous qu'il ne ferait pas obstacle à leurs plans.

« Voici comment cela m'a été expliqué, a raconté Vitale. Ils l'ont choisi pour être un semblant de chef pour les Zips et les Américains, histoire de maintenir l'harmonie et la paix jusqu'à ce que Phil Rastelli rentre chez lui. »

Peu de temps après le triple meurtre, Massino, Sciascia et Sally Fruits rendirent visite à Vincent « The Chin » — « le Menton » — Gigante, le *boss* de la famille Genovese. (Le Menton reçut par la suite le surnom de Oddfather[1], du fait qu'il essayait de se soustraire à ses mises en accusations en feignant une maladie mentale ; pour réussir sa mise en scène, il allait même jusqu'à vagabonder dans les rues en pantoufles et en robe de chambre. Il est mort en prison en 2005.)

« Ils sont allés au club du Menton pour lui dire qu'ils s'étaient occupés de l'affaire, a dit Vitale. Lorsqu'ils sont entrés dans le club pour rencontrer Gigante, Mickey Divino [un capitaine des Genovese] a dit à Joseph Massino de s'asseoir. "Je ne veux pas m'asseoir, pas question", a-t-il répondu. Puis ils ont demandé à Georges de les attendre dehors. » La puissante famille Genovese ne semblait pas avoir une confiance aveugle en Sciascia, et Massino était probablement nerveux puisque Gigante avait, auparavant, donné son appui à Sonny Red.

QUEENS, 24 MAI 1981

Peu après 16 h, le 24 mai — 19 jours après la boucherie —, des enfants qui jouaient dans un terrain vague sur Ruby Street à Ozone Park, dans le quartier de Queens, furent intrigués par l'odeur bizarre qui émanait d'un tas de terre et de détritus. Ce terrain vague, qui avait été labouré à peine deux mois auparavant, était devenu une sorte de dépotoir non officiel, mais cette odeur qui attirait tant les mouches que les jeunes curieux était différente de la puanteur habituelle. Un gamin du voisinage, donnant un coup de pied dans la terre meuble, découvrit une main, et courut chez lui pour le dire à ses parents qui appelèrent aussitôt la police. À 16 h 20, l'agent Andrew Cilienti de la police de New York arriva sur les lieux pour découvrir un bras gauche qui portait un tatouage représentant deux cœurs et un poignard, et, au poignet, une montre Cartier d'une valeur de 1 500 $. Le bras émergeait du drap dans lequel le corps avait été enveloppé. La montre avait cessé de fonctionner deux jours après la mort du *capo* et indiquait 5 h 58. La décomposition du corps avait été ralentie par la terre fraîche placée sur la sépulture de fortune. C'est ainsi que les empreintes digitales purent être relevées avant même que ne commence l'autopsie. Selon les fichiers de la police, ces empreintes étaient celles d'Alphonse «Sonny Red» Indelicato. Quatre jours plus tard, c'est à Salvatore Valenti, le gendre de Sonny Red, alors âgé de 33 ans, qu'incomba la sinistre tâche d'aller identifier le corps.

La rumeur de la découverte faite sur Ruby Street se répandit parmi la pègre comme une traînée de poudre. Sonny Black téléphona à Massino et lui annonça qu'il avait de mauvaises nouvelles à lui

---

1. Jeu de mot avec *godfather* (parrain). *Oddfather* pourrait se traduire par «Père bizarre», excentrique. (N.d.T.)

communiquer en personne. Massino raccrocha, sauta dans la voiture de Vitale et fonça jusqu'au club de Sonny Black.

«Le corps est sorti du sol», dit ce dernier à Massino.

Il est incroyable de penser que, malgré l'implication de tant de personnes appartenant à deux familles de la Mafia, la découverte inattendue du cadavre de Sonny Red, la blessure accidentelle de l'un des leurs, sans compter la fuite invraisemblable de Frank Lino, le complot de Massino avec les Zips et la Sixième Famille fût demeuré secret. Seulement quelques bribes d'information finirent par filtrer. Étant donné la tension extrême qui régnait au sein de la famille Bonanno depuis la purge et la commande inavouable que l'on avait faite à l'un de ses agents — en le chargeant d'abattre Bruno Indelicato —, le FBI décida de retirer l'agent spécial Joe Pistone du milieu, interrompant le rôle sans précédent qu'il avait joué pendant six ans en se faisant passer pour un gangster nommé Donnie Brasco. Lorsque Pistone fut rappelé par ses chefs, d'autres agents du FBI rendirent visite au patron des Bonanno et à d'autres gangsters, qui seraient mis en accusation peu de temps après, pour leur annoncer que celui qu'ils connaissaient sous le nom de Brasco était en fait un agent du FBI infiltré, un «sous-marin», et non un traître à la Mafia. Ils accomplirent cette démarche dans le but de protéger Pistone des gangsters qui auraient voulu lui faire un mauvais sort. La mafia américaine n'avait aucun scrupule à refroidir les traîtres. Cependant, tuer un agent fédéral était une autre paire de manches. Les agents s'entretinrent également avec Philip Rastelli en prison, pour s'assurer que Pistone ne serait pas pourchassé[2]. Pour prouver la véritable identité de Donnie Brasco, les agents montrèrent à Sonny Black et aux autres gangsters des photos de Pistone, arborant un large sourire, en compagnie d'autres agents du FBI. Le témoignage ultérieur de Pistone ne fournit cependant qu'un aperçu des événements entourant les meurtres.

Le fait que le massacre ne fut point élucidé pendant plus de 20 ans indique bien le pouvoir et la cohésion que peut avoir la Mafia lorsqu'elle opère selon un plan bien préparé. De même, les liens de la mafia canadienne avec ces meurtres demeurèrent pendant longtemps un secret bien gardé.

Ceux qui avaient contribué à éliminer Sonny Red et ses dissidents du rang des Bonanno furent bien récompensés. Certains furent initiés par la famille. En ce qui concerne Massino, son pouvoir s'étendit, que ce fût dans la famille ou dans les rues de New York. Son accession au trône de Rastelli était maintenant une chose assurée.

---

2. Selon les auteurs du film *Donnie Brasco*, de Mike Newell, tourné en 1997, un contrat de 500 000 $ aurait été en vigueur à l'époque de la sortie du film sur la tête de Pistone qui, depuis, se cacherait de la Mafia. (N. d. T.)

«Il était très influent, l'un des capitaines les plus puissants de la famille, si ce n'est le plus puissant», a conclu Vitale.

QUEENS, AUTOMNE 1981

Sal Vitale se trouvait en haut d'une échelle, en train de soulever les panneaux du plafond suspendu pour regarder à l'intérieur de la sombre infrastructure qui abritait le J & S Cake, une entreprise de restauration située dans un édifice de briques sur une rue transversale de Maspeth, dans le quartier de Queens.

Le J & S Cake, en dépit de son nom anodin, n'était pas une entreprise de restauration conventionnelle. Il servait de club social et de lieu de rencontres. Surnommé le «Rust Street Club» des Bonanno, l'endroit était également utilisé comme façade d'apparence légitime pour les activités criminelles de ses deux propriétaires. Le J du nom venait de Joe Massino et le S, de Sal Vitale. C'est de là que partirent de nombreux participants aux meurtres des trois *capi*, et c'était là que, chaque mardi, Massino donnait un plantureux dîner qui servait de prétexte à des réunions avec ses sous-fifres. Les membres de la famille Bonanno s'occupaient chacun à leur tour de la cuisine, et après, tous jouaient aux cartes. Massino prenait un pourcentage sur toutes les mises importantes au jeu de Continental. Après les meurtres des trois capitaines, la position de Massino en tant que *primus inter pares* — premier parmi ses (présumés) égaux — était assurée. Les gangsters ambitieux et craintifs, les soldats et les autres capitaines faisaient des pèlerinages répétés au J & S Cake en signe de *rispetto* — de respect.

Quiconque, au sein de la famille Bonanno, désirant parler à Massino savait qu'il le trouverait au J & S Cake. Le FBI était également informé de ce fait. Dans ce jeu perpétuel du chat et de la souris entre le FBI et les Bonanno, Massino savait que le FBI était parfaitement au courant qu'il utilisait le J & S Cake comme quartier général. C'est tout simplement pour cette raison qu'il avait fait monter Vitale sur un escabeau pour explorer le plafond. Cela était devenu une routine pour Sal, qui inspectait régulièrement sous les meubles, dans les lampes et le double plafond pour dénicher tout mouchard électronique qui aurait pu y être installé par les agents fédéraux. Massino avait toujours été très prudent, et en cette période, il redoublait de précautions... Le meurtre des trois capitaines et son ascension subséquente au sein de la famille avaient fait de lui une cible plus importante pour la surveillance policière, et signifiaient qu'il en avait davantage à camoufler.

«Je recherchais vraiment les micros cachés, soutient Vitale. Je grimpais sur une échelle, soulevais des panneaux du double plafond, fouillais sous les meubles. Nous possédions un scanner Bearcat pour détecter les voix à l'intérieur du club», se vanta-t-il en expliquant la technique de routine de contre-surveillance. Étant donné que les micros électroniques envoient sur des fréquences radio les conversations qu'ils interceptent, ils peuvent parfois être détectés de cette façon. Il arrivait même que Massino paye pour faire effectuer un «balayage» électronique des locaux.

«Je faisais en général une fouille toutes les deux ou trois semaines. Je m'assurais personnellement de parcourir tout le local», se rappelle Vitale. Les gangsters avaient de bonnes raisons de s'inquiéter. L'équipe du FBI qui s'occupait des Bonanno avait pris Massino comme cible. Il était sous surveillance étroite. Cette attention était certainement la conséquence de son ascension dans le monde interlope. Les membres de l'équipe spéciale du FBI avaient, avec la permission du tribunal, réussi à pénétrer dans le J & S Cake et y avaient caché un micro. C'est avec de grands espoirs que l'équipe des *Feds* brancha son équipement et put ainsi finalement avoir un aperçu de ce qui se passait dans la retraite de Massino

«Cela a peut-être duré 12 ou 24 heures, et puis tout est devenu tranquille», a déclaré Patrick F. Colgan, un membre à la retraite de l'escouade chargée de la surveillance des Bonanno, qui a passé une décennie à enquêter sur Massino. «Nous savions que nous étions compromis», a-t-il dit. Évidemment, à peine une journée après que le microphone fut branché, Vitale grimpa sur son escabeau et fouina derrière les panneaux du double plafond, au-dessus de la table autour de laquelle les truands avaient l'habitude de s'asseoir pour discuter en jouant aux cartes. Il découvrit alors un petit microphone et un transmetteur...

«J'ai découvert le micro et je l'ai laissé exactement là où il était, dans le plafond», a dit Vitale. Les agents à l'écoute s'inquiétèrent du silence soudain. Ils ne mirent pas longtemps à réaliser que le micro qu'ils avaient placé au J & S avait été découvert. Les deux gangsters se trouvaient au quartier général lorsque quelqu'un frappa à la porte d'entrée. Sur le seuil se trouvait l'inspecteur Colgan, que Vitale et Massino reconnurent. Vitale lui ouvrit.

«Pouvez-vous me rendre mon micro? demanda Colgan, d'après les dires de Vitale.

— Un instant, je vais me renseigner, répondit Vitale, qui se précipita vers Massino pour vérifier.

— Pat veut récupérer son micro, dit Vitale à son chef.

— Rends-le-lui», fit Massino. Vitale retourna à la porte avec, dans les mains, le micro et les différentes pièces qui l'accompagnaient. Il les tendit à l'agent qui quitta ensuite les lieux. Ce fut un moment fort douloureux pour l'orgueil des fiers limiers.

Une nouvelle ère avait débuté pour la famille Bonanno, et le groupe de policiers qui s'occupait d'eux allait avoir du pain sur la planche.

La faction rebelle ayant été tuée ou écartée, l'équilibre des forces au sein de la famille Bonanno avait sérieusement changé. Selon un accord préalable avec les Zips, la faction Massino-Sonny Black reprit les affaires lucratives de Sonny Red, la distribution de l'héroïne importée par les gangsters siciliens, dont la Sixième Famille. Le 15 juin 1981, peu de temps avant que Donnie Brasco fût démasqué, Lefty Ruggiero confia à l'agent secret les grands changements qui avaient suivi les meurtres. Les deux hommes étaient réunis dans la rue, près du Holiday Bar à Manhattan.

«Depuis que ces types ont été tués, fit remarquer Lefty, Sonny [Black] a repris le contrôle de toutes les affaires de drogue.»

Les morts étaient bien morts. Tout le monde était content et la drogue entrait en grandes quantités. Carmine Galante et Sonny Red avaient été exécutés pour avoir essayé d'usurper la place du chef des Bonanno; Rastelli conservait donc son titre. Massino réussissait à diriger tout en continuant à respecter le titre de Rastelli et les intérêts de la Commission, tout au long d'une transition harmonieuse du pouvoir.

Vito Rizzuto avait gagné le respect et la reconnaissance de ses collègues new-yorkais et démontré, d'une façon explosive et brutale, l'efficacité de la Filière canadienne et l'importance de sa contribution. Il avait réussi à solidifier les relations de la Sixième Famille avec la force montante à l'intérieur de la famille Bonanno, ce que Paolo Violi et Vic Cotroni n'avaient jamais pu accomplir. Sciascia, le principal représentant de Montréal à New York, vit également son influence augmenter au sein du clan Bonanno et fut reconnu comme étant un allié sûr et précieux de Massino et comme une force possédant ses propres prérogatives, dont il fallait tenir compte.

Mais le plus important, c'est que les assassins canadiens avaient protégé le réseau de distribution d'héroïne de la Sixième Famille à New York.

CHAPITRE 20

OCÉAN ATLANTIQUE, AU LARGE DE SAVANNAH, GÉORGIE

Le Learjet Gates 23 N100TA — ou «100 tango alpha» en jargon d'aviation — décolla de Teterboro, New Jersey à 10 h 28, le 6 mai 1982. Une belle journée pour prendre l'avion. En effet, lorsque le pilote George Morton avait vérifié les conditions météo plus tôt ce matin-là, la tour de contrôle l'avait assuré qu'il n'y avait pas de mauvais temps en vue et que la visibilité serait parfaite jusqu'à Orlando, en Floride.

Sur le Learjet, propriété d'Ibex Corporation, Morton se trouvait en compagnie d'une copilote du nom de Sherri Day et de deux passagers, un couple que la direction d'Ibex avait décrit comme étant des associés se rendant à une réunion à Orlando. Morton était aux commandes, pendant que Day s'occupait des communications. Pendant plus d'une heure, le vol se déroula sans histoire. Au-dessus de l'Atlantique, Day appela le centre de trafic aérien de Jacksonville, en Floride, pour demander ses instructions concernant l'atterrissage.

«Descendez et maintenez l'altitude à trois neuf zéro», lui répondit le contrôleur aérien à 11 h 31, demandant ainsi au pilote de réduire l'altitude du niveau 410 au niveau 390.

«Trois neuf zéro, 100 tango alpha», confirma calmement Day. Le Learjet n'amorça pas immédiatement sa descente. Une minute et demie plus tard, Day revint en onde.

«Cent tango alpha. Amorçons la descente…», annonça la copilote. Sa voix donnait l'impression qu'elle était pressée et le contrôleur crut entendre une sirène d'urgence en bruit de fond. Day tenta une autre transmission, qui demeura inintelligible.

«Veuillez répéter, s'il vous plaît», ordonna le contrôleur, mais il n'y eut aucune réponse, pas même des parasites.

À midi, l'équipage d'un bateau de pêche remarqua un grand geyser à la surface de l'océan, à 20 kilomètres au sud-est de Savannah, Géorgie. Le capitaine dirigea son embarcation dans sa direction et trouva des débris éparpillés en surface, des morceaux du fuselage et de la cabine d'un appareil, mais aucune trace de survivants.

Quatre-vingt-dix minutes après l'écrasement, le National Transportation Safety Board, le Bureau national de la sécurité dans les transports, fut prévenu et, le même jour, dépêcha sur les lieux trois enquêteurs de Washington, D.C. Le 13 mai, une équipe de recherche munie d'un sonar commença à sonder le lieu de l'écrasement. La visibilité sous-marine étant médiocre, ce n'est que plus tard dans l'après-midi que l'on retrouva l'essentiel de l'épave, par 15 mètres de fond. Les débris étaient éparpillés sur un rayon d'environ 25 mètres. Le corps de Morton ainsi que ceux des deux passagers furent repêchés. Tous avaient subi de multiples traumatismes. Le corps de Sherri Day, la copilote, ne fut jamais retrouvé. Après avoir examiné les débris, le Bureau national de la sécurité dans les transports fut incapable de déterminer les causes de l'écrasement. Le temps était presque idéal pour voler. D'ailleurs, un autre pilote déclara avoir survolé la région pratiquement au même moment et n'avoir éprouvé aucune difficulté. Il n'y avait eu ni explosion ni incendie à bord. Le pilote et la copilote étaient des professionnels dûment brevetés, et les moteurs du jet avaient été entretenus selon les règles.

« Le Bureau national de la sécurité dans les transports en a déduit que la cause principale de l'accident était une descente mal contrôlée à partir de l'altitude de vol de l'appareil pour des raisons indéterminées, au cours de laquelle une manœuvre de redressement n'a pas été ou n'a pas pu être effectuée », conclut l'organisme gouvernemental.

Même si ce dernier fut incapable d'élucider l'énigme du crash du Learjet dans l'Atlantique, cette tragédie permit de résoudre un vieux mystère pour le FBI. En effet, l'un des passagers à bord du N100TA n'était nul autre que Salvatore Ruggiero. Jusqu'à ce que son corps soit identifié à la morgue, Ruggiero était activement recherché par la Justice ; il était membre de la famille Gambino, trafiquant d'héroïne à grande échelle et important client de la Sixième Famille. Il était également considéré comme un fugitif. Un an et un jour plus tôt, le frère de Salvatore, Angelo, également soldat pour Gambino et ami d'enfance de John Gotti, avait aidé Gerlando Sciascia et Joe Massino à se débarrasser des trois capitaines abattus à l'occasion de la purge effectuée dans le clan Bonanno.

La fuite de Ruggiero et sa mort inopportune allaient causer à la Sixième Famille des soucis autrement plus importants que la perte d'un bon client. La filature de Ruggiero et l'enquête qui suivit sa mort allaient occasionner bien des embêtements aux responsables des opérations américaines de la *famiglia*.

NEW YORK, DÉBUT DES ANNÉES 1980

Le pipeline Montréal-New York déversait ses flots de poison aux États-Unis en telles quantités que les livraisons excédaient de beaucoup la demande. Deux ans après le mariage de Bono et un an après l'assassinat des trois *capi*, l'acheminement de la drogue vers les grands centres américains fonctionnait pratiquement sans anicroche. L'idée selon laquelle le crime organisé ne fait que répondre à des besoins déjà existants étalait alors toute son imposture, à en juger par les arrivages massifs d'ordure blanche. Puisqu'il fallait accroître le marché, on fit chuter considérablement le prix de l'héroïne et le nombre des victimes de la drogue se multiplia, selon la plupart des estimations, par un facteur de 10. Dans la rue, l'abondance d'appróvisionnement créa sa propre demande. À New York, la Sixième Famille et les autres entreprises de distribution d'héroïne épaulées par les Siciliens fournissaient de la drogue à crédit aux soldats de la Mafia et aux associés prêts à la faire circuler.

«On n'exigeait aucun dépôt, se souvient un agent infiltré. On nous disait: "Prenez, prenez, mais prenez donc cette foutue poudre... Vendez-la. Vous paierez quand vous pourrez. Débarrassez-moi de ça. J'en ai encore plus sur le point d'arriver..."»

Gerlando Sciascia ne donnait certainement aucun indice, lui non plus, d'une quelconque diminution de ses stocks. «Que dirais-tu de 30 kilos?» avait-il proposé à un gangster lors de l'une de ses démarches pour refiler sa drogue, alors que les enfants du type jouaient dans la même pièce. «J'en ai 30..., répétait-il au malfrat. C'est pour ça que je suis ici. Prends-les, prends-les, prends-les...»

Les années qui s'écoulèrent entre 1975 et 1985 furent l'âge d'or de l'héroïne, une époque encore plus fructueuse que la décennie glorieuse de la Filière française (1960-1970), dont les canaux de distribution étaient primitifs à côté de ceux de la mafia italo-américaine. Les chargements étaient plus importants, le marché plus vaste et les dispositifs de rapatriement de l'argent sale beaucoup mieux développés et beaucoup plus étendus. Les familles expatriées de la Mafia — les Rizzuto, les Caruana-Cuntrera et les Bono, entre autres — atteignirent un pouvoir réel au cours de ces années de cocagne pour l'héroïne, tout comme les vieilles bandes de *bootleggers* de l'époque de la Prohibition s'étaient formées et avaient prospéré grâce à leur habileté à distribuer de l'alcool.

Personne ne pouvait se permettre de ne pas jouer le jeu: les clans siciliens tout comme les familles de la mafia américaine connaissaient les profits démesurés qui pouvaient découler de ce trafic, et leurs membres étaient prêts à s'immiscer dans le commerce d'héroïne, ne serait-ce que pour maintenir le *statu quo* dans la pègre. Les Bonanno étaient en vedette, mais les Gambino ne traînaient pas de la patte. Toute règle selon laquelle la vente de drogue était interdite sous peine de mort par les anciens de la mafia américaine avait depuis longtemps été abandonnée, même par les quelques purs et durs qui auraient voulu à tout prix respecter le code antique et désuet. À Buffalo, par exemple, le vieux parrain de la Mafia, Stefano Magaddino, engrangeait de fabuleux profits grâce aux magouilles de drogue de ses soldats, tout en leur donnant pour consigne de ne vendre leur poudre «que dans des quartiers noirs». Vito Agueci, le frère torontois du trafiquant sicilien Alberto Agueci, qui contribua à faire fonctionner une section de la Filière française, fut accueilli dans la famille de Buffalo par Magaddino grâce au volume de ses transactions d'héroïne.

Aucune famille n'était au-dessus de la combine. Il s'agissait d'un sport sans spectateurs.

•

Gerlando Sciascia était le joueur vedette de la distribution à New York. Il dénichait des clients, gardait un œil sur leurs activités et travaillait continuellement pour s'assurer que les intérêts de la famille ne fussent pas négligés. En qualité de capitaine du clan Bonanno, il avait un poids bien plus lourd que les kilos de dope qu'il offrait à sa clientèle.

Avec Sciascia, on trouvait Joe LoPresti, qui agissait à titre d'intermédiaire direct entre Montréal et lui. Tous deux étaient des amis proches, et de lointains parents de Vito Rizzuto. Ils appartenaient au cercle des intimes de la Sixième Famille. Autour d'eux, à New York, on trouvait des dizaines de vendeurs bien branchés, disposant de leur propre réseau d'acheteurs, le long de la côte est du pays ainsi qu'à l'intérieur. Ces colporteurs de la Sixième Famille ramifiaient et étendaient l'organisation de la distribution et amélioraient son efficacité dans la région new-yorkaise depuis au moins trois ans, lorsque des mouchardages de rues et des enquêtes menées sur les réseaux de stupéfiants les entraînèrent dans le collimateur de la police. Plus ils augmentaient leur chiffre d'affaires, plus la police entendait parler d'eux ; mais plus ils voulaient faire de profits, plus il leur fallait augmenter leur volume de ventes. Pour y parvenir, il convenait donc de gérer prudemment ses clients.

Sciascia était un as de la vente. Il était toujours approvisionné, toujours prêt à faire des affaires, et désireux de soigner ses acheteurs et de les fidéliser. Aussi leur mentait-il souvent en leur racontant qu'ils étaient ses clients exclusifs.

Après avoir rencontré Sciascia pour conclure une transaction de drogue, John Carneglia, un soldat de Gambino, posa à son homologue Angelo Ruggiero (le frère du fugitif qui périt en 1982 dans l'écrasement du Learjet) la question suivante : «Comment t'es-tu arrangé avec Georges ?»

«Très bien, répondit Angelo. Excellent ! Il ne veut plus faire affaire qu'avec nous !» Les deux frères Ruggiero étaient devenus très copains avec Sciascia et LoPresti après être devenus leurs clients. Salvatore était le client principal de Sciascia dans la famille Gambino. Avec Gene, le frère de Gotti, les frères Ruggiero formaient un réseau de revente de stupéfiants très élaboré au sein du clan Gambino. De toute évidence, John Gotti ne se mouilla jamais directement dans le trafic de drogue, mais avec deux de ses plus proches amis et son propre frère impliqués jusqu'au cou avec Sciascia et LoPresti, il est impossible de croire qu'il ne savait rien de leurs activités, qu'il ne les approuvait pas et qu'il n'en tirait aucun bénéfice. Comme toutes les autres familles, les Gambino avaient au sein de leur organisation une section réservée au trafic d'héroïne, qui était souvent gérée par le frère du patron.

Contrairement à son frère Angelo, Salvatore Ruggiero avait fait ses classes dans le crime et était devenu multimillionnaire en vendant toutes sortes de drogues, des ballots de marijuana aux colis d'héroïne et de cocaïne. Recherché sous une foule d'inculpations, il était devenu fugitif et se cachait, avec son épouse Stephanie, sous plusieurs noms d'emprunt au New Jersey, en Floride, en Pennsylvanie et en Ohio. Son principal fournisseur de cocaïne était Sciascia.

Lorsque le Learjet transportant Salvatore plongea dans l'Atlantique en mai 1982, l'homme était en cavale depuis six ans. Même s'il était constamment traqué, il n'en avait pas pour autant ralenti ses activités de trafiquant. Au moment de sa disparition, s'entassait chez lui un stock d'héroïne achetée à crédit à Sciascia, de la came qui n'attendait qu'à être revendue.

Après qu'on eut prévenu Angelo Ruggiero de la mort de son frère, il se rendit avec Gene Gotti et Carneglia à la planque de Salvatore à Franklin Lakes, au New Jersey, pour récupérer l'héroïne et l'argent qui y étaient cachés. Cependant, quelques mois plus tôt, espérant rattraper l'insaisissable Salvatore et amasser des preuves pour accuser John Gotti, l'équipe du FBI chargée de surveiller les Gambino avait subrepticement dissimulé des mouchards électroniques chez Angelo, à Cedarhurst, Long Island. Non seulement sa ligne téléphonique était-elle sur table d'écoute, mais des micros avaient été placés dans sa cuisine, sa salle de séjour et sa salle à manger. Les agents fédéraux avaient ainsi réussi à enregistrer l'avocat d'Angelo, Michael Coiro, offrant ses condoléances pour la perte de son frère et l'informant en ces termes : « Gene a trouvé l'héroïne… »

La mention de l'héroïne peu après la mort de Salvatore et l'évocation d'une relation pouvant exister entre lui et l'un des Gotti fit dresser les oreilles des enquêteurs. La partie de pêche chez Angelo promettait une grosse prise. D'ailleurs, la police n'avait pas ciblé Angelo au hasard. Souvent surnommé « Couac Couac » à cause de l'incapacité qu'il avait de la boucler, Angelo était un véritable moulin à paroles. Il ne pouvait en effet cesser de commenter tout ce qui se passait autour de lui. Tous ceux qui lui rendaient visite devaient supporter ses incessantes calomnies, jérémiades et indiscrétions. Il se livrait à des bavardages extrêmement inconsidérés, d'autant plus qu'il se savait sous enquête. Lors d'une visite que lui rendit Sciascia, ce dernier entendit Angelo lui raconter comment il avait soupçonné qu'il était sous écoute, et ce qu'il avait fait pour s'assurer que ce n'était pas le cas. (Cette édifiante conversation fut enregistrée par le FBI.)

Un jour, Angelo avait ouvert sa porte pour se trouver face à face avec un technicien de la compagnie de téléphone.

«Qu'est-ce que vous venez foutre ici? avait demandé Angelo.

— Je viens réparer le téléphone, avait répondu le technicien.

— Réparer le téléphone? avait hurlé Angelo. Vous l'avez déjà réparé!

— Moi? Non, certainement pas, avait assuré le technicien, totalement confus. Écoutez, m'sieur, ici c'est mon district. Alors je ne sais pas qui étaient les gens qui sont venus chez vous...»

Ruggiero avait donc fait appel à un expert en contre-surveillance, un détective à la retraite, pour passer sa maison au peigne fin.

«Il n'y avait rien», affirma Angelo à Sciascia. Mais c'était faux, bien sûr, et c'était bien dommage pour Sciascia, LoPresti, Gene Gotti et tous les autres gangsters qui venaient traîner leurs savates près de la maison d'Angelo. Prévenu de la chasse aux micros, le FBI se contenta de désactiver ces derniers le jour de l'opération de nettoyage. Une fois qu'Angelo se trouva rassuré, il se remit à jacasser, et ses propos purent être recueillis par les micros qui reprirent du service.

La mort de Salvatore ébranla sérieusement Angelo. Après l'accident d'avion, on l'entendit souvent parler de son frère avec mélancolie à Sciascia et à LoPresti.

«Il gagnait plein de fric... Il savait vraiment comment en faire....», se lamentait Angelo à Sciascia. Dans le milieu, peu de mots prononcés à propos d'un gangster peuvent être aussi admiratifs. Le fait que Salvatore fît de l'argent comme de l'eau grâce à ses relations avec la Sixième Famille provoquait une sorte d'émerveillement chez Angelo, qui s'employait de son mieux à l'imiter.

«Et il m'a fait faire de l'argent aussi... renchérissait Angelo. Tenez, voilà six mois, j'étais criblé de dettes et, maintenant, j'en suis sorti, je t'assure. Je ne suis pas un sacré millionnaire, ça non, mais j'ai ce que j'ai. J'ai risqué le coup et maintenant, je suis assis sur un magot de 400 000 $... Combien penses-tu que mon frère peut bien avoir? Si j'ai 400 000, imagine-toi ce qu'il a bien pu mettre à gauche...» Ce genre de propos donne une légère idée de la rentabilité de la marchandise de la Sixième Famille. Le jour suivant le service funèbre de Salvatore, c'est non sans un sentiment de détresse qu'Angelo se soucia du remboursement des dettes dues à son frère, car si les clients profitaient de sa disparation pour s'esquiver sans payer, les enfants de Salvatore risquaient d'en pâtir.

« Dans ce monde, nous devons nous battre contre des rognures, pérorait Angelo. Écoute, je ne suis pas une ordure. Je ne demande rien pour rien, tu entends ? Ce que j'ai à te dire, c'est ceci : Si je trouve un salopard qui doit quelque chose à mon frère et qui ment, dans un an, dans six mois, ce malfaisant va crever de la même façon que Salvatore : en petits morceaux ! J'te donne ma parole. Mon frère était trop bon pour tout le monde, et faut pas oublier qu'il a aidé tous les merdeux que vous êtes... »

Tandis qu'Angelo exprimait son amour fraternel à sa façon véhémente, LoPresti arriva pour discuter d'une autre cargaison d'héroïne. Il devait également transmettre à Angelo la réponse, qu'il était allé chercher auprès des Canadiens, à une question que ce dernier lui avait posée quelque temps plus tôt. LoPresti évoqua également une combine permettant de doubler leurs bénéfices en vendant de la drogue à des quidams, puis en les rossant pour récupérer la marchandise. Toutefois, à cet instant précis, Angelo n'était pas d'humeur à parler d'héroïne, et l'idée de battre qui que ce soit ravivait en lui de pénibles souvenirs.

« Tu sais, j'ai perdu mon frère, dit-il à LoPresti. Je me suis dit : "Faut que je prenne une cuite." Alors, j'ai pris deux verres de vodka. J'ai été dans ma chambre, j'ai fermé la porte et j'ai pleuré. Si on l'avait trouvé dans la rue et qu'on l'avait abattu d'une balle dans la tête, je l'aurais accepté, parce que ça, ça fait partie de notre vie. La semaine suivante ou plus tard, nous aurions réglé le compte du fumier qui aurait fait le coup. Pas vrai ? Nous aurions mieux accepté tout ça. Mais pas de la manière dont il est mort. C'est... C'est... » Il ne put finir sa phrase.

« Laisse sortir la vapeur... », répondit LoPresti. Mais à peine Angelo avait-il séché ses larmes que son interlocuteur revenait à la charge : « Combien peux-tu m'en prendre ? Prends-en, prends-en, prends-en, j'te dis ! »

Si LoPresti avait su que le FBI prenait des notes chaque fois qu'il parlait avec Sciascia pour refiler sa camelote, il aurait probablement, lui aussi, pleuré comme une Madeleine. Passer autant de temps avec un homme dont la maison était si bien truffée de micros par le FBI ne pouvait apporter que des embêtements.

C'est ainsi qu'un accident d'avion inexpliqué exposerait partiellement le commerce et les opérations, jusque-là discrets, de la Sixième Famille.

Chapitre 21

LE BRONX, ÉTÉ DE 1981

Le 1er juillet est jour de fête nationale au Canada. À cette occasion, on commémore la création du dominion, en 1867. En 1981, à cette date, Gerlando Sciascia ne quitta pas New York et demeura confiné dans sa maison — secrètement surveillée par le FBI — de Stadium Avenue, dans le Bronx. Depuis cinq jours, des agents étaient aux aguets, mais c'était la première fois qu'ils apercevaient leur gibier.

À 11 h 30, Sciascia sortit de chez lui, monta dans sa berline Peugeot verte 1979 et prit la route 95. Les agents chargés de la filature le suivirent lorsqu'il quitta l'autoroute et s'arrêta à une station-service pour faire le plein de carburant diesel. Il reprit ensuite sa course ; les agents le virent passer le poste de péage du pont Throgs Neck pour ensuite se perdre dans la circulation. Il s'agissait là d'un bien mauvais départ pour cette nouvelle enquête fédérale censée faire la lumière sur les activités de ce caïd de la drogue. Mais les enquêteurs ne s'avouèrent pas vaincus.

Sciascia avait été la cible de nombreuses enquêtes, à la suite des rapports sur sa personne qui s'étaient accumulés pendant plusieurs années dans les bureaux du FBI. Ses activités, tant avec la Sixième Famille qu'avec la famille Bonanno, prenaient de plus en plus d'ampleur. Lorsque les agents du FBI reçurent le mandat d'examiner ses occupations un peu plus en profondeur, ils réalisèrent que les enquêteurs d'autres agences policières avaient également remonté jusqu'à Sciascia grâce à leurs propres contacts. Les agents du FBI qui enquêtaient sur les liens existant entre les membres de la Sixième Famille et les trafiquants de drogue siciliens de Knickerbocker Avenue s'intéressaient à lui ; les agents qui surveillaient les micros cachés dans la maison de Ruggiero s'intéressaient également à lui ; la DEA était sur sa piste, tout comme la police canadienne. En 1981, on commençait à réunir énormément de renseignements, et une enquête fédérale fut officiellement ouverte.

L'implication de Sciascia dans la distribution d'héroïne à New York avait débuté bien avant le mariage Bono, avant même que le dernier des frères Violi eut été assassiné. Dès le début de 1980, les enquêteurs du FBI avaient déjà en leur possession des rapports internes concernant les activités de Sciascia et de ses proches de la Sixième Famille. Ces documents faisaient état des transactions suspectes d'une société d'import-export reliée à Montréal ainsi que de réunions à New York auxquelles avaient participé des visiteurs venus du Canada. Une note disait que les Canadiens semblaient avoir de nombreux amis dans de nombreux endroits. Un autre rapport du FBI, datant de février 1981, souligne que les Canadiens — dans l'argot bureaucratique pince-sans-rire du FBI — «se livraient à une multitude d'interactions téléphoniques avec leurs contacts aux États-Unis, en Italie, en France, en Suisse, au Venezuela et au Canada, tout particulièrement à Montréal». En novembre 1980, dans les jours qui avaient précédé le mariage Bono, les officiers de police du service de renseignements de la ville de New York avaient surveillé Sciascia alors qu'il rencontrait des trafiquants de drogue siciliens, probablement venus pour le mariage.

Des rapports antérieurs sur les activités de Sciascia furent réexaminés. Il y avait eu des rencontres, au Plaza Hotel à New York et ailleurs, entre Sciascia, des trafiquants de drogue canadiens et des membres de la mafia américaine provenant de toutes les factions. Certains d'entre eux venaient à peine d'être libérés de prison, où ils avaient purgé des peines pour des crimes concernant les narcotiques. Chaque fois qu'un visiteur arrivait du Canada, les enquêteurs se saisissaient des fiches téléphoniques de sa chambre d'hôtel, et chaque fois ils étaient ébahis en découvrant l'étendue de contacts du visiteur. En septembre 1981, au cours de la visite de l'un de ces voyageurs, des appels avaient été faits à Monaco, Caracas, Rome, Lima et Montréal. Lors de la visite d'un autre, on avait relevé des appels vers l'Allemagne, Paris et Bogota. Un document du FBI laisse entendre qu'un appel téléphonique effectué par Paolo Renda attira également l'attention des enquêteurs, à cause de l'endroit vers lequel cet appel était dirigé. Un autre rapport indique que Renda voyageait «de temps à autre» entre le Canada et le Venezuela.

La police canadienne, de son côté, fut priée d'enquêter sur l'identité des Canadiens, toujours plus nombreux, qui apparaissaient dans les rapports du FBI. Un peu plus tard, la brigade des stupéfiants et le FBI se mirent d'accord pour collaborer dans l'enquête sur Sciascia, plutôt que de se faire concurrence. Une rencontre fut organisée entre les agents des deux agences qui avaient surveillé Sciascia; ils eurent tant de choses à se raconter qu'il fut nécessaire d'organiser une deuxième réunion, une semaine plus tard.

Pendant un mois — du 8 janvier au 8 février 1982 —, des agents fédéraux interceptèrent le courrier de Sciascia et le vérifièrent avant de le laisser se rendre à destination. Des mouchards furent installés sur chacun des appareils téléphoniques de sa demeure. Une enquête auprès du Service d'enregistrement des sociétés permit de découvrir qu'il était le fondateur de Pronto Demolition, qui semblait être une entreprise intégralement contrôlée par la Mafia. Giuseppe Bono, Giovanni Ligammari et Giuseppe Ganci — le bras droit de Sal Catalano, le nouveau patron des Zips de Knickerbocker Avenue — siégeaient en compagnie de Sciascia au conseil d'administration de l'entreprise. L'enquête des agents les conduisit également chez California Pizza, la pizzeria que possédait Sciascia, située au centre commercial Green Acres, à Long Island, dans le stationnement duquel Cesare Bonventre et Baldo Amato avaient été arrêtés, transportant des armes dans leur Cadillac. En ce qui concerne la pizzeria, Sciascia y avait un associé, Giuseppe Arcuri, un parent de l'individu chez qui s'était tenue la dernière rencontre entre Nick Rizzuto, Paolo Violi et un autre fidèle supporteur de la Sixième Famille à New York. Les échanges fonctionnaient des deux côtés. La police canadienne nota que Cesare Bonventre et Baldo Amato effectuaient de fréquents détours à Montréal et à Toronto.

Le matin du 17 mai 1982, 11 jours après l'accident d'avion qui coûta la vie à Salvatore Ruggiero, deux agents du FBI virent Sciascia quitter sa maison, accompagné d'un visiteur de grande taille aux cheveux foncés. (Deux jours plus tard, des agents de la GRC montrèrent à leurs collègues américains une photo de Joe LoPresti, et ces derniers confirmèrent qu'il s'agissait bien de l'homme mystérieux aperçu en compagnie de Sciascia.)

Les deux hommes montèrent dans la deuxième voiture de Sciascia, un Jeep Grand Cherokee de couleur noire, un véhicule très populaire auprès des membres de la Sixième Famille, et ils se rendirent chez Dunkin' Donuts, à Queens, où les attendait Cesare Bonventre. Après avoir discuté pendant quelques minutes en buvant une tasse de café au comptoir, les trois hommes prirent le chemin du centre commercial Green Acres. Sciascia se dirigea vers la pizzeria, alors que Lopresti et Bonventre entrèrent dans le centre. Peu après, Sciascia quitta son restaurant pour rejoindre les deux autres ; les agents le suivirent et observèrent ensuite les trois hommes, qui étaient en pleine discussion, debout au milieu du centre commercial grouillant d'activité. Il s'agissait d'une manœuvre évidente pour contrecarrer toute tentative d'écoute électronique. LoPresti, qui était toujours à l'affût d'une éventuelle filature, remarqua la présence d'un agent du FBI qui les observait à moins de 10 mètres. Les trois hommes se dispersèrent après qu'il eut indiqué l'intrus à ses collègues.

« Il a regardé dans ma direction, puis il s'est tourné vers les deux autres individus et leur a dit quelque chose. C'est à ce moment précis qu'ils se sont dispersés et que chacun d'eux a pris une direction différente, a déclaré l'agent spécial Charles Murray, un des policiers chargés de les surveiller. J'ai essayé de les observer du mieux que j'ai pu», a-t-il dit. Un autre agent repéra Bonventre un peu plus tard en train de donner un coup de téléphone à partir d'un appareil public. L'autre aperçut Sciascia dans un kiosque où l'on vendait des bretzels. Réalisant qu'il était suivi, Sciascia s'arrêta brusquement et feignit d'être très intéressé par une vitrine, ce qui força l'agent à le dépasser. Ensuite, ce fut au tour de Sciascia de suivre le policier. Les agents déguerpirent quand ils réalisèrent qu'on les tournait en bourrique. LoPresti, malgré sa grande taille, semblait avoir disparu. Il se dirigea vers l'aéroport et prit un vol pour Montréal dans le courant de l'après-midi.

Il s'agissait là d'une des nombreuses réunions entre membres de la Sixième Famille dont la police était au courant. Lorsque les autorités italiennes apprirent que Giuseppe Bono frayait avec des trafiquants de drogue à New York comme au Canada, elles relancèrent l'enquête qui avait été suspendue lorsqu'il avait fui l'Italie. L'enquête de la police italienne conduisit également cette dernière tout droit à la Sixième Famille.

Le 12 juin 1982, Giuseppe Bono, sous l'œil alerte de la police italienne, dînait au Gallo Rosso, un restaurant milanais très coté, en compagnie de Michelangelo LaScala, un vieux contact de la Sixième Famille vivant au Venezuela et arrivé sur un vol Caracas-Milan. Le 24 juin, ils se rencontrèrent à nouveau. Cette fois-ci, Bono reçut, durant le dîner, un coup de téléphone; Nick Rizzuto était à l'autre bout du fil, selon un rapport de la Polizia di Stato, la police nationale italienne. La discussion entre Bono et Nick porta sur les mouvements d'une «valise», ce qui, selon les enquêteurs, était sans doute un code secret pour désigner une expédition de drogue. Les enquêteurs établirent que Nick avait déjà fait trois envois de meubles de l'Italie au Canada, et la police crut que de la drogue y avait été cachée. Des rapports de police indiquent que la personne qui était censée recevoir les meubles était Maria Renda, la fille de Nick. Celui-ci passa d'ailleurs presque tout cet été-là à Milan, où il fut en contact constant avec Bono, par téléphone en général.

En août 1982, peu de temps avant son départ d'Italie, Nick rencontra Bono en personne; cependant, la police ne réussit jamais à s'approcher suffisamment pour intercepter leur conversation. Nick fut très occupé en 1982 et en 1983, et voyagea sans arrêt entre Caracas, Milan et Montréal.

«On suspecte que la raison de ces rencontres était de discuter des envois d'héroïne d'Italie vers les États-Unis», a conclu le FBI. Les autorités vénézuéliennes participèrent également à l'établissement des actes d'accusation, en fournissant au FBI et à la GRC des rapports détaillés de leurs enquêtes sur l'axe Sicile-Canada-États-Unis et en identifiant plusieurs membres des mafias américaine et canadienne.

Les agents du FBI savaient qu'ils étaient sur la piste de quelque chose d'énorme lorsqu'ils prirent connaissance des rencontres entre Nick et Bono en Italie, des appels de Sciascia et de LoPresti aux soldats de la famille Gambino à New York, ainsi que la très grande quantité de coups de fil internationaux que les Montréalais effectuaient lorsqu'ils se trouvaient en visite dans la métropole américaine.

Dans un rapport du FBI datant du 14 juin 1982, on peut lire : « Les cibles de ces enquêtes sont certainement les groupes les plus importants se trouvant impliqués dans l'importation d'héroïne de la Sicile vers les États-Unis. Leurs activités illégales sont la preuve la plus évidente de l'internationalisation de la Mafia. Leurs réseaux d'importation de drogue sont les plus élaborés des environs de New York, et leurs opérations représentent des quantités ahurissantes d'héroïne ainsi que des sommes d'argent stupéfiantes. »

Il existe de nets chevauchements entre cette enquête et celle qui avait pour objet la Filière des pizzerias, et qui concentrait son attention sur Sal Catalano, le chef des Zips de Brooklyn, et sur ses acolytes. Les agents qui surveillaient Catalano à Brooklyn et ceux qui poursuivaient Sciascia dans le Bronx comparaient leurs notes. On retrouvait parfois les mêmes joueurs dans les deux équipes. Les relevés de téléphone indiquent que les membres des différents groupes étaient en contact constant. Les rapports de surveillance présentent un nombre incroyable d'interactions. Des membres de familles de la mafia américaine travaillaient en réseaux de façon acharnée et efficace avec des gens issus de différents clans de la mafia sicilienne avec lesquels ils n'avaient aucun lien de sang, auxquels ils n'étaient liés d'aucune façon. Bonventre, Amato, Sciascia, LoPresti et Catalano ; les mêmes noms réapparaissaient à tous moments. Giovanni Ligammari, un des Zips qui avaient été photographiés en compagnie de Vito Rizzuto, de Sciascia et de Joe Massino le lendemain du meurtre des trois capitaines, s'occupait pour sa part des paiements aux investisseurs du réseau de la Filière des pizzerias.

Comment établir un rapport entre eux ? Comment toutes ces combines de drogue qui se croisaient arrivaient-elles à se rencontrer ? Où finissait une association de malfaiteurs et où commençait la suivante ? Les agents avaient les idées embrouillées. Les enquêtes concernant les relations avec les Zips se trouvaient entravées par l'impossibilité de pénétrer dans ce groupe hermétique. Les renseignements obtenus dans la rue et par le biais d'informateurs étaient très peu nombreux. Les personnes que les enquêteurs souhaitaient contacter ne permettaient pas aux étrangers de s'approcher d'elles. D'après les dires d'agents du FBI profondément frustrés, ces individus « étaient tous liés par le sang ou par le mariage ». Pour ajouter à leur déconvenue, en dépit de tous leurs efforts, les enquêteurs n'avaient découvert que de très petites quantités de la précieuse héroïne. Et ce handicap, on ne l'oubliait pas.

Les discussions entre Nick et Bono ayant mis la puce à l'oreille du FBI, de la DEA et des douanes américaines au sujet d'une cargaison, on surveilla une série d'envois suspects effectués depuis l'Italie pendant l'été de 1982, et qui devaient se rendre à Montréal avec escale dans le New Jersey. Le lien entre les envois de Montréal et les gangsters de New York se dégageait de plus en plus, à la suite des conversations enregistrées chez Angelo Ruggiero.

« J'ai reçu un appel de Montréal, vous comprenez ? Des gens que je connais… , avait annoncé Sciascia à Ruggiero le 15 juin 1982, trois jours après que Nick et Bono eurent parlé de la valise. Avant de faire quoi que ce soit, ils veulent savoir quelle est la part des bénéfices qui leur sera payée. » Au cours de la même conversation, Sciascia avait mentionné qu'ils avaient reçu les « marchandises retenues ».

Les agents sélectionnèrent l'un des envois douteux et émirent un avis d'inspection. Une journée avant que le bateau n'arrive dans un port du New Jersey, un poste de commandement fut établi au bureau de la douane de Newark.

Le 6 août 1982, le *MV Tulsidas* entra au port et dut faire face aux agents des douanes américaines, du FBI et de la brigade des narcotiques. L'équipage reçut l'ordre de débarquer trois gros conteneurs dont les manifestes déclaraient qu'ils contenaient des meubles et des lampes anciennes destinées en premier lieu à Halifax, en Nouvelle-Écosse, et ensuite à Montréal. Dès que les conteneurs se trouvèrent en sol américain, des agents se ruèrent sur leur contenu. À leur grande déception, ils n'y découvrirent aucune matière à contrebande — uniquement des meubles et des lampes. Les agents, bien embarrassés, n'eurent plus qu'à tout remballer et à faire replacer les conteneurs sur le *Tulsidas*. Ce raté ne mit cependant pas fin à leur enquête.

Les forces de police de Montréal comme celles de New York continuèrent à faire suivre les suspects appartenant à la Sixième Famille. Toutefois, le FBI se plaignit, dans des mémos internes, de certains problèmes survenus au Canada, qui avaient empêché la GRC d'installer des équipements électroniques permettant de surveiller les appels téléphoniques des personnes ciblées. Le FBI était convaincu que Sciascia, LoPresti ainsi que les Rizzuto avaient conspiré pour importer de grandes quantités d'héroïne aux États-Unis, ce que confirmeraient des témoignages entendus par un tribunal new-yorkais 20 ans plus tard.

Pendant 19 ans, Kenneth McCabe a été un enquêteur criminel relié au bureau du ministère de la Justice des États-Unis dans le district Sud de New York, spécialisé dans les procès intentés contre des membres de la Mafia. Avant cette époque, il avait été détective de la police de New York, et on l'avait affecté à l'unité qui s'occupait du crime organisé à Brooklyn. Il a témoigné lors d'un procès qui s'est déroulé en 2004, peu de temps avant sa mort. L'avocat de la défense, un sbire de Bonanno, a demandé à McCabe ce qu'il savait sur l'implication de la Filière canadienne dans le grand boum de la drogue. McCabe a répondu que Sciascia était un capitaine de la famille Bonanno au début des années 1980. «Son équipe était composée de Canadiens», a mentionné McCabe.

«Serait-il juste de dire, d'après ce que vous savez, que Sciascia, Rizzuto et LoPresti sont les personnes qui importent de la drogue aux États-Unis?» a demandé l'avocat David Breithart.

«Oui, ils ont été indubitablement impliqués dans l'importation de drogue.»

Les agents du FBI réalisèrent que l'héroïne entrait à New York grâce à des réseaux de trafic de drogue connectés entre eux. Tous ces réseaux étaient élaborés selon le même scénario et s'appuyaient sur la collaboration de distributeurs reliés aux familles de la mafia américaine et de fournisseurs provenant de la mafia sicilienne; les intermédiaires entre ces deux groupes étaient membres de la Sixième Famille, au Canada comme au Venezuela.

Un rapport interne du FBI, produit durant l'enquête sur Sciascia, affirme que les hommes qui étaient alors pourchassés faisaient partie de «l'échelon le plus élevé des trafiquants de drogue italiens au monde». À la fin de 1983, les agents et les procureurs fédéraux commencèrent à faire le tri afin de déterminer qui devait être arrêté et quand, et distinguer lesquelles de ces personnes pourraient le mieux faire l'objet de poursuites en relation avec chaque réseau. Les preuves accumulées contre l'aile canadienne du pipeline de la drogue contribuèrent à l'obtention de mandats de perquisition et de mandats d'amener durant les derniers jours du procès de la Filière des pizzerias. LoPresti et Sciascia furent tous deux nommés dans les déclarations sous serment utilisées pour obtenir des mandats contre les autres. La Sixième Famille, au bout du compte, ne serait cependant pas affectée par les accusations portées contre la Filière des pizzerias. Le 9 avril 1984, Sal Catalano, Gaetano Badalamenti, Baldo Amato et Giovanni Ligammari furent arrêtés. Cesare Bonventre figurait également sur la liste des personnes à amener, mais il demeura introuvable.

Il est possible que l'ambition effrénée de Bonventre ou son aptitude naturelle à comploter des meurtres eussent provoqué chez certains la nervosité. Peut-être était-ce son arrogance qui le rendait si antipathique. Une chose était certaine : l'égoïsme de Bonventre faisait enrager Massino. Lorsque Massino se retrouva en cavale, à l'époque où il se cachait dans les monts Pocono, en Pennsylvanie, pour se dérober à une condamnation, les membres de la famille Bonanno qui recherchaient ses faveurs lui procurèrent de l'argent et lui rendirent visite pour lui remonter le moral. Les Zips demeurèrent cependant à l'écart.

«Il s'est montré surpris du fait que personne ne lui envoyait rien, et Cesare encore moins, a expliqué Vitale. Il a dit qu'il avait l'impression d'être en cavale à cause de la famille Bonanno, parce qu'il avait participé au meurtre des trois capitaines. C'est pourquoi la famille devait s'occuper de lui, même si aucun Zip ne lui avait fait parvenir quoi que ce soit.» Massino semblait remettre en question son alliance malsaine avec les gangsters siciliens. Il réalisait peut-être, s'il n'y avait pas déjà songé, que ces satanés Zips ne prêtaient allégeance à personne d'autre qu'eux-mêmes. Il était résolu à ne pas commettre à son tour la faute qui avait coûté la vie à Carmine Galante. Il convoqua Louie «Ha-Ha» Attanasio, le capitaine de l'équipe Bonventre, Duane «Goldie» Leisenheimer, le blondinet qui avait donné un coup de main lors du meurtre des trois *capi*, ainsi que Vitale ; ils prirent place tous les trois autour de la table de salle à manger de sa planque, et commencèrent à préparer un plan pour assassiner Bonventre, ce petit malin plutôt douteux.

«Que se passera-t-il s'il arrive accompagné de Baldo ?» demanda Vitale à Massino, sachant que Bonventre et Amato étaient inséparables.

«S'il vient avec Baldo, tue également Baldo, répondit Massino. Attention, Bonventre est très futé. Vous allez devoir vous montrer des plus prudents…», les prévint-il ensuite.

Grâce au sombre génie de Massino pour les guider, ils mirent au point un plan fort convenable pour prendre au piège l'astucieux Zip. Bonventre serait convoqué à une réunion avec Philip Rastelli, une invitation qu'il ne déclinerait certainement pas. On enjoignit véritablement Rastelli de venir attendre dans un restaurant, au cas où le plan tournerait au vinaigre et qu'il faille conduire Bonventre à une vraie réunion. Les conspirateurs, qui tenaient à pouvoir le réutiliser plus tard si nécessaire, ne tenaient pas à ce que le tuyau fût éventé. Vitale irait chercher Bonventre et Louie Ha-Ha pour les conduire à la prétendue rencontre. Louie Ha-Ha devrait vite s'asseoir sur le siège arrière de la voiture, obligeant ainsi Bonventre à occuper la place du passager. Lorsque le trio se dirigerait vers le garage de Goldie, si tout se passait comme prévu, Vitale donnerait à Louie Ha-Ha le signe dont ils avaient convenu. Il devait dire : « Cela me paraît bien. » Louie sortirait alors une arme qu'il aurait cachée dans une de ses bottes et tirerait à bout portant derrière la tête de Bonventre. Vitale dirigerait la voiture vers le garage de Goldie ; ce dernier devait être prêt à fermer la grande porte dès que la voiture serait à l'intérieur, ce qui leur donnerait la tranquillité nécessaire pour se débarrasser du corps. Louie avait mentionné à Vitale que ce meurtre serait facile à réaliser. Chaque fois qu'il avait tiré dans la nuque de quelqu'un, la mort avait été immédiate. Louie aurait affirmé à Vitale : « Lorsque je flingue quelqu'un, un seul coup suffit et il s'endort tout de suite. » Le plan semblait assez solide, et il avait été mieux préparé que la plupart des meurtres commis par la Mafia. L'attention minutieuse qui avait été accordée à chaque détail était un compliment à la réputation de Bonventre.

En avril 1984, l'équipe se mit en marche pour exécuter le plan... et Bonventre, du même coup. Vitale arriva dans une Dodge K de location pour que le Zip ne se doute de rien. Si quelque indice avait suggéré que la voiture avait été volée, il aurait tout de suite pressenti que quelque chose clochait. Vitale les prit donc près du croisement fort achalandé des avenues Metropolitan et Flushing à Brooklyn. Louie s'installa à l'arrière comme prévu et laissa le siège du passager à Bonventre. Cela ressemblait à un signe de respect envers ce dernier, qui accepta sans hésiter. Après tout, il était capitaine. Au moment où Vitale s'approcha du tournant qui menait au garage de Goldie, aucune embûche n'entravait la réalisation du plan.

« Cela me paraît bien », dit Vitale. Louie Ha-Ha tira aussitôt une balle dans la nuque de Bonventre, mais le truand, contrairement à ce qui était prévu, ne s'« endormit » pas.

« C'est alors que Cesare a commencé à vouloir m'arracher le volant de force, a raconté Vitale par la suite. Je le retenais avec mon bras droit, mais il essayait de mettre son pied sur l'accélérateur pour provoquer un accident et attraper le volant. Je le retenais et c'est à ce moment que Louie Ha-Ha a tiré une nouvelle fois. » Bonventre vivait toujours et luttait pour prendre le contrôle de la voiture. L'exécution du plan dérapait.

« Une Dodge K est passée devant moi à une vitesse folle et a volé littéralement vers le pâté de maisons voisin, a déclaré Leisenheimer qui attendait dehors, devant le garage, que la voiture arrive. Lorsqu'elle a filé devant moi, j'ai eu l'impression qu'il se passait du grabuge à l'intérieur, cependant cela s'est déroulé très vite. En d'autres mots, j'avais l'impression que quelque chose n'allait pas bien. » Vitale réussit finalement à faire entrer la voiture dans le garage et freina brutalement. « Lorsqu'ils ont sorti le corps, il bougeait encore », a déclaré James « Big Louie » Tartaglione, qui se trouvait à l'intérieur du garage en attendant leur arrivée. «Louie Ha-Ha a pris son arme et a tiré deux coups supplémentaires», a précisé Tartaglione. Bonventre ne se battrait plus. Comme un gangster l'a dit plus tard : «Ce type ne voulait pas crever.» Bonventre mourut en laissant derrière lui sa femme, qui allait donner naissance à un fils, leur premier enfant, quelques semaines plus tard. Les gangsters qui étaient chargés de se débarrasser du corps reçurent l'ordre de s'assurer qu'il ne serait jamais retrouvé.

Tout le monde — et tout spécialement Louie Ha-Ha — craignait la réaction des Zips. Lorsqu'il devint évident que Bonventre avait disparu, ses amis regardèrent Ha-Ha d'un œil suspicieux. Louie Ha-Ha, à qui l'on avait promis une promotion et le titre de capitaine à la place de Bonventre pour les efforts qu'il avait fournis, avait très hâte de jouir de son nouveau statut. Il pensait que le fait de porter le titre de *capo* le mettrait à l'abri de la vengeance des Zips.

«Massino devait me nommer capitaine, dit Louie Ha-Ha à Vitale environ deux semaines après le meurtre. Demande-lui de se grouiller pour le faire, parce que s'il ne le fait pas, les Zips vont me rectifier…» Massino tint parole et Louie Ha-Ha fut promu. Cependant, les assassins de Bonventre n'étaient pas au bout des problèmes que leur victime allait leur causer. Si son exécution s'était avérée plus difficile que prévue, faire disparaître son corps allait se révéler tout aussi problématique.

Peu de temps après le meurtre, le 16 avril 1984, des officiers de police du New Jersey ainsi que des agents du FBI se présentèrent, mandat de perquisition en main, au T & J Trading Inc., une ancienne usine de macaronis de plusieurs étages qui servait d'entrepôt. Ils pénétrèrent dans une des pièces du quatrième étage et furent accueillis par une puanteur bien particulière.

«Il y flottait l'odeur âcre de la mort, a déclaré Joseph Keely, un agent de police de l'État de New York aujourd'hui à la retraite, qui travaillait sur les lieux cet après-midi-là. Les corps, une fois décomposés, dégagent une odeur âcre, et c'est exactement ce que je sentais.» Les policiers furent attirés vers trois fûts métalliques de 200 litres dont les couvercles étaient scellés. Après leur ouverture, la mystérieuse disparition de Bonventre, qui, à l'époque, était recherché dans le cadre du procès de la Filière des pizzerias, fut résolue. Son corps avait été sectionné juste au-dessous de la ceinture. Son torse et sa tête se trouvaient dans un des fûts, les jambes étaient dans le deuxième. Le troisième fût contenait des papiers personnels et son attaché-case. Les morceaux du corps avaient été recouverts de colle et plongés dans de la chaux vive, de l'oxyde de calcium dont la propriété est de masquer l'odeur de la chair en décomposition.

«Le stade de la décomposition était assez avancé», a dit Keely. L'odeur abominable, combinée à celle des produits chimiques, obligea les officiers à porter des masques. Une chaîne en or ainsi que mille dollars en argent furent retrouvés parmi les restes. L'autopsie démontra que la victime avait été atteinte trois ou quatre fois à la tête avant d'être débitée en morceaux. Bonventre ne s'étant pas présenté au tribunal, où il avait été assigné au procès de la Filière des pizzerias, son avocat avait annoncé d'une façon fort prophétique que son client était introuvable et «qu'il n'allait pas revenir de sitôt».

Les Canadiens esquivèrent les citations à comparaître à ce même procès sans avoir à faire face à de telles horreurs. À la dernière minute, leurs noms furent biffés de la liste des personnes à arrêter par le procureur. Ces subtilités juridiques représentaient un coup de chance exceptionnel pour la Sixième Famille.

Ce répit leur fut accordé en partie grâce au fait que Sciascia, LoPresti et d'autres étaient les objets d'une enquête parallèle dans un district judiciaire voisin de New York. La complexité et l'ampleur du procès de la Filière des pizzerias menaçaient de faire basculer la procédure. Les procureurs du district Sud de New York étaient d'accord pour retrancher de la liste quelques-uns des accusés, car ceux-ci seraient incriminés à l'avenir par des procureurs du district Est. La Sixième Famille fut donc épargnée, dans ce raz-de-marée qui devint, après une suite de comparutions qui dura 17 mois, le plus long procès de l'histoire juridique américaine et l'un des plus médiatisés touchant le crime organisé. Il mena à 18 condamnations contre la plupart des accusés.

La Sixième Famille, que les nombreuses condamnations du procès de la Filière des pizzerias ne perturbèrent pas outre mesure, poursuivit ses activités après une courte période de réévaluation de la situation. Sciascia étant établi à New York et LoPresti faisant la navette entre Montréal et New York, la filière canadienne de la drogue continuait à faire entrer de grandes quantités d'héroïne sur le marché américain. Pendant une grande partie de l'année qui suivit les arrestations du procès de la Filière des pizzerias, LoPresti et Sciascia continuèrent à vaquer tranquillement à leurs petites affaires.

Avec la police qui croisait constamment la route des deux complices et les regardait faire leur numéro à New York et à Montréal, avec l'attention supplémentaire engendrée par l'accident d'avion de Salvatore Ruggiero et avec les enregistrements compromettants qui avaient été réalisés chez son frère Angelo, combien de temps leur chance pouvait-elle encore durer?

Chapitre 22

MANHATTAN, JANVIER 1985

Avec sa chemise blanche bien empesée et sa longue veste en cachemire, Joe LoPresti était fort élégant lorsque les Fédéraux vinrent l'agrafer à son hôtel de Manhattan, à 13 h 15, le jeudi 17 janvier 1985. Les agents étaient armés et portaient un mandat d'arrêt émis au terme d'une inculpation lancée contre LoPresti et Gerlando Sciascia par le tribunal fédéral du district Est de New York, pour avoir fait entrer des quantités massives d'héroïne au pays. LoPresti fut arrêté au cours de l'un de ses nombreux voyages à New York pour le compte de la Sixième Famille. Pour ce genre de déplacement, il voyageait léger, ses seuls bagages étant une serviette de cuir noir et une housse à vêtements.

Malgré son gabarit imposant, LoPresti était trop intelligent pour offrir quelque résistance aux agents du FBI qui l'informèrent poliment de son arrestation. À son tour, il coopéra tout aussi poliment en leur remettant sa serviette, dans laquelle les policiers trouvèrent plusieurs cartes de visite, des photos, des dépliants, un contrat de location d'auto, un billet d'Eastern Air Lines et une trousse de toilette. Dans la housse, on trouva un costume, des sous-vêtements et un nécessaire à rasage. Le prévenu avait sur lui 2 143 $ dans un gros rouleau de billets et une poignée de petite monnaie totalisant 5,05 $. Il portait une alliance en or et une coûteuse montre Cartier. LoPresti suivit les agents, monta dans leur voiture et, durant les 15 minutes que dura le parcours vers les bureaux locaux du FBI, exprima la plus grande surprise face aux accusations que l'on portait contre lui.

« Hé ! Les gars… Qu'est-ce qui vous fait penser que je suis impliqué dans des histoires de drogue ? » demanda-t-il aux agents.

« S'il y a quelqu'un à blâmer pour vos ennuis, c'est bien vous-même, Ruggiero et Sciascia », lui répondit-on, faisant allusion aux micros qui se trouvaient dans la maison d'Angelo « Couac Couac » Ruggiero.

« Ce que fait Angelo le regarde, répondit LoPresti. D'ailleurs, je ne sais pas ce qu'il fait… »

« Depuis quand connaissez-vous Angelo ? » demanda l'un des agents. LoPresti changea rapidement de tactique.

«Je ne connais pas Angelo Ruggiero. Je ne l'ai jamais rencontré», répondit-il un peu trop tard. Il ne nia pas connaître Sciascia, cependant ; il admit être natif de la même ville d'Italie que lui et le fréquenter en tant qu'ami. Il ajouta toutefois n'avoir aucune idée de l'endroit où Sciascia se trouvait car, affirma-t-il, il ne l'avait pas vu depuis plus d'un an. Les agents savaient qu'il mentait, car ils avaient appris que, l'été précédent, LoPresti et sa femme avaient rendu visite à Sciascia et à son épouse. Ils savaient également que les comparses avaient été vus ensemble des deux côtés de la frontière canado-américaine au cours de surveillances effectuées par le FBI et la GRC.

Au bureau du FBI, LoPresti fut soumis au rituel des empreintes digitales et de l'anthropométrie. Il fit preuve d'un calme olympien, mais sa photo d'identité judiciaire le montre maussade, faisant la moue, les yeux ternes.

•

Cadet de Vito Rizzuto de deux ans, et celui de Sciascia de 14 ans, Giuseppe LoPresti était un autre des enfants chéris d'Agrigente. Mesurant 1 mètre 88, solidement charpenté, les cheveux noirs très fournis et le nez proéminent, «Joe» ou «Gros Joe», comme on le surnommait souvent, connaissait ses deux complices depuis toujours. LoPresti était un pur produit de la Sixième Famille et, pour renforcer cette filiation, il y était lié par mariage.

LoPresti est né le 24 janvier 1948 à Cattolica Eraclea. Il est le fils de Lorenzo LoPresti et de sa femme Giuseppina Sottile, tel qu'il en informa les agents du FBI au moment de son arrestation. (Certains organigrammes policiers identifient ses parents comme étant Giuseppe LoPresti et Antonina Mongiovì. Signalons que le clan Mongiovì est lié à l'ancienne mafia de Giuseppe Settecasi à Agrigente, et au clan Cuntrera.) Dans la plus pure tradition de la Sixième Famille, il avait épousé une femme également originaire de Cattolica Eraclea, plus jeune que lui de quatre ans, Rosa Lumia. Tout comme Vito Rizzuto, LoPresti avait émigré au Canada et était devenu citoyen canadien, profitant de son séjour à Montréal pour apprendre le français et l'anglais. Les LoPresti eurent deux enfants, dont l'un souffrait d'une forme de cancer des os, confia LoPresti au FBI. Parmi les parents et amis du couple, on trouvait les membres les plus importants du monde interlope canadien et sicilien.

À Montréal, LoPresti avait des intérêts dans plusieurs commerces légitimes, dont LoPresti Construction, dont il était le seul propriétaire, et une affaire de jeux de société dans laquelle son implication semblait si nébuleuse que lorsqu'on lui demanda des précisions, il ne put même pas se souvenir de l'adresse de l'entreprise ni même de son numéro de téléphone. Ses affaires légitimes semblaient toutefois suffire à justifier son train de vie. LoPresti avait vu son nom apparaître dans les annales policières au cours des années 1970 en tant que conspirateur dans l'assassinat de Paolo Violi, mais il ne fut jamais arrêté pour ce forfait. Lorsqu'on l'avait aperçu sur une des photos du mariage de Giuseppe Bono, en compagnie de Vito Rizzuto et de ce dernier, en 1980, le FBI avait commencé à s'intéresser à lui. Bien que Sciascia fût connu à New York sous le sobriquet de «Georges le Canadien», c'était LoPresti qui franchissait le plus fréquemment la frontière pour assurer le bon fonctionnement du «pipeline» amenant l'héroïne pour la famille. LoPresti était un grand voyageur. La police canadienne avait répertorié de nombreuses preuves de ses fréquentations avec Vito Rizzuto à Montréal, alors qu'en même temps, la police américaine signalait sa présence fréquente à New York, où il rencontrait sans sourciller des gangsters des familles Bonanno, Gambino et DeCavalcante.

Dans un rapport du FBI datant de 1985, on relève ceci: «LoPresti est un trafiquant de narcotiques qui assure la liaison entre la faction sicilienne de Montréal et la faction sicilienne mafieuse du clan Bonanno.» Le rapport ajoute: «Malgré son rôle de diplomate, LoPresti doit clairement allégeance à Rizzuto et à la faction sicilienne montréalaise.» Malgré l'intérêt croissant que lui portait la police, LoPresti s'était toujours débrouillé pour demeurer discret. En fait, sans condamnation au criminel à son casier, cette virginité faisait de lui le candidat idéal pour jouer les saute-frontières.

•

Les accusations portées par le district Est visaient les deux extrémités du réseau d'importation d'héroïne, soit Montréal et New York, en s'appuyant principalement sur les preuves recueillies par les micros placés dans la maison de Ruggiero à Long Island. En plus de Sciascia et LoPresti, Angelo Ruggiero, Eddie Lino, John Carneglia et Gene Gotti, soldats de Gambino, furent également inculpés. Alors que le FBI s'était arrangé pour coincer LoPresti à l'occasion de l'un de ses voyages à New York, l'ironie du sort voulut que, lorsque furent portées les accusations, Sciascia se trouvât à Montréal, apparemment accaparé par son entreprise de construction canadienne. Le gouvernement américain demanda son extradition et, en novembre 1986, il fut arrêté par la GRC et mis sous les verrous.

«On ne trouva rien lors de son arrestation, déclara Yvon Thibault, sergent du bureau de la GRC à Montréal, qui arrêta Sciascia. Pas d'armes, pas de drogue, pas d'histoires. Un parfait gentleman...» Sciascia se lança alors dans une bataille juridique pour contester son extradition aux États-Unis.

En effet, l'homme s'inquiétait d'avoir à comparaître aux côtés de gangsters aux noms aussi notoires que Gotti, ou de grandes gueules du type de Ruggiero. En octobre 1988, il lui sembla que le climat judiciaire de New York s'était amélioré. Les autres prévenus avaient tous bénéficié de cautions, et la cause avait été scindée en une suite de procès séparés, ce qui mettait quelque distance entre lui et la réputation douteuse de ses coaccusés un peu trop bavards. Le 28 octobre 1988, dans une lettre adressée au juge Joseph M. McLaughlin du district Est de New York, Benjamin Brafman se présenta comme l'avocat de Sciascia et informa la cour que ce dernier était prêt à comparaître devant le tribunal. Il décrivait son client comme un bon père de famille de 55 ans ayant deux enfants, marié à la même femme depuis 25 ans, un homme sans casier judiciaire. Brafman s'évertua alors à obtenir une caution pour son client.

«Au moment de son arrestation, Gerlando Sciascia a appris qu'il était l'un des nombreux accusés dont le nom était cité dans le même acte d'accusation, écrivit Me Brafman au juge. Sciascia a été informé [par le procureur canadien et par son homologue new-yorkais] qu'en tant que prévenu accessoire, il n'était pas dans son intérêt de comparaître avec les autres accusés à cause des débordements préjudiciables qui pourraient en résulter.» Sciascia avait préféré passer deux ans en détention préventive au Canada plutôt que de risquer de parader devant un jury en aussi mauvaise compagnie.

Le bureau du ministre de la Justice des États-Unis ne laissa pas la plaidoirie de l'avocat sans réponse. Dans sa lettre, le procureur Andrew Maloney tourna en dérision l'idée selon laquelle Sciascia se rendait de bonne grâce. «Après son arrestation en novembre 1986, en réalité, Gerlando Sciascia a tout fait pour éviter de rentrer aux États-Unis en s'opposant à notre demande d'extradition, écrivit Maloney. Pendant presque deux ans, Gerlando Sciascia a vainement tenté de casser l'ordre d'extradition.»

Après être rentré aux États-Unis dans l'attente de son procès, on permit à Sciascia de retourner brièvement au Canada — pendant 28 heures précisément — pour assister au mariage de son fils Joseph, le 28 janvier 1989, à la cathédrale Marie-Reine-du-Monde à Montréal. Pendant son séjour au Canada, il devait résider chez son neveu, Luciano Renda. Un an plus tard, Sciascia parvint finalement à obtenir un peu plus de liberté, même si les restrictions imposées par le tribunal ne lui permettaient pas de voyager à l'extérieur de Manhattan, du Bronx ou de Brooklyn, ni de s'approcher de quelque aéroport que ce soit. Au moment de sa comparution pour déterminer le montant de sa caution, lorsque la question de son implication dans le crime organisé fut évoquée, Sciascia regarda le juge d'un air ahuri.

«Mais qui donc appartient au crime organisé?» lui demanda-t-il.

Malgré tout, il fut relâché moyennant une caution de deux millions et demi de dollars, que garantirent l'épouse de Sciascia, son fils et Giuseppe Arcuri, un parent de Domenico Arcuri, de Montréal, et de Giacinto Arcuri, de Toronto.

Comme toutes les affaires mettant sur la sellette des poids lourds de la pègre, faire un procès à Sciascia, LoPresti, Ruggiero et Eddie Lino n'était pas une mince tâche. À la suite d'un procès avorté, les procureurs repartirent à l'attaque, sans inclure Ruggiero cette fois, car le gangster qui parlait un peu trop était mort entre-temps d'un cancer.

Au procès des trois hommes qui restaient, l'adjoint du procureur des États-Unis, Gordon Mehler, mit l'accent sur l'esprit de clan qui caractérisait les rapports entre Sciascia et LoPresti. Si la hiérarchie des Bonanno ignorait où se nichait réellement la loyauté de Sciascia, Mehler, lui, le savait. Il le révéla en ces mots: «Georges et Joe, Joe et Georges ne forment qu'une seule et même personne...» Mᵉ Brafman, l'avocat de Sciascia, joua quant à lui sur les préjugés que pouvaient entretenir les jurés envers le concept de mafia et les origines italiennes de son client, lorsqu'il employa des termes discutables pour s'opposer aux arguments de la poursuite. Il déclara notamment: «À Agrigente, lorsqu'ils n'étaient que de petits *greaseballs*, ils se fréquentaient aussi...»

Le fait que Sciascia, LoPresti et Eddie Lino durent attendre que leur procès fût détaché de ceux de Gotti et de Carneglia ne fut pas dénué d'avantages. Alors que Gotti et Carneglia furent tous deux condamnés à 50 ans de prison, Sciascia, LoPresti et Eddie Lino furent acquittés le 9 février 1990, au terme d'un procès qui dura un mois.

«Merci beaucoup! dit LoPresti aux jurés lorsque le président du jury annonça le verdict. Que Dieu vous bénisse!» Un membre du jury aurait toutefois dû remercier LoPresti à son tour.

Un peu avant le procès, un capitaine de la famille Gambino avait appris à Salvatore «Sammy Bull» — «le Bœuf» — Gravano que la fille d'un client de sa poissonnerie de Brooklyn était membre du jury. Le *capo* avait affirmé «que l'on ferait une proposition à la dame, et que pour 10 000 $ elle serait prête à agir comme il le faudrait»... Gravano avait d'abord vérifié auprès de John Gotti, puis il avait avancé les fonds nécessaires.

MONTRÉAL, PRINTEMPS DE 1992

Tout comme LoPresti, Sciascia savait qu'ils l'avaient échappé belle et que leurs activités seraient dorénavant placées sous une surveillance extrêmement vigilante par les services policiers américains. Cela ne posait cependant pas de problème à LoPresti. Étant citoyen canadien, il pouvait donc rentrer à Montréal et se replonger dans les activités quotidiennes de la Sixième Famille. Il ne se passa guère de temps avant que la police canadienne ne remît LoPresti sur table d'écoute. Le 21 mars 1991 à 12 h 58, pendant l'opération Bedside, une enquête sur les drogues à Montréal entreprise par la GRC et visant particulièrement Vito Rizzuto, des agents interceptèrent une conversation entre Vito et LoPresti. Ce dernier s'était définitivement remis au travail.

Mais les choses tourneraient bientôt au vinaigre…

Le dernier jour d'avril 1992, la police de Montréal fut appelée à se rendre sur une voie ferrée traversant un terrain industriel sis sur le boulevard Henri-Bourassa Est. Enroulé dans une grande bâche grise semblable à celles qu'utilisent les peintres en bâtiment, ficelé avec le type de corde que l'on retrouve sur les chantiers de construction, on découvrit le corps d'un homme de grande taille, à la chevelure foncée, avec en poche un imposant rouleau de dollars; l'homme avait été abattu à bout portant avec une arme de petit calibre. Il ne portait pas de pièce d'identité. Le lendemain, on identifia le corps comme étant celui de Joe LoPresti. La police retrouva plus tard sa Porsche rouge, abandonnée près d'un restaurant non loin de là. Il avait 44 ans.

«En douce, Joe était impliqué dans plus d'affaires qu'on ne le croyait et, à Montréal, il faisait preuve d'une grande discrétion. Malheureusement, il était beaucoup plus bavard à New York…», fit remarquer un enquêteur chevronné de la Brigade des stupéfiants de Montréal. La famille éplorée de LoPresti ne contribua guère à faire avancer l'enquête sur son assassinat. Un avocat représentant celle-ci adressa à la police de Montréal une lettre enjoignant les agents de son service de cesser de contacter tout parent de la victime.

«La requête était claire et nette: "Laissez tomber!" Il nous ordonnait de cesser de harceler la famille et d'aller voir ailleurs. Cela mit fin à l'enquête», déclara André Bouchard, responsable de la section des Crimes majeurs au Service de police de la Ville de Montréal (SPVM), aujourd'hui retraité. L'affaire ne fut jamais résolue mais, de temps à autre, les détectives y jettent toujours un coup d'œil. «Nous avons encore examiné ce dossier la dernière année où j'étais en service… Toujours rien…», fait remarquer Bouchard. Il est possible que certains membres de la famille eussent été davantage informés que la police. Mais si ce meurtre ne fut jamais résolu à Montréal, son auteur finit par se trahir à New York.

LoPresti était bien connu dans cette ville. Il y avait passé suffisamment de temps pour que les capitaines du clan Bonanno le connaissent, de nom ou de vue. LoPresti était officiellement reconnu par l'administration Bonanno comme étant le *capo regime*, ou capitaine suppléant, de Sciascia. Cela signifiait qu'il était second en titre, et habilité à remplacer son patron lorsque celui-ci n'était pas disponible. Mais les New-Yorkais ne voyaient les choses que par le bout de leur propre lorgnette et selon leurs propres critères. Pour eux, LoPresti était le caïd numéro deux, tout juste derrière Sciascia. Ce qu'ils ne réalisaient pas, c'était que ces hommes étaient les sous-fifres de Rizzuto et qu'on les avait envoyés à New York pour s'occuper des intérêts de la Sixième Famille, qui y développait son marché principal. Ainsi, la Sixième Famille pouvait disposer de ces deux personnes à loisir, même si cela devait froisser quelques susceptibilités à New York.

« Georges le Canadien est venu me voir et m'a raconté que le Gros Joe avait perdu les pédales : non seulement Joe travaillait-il dans la drogue, mais il en sniffait, en consommait et en vendait... », a révélé plus tard Vitale. Tout s'expliquait. Sciascia disait, en termes voilés, que LoPresti devenait dangereux et qu'il devait mourir.

« Si c'est ce que tu dois faire, fais-le. Il faut protéger la famille », avait répondu Vitale à Sciascia, lui accordant tacitement l'autorisation morale de régler le cas litigieux. En d'autres termes, la résolution du problème serait dûment acceptée. « D'ailleurs, en parlant pour parler, Georges, qui était rusé, me laissait entendre qu'il avait déjà pris soin de cette affaire... » Peu avant, Sciascia avait eu le même genre de conversation avec Anthony Spero, le *consigliere* des Bonanno. Lorsque Vitale et Spero comparèrent ce qu'ils savaient, ils réalisèrent qu'ils ne reverraient plus jamais Big Joe.

« Spero et moi étions d'accord. Lorsque Georges est venu me trouver, le monsieur était déjà refroidi... », remarqua Vitale. Il lui avait semblé que Sciascia quémandait rétroactivement la permission d'éliminer Joe LoPresti. Si Sciascia avait dû se conformer aux règles de la mafia américaine, il lui aurait fallu demander la permission de l'administration Bonanno pour tuer LoPresti.

« Le Gros Joe avait été nommé officiellement membre de la famille », rappelle Vitale.

Il s'agit là d'un autre exemple de la façon dont la Sixième Famille avait écarté les règles de la famille Bonanno et fonctionnait en toute indépendance. L'organisation montréalaise avait décidé du sort de l'un de ses propres membres, et, toute contestation de cette décision étant futile, Vitale ne poussa pas l'affaire plus loin. La raison précise pour laquelle Sciascia et, peut-on supposer, la Sixième Famille souhaitèrent envoyer LoPresti au cimetière demeure un mystère. Contrairement à ce que plaida Sciascia auprès de Vitale, toutefois, un élément ne constituait certainement pas une raison pour tuer Joe, à savoir qu'il vendait de la drogue.

L'assassinat inattendu, non autorisé, inexpliqué de LoPresti, un meurtre commis apparemment par Sciascia ou avec la complicité de celui-ci, n'était pas le seul indice de la détérioration des relations entre Montréal et New York. Au plus haut niveau, on relevait des signes flagrants que la Sixième Famille commençait à sortir de l'orbite de la mafia new-yorkaise, qu'elle était censée suivre, et que la famille Bonanno l'avait remarqué. Cela ne signifiait pas, cependant, que l'organisation montréalaise se retirait des affaires internationales.

Chapitre 23

Le généreux accueil dont Nick Rizzuto et ses collègues bénéficiaient au Venezuela commença à se refroidir au printemps de 1982 — bien qu'ils n'en fussent pas conscients. Les agents secrets vénézuéliens enquêtaient sur les influences étrangères dans la capitale et se montrèrent inquiets devant une grande quantité d'appels téléphoniques internationaux, placés depuis Caracas sans raison légitime apparente. En retraçant l'origine de ces appels, ils découvrirent qu'ils provenaient de Nick Rizzuto et de ses alliés expatriés de la Mafia, les Caruana et les Cuntrera. Les services de renseignements du pays crurent d'abord être victimes d'espionnage de la part d'un gouvernement étranger, et si certaines personnalités vénézuéliennes ne semblaient pas se soucier de l'investissement que faisaient sur place les gangsters des bénéfices que rapportait le trafic de drogue, une atteinte à la sécurité de l'État ne devait pas être prise à la légère dans un pays aussi facilement déstabilisé que celui-là.

Les autorités vénézuéliennes s'adressèrent donc à la CIA afin que celle-ci les aidât à localiser la menace étrangère ; cependant, l'agence de sécurité américaine réalisa rapidement que ce qui se tramait était lié au trafic de stupéfiants et non à une insurrection, et refila le dossier à la DEA. Tom Tripodi, spécialiste du trafic international de la drogue au service de la DEA, fut envoyé de Washington pour évaluer la situation. L'enquêteur rencontra les personnalités officielles vénézuéliennes dans un café près de l'ambassade américaine à Caracas et, de là, se rendit à l'appartement secret des enquêteurs vénézuéliens, d'où les appels étaient surveillés et enregistrés.

Une bonne partie des voix sur les enregistrements s'exprimait en dialecte sicilien typique de la région d'Agrigente. Sur l'un des enregistrements, quelqu'un parlait de «poisson» qui serait envoyé du Venezuela vers l'Italie. Chaque poisson semblait peser un kilo, et ces hommes en enverraient un millier dans une prochaine cargaison. Tripodi comprit immédiatement qu'il s'agissait, en fait, de la planification du départ d'une cargaison de mille kilos de cocaïne. Plus il écoutait les conversations, plus il découvrait l'ampleur de l'opération

— la cocaïne partait pour l'Italie, et l'héroïne arrivait dans l'autre sens, en grandes quantités. Bien qu'il fût facile pour la DEA de déchiffrer le code des trafiquants, elle ne parvint pas à découvrir quelle était la technique utilisée pour annoncer le jour et l'heure prévus pour l'arrivée de la cargaison.

L'enthousiasme des autorités vénézuéliennes pour cette affaire s'affadit quelque peu, après qu'on eut découvert qu'elle n'avait rien à voir avec la politique. La DEA, néanmoins, continua à s'y intéresser. Giuseppe Bono fut le premier point de mire de son enquête, car il semblait être à la source de ces activités, du côté européen des opérations. Il serait beaucoup plus facile d'entamer des poursuites judiciaires en Italie qu'en Amérique du Sud, et la police italienne procédait à l'écoute électronique de certains des mêmes appels. Les autorités retracèrent les appels de Bono via le système téléphonique de Citam, une société appartenant à la Sixième Famille qui produisait du lait en poudre et qu'on utilisait pour le blanchiment des profits de la drogue. Au cours de l'été de 1982, la police italienne surveilla également les contacts constants que Bono entretenait avec Nick Rizzuto. Le fait que l'enquête fût devenue aussi rapidement une affaire européenne enchanta la Sixième Famille, car la majeure partie de ses activités se déroulait entre l'Amérique du Nord et l'Amérique du Sud.

Le 4 février 1984, Vito Rizzuto et Sabatino «Sammy» Nicolucci quittèrent Montréal pour Caracas. Nicolucci, un type mince aux allures studieuses qui aurait pu passer facilement pour le petit frère impécunieux de Bill Gates, avait été condamné pour une accusation mineure de possession de drogue en 1973 et avait purgé une peine plus importante pour possession de deux millions de dollars en faux billets en 1978. Son association avec la Sixième Famille serait ponctuée de bien d'autres peines d'emprisonnement, ainsi que d'aventures encore plus effrayantes. Cependant, en 1984, ses relations avec la Sixième Famille lui permettraient d'échapper au rude hiver québécois. Nicolucci se rendit à l'île d'Aruba, un bastion des Caruana-Cuntrera dans la mer des Caraïbes, sur la côte nord du Venezuela. Des officiers de la GRC qui l'y avaient suivi demandèrent à la direction de l'hôtel Holiday Inn — où il s'était installé — de leur montrer le registre des appels correspondant à la chambre de Nicolucci. Hélas ! Personne ne s'était inscrit à l'hôtel sous ce nom. Les officiers découvrirent que sa chambre avait été réservée et payée par Pasquale Cuntrera, un des membres les plus anciens du clan Caruana-Cuntrera.

Un an après son séjour au Venezuela et à Aruba, Nicolucci fut accusé au Canada d'avoir conspiré pour importer de la drogue et procédé au blanchiment des bénéfices issus de la vente de stupéfiants. Vito, une fois de plus, fut mis hors de cause lorsque les accusations furent portées. On condamna Nicolucci à une peine de 14 ans de prison, mais il fut placé en liberté surveillée en janvier 1991. Dès le mois d'août 1994, il cessa de rencontrer son agent de probation, tel que l'exigeaient ses conditions de libération. Au lieu de cela, il téléphonait au bureau de l'agent et lui racontait qu'il n'avait pas d'argent pour prendre les transports en commun. Les fonctionnaires, suspicieux, annulèrent sa libération conditionnelle et lui ordonnèrent de retourner en prison. Lorsqu'il refusa de reprendre le chemin des cellules, la police partit à sa recherche. Les soupçons des autorités étaient bien fondés ; il ne se trouvait même plus aux États-Unis. Nicolucci finit par réapparaître en Colombie en mai 1996.

Dans les dossiers de la Commission des libérations conditionnelles, on trouve l'extrait suivant : « Selon la version officielle de la police, vous avez acheté 280 kilos d'héroïne pour le compte de Vito Rizzuto. Cependant, vous avez refusé de payer la somme d'argent que vous deviez pour la drogue, soit 1,7 million de dollars, au cartel colombien, sous prétexte que le produit était de mauvaise qualité… » À la suite de cette funeste décision, en août 1994, alors qu'il se trouvait dans un club de *strip-tease* de Montréal, Nicolucci fut kidnappé par des narco-trafiquants colombiens. Ceux-ci réclamaient l'argent qu'il leur devait. Ils l'emmenèrent dans les Laurentides, puis ils lui firent passer secrè-tement la frontière vers la Floride pour l'emmener ensuite en Colombie.

Une fois dans la jungle où se trouvait le repaire des trafiquants, Nicolucci, qui avait toujours été beau parleur, réussit à négocier un accord avec le cartel. Ils promirent de lui laisser la vie sauve s'il travaillait pour rembourser ses dettes. Un peu comme un serviteur qui achèterait sa liberté en travaillant. Ses conditions de vie ne durent pas s'avérer aussi pénibles que l'on pourrait le croire, car lorsque les autorités colombiennes le retrouvèrent, il se démena pour ne pas être extradé au Canada, une bataille qu'il finit par perdre. De retour au Canada, il dut faire face à 437 chefs d'accusation pour trafic de drogue et blanchiment d'argent, une autre bataille qu'il perdit et qui lui valut, en 1997, une seconde peine de 14 ans de prison.

Mais les aventures colombiennes de Nicolucci ne se produiraient que des années plus tard. À l'époque de ses visites à Caracas et à Aruba en 1984, il était encore un trafiquant de drogue à la réputation fiable. La GRC alerta les autorités vénézuéliennes et les prévint de ce qui se passait à Montréal, bien que celles-ci fussent certainement au courant des activités de Nick, des affaires qu'il menait et de ses fameuses cargaisons de « poisson », à la suite de l'enquête menée con-jointement avec la DEA. Il est communément admis que les dossiers secrets que les autorités vénézuéliennes rassemblèrent sur Nick furent utilisés par des policiers haut gradés, non dans le but d'arrêter le

Sicilien, mais plutôt de faire augmenter les pots-de-vin qu'ils exigeaient des mafiosi pour continuer à fermer les yeux.

La Mafia expatriée au Venezuela s'y trouvait aussi confortable qu'elle l'avait toujours été. Nick et les frères Cuntrera — Pasquale, Paolo et Gaspare — furent bientôt rejoints par Alfonso Caruana, un ancien Montréalais originaire d'Agrigente, et tous vivaient dans le luxe.

« Alfonso avait une grande villa surveillée par des vigiles privés qui étaient là pour s'assurer qu'il ne serait pas dérangé », a expliqué Oreste Pagano, un de ses anciens collègues trafiquants de drogue. La famille Caruana-Cuntrera, ainsi que Nick, étaient indéniablement à l'aise au Venezuela.

« [Pasquale Cuntrera] se sentait en toute sécurité et bien protégé par les amis importants qu'il avait dans le pays. C'étaient des copains de l'ancien président », a déclaré Pagano, évoquant les liens qui existaient entre Cuntrera et Carlos Andrés Pérez. Ce sentiment de sécurité semblait bien fondé. Le gouvernement vénézuélien avait déjà repoussé de nombreuses fois les demandes d'extradition qu'avait formulées le gouvernement italien à l'endroit de Pasquale Cuntrera.

« Ils se sentaient résistants comme de l'acier », a dit Pagano.

Protégés par les autorités officielles, les frères Cuntrera, tout comme Nick et les Caruana — l'élite de la pègre des Siciliens expatriés —, établirent un réseau de distribution de drogue qui expédiait des cargaisons de plusieurs tonnes d'héroïne, de cocaïne et de haschisch vers l'Amérique du Nord et l'Europe.

« Le fait est que lorsque quelque chose se passe au Venezuela, cela provoque sur le moment énormément d'excitation. Cependant, après, tout se corrige avec de l'argent », a expliqué Pagano. Ses paroles, bien qu'elles ne visaient pas Nick, dressent un portrait plutôt fidèle de ce qui se produisit vraisemblablement lorsque le patriarche de la famille Rizzuto se mit les autorités vénézuéliennes à dos.

CARACAS, FÉVRIER 1988

Aussi douillet qu'eut pu être le Venezuela pour la Sixième Famille, aucun havre n'est éternel. Les premières lézardes au sanctuaire méridional apparurent soudainement. Le 12 février 1988, des officiers du Cuerpo Técnico de Policia Judicial, la section de la police chargée des enquêtes sur le crime organisé, se présentèrent chez Nick. Les policiers trouvèrent chez lui de grandes quantités de cocaïne. (Des rapports officiels situent la quantité réelle entre 700 grammes et 1,5 kilo. En fait, cette quantité était relativement petite pour quelqu'un dans la situation de Nick. Il s'agissait donc probablement d'un échantillon qu'il devait évaluer avant de recevoir une cargaison plus importante.)

Nick, qui portait ce jour-là une chemise à fines rayures dont le col était déboutonné, fut arrêté et emmené au quartier général de la Policia Judicial de Caracas. Son regard faisait bien sentir aux policiers qui l'emmenaient l'irritation qu'ils avaient suscitée chez lui.

Nick ne fut pas le seul à être impliqué dans cette opération. Quatre autres individus furent arrêtés en même temps que lui, deux Montréalais et deux Vénézuéliens : Gennaro Scaletta, que le FBI soupçonnait d'être derrière plusieurs combines financières illégales à Caracas, avant qu'il ne déménage à Montréal en 1987 pour s'occuper de quelques-unes des affaires financières d'Alfonso Caruana ; Frederico del Peschio, identifié dans un rapport de la GRC comme étant un ancien associé de l'organisation Cotroni ; Camilio Porchio, un autre Montréalais, et Nicola Marturano, un résident de Caracas.

Ces arrestations frappèrent de stupeur les amis et la famille de ces hommes à Montréal et, en signe d'amour et de sollicitude, certaines de leurs épouses prirent le premier avion pour Caracas, désireuses de leur porter secours. Parmi les arrêts qu'elles firent au Venezuela à la demande expresse de leurs maris, elles rendirent visite à l'ambassade du Canada à Caracas.

La petite troupe attira l'attention lorsqu'elle traversa le hall de sécurité de l'ambassade et entra dans la salle d'attente. Les épouses des détenus étaient habillées comme des femmes d'affaires, ployant presque sous le poids de leurs bijoux et arborant des coiffures sophistiquées. Il était évident qu'elles s'étaient attifées de façon à impressionner les autorités canadiennes au Venezuela lors de ce premier contact. En dépit de l'extrême politesse dont elles firent preuve, leur attitude indiquait toutefois clairement que les banalités convenues et les mots rassurants ne suffiraient pas. Elles exigeaient des réponses et de l'action.

« Les épouses sont arrivées le jour suivant ou peut-être deux jours plus tard, a déclaré un ancien diplomate canadien, alors en poste au Venezuela. Elles voulaient savoir ce qui était arrivé à leurs maris, pourquoi ils avaient été arrêtés et ce qu'ils allaient devenir. J'ai levé les bras et j'ai dit : "Écoutez, vous feriez mieux de vous adresser au bureau du procureur général. Ils sont certainement plus au courant de la situation que moi." Elles ont demandé : "Que devons-nous faire ?" J'ai répondu : "Vous avez besoin d'un avocat. Voici une liste de six juristes que nous vous recommandons. Allez leur parler et voyez ce qu'ils peuvent faire." Les femmes ont pris la liste, remercié le personnel pour l'attention qu'il avait accordée à cette affaire et elles sont parties. Il n'y a pas eu une parole prononcée à voix forte et elles ne nous ont pas dit de choses désagréables, par exemple, que nous ne faisions pas notre travail. Elles se sont toutes montrées très polies. »

Des représentants des accusés vinrent à l'ambassade deux semaines plus tard. L'un des visiteurs, selon ce que rapporte le diplomate, affirma : « Eh bien ! Nous avons parlé de cette affaire à un avocat et il nous a dit que la seule façon de faire sortir nos hommes de prison était de donner un pot-de-vin au juge. Nous avons apporté l'argent ; le voici... » Le visiteur posa ensuite une valise sur la table, dans le bureau de la mission diplomatique, et l'ouvrit. À l'intérieur se trouvaient des rangées et des rangées de billets de monnaie américaine.

« Je ne les ai pas comptés, a dit le diplomate. J'étais en état de choc. » La vue de tant d'argent provoqua un silence étonné dans la pièce.

Le diplomate dit alors : « Écoutez, nous n'allons pas y toucher. Cela ne fait pas partie de nos attributions. Ne donnez pas l'argent au juge. Donnez-le à votre avocat. Si cela représente ses honoraires, la façon dont il dépensera cette somme est son problème. Soit il envoie ses enfants étudier dans des écoles privées aux États-Unis, soit il emmène sa femme en vacances en France, soit il dépose cet argent sur le compte d'une autre personne. C'est son affaire...

« Ne touchez pas à ça ou vous allez vous retrouver en prison vous aussi », conseilla-t-il ensuite. Les représentants des accusés refermèrent la valise, remercièrent les officiels pour leur aide, reprirent leur valise et quittèrent les lieux. Les diplomates canadiens en poste n'eurent pas beaucoup d'autres contacts avec la famille, mais le personnel consulaire demeura toutefois en lien avec Nick.

Le coup de la valise fonctionna peut-être, d'une certaine façon. Les prisonniers se crurent libres lorsqu'ils furent acquittés des accusations de trafic de drogue. Cependant, selon un rapport de la GRC, leurs espoirs de liberté furent de courte durée ; suite aux ordres du ministère vénézuélien de la Justice, on maintint les accusés sous les verrous.

Nick Rizzuto et ses coaccusés furent logés dans une prison spéciale près de Caracas. Il s'agissait en fait d'une aile distincte appartenant à un complexe de plus grande taille où la population carcérale, en surnombre, vivait entassée. Les cellules y étaient minables. Il y régnait violence et tension. « Un gringo n'aurait pu y tenir plus d'une semaine. Ils l'auraient bouffé... », affirmait un homme qui avait fait le tour des prisons du Venezuela. Les conditions de détention prévues pour Nick Rizzuto se révélèrent cependant beaucoup plus agréables.

Une fois que l'on avait franchi l'entrée gardée et fermée à clé, on se retrouvait devant un long corridor menant à un autre hall qui, lui, conduisait aux quatre chambres séparées dans lesquelles Nick et ses coaccusés étaient détenus. Chaque homme disposait de sa propre chambre avec salle de bain privée. Les prisonniers partageaient également une pièce commune qui comportait une cuisine, un salon avec une petite télévision et une bibliothèque qui contenait une modeste sélection de livres et de magazines. En dépit du fait qu'ils ne pouvaient pas fermer leur porte de l'intérieur, cela ressemblait davantage à un motel qu'à une prison. Les accusés pouvaient passer des moments intimes avec leur femme, leur famille et leurs amis durant les week-ends. Il semble, en fait, que des visiteurs se présentaient souvent à la prison. Quelques-uns d'entre eux arrivaient sans être annoncés et, s'ils n'avaient pas été invités par Nick, ils n'en étaient pas moins reçus avec courtoisie. Les diplomates de l'ambassade venaient souvent s'entretenir avec les accusés ; c'est la pratique courante du personnel diplomatique, qui s'assure ainsi que des compatriotes emprisonnés sont en bonne santé et ne sont pas maltraités, et s'enquiert de leurs besoins en matière de services consulaires.

Les diplomates apportaient souvent à Nick des exemplaires du magazine *Maclean's*, un hebdomadaire torontois. Ils lui apportaient aussi des sous-vêtements pour remplacer ceux qui s'usaient rapidement à force d'être lavés à la main. Toutefois, bien que Nick et ses amis restassent toujours très polis, chacune des visites des diplomates représentait un moment délicat. Les accusés n'étaient absolument pas intéressés à se confier aux représentants du gouvernement canadien.

« Ils nous saluaient et nous leur disions qui nous étions. Alors, nous poursuivions : "Nous vous avons apporté toute une pile de magazines provenant de Montréal." Ils répondaient alors : "Merci beaucoup, c'est très gentil de votre part" », a déclaré un diplomate qui leur avait rendu visite plusieurs fois.

« Comment allez-vous ? Êtes-vous bien traités ?

— Oh ! Très bien, répondaient-ils.

— Tout va bien ?

— Oui.

— Nous faisons tout ce que nous pouvons pour faire avancer le procès, disaient les diplomates pour rassurer les prisonniers. La réponse était abrupte :

— Eh bien ! Vous perdez votre temps. Nous n'avons aucune confiance dans le système judiciaire local... » Il s'ensuivait quelques minutes de bavardage anodin, puis les diplomates comprenaient qu'il était temps de partir, qu'ils avaient fait leur travail.

« Nous viendrons vous rendre visite au cours des mois qui viennent et nous vous apporterons des magazines, disait un diplomate en se levant pour partir.

— Merci beaucoup, répondaient les hommes.

— Y a-t-il autre chose que nous puissions faire pour vous ?

— Non, nous sommes bien, ici. Comme vous pouvez le constater, nous nous sommes bien acclimatés. Nos avocats s'occupent de nous et nos femmes viennent nous rendre visite. »

Au moment où les diplomates étaient sur le point de les quitter, Nick se tourna un jour vers l'un d'entre eux et dit avec fermeté : « Ne vous inquiétez pas pour nous, tout va bien. »

Cela ne ressemblait en rien à ce qui se produit normalement quand un Canadien est emprisonné à l'étranger. Il tient beaucoup, en général, à avoir accès aux services diplomatiques et à l'aide de son consulat. Les prisonniers à l'étranger font des appels désespérés pour que le gouvernement canadien intervienne et pour être rapatriés au pays. Très souvent, les familles de ces prisonniers deviennent une source d'irritation constante pour le gouvernement, car elles téléphonent constamment, font des pressions et du lobbying pour forcer le gouvernement à agir.

« En général, lorsque nous avons affaire à des prisonniers à l'étranger, les consulats reçoivent de leur part et de celles de leurs familles toutes sortes de demandes, a déclaré un ancien diplomate. En ce qui concerne ces prisonniers, le gouvernement canadien n'a jamais reçu un appel. Ils ne nous ont jamais appelés. Jamais. En fait, c'est nous qui sommes allés les trouver. Nous nous sommes préoccupés d'eux, dans le sens où nous sommes allés les rencontrer pour savoir ce que nous pouvions faire pour les aider. Ils ne nous ont jamais demandé de venir. En fait, ils ne nous ont jamais rien demandé... »

•

C'était une époque incertaine pour les membres de la Sixième Famille au Canada. L'arrestation de Nick avait été un geste d'hostilité, mais les autres expatriés de la Mafia ne s'en montrèrent ni ennuyés ni inquiétés. En fait, un rapport du ministère de la Justice des États-Unis datant de 1991 déclare que Vito Rizzuto résidait également à Caracas cette année-là. Il devait en gagner, avec tous ces voyages, des points boni, auprès des compagnies aériennes, car, au cours de l'année, la GRC et la police de Montréal le photographièrent lors d'assemblées de criminels à Montréal. Ils l'aperçurent au volant d'une Porsche 928 S4 sport coupé brune 1987 lors d'une de ses promenades en ville, et le virent donner de nombreux coups de fil locaux à des associés au Canada. À Caracas, il rendit aussi de fréquentes visites à son père en prison et aux avocats susceptibles de lui fournir une quelconque aide, et dirigeait les affaires de son père à sa place.

Selon un rapport du SPVM, au moment où Nick était en prison, la police canadienne lança une grande enquête sur Vito et sur plusieurs de ses associés. Le nom de code de l'enquête était «Projet Jaggy», et celle-ci avait pour but précis de vérifier les importations massives de cocaïne provenant du Venezuela et de cannabis de la côte africaine.

Mais au Venezuela, les choses changeaient. Certains officiels réalisaient peu à peu, à contrecœur, que leur pays ne pouvait être à la fois limitrophe de la Colombie et immunisé contre le commerce de la cocaïne. Cette prise de conscience s'avéra particulièrement déprimante pour les personnes en autorité ; les arrangements qu'avaient conclus ces dernières avec les expatriés de la Mafia n'étaient que le produit de leur naïveté, alors que pour d'autres, ces ententes s'avéraient fort lucratives. Les arrestations de Nick Rizzuto et de ses collègues marquaient le début d'un grand nettoyage, prétendit le gouvernement, bien que certains suggérèrent qu'il s'agissait tout simplement d'un moyen de faire augmenter les pots-de-vin au-delà des sommes que la Sixième Famille était prête à débourser. Néanmoins, l'arrestation de Nick fut la preuve, pour les rares personnes au Venezuela qui eussent encore besoin d'en être convaincues, qu'il existait des liens très profonds, à l'intérieur de leurs frontières, entre la Mafia et les cartels de narcotrafiquants colombiens. Des cas encore plus choquants allaient bientôt faire surface.

Lors du mariage de Pasquale Cuntrera, qui eut lieu en 1990, un des invités amena avec lui un ami des États-Unis qui, à son tour, amena d'autres amis. Ils furent tous accueillis à bras ouverts — principalement parce que chacun d'entre eux portait une enveloppe contenant 5 000 $ en guise de cadeau de mariage. Malheureusement pour Cuntrera, deux de ces aimables visiteurs étaient des agents de la DEA, et ils entraînèrent leur hôte dans une discussion portant sur des transactions d'héroïne. Cette preuve en mains, le gouvernement américain commença à demander aux autorités vénézuéliennes de prendre des mesures contre les frères Cuntrera. Suite au ressac contre la Mafia qui découla de l'assassinat du magistrat italien Giovanni Falcone en 1992 — ce dernier avait ciblé, outre celles de Carla Del Ponte, les entreprises financières de la Sixième famille en Europe —, la pression devint intolérable. Craignant une éventuelle intervention aérienne rapide par une escouade de la DEA chargée d'enlever les frères Cuntrera en pleine nuit, les autorités vénézuéliennes arrêtèrent ces derniers et les déportèrent en Italie.

Pour Alfonso Caruana, qui était devenu le chef des Caruana-Cuntrera, le message était clair : les Vénézuéliens avaient été heureux de lui siphonner son argent et d'utiliser son influence ; cependant, devant une telle pression mondiale, ses jours étaient comptés. Puisque les Rizzuto semblaient intouchables au Canada — ils étaient sortis indemne de l'enquête sur la Filière des pizzerias aux États-Unis et se trouvaient encore en position de force après de nombreuses initiatives gouvernementales pour faire respecter la loi —, Alfonso décida de retourner à Montréal.

«C'est un endroit où je me sentais en sécurité», a-t-il déclaré par la suite.

MONTRÉAL, PRINTEMPS DE 1993

Dominico Tozzi se trouvait dans un restaurant chic du centre-ville de Montréal, l'un des établissements les plus réputés, dans cette ville où l'on aime la bonne chère. Il mangeait et buvait, d'humeur fort agréable, à l'occasion d'un déjeuner d'affaires en compagnie d'un homme qu'il connaissait comme étant l'un des individus les plus importants de la pègre, et dont l'activité principale était le blanchiment d'argent. Tozzi, homme d'affaires montréalais et associé de la Sixième Famille, avait la réputation d'être une personne aimable quoique réservée. Cependant, pour une raison inconnue — le vin, peut-être, ou encore le simple besoin de se mettre en valeur en faisant état de ses relations avec des personnalités bien en vue —, lors de ce déjeuner du 29 mars 1993, Tozzi confia à son hôte que Nick Rizzuto avait été relâché de sa prison vénézuélienne après que lui-même eut personnellement versé une somme de 800 000 $ à quelque *mero mero* — ou gros bonnet — au Venezuela.

Cette nouvelle en eût surpris plus d'un. L'invité de Tozzi, toutefois, était en fait un agent infiltré de la GRC; cette information fut donc doublement appréciée.

Un parent proche de Tozzi déclara par la suite que cet événement n'avait jamais eu lieu, même si la conversation en question fut rapportée lors d'un témoignage sous serment que prononcèrent des officiers dans le but d'obtenir un mandat d'écoute électronique, en 1994. L'un des avocats de Vito Rizzuto affirma qu'aucun pot-de-vin n'avait mené à la libération de Nick. Néanmoins, la police prit cette information au sérieux. Cette nouvelle fut un choc pour les officiers qui ignoraient que Nick avait été libéré, bien qu'ils fussent à peu près certains qu'il n'était pas revenu à Montréal.

Le 19 mai 1993, le passeport canadien n° PZ-362199 fut délivré par l'ambassade canadienne à Caracas à l'attention de Libertina Rizzuto, la femme de Nick. Leurs papiers étant en règle, elle accompagna son mari à Montréal quatre jours plus tard. Nick fut accueilli à l'aéroport par Vito et par plus de deux douzaines de parents et d'amis. La joie de ces retrouvailles ne réussit toutefois pas à effacer l'amertume de son arrestation.

Quelques années après le retour de Nick à Montréal, Vito estimait encore que certaines choses n'étaient pas terminées au Venezuela.

Le traitement qu'on avait réservé à son père dans ce pays agaçait toujours Vito, et ce sujet fut évoqué, un jour où il discutait d'affaires au Venezuela avec Oreste Pagano.

«Il voulait que je lui fasse une faveur, a dit plus tard Pagano. Il était très fâché contre un avocat vénézuélien qui lui avait volé 500 000 $ lorsque son père avait été arrêté. Cinq cent mille dollars *américains*, a insisté Pagano, pour souligner le taux de change plus bas du dollar canadien. Il m'a demandé si je pouvais faire assassiner cet avocat...» Cette déposition que fit Pagano à la police lors d'un interrogatoire ne fut jamais soumise en preuve devant un tribunal et demeure non confirmée à ce jour.

«Je lui ai dit oui. Cependant, je n'ai rien fait.»

Nick avait été emprisonné pendant plus de quatre ans. Malgré la perte de son chef, la Sixième Famille avait grassement progressé pendant son absence et avait même agrandi son territoire. L'organisation avait connu une croissance au niveau de sa clientèle, de sa gamme de produits et de ses fournisseurs. Et, comme de nombreuses entreprises, elle avait connu quelques revers et quelques moments difficiles.

Chapitre 24

IRELAND'S EYE, TERRE-NEUVE, OCTOBRE 1987

Au large des côtes nord-est de Terre-Neuve, la province la plus à l'est du Canada, les collines rocheuses qui constituent la minuscule île d'Ireland's Eye semblent émerger des eaux de la baie de la Trinité. En abordant l'île par le nord, on peut voir des amoncellements de rochers rouges striés de gris parsemant une forêt de conifères trapus qui semble protéger les terres des fureurs de la mer. Au sud, un étroit goulet, après maints méandres, pénètre si profondément vers l'intérieur qu'il semble couper l'île en deux, formant un lagon paisible. Cette étendue d'eau noirâtre donna peut-être à l'île son nom bizarre, mais elle représente aussi un port naturel qui offre aux pêcheurs un abri sûr contre les rudes bourrasques et les embruns du large. Voilà pourquoi, même isolée, Ireland's Eye fut occupée au XVIIe siècle par des pêcheurs de morue qui protégèrent leurs maigres profits de la cupidité de Peter Easton, le corsaire devenu flibustier qui, à la tête de sa flottille, rançonnait les communautés locales. Il s'agissait là d'une des toutes premières manifestations du crime organisé en Amérique du Nord.

Avec une superficie de trois kilomètres carrés seulement, la population d'Ireland's Eye atteignit son apogée — 157 personnes — en 1911, avant de régresser. Dans le cadre d'un programme de relocalisation, le gouvernement regroupa par la suite les habitants d'une foule de petites communautés isolées dans des centres où ils pourraient recevoir de meilleurs services sociaux, et au cours des années 1960, Ireland's Eye fut abandonnée. À l'image des villes fantômes, ses petites maisons de bardeaux soigneusement alignées, certaines munies de petits quais individuels avançant dans la baie, son bureau de poste, son école et son impressionnante église anglicane, avec son haut clocher et ses vitraux, devinrent autant de bâtiments déserts. Aujourd'hui, ces édifices ne sont plus que planches délavées par les éléments et fondations de pierre désagrégées.

C'est en ces lieux particuliers que la Sixième Famille, à l'automne de 1987, choisit d'établir une succursale dans le but de diversifier ses revenus et de rentabiliser ses affaires au maximum. L'homme ne peut

vivre que d'héroïne et, comme tous les gens d'affaires et les investisseurs astucieux, les membres de l'organisation Rizzuto prirent les
mesures nécessaires pour assurer l'efficacité, la rentabilité et la
souplesse de leurs opérations, dans un marché aussi changeant que
celui des stupéfiants. L'expansion des affaires dans ce domaine fut le
résultat d'une surprenante variété de contacts non seulement locaux,
mais internationaux, formant un creuset multinational d'associations
interlopes qui allait confondre les enquêteurs policiers qui s'efforçaient
d'y voir clair et, ce qui est le plus important, de les infiltrer.

Certains de ces partenariats furent toutefois plus réussis que
d'autres.

En ce qui concerne les affaires d'Ireland's Eye, la Sixième Famille
se tourna vers Raynald Desjardins, condamné pour la première fois
pour une histoire de stupéfiants en 1971. Il épousa plus tard la fille de
Joe DiMaulo, un vieux truand montréalais qui amena son gendre dans
l'orbite de la *famiglia*. Desjardins, au fil des ans, fut décrit par la police
et les médias comme étant l'un des «bras droits» de Vito Rizzuto. Le
fait qu'il acheta une maison dans le coin sud-ouest du quartier cossu
où logeaient les Rizzuto et leurs séides était une preuve de plus du
standing qu'avait acquis Desjardins au sein de l'organisation. L'intérêt
qu'il portait à cette côte désolée de Terre-Neuve avait été, du moins
partiellement, suscité par Gerald Hiscock, un Terre-Neuvien corrompu
au passé plutôt trouble. La police suspectait tout ce beau monde de
consolider une série de transactions dont la préparation s'était
amorcée bien loin de ce trou perdu, plus précisément au Proche-
Orient.

•

Depuis des années, les mafiosi de Montréal se procuraient du haschisch à la tonne par l'intermédiaire de factions phalangistes chrétiennes du Liban. Les liens qu'entretenaient Montréal et ce pays
étaient profonds et étendus. En 1975, l'écoute des appels téléphoniques entre Frank Cotroni et Soleiman Franjieh, alors chef de l'État
libanais (de 1970 à 1976), révéla l'existence de ces relations. Il arrivait
également à Cotroni de conférer avec d'autres personnalités importantes du gouvernement libanais. Lorsque l'organisation Rizzuto fit
main basse sur Montréal, elle hérita de ces contacts levantins privilégiés.

Les affaires qui liaient les deux parties se traitaient principalement
en argent comptant, et ces fonds étaient, pour la plupart, destinés à
financer l'effort de guerre des milices chrétiennes, dans un Liban
déchiré par la guerre civile. Parfois, les narcotiques étaient échangés

contre des explosifs, de puissants fusils d'assaut, des munitions. Ce genre de monnaie d'échange n'est pas disponible au Canada chez l'armurier du coin, et les autorités policières furent longtemps persuadées que les gangs de Montréal faisaient affaire avec ceux de New York pour se procurer cette artillerie aux États-Unis, puis la passaient en contrebande au Canada avant de l'envoyer au Proche-Orient. Cette théorie se confirma en 1980, lorsque le FBI repéra un gros chargement d'armes, incluant des fusils d'assaut et des munitions, volées dans un manège militaire de Boston. Cet armement s'était retrouvé à Montréal puis au Liban, où il avait été échangé contre du haschisch.

Quelques temps plus tard, des informateurs révélèrent que des gangsters montréalais s'étaient rendus au Liban pour rencontrer leurs partenaires d'affaires et examiner des «échantillons» de leurs marchandises respectives. Au cours d'une réunion, des armes automatiques furent testées sur les malheureux occupants d'un camp de réfugiés palestiniens. Malgré toute l'horreur que suscita cet événement, les investigateurs canadiens se soucièrent tout autant des répercussions que ces ventes d'armes pourraient avoir chez eux ; ces transactions signifiaient que la pègre montréalaise avait accès à de l'armement lourd, et les autorités s'inquiétaient de ce qui pourrait arriver si jamais elle l'utilisait à ses propres fins. La filière entre Montréal et le Liban était florissante et, à la fin des années 1980, la GRC déduisit que 90 pour cent du haschisch entré en contrebande au Canada provenait du pays des cèdres. Les gangsters de Montréal, qui ne se reposaient jamais sur leurs lauriers, continuèrent à dénicher de nouvelles sources de stupéfiants pour bonifier ces arrivages massifs de drogue. Ils ne tardèrent pas à étendre leurs possibilités d'approvisionnement, à les multiplier et à les diversifier.

Avec l'appui de l'organisation Rizzuto, Allan «The Weasel» — «La Fouine» — Ross, le caïd du gang de l'Ouest, un petit groupe de gangsters d'origine irlandaise, réussit à établir une voie de ravitaillement en haschisch grâce à ses relations avec l'Armée républicaine irlandaise (IRA) et les malfrats irlandais de Boston. L'IRA pérorait volontiers sur ses luttes politiques contre le pouvoir britannique, mais passait sous silence son implication dans la contrebande industrielle de stupéfiants qui servait à financer sa cause. Les gangsters montréalais réussirent également à établir des liens avec le Pakistan. Adrien Dubois, l'un des célèbres Frères Dubois, un gang qui semait la terreur à Montréal, présenta à la Sixième Famille une personnalité officielle pakistanaise pourrie capable de lui procurer des quantités industrielles de haschisch. Ce personnage avait rang de ministre et raffolait des devises étrangères. Avec l'appui officiel de la Sixième Famille et l'assurance que nulle quantité de haschisch ne saurait s'avérer trop importante, l'organisation montréalaise attira l'attention du politicien véreux, qui lui assura sa collaboration exclusive. Dans sa probité toute relative, cet homme accepta de lui fournir la production d'une année entière de haschisch provenant d'une région frontalière soumise à son contrôle.

Au début des années 1990, une autre source considérable de haschisch fut découverte en Libye. Une combine visant à importer 50 tonnes de cette drogue en provenance de la république de Kadhafi fut contrariée par la police. Cependant, à l'issue d'une enquête élaborée portant le nom de code d'opération Bedside, les autorités parvinrent à capter des conversations téléphoniques, notamment entre Desjardins, Vito Rizzuto, Joe LoPresti et un certain Samir Rabbat qui, de l'avis de la police de Montréal, était l'un des 10 plus gros trafiquants au monde. Ce dernier s'apprêtait à se construire une somptueuse résidence à Montréal, non loin de la maison de Vito, lorsqu'il fut arrêté.

Tant de haschisch constituait un pipeline des plus profitables, avec des chargements organisés — parfois de manière simultanée — au Proche-Orient, en Asie et en Afrique. Toute cette marchandise devait aboutir sur les côtes canadiennes pour ensuite être acheminée vers Montréal et redistribuée à travers le pays et les États-Unis. Ce haschisch de haute qualité était une vache à lait pour l'organisation, surtout au Canada, où cette drogue demeure curieusement très populaire. Le haschisch représentait donc une autre source de revenus pour la Sixième Famille, qui diversifia ainsi ses placements au-delà de sa position quasi monopolistique dans le trafic d'héroïne.

•

Au cours de l'automne de 1987, les gangsters, qui s'employaient à expédier leur dernier chargement de haschisch en provenance de la vallée de la Bekaa, crurent à tort que la partie la plus délicate de l'opération se trouvait derrière eux. Il leur avait fallu acheter le produit dans le contexte plutôt instable du pays, le charger à bord d'un cargo et verser un bon bakchich aux autorités portuaires et aux leaders des phalanges chrétiennes pour permettre au navire de prendre la mer sans se faire poser trop de questions. Lorsqu'on apprit à Montréal que le chargement était en route, les réceptionnaires se préparèrent fébrilement. Cette partie de l'opération devait, selon eux, aller comme sur des roulettes.

Lors des expéditions précédentes, la partie canadienne avait fonctionné à la perfection, à une exception près. Depuis au moins une décennie, on avait accueilli au Canada avec succès de gros chargements de haschisch, arrivés sur des cargos étrangers venant du

Liban et mouillant dans les eaux de la côte orientale du Canada. L'un de ces cargos passa sans nul doute par le port d'Halifax en 1980. La police fut informée qu'en 1985, une cargaison importante de 12 tonnes de drogue avait été secrètement déchargée sur une côte désolée de la Nouvelle-Écosse, puis transbordée dans de petites embarcations. Puis, en 1986, une cargaison fut découverte à Halifax et saisie par la police. Les gangsters se mirent donc à rechercher des coins plus discrets pour décharger leur camelote.

Ireland's Eye, avec son port dissimulé et l'absence de petits curieux à des kilomètres à la ronde, offrait à ce chapitre de solides garanties. Ses infrastructures — quais, pistes — en faisaient un petit paradis pour des contrebandiers. De plus, une fois la cargaison transportée sur l'île même de Terre-Neuve, la proximité de la route Transcanadienne permettait son transport terrestre dans des conditions raisonnables. Malgré cette soigneuse planification, il y eut un os...

Le 17 octobre 1987, des agents de la GRC arraisonnèrent le *Charlotte-Louise*, un chalutier de 100 pieds ancré à Blanc-Sablon, un tout petit port à l'extrémité est du Québec, de l'autre côté de la pointe nord de Terre-Neuve. Malgré la confiance qu'ils avaient dans les informations qu'on leur avait fournies, une fouille en règle du rafiot ne donna aucun résultat. Les chiens renifleurs furent mis à contribution, sans plus de succès. Les agents avaient la mine basse lorsque deux d'entre eux, examinant les entrailles du navire, remarquèrent qu'un certain nombre de boulons, sur cette quasi-épave, n'étaient pas aussi rongés par la rouille que l'étaient leurs semblables. Ils demandèrent alors au mécanicien de bord de retirer ces boulons. Il refusa net, prétextant que ces écrous fixaient le couvercle de la réserve d'eau potable du bateau et que, de toute façon, il ne disposait pas des outils nécessaires pour accomplir ce travail. Devant la persistance des policiers, il finit par dévisser une douzaine de boulons. Lorsque la plaque métallique se souleva, les agents surent qu'ils avaient trouvé ce qu'ils cherchaient.

« Lorsqu'on ouvrit finalement le réduit, l'odeur du haschisch nous submergea tellement que nous en fûmes presque intoxiqués », raconta Michel Michaud, l'un des policiers fédéraux qui se trouvaient à bord. En explorant les profondeurs du réservoir, ils extirpèrent ballot après ballot de haschisch. Selon les agents, tous ces colis avaient été emballés dans de l'étamine à fromage, puis dans des sacs en plastique, et avaient été submergés. Lorsqu'on pesa et mesura la marchandise, on estima la valeur, sur la rue, de ces 500 kilos de haschisch à 9,5 millions de dollars. Sur le pont, sous une bâche, on retrouva un petit horsbord ainsi qu'un véhicule tout-terrain. Les agents arrêtèrent quatre membres de l'équipage — tous des Québécois —, mais Brian Erb, le capitaine, un personnage haut en couleur, parvint à fausser compagnie à la GRC. Ce pirate des temps moderne, cet héritier de la flibuste, avait des vues plutôt personnelles sur les droits qui étaient les siens sur un navire abandonné.

Plus de 10 ans auparavant, Erb avait fait parler de lui à l'occasion d'une véritable saga maritime qui avait retenu l'attention du public à travers le monde. Le colérique loup de mer avait remorqué un cargo de 2 500 tonnes abandonné sur le Saint-Laurent. Après l'avoir radoubé et rebaptisé l'*Atlantean*, Brian Erb avait vu ses créanciers saisir ce navire. Lorsque le sabot avait été vendu aux enchères, Erb avait recruté une bande d'adolescents marginaux en guise d'équipage et décidé de récupérer ce bateau qu'il considérait comme sien. Une nuit de la fin de février 1975, l'*Atlantean* avait appareillé discrètement sur un seul de ses moteurs, et Erb avait entrepris de descendre le Saint-Laurent encombré par les glaces afin d'atteindre la haute mer le plus vite possible. Cet acte de piraterie avait donné lieu à une poursuite policière qui dura 11 jours. Partout, les journaux avaient suivi la progression du navire et relaté les péripéties journalières de cette singulière chasse à l'homme. Force était restée en fin de compte à la loi, et Erb avait accepté de rentrer au port, suivi de près par la GRC. Au cours de la nuit, après avoir éteint tous les feux de l'*Atlantean*, l'intraitable marin avait lancé un petit bateau éclairé par deux lampes tempête sur le fleuve pendant qu'il prenait le large. Dérouté, le brise-glace de la garde côtière avait continué à suivre les lumières du bateau-leurre. Erb fut par la suite capturé, et on lui donna le sobriquet d'«Errol Flynn du Saint-Laurent».

Mais les dernières aventures d'Erb le long des côtes de Terre-Neuve n'avaient rien à voir avec les escapades rocambolesques d'un pirate somme toute sympathique. La police était persuadée que le haschisch qu'elle avait trouvé dans le *Charlotte-Louise* n'était que la fraction d'une cargaison beaucoup plus importante. En fait, cette portion devait représenter la quote-part du capitaine pour services rendus. Des semaines avant sa saisie à Blanc-Sablon, le *Charlotte-Louise* s'était ancré au large d'Ireland's Eye pendant qu'on déchargeait des ballots de haschisch dans un hors-bord qui devait les acheminer, à travers l'étroit goulet, vers le port. On les recueillait alors dans un véhicule tout-terrain qui les amenait dans des cachettes aménagées parmi les ruines.

L'argent facile et l'occasion de prendre quelque répit de leur pénible métier furent certains des facteurs qui poussèrent de braves pêcheurs à se laisser manipuler par les gangsters montréalais. À Terre-Neuve, le contact était Gerald Hiscock. La police rapporta que ce dernier avait engagé des fiers-à-bras pour aider à décharger le cargo.

Il les payait entre 17 000 $ et 20 000 $, ce qui leur offrait une alléchante alternative aux maigres gains qu'ils retiraient des activités de la pêche.

La plupart des pêcheurs acceptaient difficilement de magouiller dans la drogue, car si, par le passé, au temps de la prohibition américaine, le *bootlegging* n'avait pas déclenché chez eux de cas de conscience déchirants, très peu de ces citoyens avaient envie de se retrouver impliqués dans un trafic aussi destructeur. Ils ne tardèrent donc pas à confirmer les soupçons de la police concernant la circulation de la drogue le long des côtes montagneuses de la baie de la Trinité, et les limiers commencèrent à avoir une idée de ce qui se tramait sur la petite île prétendument désertée.

Lorsque la GRC effectua une descente sur Ireland's Eye, l'île se retrouva occupée comme jamais elle ne l'avait été depuis l'époque où le flibustier Easton abritait sa flottille dans son port. Trois pêcheurs avaient déjà transporté une partie du haschisch sur l'île de Terre-Neuve. De là, il fut chargé sur un camion, caché sous un chargement d'oignons et... prit la route de Montréal! Les policiers arrêtèrent les pêcheurs, saisirent la plus grande partie de la cargaison de haschisch et prirent la route à leur tour pour tâcher de repérer un camion portant une plaque minéralogique du Québec. Ils le retrouvèrent à une trentaine de kilomètres de Gander. (Cette ville de 10 300 habitants se distingua par la suite lors des attaques terroristes du 11 septembre 2001, quand elle accueillit 6 000 passagers qui voyageaient à bord de gros porteurs transatlantiques détournés à cause de cette tragédie.) Le *Charlotte-Louise*, avec son haschisch toujours au frais dans son réservoir d'eau, fut remorqué jusqu'à Sept-Îles par la garde côtière, deux gendarmes de la GRC se relayant à son bord pour surveiller la drogue, même si l'un d'entre eux souffrait du mal de mer, son état s'étant aggravé à la suite des festivités un peu trop arrosées qui avaient eu lieu la veille pour célébrer cette saisie.

Bilan de cette opération : 17 tonnes de haschisch d'une valeur, sur la rue, de 225 millions de dollars! À l'époque, il s'agissait de la plus grande saisie de drogue jamais effectuée dans les Maritimes. Malheureusement, l'arrestation de quelques malheureux pêcheurs et de deux camionneurs ne fit rien pour éclaircir le mystère de la présence de cette grande quantité de drogue à Terre-Neuve.

Le lundi 30 novembre 1987, la police accrut son bilan d'arrestations lorsqu'elle mit la main au collet de Vito Rizzuto, de Raynald Desjardins et d'un troisième homme, tous de Montréal ; Hiscock fut pour sa part arrêté à Terre-Neuve. Vito avait alors 41 ans. C'était six ans après le massacre des trois *capi* à New York, cinq ans après que Gerlando Sciascia et Joe LoPresti eurent été accusés de contrebande d'héroïne et trois ans après la mort de Vic Cotroni. Il y avait alors

13 ans que Vito n'avait été l'hôte de la justice, depuis qu'on l'avait relâché, en juillet 1974, après sa condamnation pour le fameux incendie du salon de coiffure, si l'on omet les légers incidents qui l'opposèrent à la police en septembre et décembre 1986 pour conduite en état d'ébriété. Raynald Desjardins, pour sa part, avait alors 34 ans et gagnait théoriquement sa vie en exploitant un garage à Saint-Léonard. Les trois hommes furent accusés de conspiration pour trafic de stupéfiants et, après une brève comparution le jour suivant à Montréal, prirent l'avion pour Clarenceville, Terre-Neuve où, quelques jours plus tard, ils se retrouvaient au tribunal en compagnie de leurs présumés complices devant un juge de la Cour provinciale. Les autorités étaient euphoriques à l'idée de porter de si sérieuses accusations contre des combinards aussi connus que Vito et Desjardins.

La poursuite produisit, en preuve de l'implication de Vito dans cette affaire, la transcription de trois pages d'une conversation téléphonique datant de la fin novembre entre Vito à Montréal et Desjardins à Terre-Neuve. Les propos tenus étaient ambigus. Vito voulait savoir quand Desjardins reviendrait à Montréal, et ce dernier lui répondait qu'il lui expliquerait tout cela à son retour. Desjardins ajoutait ensuite que «quelque chose arriverait» la semaine suivante. La police et les procureurs de la Couronne soutinrent que, de toute évidence, il s'agissait du haschisch débarqué à Ireland's Eye une semaine plus tard. Les avocats des accusés qualifièrent cette déduction de coïncidence, et décrivirent l'échange comme une innocente conversation entre amis.

Vito passa la Noël sous les verrous, puis fut libéré sous caution en mars 1988. Il rentra à Montréal pendant que les avocats étudiaient son cas.

SEPT-ÎLES, QUÉBEC, OCTOBRE 1988

Le 20 octobre 1988, plus de 60 agents de la Sûreté du Québec, fouillant plusieurs villages côtiers de l'embouchure du Saint-Laurent, découvrirent une autre machination, grandement similaire à celle d'Ireland's Eye, pour importer du haschisch. Un autre bateau quelconque, le *Jeanne-d'Arc*, fut l'objet d'une perquisition alors qu'il mouillait dans le port de Mingan, près de Sept-Îles, au Québec. La police trouva 38 tonnes de haschisch à bord, ce qui représentait une valeur de 450 millions de dollars dans la rue. On trouva également une quantité plus réduite de cocaïne et de marijuana, ainsi que des armes. Cette saisie représentait pratiquement le double de celle d'Ireland's Eye et elle surclassa cette dernière, devenant la plus importante saisie effectuée dans la région. Neuf personnes furent arrêtées, y compris Normand Dupuis, le propriétaire et capitaine du rafiot.

Dupuis était très prospère par rapport aux pêcheurs locaux et faisait naviguer son sabot le long de la Basse-Côte-Nord. Il admit aussi être un cocaïnomane convaincu. Il est possible que sa toxicomanie n'arrangea guère les choses, mais sa conduite au tribunal se révéla des plus singulières. Deux semaines après son arrestation, il avait déjà accepté de collaborer avec les autorités et, à la plus grande joie de la police, déclara que le cerveau de toute cette histoire n'était nul autre que Vito Rizzuto. En échange de sa coopération, ses exigences étaient aussi modestes que son bateau. Il s'engageait à témoigner contre Vito en échange de 10 000 $ pour refaire sa vie, d'une nouvelle identité et d'un passeport, de 120 $ par mois durant son incarcération et, ce qui semblait avoir le plus de bons sens, de l'aide pour entreprendre une cure de désintoxication pour lui et sa petite amie. Les autorités acceptèrent son offre et, le 4 novembre 1988, Dupuis et les représentants du gouvernement paraphèrent une entente faisant du marin un témoin à charge. Six jours plus tard, sa cause fut entendue en cour, et il plaida coupable à l'accusation d'avoir conspiré pour importer du haschisch. Il écopa d'une sentence de quatre ans d'emprisonnement, à servir concurremment avec 30 mois de prison pour possession de 585 grammes de cocaïne. Dupuis fut enfermé dans l'aile spéciale d'une prison provinciale. Cette disposition le maintiendrait isolé pendant que les procureurs de la poursuite approfondiraient cette nouvelle preuve, qui devait leur permettre de porter des accusations contre Vito.

Juste après le lunch, le 17 novembre 1988, seulement une semaine après que Dupuis eut signé l'entente, Vito sortit de l'allée de sa résidence de la rue Antoine-Berthelet et se dirigea vers l'ouest. Des agents de la Sûreté du Québec qui l'avaient suivi lui firent signe d'arrêter. On lui expliqua qu'il devait comparaître devant le tribunal sous une autre accusation de contrebande massive de haschisch. Il fut incarcéré et, le jour suivant, envoyé à Sept-Îles et officiellement accusé d'importation de drogue.

Vito faisait dorénavant face à deux graves accusations, portées à la suite de deux incidents quasiment identiques. Tandis que la police spéculait sur le nombre de cargaisons qui avaient pu se soustraire à sa surveillance ou qui étaient en route vers le rivage canadien, la poursuite se prépara pour le procès. Les autorités avaient confiance dans la solidité de leur preuve, au moins dans un cas sur deux. Le gouvernement se préparait déjà à saisir la maison de Vito, entre autres propriétés, aux termes des nouvelles dispositions légales sur la saisie de fruits d'actes criminels. Des actions juridiques en ce sens seraient dévoilées une fois que l'accusé aurait été trouvé coupable. Ces deux accusations devaient toutefois se résoudre de manière inattendue, et ces revirements entreraient dans la légende du monde interlope. Ce fut la deuxième qui fut résolue en premier.

MONTRÉAL, ÉTÉ DE 1989

Normand Dupuis commençait à purger sa peine lorsqu'il se mit à avoir des doutes quant à l'entente qu'il avait conclue avec la police. Aux termes de celle-ci, il devait être placé dans une prison provinciale plutôt que dans un pénitencier fédéral. Plus la date de sa mise en liberté provisoire approchait, plus il était agité. Dupuis raconta par la suite qu'un jour, alors qu'il se trouvait au centre de détention de Parthenais, un codétenu l'avait approché et lui avait fait une offre surprenante. S'il refusait de témoigner au procès de Vito, il se verrait offrir une «prime» d'un million de dollars!

«J'ai refusé», reprit Dupuis. Mais le prisonnier revint à la charge avec un ultimatum: il s'exécutait ou on s'en prendrait à sa famille. Dupuis avait trois enfants d'âge scolaire et cette menace l'ébranla énormément. Il se sentit piégé. Il avait déjà témoigné à l'enquête préliminaire de Vito et avait révélé son implication dans l'importation de haschisch. De plus, il avait signé une entente avec la police...

«Je ne voulais pas me rendre coupable de parjure», prétendit-il. À la veille de sa libération, craignant que le marché qu'il avait passé avec les autorités ne fût pas suffisant pour protéger sa famille, le marin perturbé commença à concocter un plan susceptible de lui offrir une porte de sortie. «J'ai décidé que je ne témoignerais pas...» déclara-t-il.

Après sa sortie de prison, Dupuis téléphona au bureau montréalais de Jean Salois, un avocat qui défendait Rizzuto depuis longtemps et s'était occupé de nombre des questions juridiques le concernant. Dupuis demanda audience auprès de Me Salois qui refusa d'abord, car il considérait la démarche de Dupuis comme déplacée. Devant la lourde insistance du marin, l'avocat accepta, avec réticence, de rencontrer à son cabinet le témoin étoile de la poursuite, mais prit ses précautions.

«J'ai engagé un détective privé et lui ai demandé de tout enregistrer ce qui se dirait et de photographier tous ceux qui entreraient dans mon bureau ce matin-là, a raconté plus tard Me Salois. Je craignais un piège. Je craignais que ce plan ait pour objectif de m'incriminer ou de faire quelque chose qui me forcerait à abandonner l'affaire...»

Le jour où Dupuis se rendit au cabinet de l'avocat, le 7 juillet 1989, un bref orage éclata et, même si la pluie cessa rapidement, le ciel demeura nuageux. Tandis que Dupuis cheminait, insouciant, vers les bureaux de Salois, un photographe le mitrailla discrètement. Dupuis entra dans le cabinet et déclina la raison de sa présence en ces lieux:

il était prêt à disparaître avant le début du procès, ce qui détruirait toute l'argumentation de la poursuite. En échange, Dupuis exigeait une «pension à vie». Il n'en précisa toutefois pas le montant, mais sans doute avait-il en tête le million de dollars auquel le codétenu avait fait allusion, et qui pouvait représenter un bon point de départ.

À la consternation de Dupuis, Me Salois ne se montra guère impressionné par sa proposition et, quelque temps après le départ du marin, il rassembla les photographies et les documents audio, et se rendit auprès des autorités pour les présenter en preuve. Déçue, la police parla à Dupuis et écouta l'histoire du codétenu de Parthenais, de l'offre qu'il lui avait faite, ainsi que des menaces proférées contre sa famille. On interrogea les autres détenus de l'aile de la prison où se trouvait Dupuis, et les policiers les cuisinèrent pour obtenir quelque indice corroborant son histoire. Cet exercice se révéla stérile, et la poursuite, contrainte à se fier à la seule preuve fournie par Me Salois, n'eut guère le choix.

«À notre plus grand regret, nous avons dû accuser Dupuis d'avoir mis en scène cet incident», déclara la procureure de la Couronne, Louise Provost. C'est donc dépitées que les autorités accusèrent leur témoin étoile, celui qui devait faire tomber leur plus grosse prise, d'avoir occasionné de l'obstruction judiciaire. Ces événements se déroulèrent le 16 août 1989. Le procès de Vito devant jury à Sept-Îles devait débuter dans moins d'un mois, et le gouvernement ne pouvait plus faire comparaître Dupuis en tant que témoin crédible. Craignant une fois de plus pour sa peau, Dupuis accepta de demeurer en prison jusqu'à l'enquête préliminaire, durant laquelle le témoin clé serait Jean Salois. Le 29 août, Dupuis plaida coupable. La procureure Provost exprima son indignation devant les manigances de Dupuis, qui avait tourné la justice en ridicule. Elle fit valoir en cour que son comportement risquait d'inciter d'autres témoins à monnayer leur témoignage.

«C'est comme s'il avait mis son témoignage aux enchères au plus offrant...» fit-elle remarquer au juge. Elle ne manqua pas de requérir pour le marin une sentence sévère, devant s'ajouter à la première condamnation à quatre ans de prison pour complot d'importation de stupéfiants — peine écourtée grâce à sa promesse de collaborer avec le gouvernement, une entente qui devenait par le fait même caduque. Dupuis finit par récolter 32 mois supplémentaires d'emprisonnement.

Sans le témoignage de Normand Dupuis, les accusations contre Vito portant sur l'affaire des cargaisons de haschisch ne tenaient pas la route, mais le gouvernement se garda bien de jeter l'éponge.

«Après la visite que m'a rendue Dupuis à mon cabinet, il y a d'abord eu une commission rogatoire en République dominicaine, a révélé Me Salois. Après cela, le procès a eu lieu à Sept-Îles. Les autorités ont consacré à cette affaire des ressources importantes, jusqu'à faire intervenir un procureur de la Couronne de grande expérience.»

Le 18 décembre 1989, après plusieurs jours de délibération, toute velléité de poursuivre Vito s'effondra lamentablement. Le caïd apparut une fois de plus devant un tribunal de Sept-Îles où il fut officiellement acquitté de toutes les accusations relatives aux 38 tonnes de haschisch trouvées sur le bateau de Dupuis. La police était profondément déçue ; elle avait brièvement tenu en main la plus solide preuve de l'implication de Vito dans la contrebande de drogue, et ce, grâce à un témoin coopératif...

En attendant, toute jubilation prématurée de la part de Vito ou de sa famille se trouva quelque peu assombrie par l'approche de l'autre procès, celui qui avait été provoqué par la saisie effectuée à Ireland's Eye. Avec l'abandon des poursuites au Québec, l'affaire de Terre-Neuve devint cruciale pour les investigateurs ; certaines personnes diraient même désespérée...

SAINT-JEAN, TERRE-NEUVE, AUTOMNE DE 1990

En octobre 1990, trois ans après que la police eut intercepté le chalutier du capitaine Brian Erb et découvert l'importante cachette de haschisch sur Ireland's Eye, Vito se présenta au tribunal de Saint-Jean, Terre-Neuve, pour y répondre de ses autres chefs d'accusation de trafic de drogue. Vito était représenté par Me Salois, et Me Pierre Morneau, un autre avocat montréalais défenseur des membres de la Sixième Famille, représentait l'un de ses coaccusés. Dans le box, en plus de Vito, on retrouvait Raynald Desjardins, Gerald Hiscock et Michel Routhier. Les trois hommes, tout comme Vito, contestaient les accusations. Les procureurs de la Couronne voulurent démontrer les relations existant entre les accusés : Hiscock avait rencontré Routhier, un Montréalais, une semaine avant l'arrivée de la cargaison ; on avait vu Routhier avec Desjardins à Terre-Neuve ; Desjardins avait parlé à Vito, au téléphone, de la «chose qui devait arriver» la semaine suivante. Deux hommes étaient pris en sandwich entre Vito et Hiscock, et trois l'étaient entre Vito et les pêcheurs chargés de manipuler la camelote.

Cela devenait une habitude quand il s'agissait de Vito : cette affaire allait une fois de plus se révéler un fiasco spectaculaire pour le gouvernement. Comme dans le cas précédent, l'épisode le plus savoureux de ce drame n'eut pas lieu dans la salle d'audience. Au lieu d'une conversation enregistrée secrètement dans un cabinet d'avocat de Montréal, la mouche dans le lait de la justice fut cette fois-ci un événement qui se déroula dans la salle à dîner d'un hôtel. Chez Newman, pour être précis, chic établissement situé au rez-de-chaussée de l'hôtel Radisson Plaza à Saint-Jean, où se retrouvaient les clients de l'hôtel et les citadins recherchant un bon service et une bonne table.

Le Radisson, qui s'appelle maintenant le Delta St. John's Hotel, fut, pendant le procès, l'endroit de prédilection de l'avocat de la défense Pierre Morneau. Celui-ci était un homme d'habitudes. Chaque soir, il réservait, pour lui-même et ses confrères de la défense, la table n° 6 de chez Newman. Chaque soir, ces avocats se retrouvaient au restaurant pour souper, faire le bilan de la journée et préparer leur stratégie du lendemain. Ces discussions professionnelles ne passèrent pas inaperçues aux yeux de certains membres de la GRC. Pour des raisons inconnues, les investigateurs, qui avaient déclaré sous serment qu'ils menaient une enquête complètement indépendante de celle qui se déroulait au procès, placèrent des micros dans une salle de réunion de l'hôtel, dans plusieurs des chambres et à la table favorite des avocats, la table n° 6.

Pendant trois jours, du lundi 15 au mercredi 18 octobre, les avocats dînèrent à leur table habituelle tandis qu'un micro, dissimulé dans la base d'une lampe, captait leurs conversations. Le jeudi, avant que Me Morneau n'arrive pour occuper sa table, un homme d'affaires néo-brunswickois nommé Guy Moreau arriva pour dîner au restaurant. L'hôtesse, sans doute confondue par la similitude entre les deux noms, crut qu'elle avait affaire à M. Morneau. Après avoir consulté la liste des réservations, elle plaça le client à la table n° 6, celle qui était habituellement occupée par les avocats. Lorsque ceux-ci arrivèrent, Guy Moreau était déjà bien installé et, après s'être excusée pour sa méprise, l'hôtesse indiqua la table n° 3 aux procureurs.

Le directeur du restaurant, qui était de mèche avec la GRC, s'aperçut de l'erreur de l'hôtesse et se douta que la mission des enquêteurs était probablement en danger. Il appela discrètement Greg Chafe, un aide-serveur, et lui demanda d'intervertir les lampes entre les tables n° 6 et n° 3. Le jeune homme, voyant que les deux lampes fonctionnaient bien et que les clients ne s'étaient pas plaints de l'éclairage, fit contre mauvaise fortune bon cœur devant l'insistance du directeur, soupçonnant que quelque chose d'étrange se déroulait.

Entre-temps, M. Moreau, l'homme d'affaires qui occupait la table n° 6, avait un petit problème qui n'avait rien à voir avec sa table ou sa lampe. Son canard rôti était arrivé froid ; il demanda donc qu'on le ramène à la cuisine pour le réchauffer. Greg Chafe vit l'occasion d'intervenir : en récupérant le canard, il tenta de profiter de l'occasion pour récupérer également la lampe. Moreau, croyant que l'aide-serveur comptait réchauffer son canard à l'aide de la lampe, s'y objecta. Chafe le rassura, lui promit que tout serait fait dans les règles de l'art et fila. C'est alors que le garçon un peu trop curieux remarqua que cette lampe était plus légère que les autres. En l'examinant, il découvrit que sa base métallique avait été enlevée. Avant que quiconque remarquât la manœuvre, le directeur l'engagea à se rendre au plus vite à la table des avocats, où il intervertit les lampes. Aucun des intéressés ne sembla s'apercevoir de quoi que ce fût. Le directeur fut grandement soulagé quand il réalisa que le souper de ce soir-là était le dernier où les policiers interviendraient, puisque les audiences du tribunal tiraient à leur fin.

Toutefois, contre toute attente, le procès fut prolongé d'une journée. Le lendemain soir, les avocats reprirent donc leur place à leur table habituelle.

C'est alors que, pris de panique, le directeur s'aperçut que la lampe munie du dispositif d'écoute électronique avait été laissée sur la table n° 3 après le manège de la veille. Il appela une fois de plus Chafe et lui demanda d'intervertir de nouveau les lampes, cette fois-ci entre les tables n° 3 et n° 6. Chafe comprit ce qui se passait et, pour une raison obscure, déposa bruyamment la lampe au micro caché sur la table des avocats, l'accompagnant d'un bout de papier sur lequel il avait écrit : «Attention, vous êtes peut-être sous écoute...»

Cette intervention de l'aide-serveur qui s'était mêlé de quelque chose qui le dépassait eut l'effet d'une bombe chez les avocats, dont les conversations sont, par nature, confidentielles. Lorsque Me Salois apprit que des dispositifs d'écoute avaient également été placés dans sa chambre et dans une salle de conférence, il fut carrément indigné par ce qu'il qualifia d'«excès de zèle de la part de la police».

«C'était dans cette salle que les avocats discutaient avec leurs clients respectifs ou avec leurs confrères pour élaborer des stratégies qu'ils avaient l'intention d'appliquer au cours des audiences», fit remarquer Me Salois. Pour empirer les choses, la cause du Ministère public se retrouva en bien mauvaise posture lorsque la défense remit en question l'enregistrement de la conversation entre Vito et Desjardins. Le 8 novembre 1990, presque trois ans après son arrestation, Vito comparut devant le juge Leo Barry, de la Cour suprême de Terre-Neuve. Le magistrat, un ancien ministre du gouvernement terre-neuvien, examina le libellé de la demande qu'avaient faite les policiers pour obtenir l'autorisation légale de se livrer à une écoute téléphonique. Il décréta alors que ces enregistrements étaient illégaux et, pire, si préjudiciables au droit de Vito de subir un procès juste et équitable que l'ensemble de la procédure entreprise contre lui devait être abandonnée. Ce fut une gifle monumentale pour les enquêteurs comme pour la poursuite.

«Vous êtes excusé et pouvez reprendre votre liberté», déclara le juge Barry à Vito.

Ce dernier accueillit la nouvelle avec un flegme calculé. Il se leva, serra la main de ses trois coaccusés et sortit du box pour prendre un siège parmi l'auditoire, au fond de la salle, afin d'assister au reste des procédures. L'avocat de Vito exigea ensuite que l'on remette à son client la caution de 150 000 $ qu'il avait versée en 1987, plus 40 000 $ d'intérêts. C'est un Vito Rizzuto satisfait qui sortit libre comme l'air du palais de justice de Saint-Jean, après avoir bénéficié d'un second acquittement en moins d'un an pour des accusations de trafic de drogue.

« Un mot peut dire tant de choses, déclara Vito, surtout lorsque ce mot est "acquittement"... »

L'humeur d'un agent de la GRC qui constatait l'effondrement de la cause du Ministère public était tout autre. « C'est pour nous un coup terrible... », se contenta-t-il de dire.

Un mois après l'acquittement de Vito, les prévenus Hiscock, Desjardins et Routhier furent également libérés, lorsqu'un juge déclara que les microphones installés à l'hôtel pour espionner leurs avocats compromettaient le droit des accusés à subir un procès juste et équitable. Hiscock s'empressa ensuite de réclamer son embarcation à moteur, qui avait été saisie par la police.

●

Les acquittements spectaculaires de Vito Rizzuto firent plus que rehausser sa réputation, selon laquelle la rigueur de la loi n'aurait jamais d'emprise sur lui. John Gotti, patron de la famille Gambino à New York, un personnage friand de publicité, venait d'être surnommé par la presse « Don Téflon », pour la bonne raison que les accusations portées contre ce don de la Mafia semblaient glisser sur son dos. C'est pourquoi on appelait parfois Vito « le John Gotti montréalais », une comparaison que Vito n'appréciait guère[1]. Il aurait certainement mieux aimé qu'on le surnommât « le don discret ».

Les deux acquittements dont il avait bénéficié eurent d'autres répercussions. Les autorités devinrent maladivement craintives à l'endroit de Rizzuto. Les prochaines accusations devraient être en béton armé, pour éviter qu'elles ne leur explosent au visage, ou pire,

---

1. Ironie du sort. Le 2 avril 1992, à la suite du témoignage de son ancien bras droit, Salvatore « Sammy Bull » Gravano, John Gotti fut condamné à 100 ans de prison sans possibilité de remise en liberté conditionnelle. On l'enferma dans un pénitencier à sécurité maximum à Marion, en Illinois, dans une cellule exiguë, solitaire 23 heures par jour. Il mourut d'un cancer en 2002, à l'âge de 61 ans. (N.d.T.)

qu'elles entraînent des accusations de harcèlement, d'incompétence ou de corruption envers les autorités. Au lieu de se galvaniser et de repartir à l'attaque contre Vito, les forces de l'ordre exécutèrent donc un certain repli.

Un enquêteur sur le crime organisé a déclaré : «Les autorités se disaient : "La prochaine fois, nous évaluerons les possibilités deux fois plutôt qu'une et ne frapperons qu'à coup sûr…" Mais là, elles se contentaient d'évaluer et ne bougeaient guère. C'était démoralisant…»

Un rapport confidentiel de la GRC, datant de 1990 et relatant les déconvenues subies par la poursuite, constate un certain résultat positif à toutes ces défaites : «Rizzuto essaie de se faire remarquer au minimum…», peut-on y lire.

Dans les années 1990, aussi lucratives que furent les transactions de haschisch, la cocaïne offrait une marge de profit supérieure pour chaque dollar investi dans cette drogue. La Sixième Famille était en voie de devenir chef de file dans ce domaine, mais après l'arrestation de Nick à Caracas, le poste avancé d'Amérique du Sud se trouva menacé. La Sixième Famille était à la recherche de nouvelles sources d'approvisionnement.

Elle les trouva tout près de chez elle.

CHAPITRE 25

WEST PALM BEACH, FLORIDE, 1993

La conversation portait sur l'arrestation d'un homme transportant 200 kilos de cocaïne dans la partie sud de la Floride. Cependant, étant donné que le pauvre type n'était pas en relation avec la Sixième Famille, il n'y avait pas lieu de s'alarmer. Cette arrestation, largement commentée par Pasquale «Pat Gappa» Canzano, un chauffeur de camion montréalais, alimenta la conversation téléphonique qu'il eut avec une femme le 29 avril 1993. La dame changea rapidement de sujet pour parler de quelque chose qui l'intéressait beaucoup plus, à savoir Pat Canzano lui-même.

«Et toi? Comment va la Mafia? demanda-t-elle.
— Pas mal du tout, répondit Canzano.
— Espèce de monstre, dit-elle.
— Oui, bien sûr, répliqua-t-il.
— Oh! Je ne fais que blaguer...
— Pas de problème. Hé! Hé! La vérité n'a jamais fait de mal à qui que ce soit...»

La conversation et l'effet émoustillant qu'elle suscitait chez la dame semblèrent amuser Canzano. La vie était belle. Il jouissait des avantages d'être le bras droit du chef d'une vraie entreprise de contrebande de drogue appartenant à la Mafia, un emploi qui lui permettait de voyager, de naviguer dans les mêmes eaux que des criminels légendaires, d'impressionner les femmes attirées par les voyous et de gagner bien plus d'argent que ce que lui rapportait le transport des fruits et des légumes. L'affaire dans laquelle Canzano se trouvait impliqué, et qui lui permettait de proclamer un tant soit peu son association avec la Mafia, était un projet important qui arrivait au bon moment pour la Sixième Famille.

En 1992, Montréal était devenue la porte d'entrée nordique du trafic de drogue, et la Floride s'affirmait rapidement comme son pendant au sud. Il existait un besoin grandissant — et extrêmement urgent — d'établir une nouvelle route vers le sud.

Les années 1980 et le début des années 1990 virent l'explosion de la popularité de la cocaïne, une drogue puissante créant de l'accoutumance, produite en quantités apparemment illimitées en Amérique du Sud et qui inondait les rues des pays nordiques, et en particulier de la Floride. Des milliers de trafiquants, pour la plupart des immigrants colombiens et des Cubains expatriés, dirigeaient des réseaux de cocaïne à partir de la Floride, ce qui amenait des centaines de millions de dollars dans la région. Ces nouvelles bandes entraînèrent évidemment des vagues de violence calquées sur les carnages qui se produisaient en Colombie, où des gangs de trafiquants de drogue bien armés et bien payés contrôlaient des groupes insurrectionnels de grande envergure, qui se battaient pour prendre le contrôle de portions entières du pays. Les corps des victimes de cette guerre étaient carrément jetés dans les rues du sud de la Floride. La *colombian necktie* (cravate colombienne) avait fait son apparition. La gorge de la victime était entaillée et sa langue coupée de manière à ressortir par le trou ainsi pratiqué; des «convois de guerre», des voitures et des camions chargés d'excellents tireurs armés jusqu'aux dents, patrouillaient dans les rues et ouvraient le feu sans discrimination dès qu'ils se sentaient menacés.

Les profits du trafic de la cocaïne modifièrent drastiquement l'économie du sud de la Floride. Des milliers de commerces furent créés. La plupart d'entre eux étaient inactifs et servaient de couverture pour blanchir l'argent de la drogue. D'autres commerces, réels ceux-là, étaient utilisés pour réinvestir les profits accumulés. Les trafiquants de cocaïne colombienne importaient tellement de coke dans les années 1980 qu'ils se faisaient concurrence pour trouver des acheteurs. Bien souvent, les meurtres n'étaient pas causés par la drogue ou l'argent, mais parce qu'on se volait des clients. Pendant plusieurs années, une bonne partie du sud de la Floride, aux prises avec les sanglants conflits narco-capitalistes, ressembla à un pays en guerre.

La mafia canadienne surveilla avec grand intérêt de quel côté soufflait le vent. La Floride était déjà une destination vacances fort populaire en hiver, tant pour les gangsters que pour les *snowbirds*, ces Canadiens qui choisissent de passer l'hiver sous un ciel plus clément. Pendant plusieurs décennies, des représentants de l'organisation Cotroni avaient été en poste à Miami, à Fort Lauderdale et le long de la côte Est. Les mafiosi montréalais, considérés comme des émissaires canadiens de la famille Bonanno, étaient bien accueillis par les membres de la famille Gambino, mais aussi par les autres membres du clan Bonanno et de la mafia de la Nouvelle-Orléans, qui opérait également au même endroit.

Les gangsters canadiens surgissaient régulièrement au cours des enquêtes, tout spécialement dans des affaires de drogue. William

Obront, un financier montréalais de génie appartenant à la pègre, fut arrêté par la DEA en 1983 dans le cadre d'une affaire de stupéfiants en Floride, ce qui provoqua une réunion d'urgence entre Joe LoPresti, Frank Cotroni et d'autres mafiosi. La mafia montréalaise subit une grande perte lorsqu'Obront fut trouvé coupable et condamné à 20 ans de prison. Les organisations Caruana-Cuntrera et Vella, du Venezuela, commencèrent à faire parvenir leur camelote en Floride un peu plus tard, utilisant principalement le port de Miami où Oreste Pagano, le fournisseur clé d'Alfonso Caruana, travaillait avec des gangsters cubains pour décharger la drogue des bateaux et la faire sortir du port.

«J'avais mes relations à Miami, a déclaré Pagano. Ils m'ont fait rencontrer des Cubains, gros travailleurs, et qui possèdent d'excellentes relations à l'intérieur du port. Ils pouvaient transférer des bateaux n'importe quelle quantité de drogue que nous envoyions.» Une fois le lien établi, Alfonso Caruana et Pagano, que la timidité n'étouffait guère, arrangèrent une livraison de 1 600 kilos. Les intérêts de la Sixième Famille et des autres clans d'expatriés de la Mafia n'avaient pas seulement pour origine la relation qu'ils avaient établie avec les Cubains dans le port de Miami, mais aussi l'érosion de leur base en Amérique du Sud. Le Venezuela, qui avait été jadis un paradis, était en train de tomber en déliquescence. Le gouvernement vénézuélien, sous la pression des autorités américaines, se montrait plus réticent à offrir son hospitalité aux gangsters. Caruana se préparait à fuir le pays. Nick Rizzuto, qui était en quelque sorte la paille qui indiquait la direction du vent, se trouvait déjà en prison pour trafic de cocaïne, et les frères Cuntrera avaient été expulsés.

Les chefs de la Sixième Famille, des hommes d'affaires astucieux, reconnurent que l'évolution de leur organisation devait se poursuivre et que, pour cela, ils devaient découvrir de nouvelles sources d'approvisionnement, ainsi que de nouvelles bases d'où coordonner leurs opérations. C'est ainsi qu'ils se préparèrent à abandonner leur avant-poste sud-américain. Le sud de la Floride semblait désormais être un lieu préférable — sinon idéal — où s'installer.

Nick étant en prison, les affaires de la famille montréalaise se retrouvèrent entre les mains de son fils. Vito était entouré d'excellents conseillers — parmi les plus importants figuraient les Manno, les Renda et les Cammalleri. Ils faisaient partie de la famille, et Vito leur faisait implicitement confiance. Joe LoPresti était à ses côtés et, à New York, il y avait Gerlando Sciascia. La Sixième Famille imposerait dès lors une approche d'affaires beaucoup plus rigoureuse au sein de ses entreprises criminelles. Plusieurs de ses membres furent autorisés à mener leurs propres opérations du mieux qu'ils le pouvaient, et chacun de ces réseaux recevrait l'imprimatur du puissant Rizzuto, malgré leur semi-autonomie. Il s'agissait là d'une leçon qu'ils avaient retenue en observant les grandes sociétés américaines : le « franchisage » du crime. L'appétit de l'organisation pour la cocaïne augmentant sans cesse, quatre nouvelles routes, ceignant le globe, furent ouvertes pour faire entrer la drogue illégalement. Chacune de ces routes était supervisée par un acolyte différent de la Sixième Famille. L'une d'entre elles fut établie grâce à des contacts montréalais en Amérique du Sud, une autre s'approvisionnait en drogue au Texas, une troisième faisait directement affaire avec des gangs en Asie, pendant que la dernière se formait en Floride.

L'incursion en Floride fut l'œuvre de Domenico Manno.

•

Domenico Manno est né le 27 décembre 1933 à Cattolica Eraclea, le bastion de la Sixième Famille. Il avait 11 ans de moins que Nick Rizzuto et 13 ans de plus que Vito, ce qui faisait de lui un lien naturel entre les deux générations qui composaient la Sixième Famille. Manno était un véritable homme de la Mafia, né au sein d'une lignée « royale » de la Cosa Nostra. Fils d'Antonio Manno et de Giuseppina Cammalleri, il était le jeune frère de Libertina Manno, la femme de Nick. Manno avait fait partie de l'un des premiers exodes des clans de Cattolica Eraclea vers Montréal. Il avait essayé de s'installer en Amérique à l'âge de 17 ans, mais avait été expulsé en juillet 1951. Les officiers de l'immigration américaine ouvrirent un dossier sur lui en janvier 1958, et on nota son passage à la frontière américaine en provenance du Canada, au volant d'une voiture, le 3 septembre 1959, à Champlain, dans l'État de New York. Une enquête fut ouverte sur lui à St. Albans, New York, en juillet 1963, à la suite d'un autre de ses passages à la frontière, le mois précédent.

Manno fit sa première apparition sur les radars de la police au Canada lorsqu'il fut arrêté et condamné pour avoir tenu un tripot clandestin en 1967, à l'époque où l'on prit des mesures répressives à l'égard des maisons de jeux à Montréal. Ces opérations coïncidaient avec Expo 67, l'exposition universelle qui se tint dans la métropole l'année du centenaire de la Confédération canadienne, un événement qui devait attirer des foules de touristes étrangers. Une dizaine d'années plus tard, Manno se révéla comme un pion important de la pègre et joua un rôle clé au sein de la Sixième Famille, au moment où celle-ci luttait au corps à corps pour arracher Montréal à Paolo Violi. Il entra dans le jeu pour aider à représenter la famille dans les rues de la ville à une époque des plus délicates, c'est-à-dire au moment où

Nick — et plus tard Vito — s'exilèrent sous les cieux tropicaux du Venezuela. Il contribua ensuite à régler le conflit une fois pour toutes, jouant un rôle très actif dans la liquidation de Violi, un meurtre qui donna à l'organisation Rizzuto le contrôle de la porte des marchés de la drogue du Canada vers les États-Unis. La notoriété de Manno se bonifia lorsque lui et ses coaccusés et complices n'écopèrent que de légères sentences pour l'assassinat du parrain de Saint-Léonard. Manno, pour sa part, fut condamné à sept ans de prison. Le quotidien *The Gazette* s'en prit alors violemment à cette condamnation, arguant qu'elle servait pratiquement «à approuver la mise en œuvre de règlements de comptes du genre». Le juge avait déclaré : «Les prévenus se sont révélés des immigrants modèles qui ont accompli les tâches les plus modestes pour gagner leur vie et pour établir lentement et laborieusement un commerce.» Manno allait s'inspirer de la même éthique pour mettre sur pied son entreprise de trafic de drogue en Floride.

À l'époque de sa condamnation à Montréal, Manno était un homme mince aux traits durs, aux cheveux coupés courts et au visage raviné. Il purgea tranquillement sa peine de prison après avoir assuré aux autorités — par écrit — que ni Vito ni Nick n'avaient été impliqués dans le meurtre. Il est certain que Manno connaissait et acceptait sa place au sein de la Sixième Famille. Il était très respecté, et avait toujours frayé près des sommets de la hiérarchie de la mafia canadienne sans jamais les atteindre. S'il avait éprouvé un sentiment de jalousie envers l'élévation de Vito au titre de successeur au trône, il ne le démontra jamais. Une fois libéré de prison, il offrit de nouveau ses services à Vito comme conseiller et protecteur, lorsque ce dernier retourna à Montréal pour revendiquer sa suprématie sur la ville pendant que son père était emprisonné en Amérique du Sud. Les dossiers de la police américaine indiquent que Manno était le copropriétaire d'une entreprise de camionnage située à Saint-Léonard et qu'il utilisait ce commerce comme façade pour ses activités de trafic de drogue et de blanchiment d'argent. C'est cette entreprise qui avait retenu les services de Pat Canzano, le Montréalais qui se plaisait à émoustiller ses amies en évoquant ses relations avec la pègre. Manno participait également aux réunions les plus importantes de la Sixième Famille, y compris celle qui eut lieu à Montréal en janvier 1983. Selon un rapport de la police, il y fut rejoint par Gerlando Sciascia, Paolo Renda et bien d'autres.

Les relations qu'entretenait Manno avec les trafiquants de drogue et le fait qu'il soit le copropriétaire d'une entreprise de camionnage lui procuraient des occasions qu'il ne pouvait pas laisser passer. L'avant-poste de la Sixième Famille se trouvant en péril, Manno, alors âgé de

59 ans, prit la décision d'élaborer une combine pour importer de la drogue en Floride.

LAKE WORTH, FLORIDE, 1993

Manno était un acheteur jovial et poli lorsqu'il faisait affaire avec Bertha Lucia Osorio de Reyes, qui vivait à Lake Worth, en Floride, dans le comté de Palm Beach, une ville côtière de taille moyenne dont le slogan était : « Ici commencent les tropiques. » Reyes aimait se faire appeler « Berta », et elle répondit aux démonstrations d'amitiés de Manno en se montrant envers lui charmante à son tour.

Tout comme les mafiosi siciliens, Berta croyait fermement que les affaires devaient demeurer à l'intérieur de la famille. Elle entretenait de bons contacts avec la Colombie grâce à un passeur légendaire, Herbert Luna-Luna, qui faisait entrer la drogue aux États-Unis. Berta, en compagnie de son fils Mauricio Reyes, de sa sœur et de deux associés, se spécialisait dans l'envoi de courriers en Amérique du Sud, chargés d'y réceptionner de petites quantités de stupéfiants qu'ils devaient faire entrer clandestinement aux USA. La drogue était souvent cachée dans des tubes contenant des peintures roulées. Une livraison contenant trois de ces tubes importés de Quito, en Équateur, et expédiée sur des vols commerciaux, pouvait totaliser aussi peu que cinq kilos. La drogue était livrée à la maison de Berta à Lake Worth, où le courrier recevait son paiement. Le mot circulait alors que Berta avait de la drogue à faire bouger, et un acheteur se présentait rapidement.

Manno allait être de plus en plus souvent cet acheteur. Le petit groupe de Berta travaillait sans se faire remarquer. Sa façon d'opérer ressemblait un peu à celle d'un petit commerce familial sans lustre, discret. Les bavardages amicaux qu'elle échangeait avec Manno, et ceux entre Manno et son fils, reflétaient bien cet état de choses.

« Comment vas-tu, chéri ? » C'est ainsi que Berta, dans sa maison de Lake Worth, s'adressait à Manno lorsqu'il appelait de Montréal. Le 1er novembre 1992, un petit peu avant 11 heures du matin, ils étaient tous deux prêts à faire des affaires, ce qui ne les empêcha pas d'échanger des plaisanteries.

« Pas mal, et toi ? répondit Manno.

— Oh ! Tout va bien, merci. Comment va la famille ?

— Tout va bien, dit encore Manno. Comment ça se passe là-bas ?

— Oh ! tout est OK », fit Berta.

La conversation glissa ensuite pour devenir typiquement incohérente ; pour se préserver d'une possible écoute policière, les passeurs de drogue utilisent bien souvent des codes. Berta, Manno et Mauricio Reyes semblaient parler de tout autre chose que de drogue. Le matin du 5 octobre 1992, la GRC avait secrètement placé sous écoute électronique plusieurs membres de la Sixième Famille — leur cible principale étant Vito Rizzuto. Les policiers avaient écouté, entre autres, une conversation entre Manno et Mauricio.

« Hé! comment vas-tu?

— Comment allez-vous, monsieur?» avait répondu Mauricio poliment. Manno lui avait alors dit que «son ami» Pat Canzano partait le lendemain pour la Floride dans son camion.

«Avait-il des tomates? avait demandé Manno.

Mauricio lui avait répondu par l'affirmative.

— Il aura sans doute environ cinq boisseaux de tomates cette fois-ci, avait dit Mauricio, ce qui signifiait cinq kilos de cocaïne. Manno possédait un immense appétit pour ce produit.

— Nous allons prendre ce que vous avez. Aucun problème.»

La police canadienne et les agents fédéraux américains réussirent, à eux deux, à établir une liste de 45 mots codés qu'utilisaient Manno et la famille Reyes pendant leurs conversations, ce qui formait en quelque sorte un lexique des codes utilisés par les trafiquants de drogue. C'est ainsi que «les durs» signifiait la cocaïne et «les tendres», l'héroïne. Parfois, «Cadillac» signifiait cocaïne et «Honda» héroïne. Quand le produit était «comme du ciment», cela signifiait qu'il venait sous forme de briques dures. «Des bons garçons» signifiait de la marchandise de bonne qualité. «Des documents» signifiait de l'argent. Les agents fédéraux étaient «les mauvais garçons» et un «gentleman» était un distributeur de drogue en qui on pouvait avoir totalement confiance. «Quinze cents le pied carré» signifiait que le prix pour un kilo de cocaïne était de 15 000 $. Ce vocabulaire compliquait grandement la surveillance de leurs conversations, peu importe qui tentait d'y glaner des renseignements — il arrivait même que les trafiquants éprouvent des difficultés à se comprendre entre eux. Le 18 mars 1993, deux livraisons, une de cocaïne et une d'héroïne, se trouvaient en route, et l'une d'entre elles fut saisie par la police. Manno et Mauricio communiquèrent rapidement par téléphone.

«Comment vas-tu? demanda Manno.

— Je vais bien et je ne vais pas bien, répondit Mauricio.

— Bien et pas bien?

— Bien et pas bien.

— Que se passe-t-il?

— OK. Il s'agit des Cadillac et des Honda», répondit Mauricio, en cherchant une façon de se faire comprendre sans être trop explicite. Manno savait que les mots commençant par C signifiaient habituellement cocaïne et que les mots commençant par H faisaient référence à l'héroïne.

«Laquelle de ces deux est la bonne? demanda Manno.

— Les Honda, répondit le garçon.

— Que se passe-t-il avec les Cadillac?

— Les Cadillac? Eh bien! Nous allons devoir attendre jusqu'à ce qu'un autre type puisse y aller... Nous allons devoir recommencer depuis le début avec ces gars-là parce que le type s'est, euh... Comment je dirais... Il s'est fait prendre», avoua-t-il finalement après avoir renoncé à trouver un code approprié pour expliquer qu'il avait été arrêté.

En dépit d'un revers occasionnel, Berta faisait de bonnes affaires. Et Manno était le seul acheteur dont elle avait besoin. Ses clients faisaient la queue pour obtenir de la cocaïne et Manno en redemandait, ainsi que du crédit.

«Tout ce que tu peux avoir de plus, je l'accepte, lui dit un jour Manno. Tout ce que tu peux m'envoyer.» Les sources de Berta en Amérique du Sud étaient en progression constante. La quantité de cocaïne envoyée et la fréquence des livraisons étaient en pleine croissance, d'une part, et, d'autre part, ils introduisaient graduellement de l'héroïne dans les livraisons. Cette drogue avait commencé à être produite dans les laboratoires clandestins de la jungle colombienne. Et on affirma à Manno que toute cette drogue lui était destinée. L'héroïne eut l'effet d'un mot magique sur Manno. Il se mit à augmenter ses commandes. L'héroïne constituait historiquement la base des affaires de la Sixième Famille. Si la cocaïne était sans doute la chair du crime organisé moderne, l'héroïne était en quelque sorte son ossature.

Canzano transportait, caché dans son camion, l'argent vers la Floride, et revenait avec la cocaïne. L'organisation devint si active que Canzano dut trouver d'autres conducteurs pour l'aider dans son travail. Il arrivait parfois que tout marche sur des roulettes, et Manno pouvait alors mettre sur le marché de grandes quantités de drogue. D'autres fois, il essuyait des revers; les courriers se faisaient arrêter ou la drogue était volée. Un trafiquant, connu sous le nom de «Chico», s'empara un jour de plus de 70 000 $ appartenant à la Sixième Famille et, au lieu de livrer la coke, débrancha son téléphone et disparut dans la nature. Lorsque les trafiquants se mirent à ses trousses, ils ignoraient que la police avait placé leur téléphone sous écoute, mais l'un des leurs repéra un agent de surveillance. Puisque la maison de Berta était située sur un cul-de-sac dans un quartier résidentiel, la police pouvait difficilement se livrer à une surveillance complète de sa résidence. Les agents remarquèrent également, à leur grand dam, que les trafiquants trompaient leur surveillance en faisant des *heat runs*, c'est-à-dire qu'ils passaient en voiture à un endroit convenu, où des complices étaient chargés de repérer et d'identifier tout véhicule susceptible de la suivre. La police avait subrepticement ramassé les ordures devant la maison de Berta à plusieurs occasions, dans le but d'y découvrir des indices supplémentaires. Berta et sa famille commencèrent à sentir que la soupe était chaude.

«Les mauvais garçons [la police] ont commencé à apparaître et à se poster de l'autre côté de la rue pendant des jours d'affilée», déclara un beau jour, avec beaucoup de nervosité, Mauricio à Manno. Il croyait que la surveillance que la police effectuait était destinée à Canzano, qui était venu chez Berta et y avait fait plusieurs appels téléphoniques pour tenter de retrouver Chico. Manno, qui craignit que sa source si bien gardée de cocaïne et d'héroïne se tarisse si Berta se mettait à péter les plombs, se dépêcha de calmer Mauricio en lui disant qu'ils (les flics) n'avaient pas réussi à remonter la filière. Hélas, ils l'avaient fait. L'entreprise des trafiquants fut compromise grâce à un partenariat entre la GRC, la DEA et le Bureau du shérif du comté de Palm Beach.

Pat Canzano était sous intense surveillance policière lorsqu'il se rendit en Floride en 1993. Au cours d'une longue période d'observation, le camionneur rencontra plusieurs trafiquants notoires de la Floride, ainsi qu'un autre camionneur montréalais dont les services étaient retenus pour transporter de la cocaïne au Canada. De façon similaire, la police suivit Manno lorsque ce dernier se rendit en Floride. Manno, que le vol de Chico avait grandement mécontenté, prit un vol pour l'aéroport de West Palm Beach à la fin du mois de mars 1993. En compagnie de Mauricio Reyes, il essaya de retrouver la piste de Chico, utilisant son numéro de sécurité sociale et ses relevés de cartes de crédit. Un avocat de la connaissance de Manno lui avait fourni ce genre d'informations.

Malgré la perte de 70 000 $ et le resserrement de la surveillance policière, Manno ne ralentit pas ses activités. Lorsque Berta se montra intéressée à obtenir de la fausse monnaie, il lui envoya un échantillon tout en lui disant qu'il possédait une grande quantité de faux billets à Montréal. La contrefaçon de billets de banque américains avait toujours été une des spécialités bien pépères des truands de la Sixième Famille à Montréal.

Le 10 mai 1993, Manno téléphona à Canzano à Montréal et lui demanda de se rendre à une adresse sur la rue Bélanger, pour y rencontrer un homme qui se nommait Pietro, à qui Canzano devait tout simplement dire qu'il était un ami de Manno et lui demander «de la came». Canzano fut arrêté un peu plus tard à Montréal en possession d'un kilo de cocaïne. Le même jour, les équipes de surveillance de la GRC et de la DEA virent Manno et un homme qu'ils décrivirent comme étant son gendre, quitter Montréal et passer la frontière à Rouses Point, dans l'État de New York. Les deux hommes aboutirent à l'hôtel Marriott, situé à proximité de l'aéroport LaGuardia. Le jour suivant, Berta Reyes, accompagnée de deux hommes, arriva à ce même hôtel, où elle trouva Manno en train de se prélasser près de l'ascenseur dans le hall d'entrée. Le groupe conféra brièvement, et Berta et son entourage quittèrent l'hôtel, semant facilement l'équipe chargée de les filer. Manno et son chauffeur quittèrent le jour suivant pour se rendre à Manhattan, où ils prirent une chambre au New York Helmsley Hotel. Le 13 mai, Manno fut suivi par les agents jusqu'au Grand Hyatt Hotel, près de Grand Central Station, où il attendit dans la salle des pas perdus jusqu'à ce que Berta et ses compagnons réapparaissent. N'ayant pu prendre un taxi parce qu'ils étaient trop nombreux, ils prirent la direction du métro, et les agents les perdirent de vue.

L'achat d'héroïne ne se passait pas bien. Au cours d'un appel que fit Manno à sa femme le 17 mai, il lui dit qu'il pensait en « avoir fini » le jour même et que quelqu'un allait déposer « l'objet » chez son cousin. Cependant, les négociations traînèrent. Manno voulait 10 kilos, mais refusait de payer le prix qu'on lui demandait, soit 105 000 $ le kilo. Il souhaitait de plus obtenir un crédit partiel. Berta, quant à elle, montrait des signes d'impatience à cause des délais que souffrirait la transaction. Elle se trouvait dans une position difficile, prise entre deux feux entre les fournisseurs colombiens et les acheteurs de la Mafia. On temporisait avec Mauricio Reyes en lui disant que les choses « ne bougeaient pas vite » et qu'il y avait eu des problèmes avec Manno. On rapporta à Mauricio que « le vieux » s'était montré très vexé pendant les négociations. À un moment donné, Berta confia à son fils qu'elle espérait que Manno allait enfin « arrêter de l'emmerder »...

Les transactions d'héroïne entre Manno et Berta ne réussirent jamais vraiment, bien que Manno eût fini par acheter un kilo d'héroïne au tarif de 105 000 $. Les relations entre Manno — que ses partenaires en Floride avaient commencé à appeler « le p'tit vieux » — et Berta se tendirent au point où elle commença à décrocher son téléphone pour éviter ses appels répétés, tant son appétit pour l'héroïne était grand.

En dépit des tensions qui existaient entre le mafioso canadien et l'équipe de Berta, Manno continua à lui faire parvenir les faux billets. Il vendit un jour pour 85 000 $ de billets bidon à un des associés de Berta. Lorsque l'homme en question voulut acheter de l'héroïne avec cette monnaie de singe, il fut arrêté ; son vendeur était un policier infiltré. À la fin de l'année 1993, Berta fut, elle aussi, arrêtée lorsqu'elle fut trouvée en possession de 10 000 $ en faux billets, refilés par Manno.

Le 11 mars 1994, Manno et Pat Canzano — qui faisait face à une condamnation pour possession d'un kilo de cocaïne à Montréal — et plusieurs membres de l'organisation de Berta furent mis en examen dans le district Sud de la Floride. Le gouvernement américain demanda l'extradition de Manno du Canada, car la police avait en sa possession des documents identifiant Manno comme étant «un membre de la mafia sicilienne» et Canzano comme étant «son bras droit». Les documents du tribunal indiquent que Manno était «responsable» de 29,5 kilos de cocaïne, de 10 kilos d'héroïne et de 85 000 $ en faux billets. Ces chiffres représentaient des quantités de drogue et un montant d'argent bien au-dessous de la vérité...

C'est peut-être à ce moment que Pat Canzano regretta les bavardages qu'il avait échangés avec sa copine, quand il lui avait raconté qu'il faisait partie de la Mafia. Les conversations téléphoniques avaient été enregistrées, transcrites par écrit par la police, présentées au tribunal, et lues à la barre des témoins par un agent de la DEA. Si Canzano ne rougit pour autant, d'autres personnes qui se trouvaient au tribunal rougirent pour lui. Canzano déclara plus tard qu'il avait été «aveuglé par la stupidité». Cependant, il aurait dû s'inquiéter pour des choses plus importantes. Son avocat, Eddie Kay, le décrivit dans un tribunal de Floride comme étant «entre deux chaises».

«Canzano hésitait entre coopérer et ne pas coopérer», déclara Kay. Et pendant la période où le routier mafieux dansait la valse hésitation, il révéla au gouvernement les quantités d'héroïne qui avaient été impliquées, sans toutefois rien divulguer de ses relations avec Manno. «Il ne voulait tout simplement rien dire contre ce dernier, fit remarquer son avocat. J'ai tendance à penser qu'il importe de dire quelque chose de bon à propos d'un homme qui a décidé de servir de paravent aux autres. Nous avons ici le dernier des boucs émissaires...» En dépit de l'apparente sympathie que son client éprouvait pour Manno, Kay ne se montra pas aussi indulgent envers ce dernier. À son sujet, il déclara: «Il n'est pas un bon "parrain".»

«Manno se trouve sur tous les enregistrements. Manno est omniprésent pendant toute cette conspiration. Et il existe un type nommé Rizzuto qui se trouve au-dessus de lui. C'est un peu comme si Don Corleone se chargeait de tout le travail...», dit Kay, en faisant allusion au *boss* de la Mafia dans le film *Le Parrain*. «Nous nous trouvons devant un Don Corleone qui mettrait son bras droit dans la rue.» Canzano fut condamné à plus de 15 ans de prison.

Manno comparut devant un tribunal américain 22 mois après que la demande d'extradition du Canada eut été déposée. Son procès fut conclu beaucoup plus rapidement que l'avait été sa bataille pour demeurer hors d'atteinte des autorités américaines. Six mois après son retour en Floride, les fers aux pieds, il réussit à obtenir un accord entre le procureur et son avocat pour que fussent révisés à la baisse les chefs d'accusation. En retour, il admit son rôle dans l'organisation d'une entreprise criminelle qui avait pour but de faire le trafic de cocaïne et d'héroïne. En conséquence, il reçut une peine de 20 ans de prison et fut condamné à une amende de 250 000 $. Un rapport soumis avant que la sentence ne soit prononcée décrit l'accusé comme étant une personne brisée, un immigrant italien besogneux qui disait n'être jamais allé à l'école, avoir vécu dans un sous-sol avec sa femme qui gagnait sa vie comme couturière à la pièce. De plus, il déclara qu'il avait une fille, malade, placée dans une institution depuis plus de 25 ans. Il ne possédait pas de biens. En fait, il devait exactement 115 097 $. Il possédait un camion et autres machineries pour exploiter son entreprise, cependant ils étaient tous hypothéqués et ne représentaient aucune valeur de revente. Comment allait-il s'acquitter de l'amende qu'il avait acceptée de payer? Cela demeurait un mystère.

«Monsieur Manno, quelqu'un a-t-il fait usage de pressions, de menaces, de coercition, de force ou d'intimidation de quelque sorte pour vous pousser à plaider coupable?» lui demanda le juge.

«Non, non», répondit Manno. Il se montra penaud devant la cour. «La seule chose que je veux dire est que je demande personnellement la peine la moins rigoureuse possible à cause de ma famille... Je suis tellement désolé d'avoir causé tant de problèmes au gouvernement américain. Vraiment désolé...»

Ce plaidoyer de culpabilité — presque obligatoire pour les membres de la Sixième Famille capturés pour soustraire le nom de Rizzuto à l'attention des médias — était une stratégie de la part de Manno. Du moins, lui-même le croyait-il. Il avait réussi à se jouer du système de justice du Canada lorsqu'il avait plaidé coupable du meurtre de Violi. Mais il allait découvrir que la justice américaine était aussi machiavélique que ses propres machinations.

Manno et son avocat avaient mis au point un plan qui devait réduire le nombre d'années à passer en prison et qui ferait en sorte qu'il n'aurait pas à payer la forte amende. Il plaiderait coupable et ferait ensuite rapidement appel au Programme de transfert des délinquants, un traité entre le Canada et les États-Unis qui permettait aux citoyens d'un pays emprisonnés dans le pays voisin de purger leur peine de prison dans leur pays d'origine. Une fois de retour au Canada, Manno savait que, selon les calculs du système pénal canadien, sa peine serait considérablement diminuée, et que grâce au généreux régime canadien des libertés conditionnelles, il sortirait de prison après avoir purgé le tiers de sa condamnation. Une fois au Canada, il n'avait nullement l'intention de payer un sou des 250 000 $ de l'amende. C'était, en fait, une très mauvaise stratégie. Son avocat eut beau lui dire que tout fonctionnerait comme dans du beurre, une fois que sa requête fut faite, Manno fut informé qu'il devrait payer son amende jusqu'au dernier sou avant d'être éligible à un transfert international. Manno, totalement dégoûté, retint les services de nouveaux avocats pour faire appel de sa condamnation.

« Monsieur Manno, à la suite de mauvais conseils, a accepté une transaction qui l'a soumis à une condamnation plus longue que ce qu'il avait voulu accepter, parce qu'il avait été informé qu'il n'aurait pas besoin de purger sa peine au complet », plaidèrent ses nouveaux avocats.

En novembre 2004, sa demande d'appel fut rejetée. Il avait été défait sur tous les fronts, et c'est ainsi que Manno, l'ancien mafioso rusé, demeure à ce jour coincé entre les murs d'une prison américaine. Il devrait être relâché en 2012. Il aura alors 79 ans.

Chapitre 26

L'interstate 81, l'autoroute qui suit le tracé des Appalaches, s'étire de l'est du Tennessee jusqu'à la frontière canadienne sans traverser de grandes zones urbaines, ce qui en fait la favorite d'une grande majorité de camionneurs impatients. Aussi n'est-il pas surprenant qu'il y ait sur cette route de nombreux contrôles radar. Un policier de l'État de New York y arrêta un taxi pour excès de vitesse au mois de septembre 1993, sur la voie qui se dirige vers le sud, entre le vaste parc des Adirondacks et le lac Ontario. Le chauffeur raconta alors une étrange histoire au policier qui était en train de rédiger sa contravention.

Le taxi revenait du Canada, où il avait fait une course inhabituelle. Son client, agité et en sueur, avait abandonné sa voiture dans un petit village de l'État de New York. Ce passager, visiblement épuisé et nerveux, soliloquait à voix basse et marmonnait des phrases comme : « Même s'ils la trouvent, personne ne peut prouver que c'est à moi. »

Cette course de 300 kilomètres particulièrement longue et payante emmena le chauffeur, ravi de sa chance, jusqu'à Cornwall, en Ontario. La chance de l'un faisait la malchance des autres ; des membres de la Sixième Famille, dans ce cas précis. L'arrêt forcé du taxi par le policier qui le mit à l'amende représentait le premier fil d'une tapisserie très compliquée, un autre complot visant à faire traverser la frontière à une cargaison de drogue. Ce complot impliquait, marque de commerce des opérations de la mafia montréalaise s'il en est une, des joueurs disparates du monde interlope ; cette fois-ci, des Amérindiens vivant sur une réserve qui chevauchait la frontière canado-américaine, et des membres des Hells Angels.

Le passager du taxi passait des jours spécialement difficiles, bien que son voyage eût bien démarré. Il avait quitté Cornwall, seul au volant d'une voiture de location, et s'était dirigé vers le sud, vers la frontière. Il tempêta pendant son long voyage vers le Texas parce que personne n'avait été engagé pour partager la conduite avec lui. Pour tromper sa fatigue, il commença à prendre des pilules pour rester éveillé.

Le courrier, une fois arrivé à Houston, se rendit au rendez-vous prévu, chargea la voiture de sacs de marin contenant 40 kilos de cocaïne, une cargaison qui valait six millions de dollars dans la rue, et prit immédiatement le chemin du retour. Traversant un État après l'autre, il se dirigea vers le nord. Pilule après pilule, il se rapprochait de sa ville d'origine lorsque, tout à coup, la voiture louée poussée à sa limite tomba en panne à Falling Waters, en Virginie occidentale, une ville-dortoir qui bordait la rivière Potomac et qui n'avait vécu de péripétie aussi captivante depuis la dernière charge de la cavalerie nordiste pendant la guerre de Sécession. Le passeur, qui voulait rentrer chez lui le plus vite possible, chercha aussitôt un véhicule susceptible de remplacer à peu de frais la voiture en panne. Il choisit une vieille Plymouth Gran Fury chez un vendeur de voitures d'occasion et l'acheta pour 300 $. Il transféra ensuite les sacs de drogue dans le coffre de la Plymouth. Mais la nouvelle voiture n'était guère en meilleur état que la première. Après avoir roulé pendant six heures et parcouru 570 kilomètres, le courrier, épuisé, tendu et paranoïaque, gara sa Gran Fury à l'extérieur du Wilborns Restaurant, un casse-croûte situé à Central Square dans l'État de New York. Lorsqu'il voulut reprendre la route, le tacot refusa de démarrer. Et c'est à ce moment qu'il héla le taxi.

Avant d'accepter de le conduire au Canada, le chauffeur du taxi demanda à l'homme de lui prouver qu'il avait de quoi régler la course — une affaire d'environ 350 $, davantage que ce que la Plymouth usagée lui avait coûté. Le client lui montra une poignée de billets de banque, et ils partirent. L'homme ne cessa de marmotter des paroles alors qu'il essayait de sommeiller, raconta le chauffeur au policier qui l'arrêta plus tard.

Le village de Central Square ne comptait que 1 500 habitants à l'époque et, parmi eux, personne ne roulait sur l'or. Cependant, puisque l'agglomération se trouvait à proximité de l'interstate 81, il arrivait fréquemment que des étrangers la traversent. Le policier, qui trouva l'histoire de cette course en taxi pour le moins curieuse, se rendit au restaurant Wilborns. La Gran Fury était bel et bien garée dans l'unique espace pour personnes handicapées du stationnement. Le personnel de l'établissement l'informa que la voiture n'appartenait pas à un client. L'infraction encourue pour cette voiture mal garée sur un endroit réservé aux handicapés fournit au policier un motif suffisant pour appeler une remorqueuse et, selon les lois d'appréhension des véhicules, la Gran Fury pouvait être soumise à une fouille en règle. Il ne se passa pas beaucoup de temps avant que la drogue fût découverte.

«Ils ont réalisé rapidement que, du fait qu'il y avait 40 kilos de drogue dans le coffre, quelqu'un ne tarderait pas à se montrer le bout du nez pour récupérer la voiture», a déclaré Richard Southwick, le procureur chargé de l'affaire. Les agents de police replacèrent la Gran

Fury là où elle avait été garée et la firent surveiller. Très peu de temps après, une voiture immatriculée en Ontario arriva au stationnement, fit le tour de la Plymouth puis s'arrêta. Un homme sortit de l'auto, regarda le tacot sans toutefois y toucher, puis repartit. La police attendait, toujours aux aguets. Un véhicule de dépannage de la réserve amérindienne d'Akwesasne arriva peu après, hissa la voiture sur son palan et repartit avec elle. Les policiers de l'État de New York encerclèrent rapidement le cortège. On constata l'évidence : le chauffeur de la dépanneuse ignorait l'existence de la cargaison que contenait la bagnole remorquée. Il n'y eut pas d'arrestation. Les policiers, toutefois, récoltèrent ainsi des indices probants et effectuèrent l'une des plus importantes saisies de drogue de la région.

Les autorités américaines ne mirent que peu de temps à faire le lien entre la Gran Fury et le vendeur de voitures d'occasion où elle avait été achetée, puis avec la voiture louée au Canada, qui avait été abandonnée. Cela mena la police directement au courrier. La police canadienne retrouva ce dernier au Travelodge Hotel sur l'avenue Brookdale à Cornwall, en Ontario, où il travaillait. Une enquête commune entre le Canada et les États-Unis ne tarda pas à s'organiser.

CORNWALL, ONTARIO, AUTOMNE DE 1994

À l'automne de 1994, Michel Aubin, un jeune policier de la GRC, se mua en agent secret. Il commença par traîner au Travelodge Hotel et dans le bar qui lui était attenant. Il rencontra les clients réguliers de l'endroit et se fit connaître d'eux. Aubin devint rapidement un habitué de l'hôtel. Il y était connu comme étant une personne aimable, un petit trafiquant de drogue qui regardait les membres et les associés des Hells Angels se mêler au personnel de direction de l'hôtel, aux piliers de bar et aux hommes liés à la mafia montréalaise. Les enquêteurs étaient persuadés que le trafic local de drogue passant par l'hôtel avait quelque chose à voir avec la saisie de cocaïne de la Gran Fury, sans être vraiment certains de bien saisir le mécanisme. Après avoir goûté pour la première fois aux intrigues de la Mafia, Michel Aubin, un flic calme et efficace, allait jouer un rôle prépondérant dans l'histoire de la Sixième Famille, mais seulement 12 ans plus tard. Cependant, en avril 1995, le travail d'Aubin en tant qu'agent infiltré fut de moindre importance ; il fournit à ses collègues suffisamment de preuves pour que la GRC mît sur écoute les lignes téléphoniques de l'hôtel et les résidences de deux habitants de Cornwall : le courrier parano qui avait raté la livraison de cocaïne et le propriétaire du Travelodge Hotel, Giuseppe «Joe» Sicurella.

Sicurella, originaire de Cattolica Eraclea, menait une vie tranquille à Cornwall. Il avait évité jusque-là tout problème avec la justice, à

PRÉCURSEURS AU NOUVEAU MONDE

En janvier 1925, Vito Rizzuto (ci-dessus) et son beau-frère, Calogero Renda (ci-dessous), débarquaient avec de faux documents d'immigration à la Nouvelle-Orléans. Le premier Rizzuto à fouler le sol américain devait mourir quelques années plus tard de façon particulièrement violente pour avoir trop insisté pour que lui soit payée sa participation à un incendie criminel.

LA FILIALE MONTRÉALAISE
DE LA FAMILLE BONANNO

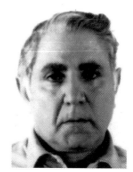

L'intérêt de Joe Bonanno (à gauche) envers Montréal était marqué et son lieutenant, Carmine Galante (au centre), y établira solidement les intérêts de la famille new-yorkaise, une tradition que tentera de perpétuer Philip Rastelli (à droite), un des successeurs de Bonanno.

Signe de respect pour la position qu'occupait déjà la famille Rizzuto à Montréal, l'ampleur de la délégation du clan Bonanno à l'occasion du mariage de Vito en 1966. Photographiés par la police suite à leur arrestation lors de cette occasion festive, on remarque, entre autres, Luigi Greco (à l'extrême gauche), un personnage qui laissera sa marque à Montréal, et Bill Bonanno (à l'extrême droite).

DES ANNÉES ÉPROUVANTES

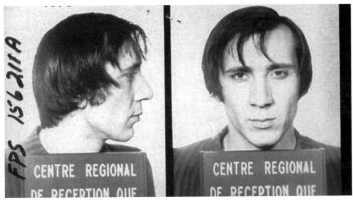

Alors que Vito Rizzuto (ci-dessus) est incarcéré pour avoir participé à l'incendie criminel d'un salon de coiffure pour hommes à Boucherville, son père Nicolò (ci-dessous), en rupture de ban avec la faction calabraise qui dirigeait la section montréalaise du clan Bonnano, devait quitter Montréal pour s'établir à Caracas, au Venezuela. On verra par la suite qu'il ne reculait alors que pour mieux sauter.

LE FLAMBEAU PASSE EN DE NOUVELLES MAINS

Cibles de la Commission d'enquête sur le crime organisé, Vic Cotroni (à gauche) et Paolo Violi (à droite) ne devaient jamais se remettre tout à fait de cet humiliant épisode, alors que leurs secrets se retrouvaient étalés sur la place publique. L'assassinat de Violi, peu de temps après, devait permettre au clan sicilien des Rizzuto de prendre en main l'organisation.

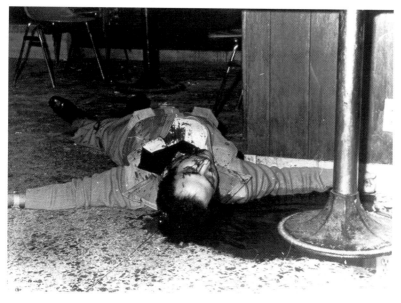

LES « ZIPS »

À New York, on désignait par le sobriquet de « Zips » ces individus qui arrivaient de Sicile et agissaient à leur guise sans se soucier des règles de la Mafia. On découvrira par la suite qu'ils n'avaient de loyauté qu'envers eux-mêmes. Le fastueux mariage de Giuseppe Bono permettra à la police de mettre des noms sur la plupart de ces visages.

LA RÉVOLTE DES CAPITAINES

Alphonse «Sonny Red» INDELICATO

Philip «Philly Lucky» GIACONNE

Dominick «Big Trinny» TRINCHERA

En révolte contre le leadership de leur chef Joe Massino, les trois capitaines devaient être éliminés. La tâche fut confiée aux Canadiens et froidement exécutée. La participation de Vito Rizzuto à ce massacre devait lui coûter sa liberté 26 ans plus tard, lorsque Massino se mettrait à table à son tour, histoire d'éviter la peine de mort.

LE LENDEMAIN DES MEURTRES

Le lendemain des meurtres des trois capitaines récalcitrants, un agent du FBI prit cette photo de Vito Rizzuto (au centre, cigarette aux lèvres) en compagnie de Joe Massino, complètement à droite, Gerlando «Georges le Canadien» Sciascia, à gauche, et Giovanni Ligammari, alors que les comparses quittaient un motel du Bronx.

Le cadavre de Sonny Red devait être découvert rapidement. Les deux autres ne seraient retrouvés que 26 ans plus tard.

FAMILLE ET AMIS

Leonardo RIZZUTO   Nick RIZZUTO   Francesco ARCADI

Francesco DEL BALSO   Alfonso CARUANA   Giacinto ARCURI

Frank CAMPOLI   Gaetano PANEPINTO   Lorenzo GIORDANO

GEORGES LE CANADIEN

Gerlando Sciascia, « Georges le Canadien », ambassadeur itinérant du clan Rizzuto auprès du clan Bonanno, finira par être condamné à mort par Massino (« Georges doit partir » sera le prononcé de sa sentence), qui insista pour qu'il soit criblé de balles « de haut en bas ». Mais on ne voulait surtout pas que les Montréalais sachent qui était derrière ce crime. On redoutait leur riposte.

LE JEUNE *CAPO* SICILIEN

L'élégant Zip Cesare Bonventre devint à 28 ans le plus jeune *capo* de la famille Bonanno. Garde du corps de Galante, sa trahison présumée lors du meurtre de ce parrain lui avait valu cette distinction. Il devait plus tard être assassiné à son tour, et son cadavre, affreusement mutilé.

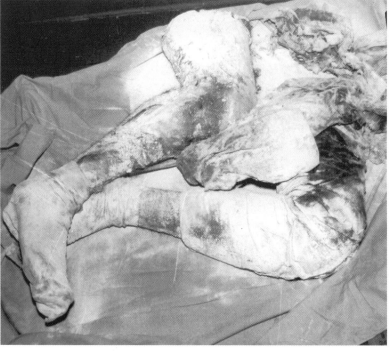

PROBLÈMES DE CROISSANCE

Un des premiers en Ontario à se joindre au clan Rizzuto, Panepinto devait payer de sa vie sa tentative de protéger ce qu'il croyait être son territoire de l'invasion des Calabrais. Des membres du clan Rizzuto assistent à ses funérailles.

Vito Rizzuto semble poser fièrement en compagnie d'un de ses durs de durs, Juan Fernandez. On retrouve aussi Frank Campoli, debout à droite, un des cadres de la compagnie OMG, propriétaire du fameux Jeep prêté à Rizzuto.

UN SIMPLE CLUB DE QUARTIER

C'est dans ce modeste local que se transigeaient les affaires du clan Rizzuto. Un établissement auquel la police aura subrepticement accès.

On compte d'abord les dollars…
Uno, due, tre, quattro.

Et puis on les empoche…
ou on les met dans ses chaussettes.

LES « RATS »

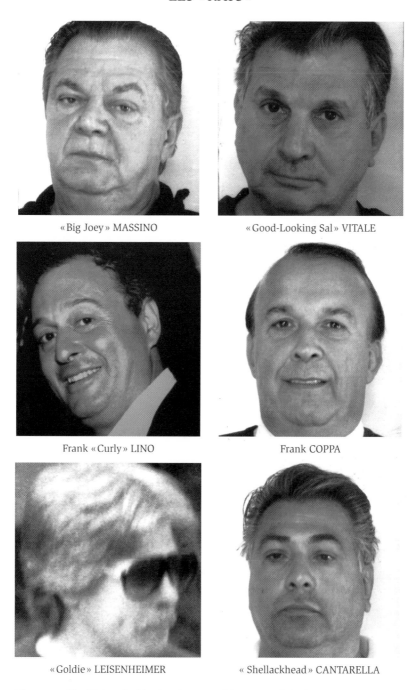

« Big Joey » MASSINO

« Good-Looking Sal » VITALE

Frank « Curly » LINO

Frank COPPA

« Goldie » LEISENHEIMER

« Shellackhead » CANTARELLA

L'inconcevable, l'inimaginable : les « hommes d'honneur » de la famille Bonanno se mettent à table. Parmi eux, leur propre parrain.

LES CHOSES SE CORSENT

Vito Rizzuto, l'air grave, confère avec son avocat, Me Jean Salois, dans le cadre des procédures d'extradition déposées contre lui par le gouvernement américain. Jusqu'à ce moment, il avait toujours réussi à s'en tirer indemne, un autre «Don Teflon».

LA CHUTE D'UN PARRAIN

Le 25 mais 2006, le Parrain admet sa culpabilité devant le juge américain Garaufis et est condamné à 10 ans d'emprisonnement et à une amende de 250 000 $. À sa sortie de prison, il aura 70 ans. Entre-temps au Canada, l'opération Colisée aura porté un dur coup à l'extraordinaire entreprise du crime qu'il avait su développer au fil des ans. Le 23 octobre 2007, autre revers : des dizaines de personnes sont arrêtées en Italie et accusées d'être membres d'un colossal empire financier mafieux. Un mandat d'arrêt est lancé contre Vito Rizzuto qui, selon la police, serait derrière ces manigances.

LE COUP DE FILET COLISÉE

Nick RIZZUTO

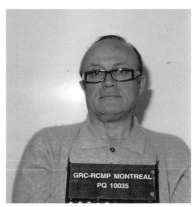
Rocco SOLLECITO

Paolo RENDA

Francesco ARCADI

Lorenzo GIORDANO

Francesco DEL BALSO

Décimé par l'emprisonnement de son chef, le clan est durement secoué par la vague d'arrestations qui concluent l'opération Colisée. Une enquête de plusieurs années qui aura coûté au bas mot 50 millions au trésor public.

l'exception d'une mise en examen pour vol à main armée 20 ans plus tôt, un chef d'accusation qui avait été abandonné avant le procès.

Les trafiquants de Cornwall ne pouvaient pas savoir que leurs lignes téléphoniques avaient été mises sous écoute, même s'ils étaient bien conscients que c'était une possibilité. Au moment où la police commença sa surveillance électronique, les enquêteurs s'aperçurent que les suspects utilisaient déjà des codes secrets. Quand Sicurella essayait de déterminer la quantité de cocaïne que contenait une livraison prochaine, il demandait : « Combien de filles ? » La réponse de Julian Tabares, que l'on soupçonnait d'être son fournisseur de Miami, était : « De trois à quatre mains », ce qui signifiait de 15 à 20 kilos, soit un kilo pour chaque doigt de la main. Ils nommaient également souvent leurs amis en combinant les deux premières lettres de leur prénom et de leur nom de famille. Par exemple, Luis Caceres devenait ainsi « Luca ». Ce subterfuge laissa les officiers perplexes au début. Qui donc pouvaient bien être ces personnes inconnues ? Puis, la police releva un appel que Sicurella fit à un collègue du Travelodge, au cours duquel il demanda le numéro de téléphone de « Luca. » La police de Montréal identifia le numéro qui fut donné en réponse comme étant celui du téléavertisseur de Luis Caceres.

À l'insu de la police à l'époque, les conspirateurs avaient déjà acheté plusieurs livraisons de cocaïne des États-Unis pour les faire entrer au Canada. Ces livraisons faisaient de 10 à 22 kilos chacune. Quatre jours après le début des écoutes téléphoniques, Sicurella, à son hôtel, répondit à un appel de Tabares, qui se trouvait à Miami, et une réunion fut organisée entre les deux. Une autre livraison était en préparation, pensa la police.

Le 6 mai 1995, des agents surveillèrent discrètement Sicurella lorsqu'il quitta son domicile et traversa la frontière à Massena, New York. Il déclara au douanier que lui et sa compagne ne faisaient qu'aller prendre le petit-déjeuner de l'autre côté de la frontière. Pendant ce temps, Pierre Rossignol, un co-conspirateur qui se trouvait à Saint-Joseph-du-Lac, au Québec, pénétra clandestinement aux États-Unis avec l'aide d'Amérindiens d'Akwesasne. Il rejoignit Sicurella, et ils se dirigèrent ensemble vers l'aéroport de Syracuse, où ils prirent un vol pour Miami, toujours sous le regard bienveillant des agents de la DEA. Tabares vint les cueillir à l'aéroport, et les deux Canadiens retinrent la chambre 6912 au Marriott Hotel, qui se trouvait à proximité. Lors de discrètes réunions face à face, les deux groupes marchandèrent le prix de grosses quantités de cocaïne.

Sicurella et Rossignol retournèrent ensuite à Syracuse, où un résident d'Akwesasne vint les chercher et les conduisit du côté américain de la réserve. Ils s'embarquèrent ensuite à bord d'un bateau qui fit un court voyage sur le Saint-Laurent pour les déposer sur la rive canadienne de la réserve. Le même chemin, si commode pour faire passer des personnes d'un côté ou de l'autre de la frontière en contournant les postes de douane, était également utilisé pour transporter la drogue.

Durant les 18 jours suivants, on s'entendit sur tous les détails de la transaction, et un accord fut finalement conclu dans un restaurant de Laval, bien que le prix fût toujours demeuré problématique. Malgré l'appétit des Canadiens pour un approvisionnement constant en drogue, Rossignol annonça qu'il «n'allait pas se mettre à genoux» pour conclure la transaction.

Le 2 juin 1995, Aubin, l'agent de police qui avait infiltré le groupe de trafiquants, rencontra l'homme stressé qui avait abandonné sa livraison de cocaïne dans le coffre de la Gran Fury. Aubin lui commanda un kilo de coke. L'homme lui répondit qu'il était impossible de répondre pour le moment à une commande de cet ordre. «Nous devons attendre que certaines choses se tassent», ajouta-t-il.

Une semaine plus tard, Sicurella roulait vers le sud quand il fut arrêté par des policiers de l'État de New York qui suivaient l'enquête. Il leur dit qu'il se rendait à Atlantic City pour «prendre du bon temps» et leur donna la permission de fouiller sa voiture. Il s'agissait là d'un pari audacieux. Dans le véhicule, au fond d'une boîte de mouchoirs en papier qui se trouvait sur la plage arrière, se trouvaient en effet 50 000 $ devant servir de premier paiement pour la cocaïne. La fouille des policiers ne donna rien. Ils ne trouvèrent ni bagages, ni drogue, ni argent, et ils donnèrent à Sicurella la permission de continuer sa route.

Malgré cet important premier versement, les accords définitifs furent longs à venir et exigèrent de nombreuses conversations téléphoniques. Sicurella reçut plusieurs appels d'un homme qui semblait donner les ordres: Girolamo Sciortino.

Le nom de Girolamo Sciortino ne semblait rien dire aux enquêteurs américains. Cependant, au Canada, Sciortino avait été inscrit dans les dossiers de la police, non seulement à cause de ses activités criminelles, qui remontaient à 1973 — il avait alors été condamné deux fois pour avoir été propriétaire de deux tripots, et une autre fois, en 1988, pour trafic de stupéfiants —, mais aussi à cause des personnes qu'il fréquentait. Né le 27 septembre 1941 à Cattolica Eraclea, il avait immigré à Montréal où il était désormais connu sous le surnom de «Georges», qui s'était doublé du slogan «Le roi du sous-marin» au moment où il avait ouvert son propre restaurant de pizza et de sandwichs de type *submarine*. Il s'était allié par mariage à la famille D'Angelo de Montréal qui, dans le tissage des relations à l'intérieur de la Sixième Famille, avait des liens à la fois avec les Rizzuto et avec les Renda. Sciortino est probablement un parent de Giuseppe Sciortino, arrivé en Amérique en 1925 aux côtés du grand-père de Vito Rizzuto et de celui de Calogera Renda. Les familles restèrent très liées. En 1995, son nom attira l'attention de la police lorsque son fils, Bernardo, épousa Bettina Rizzuto, la seule fille de Vito. Les noces somptueuses, où Bettina portait une robe de mariée digne d'une princesse de conte de fées et un collier de perles blanches, eurent lieu deux ans après que la Gran Fury bourrée de cocaïne eut été trouvée, mais également deux ans avant que Girolamo Sciortino dût rendre des comptes à ce propos. Selon la police, Bernardo Sciortino, que l'on surnommait souvent Benny, avait été condamné pour agression et s'occupait de la direction du restaurant familial, Georges le Roi du sous-marin. Bernardo et Bettina donneraient à Vito, un peu plus tard, son premier petit-fils.

Même si son rôle demeurait un mystère, Girolamo Sciortino devint un aspect important de l'enquête approfondie des policiers concernant le Travelodge, une opération qui fut baptisée du nom de code Project Office.

Le 18 juillet 1995, Sciortino téléphona à Sicurella au Travelodge et lui demanda, en langage codé, une mise à jour des événements concernant la prochaine livraison de cocaïne. Sicurella lui répondit qu'il y travaillait. Trois jours plus tard, Sciortino téléphona de nouveau et se plaignit que Sicurella ne répondait pas à ses appels. Le propriétaire de l'hôtel de Cornwall lui dit qu'il s'était produit un certain nombre d'«emmerdes», mais que Sciortino ne devait pas s'inquiéter. Une semaine plus tard, au restaurant Miss Cornwall, qui se trouve à proximité du Travelodge, Sicurella reçut la nouvelle que la cargaison de cocaïne était prête et qu'on pouvait en prendre livraison. Son courrier s'arrangea pour emprunter une voiture appartenant à quelqu'un de la réserve, lui promettant qu'il trouverait 500 $ dans la boîte à gants quand il la récupérerait. Le matin suivant, le courrier se dirigea vers la ville de New York. Il était clair qu'il avait appris des erreurs commises au cours de son voyage au Texas. Aussi emmena-t-il sa femme avec lui pour partager la conduite. Malgré cela, la route s'avéra éprouvante. L'heure limite à laquelle il devait aller chercher sa livraison à New York était midi, et à 9 h 57 ce matin-là, il n'avait toujours pas traversé la frontière, alors qu'il était au début d'un voyage devant durer sept heures. Il était certain qu'il dépasserait de beaucoup l'heure convenue pour aller cueillir la cargaison. Alors qu'il se trouvait en route, il fit de nombreux appels pour demander qu'on lui accordât plus de temps, appels dirigés à un téléphone public sur le trottoir situé à côté du Flushing Auto Salvage, dans l'ombre du fameux Shea Stadium de New York.

« L'heure est ce qu'il y a de plus important », répéta une voix à partir du téléphone new-yorkais. Une fois arrivé à Queens, le courrier reçut les clés d'une Mercury Cougar grise. On le prévint que 30 kilos de cocaïne avaient été cachés derrière les sièges arrière. On avait utilisé un subterfuge de haute technologie. Le compartiment secret s'ouvrait grâce à un dispositif hydraulique qui ne pouvait être activé qu'en syntonisant une fréquence spéciale sur la radio de l'auto. Le courrier, accompagné de sa femme, monta dans la Cougar. Après avoir passé la nuit, ils prirent la route vers le nord et arrivèrent à une maison sur le côté américain de la réserve d'Akwesasne, où la cocaïne fut déchargée. Le courrier compta 27 paquets d'un kilo de coke lorsqu'il les plaça dans une boîte en carton, dans un garage. Un peu après 19 h 30, ce soir-là, la cocaïne fut conduite jusqu'au Saint-Laurent et embarquée sur un bateau qui traversa du côté canadien de la réserve. De là, elle fut transférée dans une camionnette.

Celle-ci prit ensuite la direction de Montréal, un trajet facile en auto, d'une durée d'une heure et demie. Mais la police avait pris le véhicule en filature. Le chauffeur, l'ayant remarqué, sortit à la dernière minute de l'autoroute 40 à la hauteur du boulevard Saint-Laurent et disparut dans la circulation. La police déclara que, finalement, la drogue avait été livrée à Sciortino, à Montréal.

C'était maintenant au tour de Sciortino de se faire sermonner par téléphone. Il paraissait éprouver des difficultés à joindre les deux bouts, et se montrait incertain de pouvoir régler le versement final pour la camelote. Peut-être montrait-il simplement de la réticence à allonger les dollars... Mais la situation se renversa soudainement. Sicurella appela Sciortino à sa gargote à sandwichs de Montréal pour lui réclamer l'argent, le surnommant « Georges ».

« Ne te fais pas de mauvais sang », lui répondit Sciortino. Cependant, d'autres personnes s'inquiétaient pour lui. Le courrier de Sicurella recevait des appels de ses fournisseurs qui lui demandaient quand il comptait renvoyer la Cougar à gadgets et le reste de l'argent. Ses fournisseurs lui dirent « qu'ils ne pouvaient pas danser », ce qui semblait indiquer qu'ils se savaient surveillés par la police. Le 30 juillet, le fournisseur de Miami perdit patience et annonça qu'il partait pour Cornwall récupérer son auto et son argent. Sicurella, sous la pression, prévint les fournisseurs qu'ils risquaient tous de se faire arrêter.

Sicurella, faisant allusion aux risques que courait la bande de se retrouver à l'ombre, mit en garde son interlocuteur concernant le contact avec Miami : « Si jamais il vient ici, il ferait mieux de se préparer à y rester pendant longtemps. Avec vos conneries, les gars, vous allez tous me pousser à faire quelque chose — l'erreur de ma vie... »

Le 31 juillet, à 10 h 09 du matin, Sicurella annonça qu'il partait pour Montréal pour arranger «les documents», un nom de code commun pour désigner l'argent. La police plaça immédiatement son hôtel sous surveillance. La GRC avait perdu la drogue mais était déterminée à ne pas perdre l'argent. Une heure plus tard, la femme de Sicurella appela ce dernier pour lui demander comment se passait le voyage. Les agents de police furent stupéfaits de se rendre compte qu'il avait réussi à leur filer entre les doigts. Ils voulaient absolument le retrouver. Ils appelèrent son téléavertisseur et inscrivirent le numéro de sa maison comme étant le numéro à rappeler, dans l'espoir que lorsqu'il le ferait, ils puissent déterminer sa position. Lorsque Sicurella rappela, neuf minutes plus tard, le numéro, inscrit sur la liste confidentielle, ne s'afficha pas. La GRC mit plus de deux heures à obtenir le renseignement de Bell Canada. L'appel avait été placé au bar Le Corner à Montréal, rue Bernard. À 4 h 36 de l'après-midi, les agents retrouvèrent finalement Sicurella et le surveillèrent pendant toute la nuit — au cours de laquelle il rencontra deux fois Sciortino — et pendant la journée suivante, alors que Sicurella et Sciortino conversèrent furtivement dans le stationnement d'un Burger King.

Pour éviter de le perdre de nouveau, la police établit une surveillance aérienne grâce à une équipe en hélicoptère qui le suivit alors qu'il circulait parmi les rues encombrées de la ville.

Peu avant 17 heures, le 1er août, Sicurella et Sciortino se rencontrèrent à nouveau. Ils garèrent leurs voitures l'une à côté de l'autre près de la maison de Sciortino, rue Beaubien. Sciortino sortit un sac en papier blanc de son coffre et le donna à Sicurella, qui à son tour le plaça sur le siège avant de partir rapidement. À 17 h 07, la police intervint et arrêta Sicurella. À l'intérieur du sac, les agents trouvèrent 200 000 $ en billets de 50 $ et de 100 $, bien enroulés avec des élastiques. Un des billets de 100 $ était faux. Le jour suivant, des mandats d'arrestation furent émis contre Sciortino et les autres. Sciortino se rendit de lui-même à la GRC de Cornwall le 22 août, où il fut accusé d'avoir conspiré pour importer de la cocaïne.

Pour empirer les choses, le courrier qui avait raté sa livraison avec la Gran Fury — événement qui, nous l'avons vu, avait donné le coup d'envoi à toute l'enquête — accepta de devenir témoin à charge et coopéra avec les autorités, en échange d'une réduction de peine pour lui-même et de l'abandon des accusations visant sa femme. Il s'agissait là d'une des rares coopérations entre une personne de la Sixième Famille et le gouvernement. En conséquence, la majorité des accusés durent plaider coupables.

Girolamo Sciortino et Joe Sicurella furent désignés comme étant les meneurs. Ils firent l'objet de graves chefs d'accusation au Canada et aux États-Unis et durent faire face à la justice ensemble, ce qui est inhabituel. Ils plaidèrent coupables à trois mois d'intervalle, dans les deux pays, et furent condamnés à 12 ans et demi de prison au Canada et à 10 ans aux États-Unis pour association dans le trafic de stupéfiants. On accorda par la suite aux deux hommes la permission de purger leur peine au Canada. Cela s'avéra une mesure particulièrement avantageuse dans le cas de Sicurella. Il s'agissait de sa première infraction au niveau fédéral pour trafic de stupéfiants. Le trafic de drogue n'est pas considéré comme un crime violent par la Commission nationale des libérations conditionnelles, ce qui faisait de lui une personne éligible à une procédure accélérée. On lui consentit la faveur d'une libération conditionnelle de jour en 2001, et d'une liberté conditionnelle totale en 2003. Sciortino, quant à lui, n'eut pas la même chance. En 2002, trois ans après son emprisonnement, il fut à nouveau condamné pour trafic de drogue et reçut une peine supplémentaire de 32 mois de prison. À sa demande de liberté conditionnelle en février 2007, la Commission nationale des libérations conditionnelles ne fut pas très impressionnée.

« Selon des renseignements fournis par la police, vous étiez bien plus impliqué dans le trafic de drogue que vous vouliez le faire croire, dit la commission à Sciortino. Vous êtes un membre affilié de la mafia montréalaise. » À la suite des démentis invoqués par Sciortino, le rapport de la commission poursuivait ainsi : « Et vous insistez pour déclarer que les crimes que vous avez commis n'ont rien à voir avec le clan… »

On trouve encore, plus loin : « Les intervenants croient que vous avez choisi la criminalité en toute connaissance de cause et en méprisant les activités légales et les normes sociales — tout cela sous le couvert de valeurs pro-sociales et de vos activités légales comme restaurateur pendant toutes ces années. Le fait que vous vous soyez tourné vers des activités illégales a été pour vous un choix de vie. Vous avez choisi de vous consacrer inconditionnellement à de telles activités, et avez fait ce choix de façon délibérée après avoir bien analysé le pour et le contre. »

Richard Southwick, le procureur américain, s'étonne en fin de compte de l'importance de l'affaire et de la façon dont tout a commencé, au moment où un chauffeur de taxi a été arrêté pour excès de vitesse. Le magistrat a conclu que si les trafiquants avaient pris la décision d'engager un deuxième courrier pour relayer l'autre au volant, le chemin du retour du Texas se serait terminé différemment.

« Si les organisateurs n'avaient été aussi minablement grippe-sous, ils n'auraient sans doute jamais été attrapés. »

CHAPITRE 27

MONTRÉAL, DÉCEMBRE 1993

Le temps des fêtes, au Canada, est habituellement une période froide. Les habitants de ce pays, qui jouissent d'étés chauds et ensoleillés, traversent des hivers particulièrement longs et glacés, dont la monotonie n'est rompue que par les festivals et les sports extérieurs. Oreste Pagano, natif de Naples, dans le sud de l'Italie, était habitué à la chaleur méridionale et avait vécu pendant de nombreuses années dans le climat étouffant de l'Amérique du Sud et de Miami. À son arrivée à Montréal, il fut accueilli par un froid arctique. Ce voyage sous la neige, son premier au Canada, devait durer de Noël jusqu'au Nouvel An. Mais Oreste Pagano avait au programme une tout autre sorte de poudre blanche. Tout comme Vito Rizzuto et Alfonso Caruana, Pagano était un homme très occupé. Sa principale activité consistait à organiser des livraisons de cocaïne de première qualité. Presque chauve, têtu comme une mule, il était membre de la Camorra, la mafia de Naples. Il avait été présenté à Alfonso Caruana en 1991, alors qu'ils se trouvaient tous les deux en villégiature à Margarita Island au Venezuela, la Mecque des touristes, lieu de prédilection des Rizzuto qui y tinrent de nombreuses réunions et y passèrent leurs vacances, utilisant pour s'y rendre le jet privé de quelqu'un.

Pagano, les autorités italiennes sur les talons, s'était réfugié en Amérique du Sud. Après sa rencontre avec Alfonso, il avait décidé de faire tandem avec lui et cherché à mettre la main sur des livraisons de 400 kilos et plus de cocaïne, grâce à ses contacts avec le cartel de la drogue en Colombie, établis pendant l'année où il avait vécu à Bogota. Les relations entre Pagano et les Caruana étaient devenues étroites et fructueuses, et avaient entraîné Pagano dans l'orbite de la Sixième Famille.

À la Noël de 1993, Pagano venait à Montréal dans le but d'obtenir des réponses d'Alfonso Caruana. Il voulait savoir quand il pouvait s'attendre à recevoir la somme substantielle que lui devait, ainsi qu'à ses fournisseurs, le cartel colombien, pour avoir organisé une livraison d'une envergure monstrueuse — rien de moins que 5 466 kilos de camelote — du Venezuela vers l'Italie. Leurs entretiens seraient fort peu festifs, mais Pagano tint compte de l'esprit de Noël et apporta une montre en or à Alfonso en guise de cadeau. Alfonso avait également, si l'on peut dire, un cadeau pour Pagano. Les deux hommes avaient réservé une chambre dans le même hôtel de Montréal et, durant l'une de ces journées glacées qui ne semblent pas vouloir finir, Alfonso annonça à Pagano qu'ils dîneraient ce soir-là avec un *compare* — ce mot italien peut signifier «parrain» ou «parent». Peu importe toutefois le sens que lui donnait Alfonso; il indiquait très clairement à Pagano qu'ils allaient rencontrer une personne très importante.

Vito Rizzuto arriva à leur hôtel vers 19 heures.

«Ce monsieur est arrivé, un homme de haute taille à l'allure très distinguée, a dit Pagano, décrivant la première impression que lui donna alors Vito. Il nous a fait monter dans sa voiture et nous sommes partis dîner tous les trois.»

Le monde de Pagano, tout comme celui d'Alfonso, était feutré par la sourdine du secret. Ni l'un ni l'autre ne parlaient à tort et à travers de leurs affaires respectives. Leurs activités reliées au trafic des drogues étaient, parmi leurs secrets, ceux qui étaient le mieux gardés. Ainsi, durant le dîner, lorsque Pagano réalisa que Vito Rizzuto semblait au courant de tous ses faits et gestes, il reçut un signal.

«Lorsque Alfonso m'a présenté Vito et que je me suis aperçu que ce dernier avait l'air de connaître tout ce qu'Alfonso et moi faisions, j'ai compris que Vito Rizzuto était à la tête de la Mafia et au-dessus d'Alfonso, a dit Pagano. Si cela n'avait pas été le cas, pourquoi Alfonso lui aurait-il tout raconté?» Pour Pagano, toute suggestion émanant de Vito ne pouvait donc être qu'une proposition intéressante. Lorsque, plus tard, Pagano prit ses renseignements sur Vito, il découvrit bien vite que la réputation de celui-ci était sans tache.

Pagano en conclut ce qui suit: «D'après ce que m'a dit Alfonso, il était à la tête de la Cosa Nostra, le chef de la mafia italienne au Canada. Peu importe l'autorité, le pouvoir, les relations ou la richesse que la famille Caruana-Cuntrera pouvait avoir à l'échelle mondiale, elle ne supplantait pas l'autorité de Vito Rizzuto au Canada. Il était le chef de la Sixième Famille. Après les Rizzuto, la famille Caruana est celle qui compte le plus, celle qui a le plus de voix lors d'une discussion. La famille d'Alfonso est numéro deux.» Pagano s'adressa par la suite à différentes sources qui, toutes, se portèrent garantes de Vito. «À part Alfonso, d'autres personnes qui me connaissaient m'ont dit qu'il était le chef de la Mafia et qu'il dirigeait tout», a ajouté Pagano.

La conversation qui eut lieu entre Vito, Pagano et Alfonso ne fut pas un bavardage sans importance.

«Nous avons discuté affaires», a dit Pagano. Tous trois commencèrent à élaborer une nouvelle façon de faire entrer de la cocaïne en

Amérique du Nord, et Vito offrit à Pagano une part d'une très grosse cargaison de haschisch. «J'ai aussi parlé à Vito d'une transaction de drogue que nous allions conclure, lui et moi», a ajouté Pagano.

Le plan semblait assez simple, selon les normes des trafiquants de drogue. Vito avait établi le contact avec un industriel canadien qui possédait une mine au Venezuela. La société de cet homme d'affaires procédait annuellement à l'envoi de plusieurs cargaisons de minerai vers le Canada, où celui-ci était traité. On certifia à Pagano que la cocaïne pouvait facilement être dissimulée dans ces cargaisons pour atteindre clandestinement le Canada. Cette société était légitime et prospère, et ses livraisons, régulières. Le risque de voir ces dernières ciblées et interceptées était fort mince.

«Vito m'a envoyé parler à son contact. Il habitait au Venezuela, y possédait une mine et était Canadien, poursuit Pagano. Il m'a dit d'envoyer 100 kilos de cocaïne à une personne en particulier qui habitait la ville de Bolívar et que nous pouvions commencer à travailler avec lui. Je suis allé en personne à Bolívar et lui ai donné 100 kilos de cocaïne.» La livraison eut lieu quelques mois plus tard. Une livraison venait alors d'être saisie à Miami, ce qui provoquait un certain ralentissement dans les tractations entre les Pagano et les Caruana.

«J'avais envoyé 100 kilos du Venezuela en octobre 1994. La personne à qui on m'avait recommandé de les envoyer m'a mentionné que la marchandise devrait arriver au Canada aux environs de Noël, a dit Pagano. J'avais discuté avec Vito Rizzuto et l'avais prévenu que je lui envoyais 100 kilos.» C'est ainsi qu'un an après sa première visite à Montréal, durant laquelle avait eu lieu le dîner en compagnie de Vito, Pagano prit un avion pour le Canada à l'époque de Noël pour voir comment s'était déroulée leur première transaction commune. Cette fois-ci, l'accueil que lui réservèrent les deux hommes rappela à Pagano la température glacée de l'extérieur. Les nouvelles du Venezuela n'étaient pas bonnes...

PUERTO CABELLO, VENEZUELA, DÉCEMBRE 1994

Un peu avant Noël, les ouvriers de Puerto Cabello, un vieux port animé à l'ouest de Caracas, étaient de bonne humeur. Puerto Cabello avait déjà été considéré comme l'un des meilleurs ports en eau profonde du Nouveau Monde, et comme le point de départ vers l'Europe de marchandises comme le cacao, le café et le coton. Au XVIIIe siècle, ces activités portuaires avaient attiré de nombreux pirates écumant la mer des Caraïbes, ce qui avait provoqué l'édification de fortifications importantes le long de la côte, dont le Fortin de San Felipe, souvent surnommé le «Château du Libérateur». Le fort fut utilisé par la suite comme prison pour les dissidents politiques, et il est encore possible, de nos jours, de déchiffrer les messages de ses occupants désespérés sur les murs de pierre. Encore aujourd'hui, les hauts murs des fortifications demeurent imposants. Puerto Cabello, toujours grouillant d'activité, est considéré comme étant le premier port militaire et commercial du Venezuela. La crainte des pirates a disparu depuis de nombreuses années, mais Puerto Cabello est devenu un site très attirant pour le crime organisé.

La cocaïne entre au Venezuela grâce à l'obligeance de son voisin. Le pays est en effet relié à la Colombie par la route panaméricaine et par de petites routes secondaires où l'on retrouve une importante circulation d'autobus, de camions et d'autos vers les postes frontière. Le passage de la drogue se fait aussi bien par la route principale que par des chemins clandestins. Les quantités sont importantes, et des stocks s'accumulent souvent pour permettre aux trafiquants d'assurer un approvisionnement régulier et de contourner aisément les règles douanières.

«Les méthodes d'expédition et de dissimulation de la drogue sont raffinées, semblables à celles utilisées en Colombie. Les trafiquants créent souvent des sociétés "couvertures" et forgent de faux documents. Ils entreposent temporairement la drogue dans des villes et des ports clés autour de Maracaibo, Maracay, Caracas, Barquisimeto et Puerto Cabello, et se soustraient ensuite aux lois locales en les faisant partir de ces ports peu surveillés», relate un rapport établi par le Département d'État américain. L'ambassade des États-Unis à Caracas décrit Puerto Cabello comme étant «un lieu d'embarquement connu pour des cargaisons de tonnes de cocaïne par conteneurs».

Les pressions, toujours plus fortes, exercées par le gouvernement américain sur le Venezuela entraînèrent une augmentation progressive des saisies de narcotiques et des arrestations. La corruption, toutefois, demeurait endémique. Selon le Département d'État américain, à peu près au moment où Pagano organisa la livraison d'essai de cocaïne vers le Canada à la demande de la Sixième Famille, le président Carlos Andrés Pérez subit un procès pour détournement de fonds, et un scandale éclata après que des mandats d'arrêt pour blanchiment d'argent contre plus de 35 personnes reliées au cartel de la cocaïne de Cali furent annulés par un juge corrompu. «La corruption est une menace pour les institutions démocratiques du gouvernement vénézuélien et un obstacle important aux programmes de contrôle des drogues», conclut le Département d'État dans son rapport sur les narcotiques, cette même année.

Au cours de ces périodes incertaines, les agents de la Guardia Nacional, un des trois services de police fédérale chargés de l'application des lois concernant la drogue, effectuèrent une descente à un entrepôt du port de Puerto Cabello et arrêtèrent sept personnes qui chargeaient des tonneaux contenant du magnésium dans un conteneur destiné à Montréal. Lorsque les autorités inspectèrent la cargaison, ils trouvèrent, mêlés au minerai, 543 kilos de cocaïne, d'une valeur estimée de 100 millions de dollars.

Parmi les personnes arrêtées se trouvait Stephan Zbikowski, 32 ans, de Longueuil au Québec. Zbikowski est le fils d'un riche ingénieur minier québécois, qui avait été actif dans des opérations minières au Venezuela et avait fait partie de la direction d'une société possédant les droits d'exploration d'un territoire de plus de 3 500 hectares, dans ce pays où il espérait trouver de l'or. L'arrestation bouleversa littéralement la famille Zbikowski. La mère se rendit deux fois au Venezuela pour plaider en faveur de son fils. En mars 1997, Zbikowski junior croupissait encore, sans avoir été condamné, dans une dure prison vénézuélienne. Le cas souleva des questions au parlement canadien de la part de deux politiciens québécois, Stéphane Bergeron et Philippe Paré. En 1997, Bergeron présenta au premier ministre une pétition signée par près de 2 500 personnes, demandant au gouvernement canadien de supplier les Vénézuéliens de relâcher l'infortuné jeune homme.

La situation familiale ne s'améliora toutefois pas. Un an après l'arrestation du jeune Zbikowski, le père fut également arrêté et inculpé de trafic de drogue, à la suite d'une enquête conjointe menée par la DEA américaine, la police de l'État de New York et la Sûreté du Québec. Les officiers saisirent 75 kilos de cocaïne et émirent des mandats d'arrêt contre 12 personnes. En plus de Zbikowski père, alors âgé de 58 ans, la police émit un mandat d'arrêt contre Emanuele Ragusa, un membre de la Sixième Famille. Selon des documents du gouvernement, Zbikowski était considéré comme l'un des chefs d'un réseau étendant ses ramifications aux États-Unis, au Canada, au Mexique et au Venezuela. Il fut plus tard condamné à 13 ans de prison.

La Commission nationale des libérations conditionnelles déclara : « Vous avez été l'un des dirigeants de ce plan criminel. Votre rôle a été de planifier, de contrôler, de diriger, de financer, de coordonner et de prendre en charge le transport de la cocaïne. » Deux notes à son dossier mentionnent ses liens avec la Mafia.

MONTRÉAL, JANVIER 1995

La nouvelle des arrestations et des saisies de cocaïne qui s'étaient produites à Puerto Cabello parvint à Montréal à peu près en même temps qu'Oreste Pagano. Le prodigieux trafiquant de drogue, absolument ignorant des événements catastrophiques survenus au Venezuela, venait à Montréal pour rencontrer Vito et Alfonso, et pour savoir comment s'était déroulé leur projet pilote.

« Vito Rizzuto m'a tendu un journal mentionnant la saisie. Et le journal parlait de 500 kilos, a déclaré plus tard Pagano. Je lui ai dit qu'il ne s'agissait pas de ma marchandise, car j'avais expédié un peu plus de 100 kilos et non 500.» Il semble que, quelque part, un type avait eu les dents longues. Ce n'était pas la première fois que quelqu'un dérangeait les plans que Pagano avait si bien élaborés. La cargaison de 100 kilos avait été substantiellement augmentée et était devenue si énorme qu'elle avait tout fait basculer. Les gangsters s'affolaient. À qui appartenait la drogue qui avait été saisie? Qui était responsable? Était-ce vraiment leur cargaison qui avait été trouvée? Ou celle de quelqu'un d'autre? La livraison la plus petite était-elle encore en route? Les questions étaient nombreuses, et nul ne pouvait y répondre.

«[Vito] allait envoyer quelqu'un pour découvrir comment la drogue avait été saisie, a raconté Pagano. Et il disait qu'il ignorait comment ou de qui ce gentleman avait réussi à obtenir les 400 kilos supplémentaires... Ils ont déclaré qu'ils ne le savaient pas mais qu'ils allaient le découvrir, qu'ils allaient faire casquer le responsable pour la cargaison ainsi que pour les gains perdus, a expliqué Pagano. On lui a recommandé d'avoir un peu de patience, que Vito allait lui envoyer l'argent.» La saisie, bien sûr, ne bouleversa pas que les gangsters.

«Après avoir découvert que son fils avait été arrêté, le père du jeune Zbikowski s'est inquiété; il savait qu'il pouvait se retrouver à son tour dans le collimateur des autorités. Il a réussi à être hospitalisé dans une clinique de Montréal pour avoir un alibi...», a révélé Pagano.

Ce dernier continua à travailler en étroite collaboration avec Alfonso. Cependant, à cause de ce premier projet qui avait mal tourné, sa relation avec Vito s'estompa. Pagano et Vito se rencontrèrent à quelques reprises par la suite. Ils étaient tous les deux présents au mariage de la fille d'Alfonso à Toronto, le 29 avril 1995. Vito se montra cordial envers Pagano et l'invita même à un mariage dans sa propre famille, qui aurait lieu deux mois plus tard.

Pagano attendait sans dire un mot que l'enquête révèle ce qui avait mal tourné au Venezuela. Il attendait surtout sans recevoir l'argent qu'il avait remis au consortium lorsqu'il avait acheté les 100 kilos de drogue saisie. Pagano, désireux d'approcher Vito une nouvelle fois à ce sujet, considéra cette invitation comme l'occasion unique qu'il avait attendue; il était certain que Vito serait présent à cet événement.

MONTRÉAL, JUIN 1995

Le jour de son mariage, le fils aîné de Vito, Nicolò, paraissait aussi racé que son père. Il avait été baptisé Nicolò en l'honneur de son grand-père. Il avait 27 ans, des cheveux foncés, le front plissé et sévère de son père, mais le visage plus large et plus énergique. Son mariage donnait lieu à une grande célébration familiale. L'épouse qu'il avait choisie rendait l'événement encore plus heureux pour toutes les personnes concernées. Eleonora Ragusa était un exemple parfait des relations qui se tissent au sein d'une famille mafieuse. La femme du fils de Vito était la fille d'Emanuele Ragusa, un conseiller de longue date de la *famiglia*. L'autre fille de Ragusa, Antonia, avait épousé Luigi Vella, le cousin d'Alfonso Caruana. De même, la sœur d'Emanuele Ragusa s'était mariée avec un homme de la famille Sciascia.

Le mariage, célébré à l'hôtel Sheraton Centre de Montréal, était protocolaire et imposant. « Les membres de la famille, d'un clan entier de la Mafia étaient présents », a déclaré Oreste Pagano. Vito avait invité ce dernier par respect pour son ancienne association avec Alfonso Caruana. Les policiers ne tardèrent pas à être mis au courant de la cérémonie, puisque la GRC se trouvait alors immergée dans le projet Choke, une autre opération d'envergure qui visait l'organisation Rizzuto. Les agents enquêtaient sur un complot pour importer de grandes quantités d'héroïne et de cocaïne d'Amérique du Sud, et procédaient à une surveillance étroite de Vito et de nombre de ses associés. Des événements privés, comme les mariages et les enterrements, faisaient le bonheur des agents chargés de la surveillance, car ils pouvaient y prendre de nouvelles photos des individus et découvrir des indices sur les accointances entre ceux-ci. Il semble toutefois que la police s'agita beaucoup moins lors du mariage de l'autre fils de Vito, Leonardo, avec Maria Tutino, une comptable agréée, le 19 juin 1999.

À l'occasion du mariage de Nicolò, le fils de Vito, la GRC mit au point une opération de grande envergure pour suivre de près la célébration, ses agents prenant autant de photos des invités qu'ils le purent, en se faisant passer pour des photographes officiels. De nombreux membres de la Sixième Famille étaient présents, tout comme ses proches : Emanuele Ragusa, Domenico Manno, Agostino Cuntrera, Francesco Arcadi, Frank Campoli et bien d'autres. Pagano avait été invité à se joindre à la fête, mais il ne devint jamais un proche de Vito ; lors d'un des premiers interrogatoires que subit Pagano après avoir accepté de coopérer avec les autorités, ce dernier, faisant référence à Vito, l'appela Paolo Rizzuto.

Pagano décida sagement d'éviter de confronter Vito le jour du mariage en abordant le sujet de la somme d'argent qui lui était due. Vito, en ce jour, n'aurait certainement pas apprécié qu'on l'embête avec de telles choses.

« Je voulais le faire, car je n'avais toujours rien », a dit Pagano. Il attendit toutefois jusqu'au lendemain matin.

« Le lendemain du mariage, nous nous sommes rencontrés dans le hall et il m'a dit de rester calme, qu'il m'enverrait la somme due — somme que je n'ai jamais reçue », a précisé Pagano. Ce mauvais départ stoppa toute transaction subséquente entre Pagano et Vito.

« Cette transaction de drogue a échoué parce que la drogue a été saisie… On a tout arrêté parce que ce boulot, ce premier contrat a mal tourné, et j'ai perdu ma crédibilité. Et les personnes qui m'avaient envoyé la marchandise ont également perdu confiance en moi, du fait qu'elles n'avaient pas reçu l'argent », s'est lamenté Pagano, qui ne faisait en fait que répéter une vieille maxime de la Mafia qui dit : « Perdez mon argent et vous perdrez ma confiance. »

Durant les réunions secrètes qui se déroulèrent au début de l'année 1999, Pagano décrivit à la police canadienne l'arrangement qui avait été pris pour la drogue et donna encore plus de détails à la fin de cette même année. Il était évident qu'il considérait ces éléments comme une chose au sujet de laquelle les autorités pouvaient ou devaient agir.

« Ce que j'aimerais qu'elle comprenne, a-t-il confié à l'interprète au cours d'un interrogatoire, en parlant de l'inspectrice de police qui lui posait les questions, c'est que tout ce que je vous raconte, ce n'est pas des ouï-dire. Parce que si tel était le cas, je pourrais vous raconter bien d'autres choses. Je préfère toutefois m'en tenir à des choses que je connais directement. »

Tout ceci serait-il le point de départ d'une autre enquête sur Vito Rizzuto ? Les motifs pour lancer les agents à ses trousses étaient nombreux. Des preuves, concernant les saisies de drogue dans les barils de la compagnie minière et les arrestations, arrivaient du Venezuela. Le témoignage personnel de Pagano révélait comment il avait manigancé la livraison de la drogue et qu'il avait lui-même, plus tard, livré la marchandise à un responsable de la mine au Venezuela. Aucune accusation n'avait encore été déposée sept ans plus tard.

D'autres transactions pour l'organisation Rizzuto, de nombreuses autres, se déroulèrent beaucoup mieux que le stratagème de la compagnie minière. Malgré cela, la Sixième Famille eut sa part de malchance et de ratés, lorsque ses membres diversifièrent leurs intérêts en passant de l'héroïne à la cocaïne, du haschisch aux faux billets, dans le but toujours renouvelé de maximiser les profits.

Les mauvais jours paraissaient bien loin pour les membres de la Sixième Famille. Les meurtres brutaux des frères Violi qui s'étaient produits à Montréal dans les années 1970 ; les peines de prison encourues par ses membres à la suite de ces règlements de comptes ; la purge spectaculaire et terrifiante des capitaines rebelles de la famille Bonanno à New York au début des années 1980 ; l'incertitude qui avait suivi les accusations sérieuses portées contre Vito à la fin de la même décennie, et la pénible incarcération de Nick Rizzuto au Venezuela, qui s'était terminée au début des années 1990, le souvenir de toutes ces sombres périodes commençait à s'estomper dans les brumes du passé.

Les affaires étaient à nouveau florissantes.

CHAPITRE 28

NEW YORK ET MONTRÉAL, 1994

La Sixième Famille ne se préoccupait pas outre mesure de l'échec occasionnel d'un nouveau projet ou d'une sentence plutôt lourde affligée à un comparse, même lorsqu'il s'agissait de quelqu'un d'aussi proche que Domenico Manno, qui faisait partie du noyau central de l'organisation. Il était hors de question d'abandonner le trafic transfrontalier de stupéfiants. Au moment où se déroulèrent l'escapade de Manno vers le sud de la Floride et la débâcle de la cocaïne au Venezuela, un autre membre clé de la Sixième Famille s'employait à développer encore plus sa franchise. Cette opération fut échafaudée sur les bases d'une théorie économique fondamentale : la loi de l'offre et de la demande.

On trouvait tellement de cocaïne en Amérique du Nord que les prix chutaient rapidement. En Europe, par contre, le marché était inondé d'héroïne bon marché, grâce aux récoltes exceptionnelles effectuées en Afghanistan. Les mafiosi de Montréal remarquèrent alors qu'ils pouvaient y réaliser de bonnes affaires et y empocher de juteux profits. Ils n'avaient qu'à envoyer leur coke sur les marchés européens, la vendre à prix fort et, en retour, importer l'héroïne pour la revendre aux États-Unis, héritant au passage d'une marge de profit similaire.

Selon les dossiers du tribunal et des enquêteurs américains, la Sixième Famille confia cette combine à Emanuele Ragusa, qui se mit au travail avec un intermédiaire en qui la famille avait toute confiance : Sammy Nicolucci. Cette fois, plutôt que de faire affaire avec un individu d'origine hispanique ayant des liens avec la Colombie, la Sixième Famille s'allia avec les Big Circle Boys, un syndicat du crime implanté en Asie, ainsi qu'avec la N'drangheta, la mafia calabraise en Italie.

Lorsque la Sixième Famille et les Big Circle Boys entreprirent de collaborer, on assista à la symbiose de deux entités criminelles apparemment parfaites.

Les deux organisations se ressemblent énormément, et leurs membres affichent un grand respect pour leurs racines criminelles ethniques. Les Big Circle Boys tirent leur nom d'une série d'institutions carcérales disposées en cercle autour de la ville de Canton. Ils suivent les traditions des triades chinoises. Cependant, les deux groupes reconnaissent la vulnérabilité qu'occasionne une structure hiérarchique rigide, et ils ajustent donc leur structure selon les événements. Tout comme ceux de la Sixième Famille, les motifs des Big Circle Boys sont dictés par le profit. Le commerce mondial de l'héroïne est la source de leur puissance et de leur richesse. Tout comme celles de la Sixième Famille, les activités des Big Circle Boys, légales et illégales, se déroulent dans une douzaine de pays du monde et, tout comme la *famiglia*, ils sont passés maîtres dans l'établissement de réseaux.

Les représentants en chef des Big Circle Boys auprès de la Sixième Famille furent Cheung Wai Dai, connu dans la rue sous le nom de « Ah Wai », et Chung Wai Hung, connu pour sa part sous le nom de « Thai Gor Hung ».

Emanuele LoGiudice, un mafioso sicilien basé à New York et chargé de la distribution de toute l'héroïne que la Sixième Famille pouvait lui faire parvenir, faisait également partie de la combine. Selon la police, Ragusa et Nicolucci tinrent plusieurs réunions avec leur contrepartie asiatique. La combine qu'ils avaient mise au point était la suivante : les Big Circle Boys devaient faire entrer l'héroïne d'Asie au Canada. La Sixième Famille achèterait la drogue pour l'envoyer à New York. Là, une partie de la came devait être vendue à LoGiudice pour ensuite être distribuée par la Mafia, et le reste serait vendu à la triade Kung Lok, une autre association de criminels asiatiques originaires de Hong-Kong. Quant à la cocaïne, elle devait être achetée en Floride par la Sixième Famille et envoyée au Canada, où une part serait vendue aux Big Circle Boys pour leur clientèle, et le reste, expédié en Italie, aux contacts de la Sixième Famille.

Lors d'une réunion au Great Wall Tea House de Montréal, au début des années 1990, Nicolucci et Ah Wai finalisèrent l'entente commerciale sur les narcotiques.

Il s'agissait, pour la Sixième Famille, d'un plan où tout le monde était gagnant. En tant qu'intermédiaires — la meilleure position que pouvait occuper l'organisation —, ses membres feraient tout simplement des profits en prenant l'héroïne venue de Chine et en la refilant aux trafiquants new-yorkais. De la même façon, les bénéfices issus de la cocaïne expédiée en Europe compensaient pour les risques et les coûts de son voyage outre-Atlantique. Ce genre de commerce s'établit à la fin de 1991 et fonctionna pendant plusieurs années. Étant donné le grand nombre de criminels impliqués dans ces tours de passe-passe, la GRC décela très vite ce trafic de stupéfiants. La première faille à être détectée provint du côté des Big Circle Boys. Des agents de police apprirent que Chung Wai Hung jouait un rôle toujours plus important dans le monde de la drogue et, dès 1993, ils mirent sur écoute ses lignes téléphoniques.

Le 6 mai 1993, un paquet contenant trois kilos de cocaïne — envoyé par la poste par quelques personnes qui faisaient l'objet d'une enquête de la police et destiné à des membres de la N'drangheta à Siderno, en Italie — fut saisi à Brooklyn. La portée internationale des opérations illégales ne faisait qu'augmenter, et la Polizia di Stato, la police nationale italienne, se joignit à l'enquête. On découvrit rapidement que ce petit colis de drogue n'était pas le premier. Des gangsters colombiens de Bogota furent identifiés comme étant les premiers expéditeurs de la cocaïne achetée en Floride. En novembre 1993, une cargaison de 167 kilos de cocaïne à destination de Rome fut saisie en Colombie.

Au début de 1994, malgré toutes les saisies, les opérations fonctionnaient à plein régime. Chung Wai Hung avait fait parvenir de l'héroïne qui avait rapidement été vendue et, à la manière typique des Big Circle Boys, il avait investi les profits de l'opération dans des activités criminelles. Il créa une organisation criminelle de grande envergure au Canada, qui comprenait le trafic de drogue, les faux billets, le jeu et les fraudes liées aux cartes de crédit.

Zachary W. Carter, le procureur des États-Unis pour le district de Brooklyn, qui entama à l'époque les procédures judiciaires, déclara : « Il a même discuté de la possibilité de s'occuper de prostitution... »

LoGiudice, qui travaillait depuis sa base à Brooklyn, fut le destinataire final de la majeure partie de l'héroïne. Cet homme était un vétéran du monde des trafiquants. Il s'était fait pincer en 1981 alors qu'il prenait livraison d'une cargaison d'héroïne apportée d'Europe par un contrebandier belge. Il entretenait de bons rapports avec les trafiquants les plus actifs en Sicile, dont Michele Modica, un mafioso qui allait devenir tristement célèbre au Canada après qu'un des associés de la Sixième Famille eut tenté de l'assassiner dans un restaurant de Toronto, en 2004. Un passant innocent paya finalement la note ; le projectile destiné à LoGiudice le laissa paralysé. Après que LoGiudice fut relâché de prison, il retrouva ses anciennes habitudes et redevint l'un des plus importants acheteurs d'héroïne de la Sixième Famille.

Pour revendre sa drogue, il comptait sur des hommes comme William Zita, un revendeur de rue qui avait été arrêté en 1960 après avoir agressé un policier, et en 1968 pour avoir vendu des cigarettes de contrebande. Durant les deux décennies suivantes, Zita avait travaillé comme *bookmaker* et comme *shylock* (usurier), tout en occupant un emploi légitime à l'aéroport J.F. Kennedy à New York — un boulot qui lui donnait accès à un flux continu de marchandises volées qu'il pouvait revendre. Il avait vite réalisé que les bénéfices de la vente de drogue étaient nettement supérieurs, et avait fini par devenir trafiquant d'héroïne. Zita avait été appréhendé en 1981 et expédié sous les verrous. Lorsqu'il fut libéré, il travailla avec LoGiudice, qu'il appelait « Manny ».

L'envoi de la drogue fut confié à la Sixième Famille, dont l'expertise dans ce domaine était incontestée. La famille faisait le transport régulier de la drogue entre Montréal et New York, puis vers la Floride, ainsi que le chemin inverse — le même chemin qu'avait parcouru Domenico Manno. Les camions qui transportaient l'héroïne vers le sud et vers New York continuaient vers la Floride, où ils chargeaient la cocaïne, et retournaient vers le nord. Ils s'arrêtaient souvent à l'extérieur de New York pour percevoir l'argent qui leur était dû, avant de traverser la frontière pour rentrer au Canada.

« Ce camion, je pense, faisait un trajet régulier. Il passait... toutes les deux semaines, a révélé plus tard Zita. Je pense qu'il allait en Floride. Il faisait la liaison entre Montréal et le Sunshine State. Oui, c'était bien le parcours qu'il suivait... » Il semble qu'il y avait toujours un camion en mouvement, qu'il fût sur la route de la Floride ou en chemin pour en revenir.

LoGiudice, en dépit de l'afflux de stupéfiants, paraissait toujours avoir des problèmes financiers, et Zita ne recevait que de petites sommes d'argent pour le travail considérable qu'il accomplissait en vendant l'héroïne. On lui répétait sans cesse qu'il recevrait plus d'argent dès que LoGiudice aurait officialisé sa relation avec la Sixième Famille.

LoGiudice réalisa qu'il pourrait éventuellement obtenir pouvoir et prospérité s'il travaillait de façon étroite avec l'organisation Rizzuto. Cela le motiva et lui fit oublier les problèmes qui se présentèrent, à l'automne de 1994 par exemple, lorsqu'un kilo d'héroïne de qualité inférieure arriva à sa porte. Malgré cet affront, il sentait qu'il lui était nécessaire de maintenir ses relations d'affaires avec Montréal, et il donna à Zita l'ordre de redoubler ses efforts dans la vente de la drogue.

« Manny avait un problème pour vendre cette héroïne, a expliqué Zita. Il n'arrivait pas à la placer et devait de l'argent — une somme entre 100 000 $ et 150 000 $. Il m'a dit : "Écoute, je ne peux rien te donner sur ce coup-là. Cependant, il y a des chances pour que nous puissions ouvrir une porte et gagner de l'argent à l'avenir... Quand tout cela sera fini, je te donnerai quelque chose."» Une fois l'héroïne vendue, « les gens de Montréal » leur en fourniraient de nouveau. Mais Zita fit cependant remarquer à LoGiudice qu'il fallait être prudent en choisissant l'individu à qui on achetait sa drogue au Canada.

« Manny a dit qu'il connaissait d'autres personnes au Canada de qui il pouvait acheter la drogue, mais que ce n'était pas une chose intelligente à faire... Je pense qu'on lui avait fait savoir qu'il avait des responsabilités envers la Sixième Famille et qu'il devait faire affaire avec elle et avec personne d'autre.» Et c'est ainsi que l'héroïne de piètre qualité fut broyée, se transformant en une poudre extrafine, et passa pour de la came de première catégorie.

«J'ai été un peu surpris que qui que ce soit veuille acheter un kilo de cette saloperie», remarqua Zita à qui on raconta qu'elle était destinée au Canada. L'histoire lui parut grotesque. «Personne n'en voulait et elle allait au Canada? Voyons donc... À d'autres... *Au Canada?* Au Canada, ils ont la vraie chose, vous savez. L'héroïne que nous avions reçue était sans valeur...» L'idée que cette drogue de mauvaise qualité pût être offerte à des trafiquants canadiens revenait en somme à envoyer des tulipes fanées en Hollande. Zita pressentit immédiatement qu'il y avait quelque chose de louche dans cette affaire, et il avait raison. Au moment où il s'aperçut que l'opération se trouvait compromise, il était trop tard.

Selon des documents de la police et du tribunal, peu de temps après que Ragusa et Nicolucci eurent imaginé leur combine, la GRC les repéra. Une enquête conjointe entre la GRC et le FBI fut lancée. Les Big Circle Boys furent mis sous écoute et surveillés, et l'Unité mixte d'enquête sur le crime organisé (UMECO), une section de la police antimafia au Canada, prêta au FBI un informateur, un ancien criminel qui se nommait Gino et qui collaborait avec la police contre rémunération. Gino devait infiltrer la distribution de New York. L'opération fut baptisée Projet Onig — soit Gino épelé à l'envers —, et elle se déroula de 1991 à 1997.

Lorsque l'opération policière fut sur le point de se terminer, une douzaine de trafiquants de drogue avaient été arrêtés au États-Unis, et plus de 40 en Calabre, en Italie. À New York, plusieurs des associés des Big Circle Boys et de nombreux hommes de l'équipe de LoGiudice — y compris William Zita — trahirent tous leurs chefs et acceptèrent de coopérer avec le gouvernement pour faire réduire leur propre peine. Cependant, pas un membre de la Sixième Famille ne prononça un seul mot.

Onig peut être considérée, dans plusieurs pays, comme une opération très révélatrice pour les agents chargés de faire respecter la loi. Elle a prouvé que des groupes qui, antérieurement, étaient séparés les uns des autres, qui se soupçonnaient mutuellement et protégeaient jalousement leur terrain, avaient trouvé une façon de mener conjointement des opérations criminelles qui leur rapportaient à tous, sans violence et sans jalousie. La récompense d'une telle coopération se traduisit par des profits accrus.

Les cartels de Colombie, les gangs hispaniques de Floride, les gangsters new-yorkais, les mafiosi siciliens, les triades chinoises, les

Big Circle Boys, la N'drangheta, tous travaillaient en souplesse avec la Sixième Famille, une organisation qui s'était agrandie pour devenir une entreprise criminelle mondiale. Les tribunaux, d'un bout à l'autre des États-Unis, se retrouvèrent ensevelis sous les références concernant les membres de la Sixième Famille. Et pourtant, personne ne comprit que ces cas, que l'on retrouvait à New York, en Floride, en Pennsylvanie, à Los Angeles, à Buffalo, à Detroit, en Italie, en Colombie, à Montréal et à Toronto, ne constituaient pas des éléments isolés mais faisaient partie d'une organisation unique basée au Canada, opérant en toute immunité, faisant un gigantesque bras d'honneur aux autorités américaines qui s'évertuaient à faire échec à la Mafia et se moquaient de leurs efforts. Peu de gens reconnaissaient l'influence croissante de la Sixième Famille au niveau international, et encore moins de gens avaient compris que ce qui n'était autrefois qu'un petit noyau de gangsters soumis était devenu une entité indépendante et puissante, capable de se mesurer à n'importe quelle organisation interlope, sur tous les continents.

«L'aspect le plus significatif de cette enquête a été la révélation de l'étendue de la coopération entre les groupes du crime organisé en Italie et d'autres groupes importants du même type», peut-on lire dans un rapport du FBI qui relate les succès du projet Onig. L'organisme souligne qu'il s'agissait d'une enquête historique contre le crime organisé international.

Selon ce rapport, la seule déception ressentie par le FBI au cours du projet Onig fut qu'Emanuele Ragusa, une des cibles les plus importantes de l'opération, fût demeurée au Canada, hors d'atteinte. Au contraire de ce qui s'était produit dans le cas de Manno, lorsque son entreprise tomba, Ragusa réussit à se faufiler entre les mailles du filet.

Comme de nombreux membres de la Sixième Famille, Emanuele Ragusa, né le 20 octobre 1939 à Cattolica Eraclea, avait émigré au Canada et s'était confortablement installé à Montréal, où il se mêla à la fois aux mafiosi de la famille Rizzuto et à ceux du clan Caruana-Cuntrera. Les forces policières de trois continents allaient démontrer qu'il entretenait des liens avec les deux familles.

Les autorités italiennes tentèrent, durant plusieurs années, de mettre la main sur Ragusa. En 1983, il fut condamné *in absentia* pour le rôle qu'il joua dans une combine de trafic de stupéfiants qu'il avait mise au point avec Francesco Mafara, un «homme d'honneur» qui, en 1977, avait été parmi les premiers à vendre de l'héroïne produite dans des laboratoires siciliens. Mafara admit qu'il était l'un des plus importants trafiquants d'héroïne, et fut assassiné peu de temps après par des gangsters qu'il avait trahis. La police italienne remarqua également que Ragusa avait été vu dans la maison de Giuseppe

Cuffaro. Ce dernier était chargé de blanchir l'argent avec Leonardo Caruana, le mafioso qui faisait sans cesse l'aller et retour entre Montréal et la Sicile. Alfonso Caruana et sa femme Giuseppina utilisèrent un téléphone portable dont le numéro portait l'indicatif régional de Montréal ; l'appareil était enregistré au nom de Ragusa. Selon le gouvernement italien, le 11 novembre 1993, lorsque la police vénézuélienne effectua un raid sur la villa des Caruana, elle trouva le relevé d'appels de ce téléphone portable.

En 1996, Ragusa, alors âgé de 56 ans, fut condamné à 12 ans de prison au Canada pour avoir comploté en vue d'importer des stupéfiants — une condamnation qui n'avait aucun rapport avec le procès qui suivit le projet Onig. Il s'agissait de sa première condamnation au Canada. La GRC avait déclaré qu'il était un chef important de la mafia sicilienne, associé étroitement aux Rizzuto, et les officiels de la prison ne l'oublièrent pas. Il existait cependant des circonstances atténuantes : Ragusa n'avait jamais été impliqué dans des crimes violents.

Durant son incarcération, Ragusa dut faire face à deux demandes d'extradition. La première venait des États-Unis et était liée au complot mis à jour par le projet Onig. La deuxième provenait du gouvernement italien, et découlait de son association avec la Mafia. Les directeurs de la prison prirent connaissance de la demande d'extradition des États-Unis en avril 1998. Malgré cela, Ragusa fut mis en liberté conditionnelle de jour un mois plus tard, pour s'adonner à des travaux communautaires à la Mission Bon Accueil, un foyer montréalais pour personnes itinérantes. Les surveillants du foyer se montrèrent satisfaits de son travail, jusqu'à ce qu'ils remarquent que des morceaux de viande disparaissaient à la cuisine. Une fouille permit de découvrir deux pavés de viande dans le sac de Ragusa. À la suite de ce vol, on lui demanda de ne plus retourner au foyer. Il dut faire face par la suite à une condamnation sévère de la Commission nationale des libérations conditionnelles pour son acte qualifié d'immoral. Il avait en effet volé les personnes nécessiteuses qu'il était censé aider. On le réprimanda pour son acte pitoyable et, au même moment, toute la question de son extradition vers les États-Unis fut réglée en sa faveur lorsque, selon des documents du gouvernement, quelqu'un décida que le procès aux États-Unis n'était fondé que sur une preuve circonstancielle, ce qui ne justifiait pas qu'on le renvoie à New York.

Juste au moment où cette affaire se trouvait résolue, le gouvernement italien rejoignit le peloton où concouraient les divers corps d'autorité désireux de mettre la main sur Ragusa. Les tribunaux transalpins étaient prêts à le mettre à l'ombre pour son association avec la Mafia. Dans le plus pur style de la Sixième Famille, selon les documents concernant la mise en liberté surveillée de Ragusa, cette demande se conclut également en sa faveur lorsqu'un tribunal statua que la requête du gouvernement italien devait être repoussée car, à l'époque, être associé à la Mafia n'était pas un crime au Canada !

Durant son séjour en prison, Ragusa ne créa que peu de problèmes à ses geôliers, bien qu'à un certain moment, un garde découvrît dans sa cellule une planque contenant 66 paquets de cigarettes. Cela donnait à penser qu'il avait des talents d'entrepreneur, ou bien qu'il était vraiment accro à la nicotine. Il rejeta les allégations des autorités selon lesquelles il était un mafioso en affirmant aux membres de la Commission nationale des libérations conditionnelles qu'il avait, à tort, été assimilé à la Mafia parce qu'il était de descendance italienne. Ces derniers évoquèrent toutefois ses liens avec la Sixième Famille, citant le mariage de la fille Ragusa avec le fils de Vito, Nick : « Votre gendre est le fils du caïd que l'on sait être le chef de la mafia sicilienne à Montréal. » Ragusa n'obtint pas la permission de sortie qu'il demanda en l'an 2000 pour assister au baptême de son petit-fils, l'enfant de sa fille et du fils de Vito, car Vito devait également assister au baptême. Un autre événement familial important, un mariage, lui occasionna des ennuis.

Le 12 juillet 2002, les directeurs de la prison apprirent que le fils de Ragusa, Pat, devait se marier le jour suivant avec Elena Tortorci, une jeune femme dont — Surprise ! — la famille venait aussi de Cattolica Eraclea. Le gratin de la Sixième Famille avait été invité, y compris Vito, son père Nick et Agostino Cuntrera. Le personnel de la prison découvrit que Ragusa avait demandé et reçu une permission de sortie pour cette journée-là. Les gestionnaires de la prison, avant de le laisser partir, se montrèrent soupçonneux et l'interrogèrent sur ce qu'il avait l'intention de faire pendant sa permission. Ragusa répondit qu'il n'avait rien de spécial en tête ; il resterait tranquillement chez lui et se reposerait. La police et les agents de sécurité de la prison surveillèrent en secret le mariage et remarquèrent que Ragusa était parmi les invités, mais qu'il essayait d'éviter les photographes. Pendant cette même nuit, alors que la réception du mariage battait son plein, la police s'arrêta au domicile du prisonnier et trouva la maison plongée dans l'obscurité la plus complète. Personne ne vint ouvrir lorsqu'on frappa à la porte. Ragusa admit par la suite qu'il avait délibérément tu son intention de se rendre au mariage de son fils devant les officiels de la prison, car il avait craint qu'on lui interdise d'y participer, tout comme on avait refusé de lui accorder la permission de se rendre au baptême de son petit-fils deux ans plus tôt, lorsqu'il en avait fait la demande.

Les responsables de la prison, déçus de sa conduite, annulèrent toutes les permissions futures. Ils le maintinrent sous les verrous jusqu'à sa libération statutaire — une loi remise en question au Canada, selon laquelle les prisonniers non violents sont en général relaxés après avoir purgé les deux tiers de leur peine. Le 11 novembre 2004, la Commission nationale des libérations conditionnelles lui demanda de fournir des relevés de ses dépenses et de ses gains lorsqu'il serait relâché, afin de surveiller ses activités. Il avait auparavant fait parvenir aux fonctionnaires de la Commission une évaluation psychiatrique affirmant qu'il souffrait «d'épuisement professionnel» dû à ses activités criminelles, qu'il en avait terminé avec la criminalité et qu'il planifiait de profiter de sa liberté pour travailler dans un magasin du coin.

En dépit des rapports publiés mentionnant que Ragusa était l'Emanuele qui s'était trouvé en compagnie de Vito lors de l'assassinat des trois capitaines, il n'y eut pas de tentative connue des autorités américaines pour demander son extradition durant le procès qui suivit.

L'intérêt du FBI pour Ragusa et pour d'autres personnes prétendument impliquées dans les intrigues liées à la famille Bonanno est bien visible dans une note interne datée de mars 2004. Elle fait suite à un autre interrogatoire de Frank Lino par les agents. Intitulé *Canadian Pictures* (Vignettes canadiennes), le rapport explique que l'on a montré à Lino une photo de Ragusa et qu'on lui a demandé de dire ce qu'il en savait.

«[Lino] ne connaissait pas le nom d'Emanuele Ragusa, mais il se souvenait de l'avoir rencontré. [Lino] ne se souvenait pas s'il l'avait rencontré au Canada ou aux États-Unis.»

Les plans de Ragusa avec la Sixième Famille s'étaient effondrés à cause de l'informateur du projet Onig et de la coopération des policiers, des deux côtés de la frontière. De tels échecs sont toutefois rares. Ragusa, Manno, Sciortino... La police réussit à arrêter d'importants éléments à la lisière de la Sixième Famille sans jamais toucher au nœud central. Toute l'organisation de la *famiglia* ainsi que ses opérations demeuraient couronnées de succès.

Les ressources de la mafia montréalaise se multipliaient avec chaque livraison réussie, avec chaque nouvelle entreprise et avec chaque nouvelle source de revenus. Ses capacités s'amplifiaient et ses forces augmentaient. Les organisations qui voulaient se mesurer à la Sixième Famille devinrent de moins en moins nombreuses. Tant que l'argent continuait à arriver, toute nouvelle guerre s'avérait inutile. Et l'argent déferlait à flots. Mais une telle situation, inévitablement, finit par engendrer ses propres problèmes...

Chapitre 29

Les clients qui occupent les bonnes chambres de l'hôtel Nassa Garni bénéficient, grâce à une petite ouverture parmi les façades qui encadrent les rues pavées longeant le rivage, d'une vue agréable des eaux bleues du lac de Lugano. La ville de Lugano est située sur la rive qui fait face au sud du lac, et est entourée des deux côtés par les montagnes subalpines de San Salvatore et de Monte Brè, couvertes d'épaisses forêts. Cette toile de fond forme un joli contraste avec les toits de terre cuite des vieux immeubles, ce qui fait de Lugano une ville rêvée pour les vacanciers, digne des cartes postales et des dépliants d'agence de voyage.

Ce panorama est cependant beaucoup plus facile à observer à partir des meilleurs hôtels.

L'hôtel Nassa Garni est un modeste hôtel trois étoiles ; l'une de ses étoiles lui fut probablement accordée uniquement pour sa localisation, car il se trouve Via Nassa, au centre du quartier commercial de Lugano et au milieu d'une partie de la Via Nassa surnommée «le kilomètre du luxe». On retrouve en effet le long de cette rue étroite des magasins particulièrement bien décorés, qui offrent aux clients riches les célèbres griffes de la mode italienne, Armani, Gucci et Versace, ainsi que des boutiques très chic où l'on trouve des montres suisses de luxe, comme les Bréguet, Patek Philippe et TAG Heuer. Ce mélange de cultures est typique de la ville de Lugano. C'est une ville où l'italien prédomine, car elle se situe dans le canton le plus méridional de la Suisse, à seulement 22 kilomètres au nord de la frontière italienne. Elle s'enorgueillit de ses grandes places, de ses promenades bordées d'arbres et de ses cafés, qui lui donnent une saveur de Méditerranée et en font une destination privilégiée des voyageurs italiens.

C'est à l'hôtel Nassa Garni que Libertina Rizzuto, la vieille *mamma* de Vito et fidèle épouse de Nick, descendit le 31 août 1994, débarquant seule de Montréal après une escale. La raison de son séjour n'était pas d'aller faire les magasins de luxe de Lugano. Il est certain que les boutiques offraient à Libertina — comme à tous les autres touristes — une occasion de se procurer quelques colifichets ;

mais la vraie raison pour laquelle Lugano présentait pour les gens riches un attrait particulier était que malgré une population de moins de 50 000 habitants, il existait dans cette ville pas moins de 100 banques offrant à leurs clients un service des plus complets. Il s'agit du nombre le plus élevé de banques par tête de pipe au monde, deux fois plus qu'à Zurich !

Le soir de son arrivée, après avoir retenu une chambre à l'hôtel Nassa Garni, Libertina se dirigea à pied jusqu'à la Plaza Carlo Battaglini qui se trouvait au coin, puis jusqu'à l'hôtel Excelsior, un édifice de sept étages. L'Excelsior était une propriété située au bord du lac et ornée de beaux palmiers. Il était, à ce moment, le plus élégant des deux hôtels, reconnu pour la vue magnifique que l'on y avait du lac, ainsi que pour son bar bien garni.

Libertina rencontra, tel que convenu, Luca Giammarella devant l'Excelsior. Luca Giammarella était un agent immobilier montréalais de 47 ans qui habitait en face de chez Nick et Libertina, sur l'avenue Antoine-Berthelet. Les familles Rizzuto et Giammarella étaient très liées depuis plus de 10 ans, et Nick et Libertina démontraient leur familiarité et leur affection à Luca en l'appelant par son surnom, Nino. Giammarella était arrivé à Lugano un jour avant Libertina. Il avait pris à Montréal un vol pour Milan, puis voyagé en train jusqu'à Lugano (un parcours de moins d'une heure). Il était descendu à la gare de Lugano, d'où l'on peut jouir d'une perspective étonnante de toute la partie occidentale de la ville. Une fois arrivé dans la troisième ville suisse en importance au palmarès du nombre d'institutions financières, Giammarella s'inscrivit à l'hôtel Excelsior où on lui attribua la chambre n° 415.

À cette époque de l'année, la saison touristique était sur son déclin. Ce soir-là, Libertina et Giammarella se rencontrèrent pour discuter de la meilleure façon possible de récupérer le contenu d'un compte dans une banque privée suisse. Après s'être donné rendez-vous l'après-midi suivant devant la succursale du Crédit Suisse, ils se saluèrent, et Libertina retourna à sa chambre au Nassa.

Peu après 14 heures, le 1er septembre 1994, Libertina rencontra une fois de plus Giammarella, cette fois-ci devant les bureaux du Crédit Suisse Trust (une société de Fiducie), succursale d'une banque centenaire. Un trajet sinueux de deux kilomètres à pied — ou un court trajet en taxi — lui permit de se rendre de l'hôtel Nassa à la banque ; un trajet un peu plus court reliait l'Excelsior à la succursale.

« J'ai rencontré Nino en face du Crédit Suisse et je suis entrée dans la banque. Nino transportait un petit sac à main en plastique dans lequel il pourrait mettre tout l'argent que nous allions pouvoir retirer en *cash*, expliqua Libertina peu de temps après sa visite à la banque.

Si l'opération avait fonctionné, j'aurais déposé cet argent dans une autre banque de Lugano.»

Les beaux bureaux modernes du Crédit Suisse Trust sont situés à quelques centaines de mètres de la rive du lac. Cette succursale compte 16 employés, tous doués pour les langues et habiles à répondre aux exigences de sa clientèle cosmopolite. Il s'agit d'une banque suisse typique, comme celles qui ont marqué l'histoire et alimenté les films et les romans, et qui annonce dans ses prospectus qu'elle offre «toute une variété de services administratifs et de fiducie» et «se spécialise dans la création et l'administration de sociétés extra-territoriales comme les trusts anglo-saxons, les fondations du Panama et du Liechtenstein, les sociétés de portefeuille ainsi que les capitaux non négociables en banque».

Dans cette banque, Giammarella détenait le compte n° 312413, ouvert le 25 mai 1988. Le jour où Libertina et Giammarella se rencontrèrent à Lugano, le compte inscrivait un crédit de 820 000 francs suisses, soit environ 718 000 dollars américains de l'époque.

Giammarella, après être entré dans la banque, son sac bleu à la main, déclara qu'il désirait fermer son compte et demanda qu'on lui verse en argent comptant le solde qui s'y trouvait. C'est du moins ce qui fut rapporté aux autorités suisses. Un représentant de la banque le questionna au sujet du sac qu'il tenait à la main, et il répondit qu'il entendait y mettre l'argent pour l'emporter avec lui. Le banquier lui demanda alors d'attendre dans une petite pièce attenante la venue d'un collègue.

«À la banque, Nino a appris que les administrateurs ne lui donneraient pas l'argent en *cash* et c'est alors qu'il leur a demandé — à ma suggestion — de lui remettre deux chèques libellés à mon nom», avoua Libertina par la suite.

«Peu de temps après, ajouta Giammarella, les policiers sont arrivés et m'ont accompagné, ainsi que Mme Rizzuto, au commissariat de Lugano.»

Là, Libertina Rizzuto et Luca Giammarella furent placés en garde à vue séparément. Peu avant 16 h 30, l'inspecteur D. Bianchi entra dans l'une des pièces où se déroulaient les interrogatoires pour y rencontrer Libertina, alors que l'inspecteur Renato Pagani entrait dans une autre pour cuisiner Giammarella. Lorsque les deux agents ressortirent après les interrogatoires et qu'ils comparèrent leurs notes, ils constatèrent qu'il existait des contradictions très importantes dans les déclarations qui leur avaient été faites.

Selon une transcription de l'interrogatoire mené par les autorités suisses, Mme Rizzuto donna sa version de l'affaire. «Il y a une semaine, mon mari et moi avons décidé que je devrais aller à Lugano pour retirer l'argent qui se trouvait dans un compte au nom de notre excel-

lent ami Luca Giammarella, qui est incidemment un résident canadien. En fait, cet argent nous appartient», déclara Libertina en italien.
Elle expliqua ensuite qu'elle avait planifié de rencontrer Giammarella
à la banque, et qu'ils s'apprêtaient à conclure cette anodine transaction lorsqu'ils avaient été arrêtés.

L'argent, insista-t-elle, provenait des avoirs légitimes que la famille
possédait dans des entreprises au Venezuela, principalement dans une
usine de lait en poudre, un élevage industriel de poulets et une usine
de meubles. Elle et son mari, Nick, avaient demandé à ce que l'argent
fût déposé dans un compte au nom de Giammarella environ 10 ans
plus tôt, «pour des raisons d'affaires», déclara-t-elle à la police. Ils
voulaient maintenant régler leurs affaires financières.

« [Nick] devait récupérer l'argent parce qu'il tenait à le déclarer au
Canada, dit-elle. Je suis venue à Lugano pour retirer notre argent du
compte de Giammarella, le déposer ici dans une autre banque et
informer le gouvernement canadien de son existence pour pouvoir
acquitter les impôts, le jour où mon mari aurait reçu son permis de
résidence au Canada», ajouta Mme Rizzuto. Son mari n'avait pas pu
venir pour s'occuper en personne du transfert, car il était malade et se
trouvait dans l'impossibilité de voyager.

«Pourquoi votre mari vous a-t-il envoyée à Lugano, vous, une femme
âgée, et non votre fils ou votre fille?» demanda l'inspecteur Bianchi. Cette
suggestion sembla insulter Libertina, qui était une matrone de 67 ans et
se considérait comme étant en pleine possession de ses moyens.

«Parce que je suis venue», répondit-elle abruptement.

«Pourquoi avez-vous décidé tout à coup de faire ce voyage alors
que vous ne vous étiez pas occupée d'une affaire aussi importante
pendant des années et des années et que vous aviez laissé l'argent
dans les mains d'une tierce personne qui ne fait pas partie de votre
famille?» demanda le policier.

«Nous l'avons tout simplement décidé. Et il existe également une
autre raison. Le 27 octobre 1994, mon mari subira une autre opération», répondit Libertina, expliquant aux autorités policières que son
mari devait être opéré à Montréal tout en gardant son lieu de résidence
au Venezuela. De plus, il était en train d'entreprendre des démarches
pour obtenir un visa de résident permanent au Canada après son long
séjour en Amérique du Sud, ajouta-t-elle, tout en omettant de mentionner la récente incarcération de son époux dans ce pays.

«Quelle importance cela peut-il avoir maintenant? demanda-t-elle.
Je vous ferai remarquer que j'étais en compagnie de Nino à la banque
et que la transaction que nous faisions était légale.»

Sa version des événements différait totalement, dans presque tous
les détails, de celle que Giammarella livrait au même moment à

l'inspecteur Pagani dans la pièce voisine. Durant son interrogatoire, Giammarella déclara qu'il n'était pas à la banque avec Libertina, qu'il ne savait pas qu'elle était en Suisse, qu'en fait, il n'avait aucunement l'intention de faire un retrait d'argent de son compte et qu'il n'était allé à la banque que pour demander quelques renseignements de crédit à un employé qui se nommait Battista Petrini.

«J'étais seul. Ils m'ont fait attendre ce monsieur Petrini dans une petite pièce. Et puis, ils m'ont demandé de changer de pièce, et c'est alors que j'ai rencontré à l'improviste Mme Libertina Rizzuto, une dame que je connais depuis de nombreuses années, car elle est une de mes voisines à Montréal. Je ne savais absolument pas qu'elle était là...», prétendit Giammarella.

«L'argent qui se trouve dans le compte est bien à vous? demanda l'inspecteur Pagani.

— Oui, c'est mon argent, insista Giammarella.

— Madame Rizzuto a-t-elle un rapport avec le renseignement que vous vouliez obtenir au Crédit Suisse? s'enquit l'inspecteur.

— Non, Comme je viens de vous le dire, je l'ai rencontrée par pur hasard à la banque. Je ne savais même pas qu'elle était ici. Comme je vous l'ai dit, je suis descendu à l'hôtel Excelsior. En ce qui concerne Mme Rizzuto, j'ignore si elle ne fait que traverser Lugano ou si elle a pris une chambre dans un hôtel.»

On lui demanda à nouveau si l'argent était à lui.

«Je vous le redis, cet argent — je pense qu'il y a environ 500 000 francs suisses — est à moi, et Mme Rizzuto ne m'accompagne pas. Je l'ai rencontrée à l'improviste.» Giammarella nia également avoir dit à l'employé de la banque qu'il avait apporté le sac bleu pour y mettre l'argent qu'il comptait retirer. La police interrompit l'interrogatoire de Giammarella pour une heure, le temps qu'il fallut pour que des inspecteurs effectuent une perquisition dans sa chambre d'hôtel à l'Excelsior. Après la perquisition, il fut permis à Giammarella d'aller chercher ses effets personnels, de régler sa note d'hôtel et de retourner sous la garde de la police, qui lui posa alors des questions beaucoup plus embarrassantes.

La police avait trouvé deux notes dans la chambre de Giammarella. Sur la première était écrit: «Populare — Flavia Alberti MICA 23910 tel 587111 via Vigezzi N.1.»

«Il s'agit de la Banque populaire suisse. J'y ai quelques intérêts. Je préfère ne pas entrer dans des détails, expliqua Giammarella, en nommant une succursale d'une autre banque de Lugano.

— Sur un autre papier qui se trouvait en votre possession, on peut lire les mots: "Signor Muller B. di Roma Piazza S. Carlo", reprit l'inspecteur Pagani.

— Il s'agit de la Banca di Roma de Lugano. Je possède également des contacts à cette banque et, là encore, je préférerais ne pas entrer dans les détails», rétorqua Giammarella.

Il n'était peut-être pas très loquace au sujet de ces autres «contacts» bancaires et ces autres «intérêts», comme il les nommait. Cela n'empêcha pas les autorités suisses de poursuivre leur enquête. Elles découvrirent que le compte nº 23910, auquel avait été assigné le nom de code «MICA» à la Banque populaire suisse, était au nom de Giammarella. Après avoir transféré 500 000 dollars canadiens et 1 100 000 francs suisses dans des comptes personnels et d'affaires contrôlés par Joe Lagana, un avocat montréalais, proche confident et parent de Vito Rizzuto, le compte accusait un solde de 225 000 dollars canadiens. De façon similaire, le compte nº 61002, dont le nom de code était «ASPARAGINA» de la Banco di Roma, était également au nom de Giammarella et contenait un million de dollars canadiens et 1 100 000 francs suisses, des fonds qui furent bloqués à ce moment par les autorités helvétiques. Les trois comptes avaient été ouverts sur une période de deux jours, les 24 et 25 mai 1988.

Ces sommes, aussi importantes qu'elles puissent paraître, ne représentaient que le sommet de l'iceberg de ce qui était en jeu ce jour-là à Lugano. Les enquêteurs suisses possédaient des quantités d'indices. Il est manifeste que lorsque l'on jongle avec tant d'argent dans un si grand nombre de comptes, il est difficile de demeurer au fait de toutes ces informations bancaires. Peu de gens possèdent une mémoire suffisamment développée pour se souvenir de tous ces chiffres. C'est ainsi qu'il arrive fréquemment que les autorités tombent sur des gens qui traînent avec eux de petits bouts de papier faisant référence à des comptes bancaires de Lugano, que les Suisses, dans ce cas-ci, associèrent aux Rizzuto, plaçant ainsi les porteurs de ces billets dans de compromettantes postures. Les enquêteurs découvrirent, outre les notes dénichées dans la chambre de Giammarella, un carnet de rendez-vous et un carnet d'adresses dans le sac que portait Libertina lorsqu'ils l'emmenèrent pour interrogatoire, et ils saisirent ces carnets. À l'intérieur, les enquêteurs trouvèrent des références bancaires codées similaires à celles trouvées sur les notes de Giammarella, ainsi que des notes concernant certaines personnes, dont Beniamino Zappia et Joe Lagana.

Lorsque les autorités suisses commencèrent à passer au crible leurs archives bancaires, utilisant les noms qu'ils possédaient désormais, ils découvrirent, à Lugano seulement, au moins 14 comptes qu'ils pouvaient relier aux Rizzuto.

Un rapport de la police suisse, dont les agents se trouvaient sur la piste de l'argent douteux, signale ceci: «Pendant l'enquête, nous avons découvert une autre série de numéros de comptes en banque situés à Lugano, qui appartenaient ou avaient appartenu à la famille Rizzuto ou à des individus liés à la famille, notamment Giuseppe LoPresti, mort dans des circonstances nébuleuses, et Beniamino Zappia, ainsi qu'à des personnes reliées aux Rizzuto par le sang ou par mariage.»

«Les Rizzuto ont, dans la majorité des cas, des mandataires qui agissent pour eux en ce qui concerne ces comptes», conclut le rapport.

Pendant ce temps, l'impatience de Libertina grandissait. Elle voulait savoir pourquoi la police s'intéressait tellement à sa visite à Lugano.

«Parce que vous n'avez pas qu'ouvert un compte au Crédit Suisse et demandé un transfert interne», lui rappela l'inspecteur Bianchi, faisant référence à des moyens plus communs d'effectuer le transfert de sommes d'argent aussi importantes. La façon de procéder de la dame donnait à la police l'impression qu'elle cherchait à cacher la provenance de cet argent, ou encore à faire disparaître toute trace de document qui puisse révéler la provenance de ces sommes au moment d'un futur dépôt.

Bien que le fait d'entrer dans la banque avec un sac bleu et de se préparer à y glisser discrètement 820 000 francs suisses semblât constituer une activité suspecte, même en Suisse, ce geste ne constituait pas la vraie raison pour laquelle la demande de retrait faite par Giammarella avait été déclinée, et cette raison ne justifiait pas non plus que la police eut été si rapidement et si discrètement appelée. À l'insu de Giammarella et de Libertina, le jour avant leur arrivée au Crédit Suisse — exactement au moment où Libertina était arrivée à Lugano, en fait —, les comptes avaient été gelés sous ordre du Ministère public helvète, à la demande de l'Office de la police fédérale. Cette demande, au départ, était venue directement du Canada.

Ce n'était pas la première fois que les Rizzuto attiraient l'attention des autorités suisses. Une autre enquête avait été entreprise par Carla Del Ponte, la magistrate de Lugano qui fumait des cigarettes à la chaîne et était devenue la procureure générale de la Suisse et qui, plus récemment, fit les gros titres des journaux en tant que juge redoutable chargée des crimes de guerre devant le tribunal pénal international de La Haye, réuni pour traiter de l'ancienne Yougoslavie, où elle dirigea les poursuites judiciaires contre Slobodan Milosevic, l'ancien dirigeant yougoslave mort en 2006. Avant de s'occuper des individus soupçonnés de crimes de guerre, Mme Del Ponte s'était attiré la haine de la mafia sicilienne à la fin des années 1980 lorsqu'elle travailla avec Giovanni Falcone à dévoiler les transferts, par les banques suisses, de montants en liquide provenant de l'énorme cartel de trafic de stupéfiants de la Filière des pizzerias. Pour la remercier de ses efforts, la Mafia non seulement la traita publiquement de *puttana*, c'est-à-dire de «putain», mais elle plaça en 1988 une demi-tonne d'explosifs près des fondations de sa maison. Cette bombe fut heureusement découverte avant d'exploser.

Carla Del Ponte ne se laissa pas impressionner pour autant, et lança une croisade contre l'abjecte politique du secret des banques suisses, ce qui attisa davantage la haine dont elle était l'objet, mais qui provoqua éventuellement des réformes bancaires. Celles-ci permirent aux autorités de suivre la piste de l'argent des Rizzuto et de bloquer les comptes qu'ils avaient à Lugano, comptes auxquels Libertina et Giammarella tentaient d'avoir accès au moment où ils furent coincés.

Dès 1990, lorsque Del Ponte entreprit son enquête sur le blanchiment d'argent par les criminels internationaux, et au moment des révélations, au cours du procès concernant la Filière des pizzerias, concernant les déplacements d'argent liquide, la poursuite commença à étayer un dossier secret sur les Rizzuto. Au cours de son enquête, le juge Falcone informa Del Ponte qu'en 1986, un Québécois du nom de Christian Deschênes avait été arrêté après que la police eut saisi deux camions pleins de haschisch. Cette drogue, dont la valeur avait été estimée à 100 millions de dollars, avait été déchargée d'un bateau de pêche sur les lointaines côtes de l'île du Cap-Breton, sur la côte est du Canada. Il s'agissait là, selon la police, d'une autre cargaison de haschisch débarquée sous les auspices de la Sixième Famille. Lorsqu'il avait été arrêté, Deschênes avait sur lui un bout de papier sur lequel étaient notées des informations concernant un compte en banque à Lugano. Ce compte, le numéro 650.068, était au nom de Beniamino Zappia et se trouvait à l'Union des Banques suisses. Selon les autorités helvétiques, il s'agissait du même compte que celui qui était inscrit dans le carnet de notes de Libertina.

Une lucarne fascinante s'était ouverte sur l'immense fortune de l'empire de la Sixième Famille. Les autorités suisses semblèrent limiter leur suivi aux comptes localisés à Lugano, à ceux appartenant directement à un membre de la famille Rizzuto ou au détenteur d'une procuration, ainsi qu'aux comptes au sujet desquels on découvrit facilement qu'ils avaient servi à transférer des sommes dans d'autres comptes dont Joe Lagana était le titulaire. Comme chaque fois que l'on fouillait quoi que ce fût concernant la Sixième Famille, on se retrouvait devant tout un embrouillamini.

L'enquête suisse sur cette toile financière s'était cependant mise en branle bien avant l'arrivée de Libertina Rizzuto en sol suisse, lorsqu'un avocat montréalais rendit visite à un bureau de change des plus respectables situé à l'une des intersections les plus animées du quartier des affaires de Montréal.

MONTRÉAL, DÉBUT SEPTEMBRE 1990

Le nouveau comptoir de change qui ouvrit les portes de son luxueux local, situé au coin de la rue Peel et du boulevard de Maisonneuve Ouest au centre-ville de Montréal, dut ressembler à un cadeau du ciel pour Joe Lagana. Le Centre international monétaire de Montréal se trouvait directement en face du bureau de Lagana, lui-même sis au septième étage. Le local, situé au niveau de la rue, était propre et bien entretenu. Les lieux faisaient état d'une certaine classe ; on pouvait y voir des boiseries vernies, du matériel de bureau flambant neuf et des dispositifs à la fine pointe de la technologie pour compter l'argent. Le personnel, qualifié et nombreux, y était jour après jour affairé. L'endroit offrait bien évidemment des mesures de sécurité adéquates, incluant des vitres pare-balles.

Aux yeux de Lagana et de deux avocats qui étaient employés à son bureau, ce qui comptait le plus était que le Centre international monétaire acceptait sans sourciller les grosses piles de billets de banques en petites coupures chiffonnées qu'ils y apportaient, les extirpant chaque fois de contenants hétéroclites — sacs de sport, cartons à chaussures, sacs de supermarchés — et qu'en échange de ces billets sales, on leur remettait des chèques facilement négociables dans toutes les banques, de grosses coupures en dollars américains et des mandats internationaux, le tout sans poser de questions embarrassantes. C'était exactement ce qu'il fallait à Lagana, car il est parfois bien compliqué de se débarrasser de tous les billets de banque en petites coupures qu'engendre le trafic de la drogue.

Le Centre international monétaire est une société qui se constitua le 17 août 1990. Les noms des directeurs étaient fictifs. Cinq employés travaillaient aux guichets et s'occupaient de l'argent. Ils avaient reçu, quelques semaines auparavant, une formation du personnel d'une banque importante. Le bureau de change fut ouvert au public au début du mois de septembre. Au cours des quatre années qui suivirent son ouverture discrète et dénuée de toute publicité, la société traiterait 141,5 millions de dollars canadiens provenant de fonds connus ou que l'on soupçonnait d'être le produit de ventes de drogue à des clients dans la rue ; 91 millions de dollars de cette coquette somme provenaient de Lagana et de ses associés. Lagana apporta en personne une grande quantité de cet argent au bureau de change, et Richard Judd et Vincenzo Vecchio, les deux avocats qui travaillaient avec lui, apportèrent le reste. L'intérêt de Lagana pour le bureau de change fut marqué de prudence. Il le tint à l'œil pendant presque un an avant de commencer à y apporter de l'argent, et sa première transaction, au montant fort modeste de 10 000 $, devait servir de test.

Au fur et à mesure que le temps passait, Lagana, qui était marié à une avocate, devint de plus en plus à l'aise avec ses nouveaux partenaires d'affaires du Centre international monétaire. Il s'aperçut avec le temps que non seulement le personnel ne lui posait pas de questions embarrassantes sur la provenance de l'argent, mais qu'en plus, il semblait très confortable avec l'idée que ces profits étaient en fait des produits de la vente de cocaïne à grande échelle. Les individus avec lesquels traitait Lagana au bureau de change allaient en fait, plus tard, s'impliquer beaucoup plus et collaborer non seulement aux transferts d'argent, mais aussi aux livraisons de cocaïne.

Certaines caractéristiques de ce Centre international monétaire auraient dû semer le doute chez Lagana, comme chez la plupart de ses autres clients : des caméras vidéo et des enregistreuses audio avaient été dissimulées à des endroits stratégiques, capables de capter et d'effectuer un bon enregistrement de toutes les transactions. Une chose était encore plus surprenante : le personnel du bureau de change était uniquement composé d'agents secrets de la Gendarmerie royale du Canada. Le Centre international monétaire, comme on devait l'apprendre plus tard, était la pièce maîtresse de l'opération 90-26C, une opération policière dite à «l'arnaque inversée», dont le nom de code était «Opération Contrat».

Il s'agissait d'un plan innovateur dont le but était de découvrir par où passait l'argent de la drogue. L'idée avait jailli du simple fait qu'il existait à Montréal beaucoup trop de bureaux de change pour que chacun réussisse à survivre en changeant légalement l'argent des touristes et des hommes d'affaires. La police savait que certains de ces bureaux aidaient les trafiquants de drogue à blanchir et à transférer leur argent sale. Ce que la police ne savait pas, c'était que son propre bureau de change allait devenir, une fois que le bouche à oreilles aurait fait son œuvre, immensément populaire.

«L'argent a commencé à arriver. De gros sacs de hockey, des liasses, parfois déjà comptées, d'autres fois non. Nous étions au comble de la joie. Nous avons compté des millions de dollars tous les jours», déclara Michel Michaud, qui travailla comme agent secret au bureau de change pendant trois ans, tout en convainquant les trafiquants de drogue et les personnes qui blanchissaient l'argent qu'il était un homme d'affaires malhonnête plus qu'un agent dévoué de ce que l'on appelait autrefois la «police montée». «En général, nous travaillions au bureau de change de 9 heures à 17 heures, puis nous avons commencé à aller dîner avec les truands. C'est Lagana qui choisissait le restaurant, comme Milos, sur l'avenue du Parc. Je ne sais pas combien de bouteilles de vin nous avons pu boire. Tout ce que je sais, c'est qu'un jour, nous avons fini par payer la facture, qui s'élevait à plus de 800 $. Il est arrivé souvent que nous dépensions beaucoup d'argent dans des boîtes de nuit en compagnie de ces gens-là. Lorsque finalement nous rentrions chez nous, nous devions écrire des notes et des rapports. Chaque rencontre ou chaque conversation téléphonique avec un de ces gangsters devait être notée le plus vite possible, car nous ne pouvions prendre de retard dans nos rapports, qui allaient se révéler d'un intérêt crucial», rappela l'agent spécial.

Pendant les quatre années durant lesquelles le bureau de change fut actif, il blanchit de l'argent pour le compte de 25 organisations criminelles. Ses services étaient tellement en demande que les quelques agents qui menaient l'enquête eurent rapidement du travail par-dessus la tête. La police manquait de personnel, et sans l'équipement technique adéquat pour faire le suivi du nombre incroyable de nouveaux contacts — des membres de la pègre arrivant de la rue à qui on avait recommandé l'établissement —, la plupart des clients sortaient du bureau de change après leur transaction sans qu'une enquête ne fût lancée contre eux.

Le 24 septembre 1992, par exemple, un individu entra à l'International monétaire avec 959 720 dollars canadiens en poche. Lorsque les billets furent comptés à la machine, l'individu reçut 16 traites bancaires libellées à cinq noms différents pour la somme équivalente en dollars américains, moins la commission que touchait l'entreprise sur la transaction. Lorsque le client satisfait quitta l'édifice, pas un seul policier n'était disponible pour le suivre et l'identifier. Peu de temps après le départ de ce personnage mystérieux, le constable Mike Cowley, un enquêteur de la GRC qui s'occupait de l'affaire, rédigea un mémo confidentiel à l'attention de ses superviseurs, pour se plaindre du peu d'attention que portaient ses supérieurs à l'importance de l'opération : «Sans les ressources nécessaires, il semble que nos agents secrets ne font qu'offrir un service de blanchiment d'argent aux trafiquants de drogues», écrivit-il le 16 octobre 1992. Son inquiétude paraissait parfaitement justifiée.

Cependant, les enquêteurs avaient appris une chose : l'argent qu'ils traitaient bougeait très rapidement autour du globe. Les traites bancaires qu'ils émettaient et les dollars américains qu'ils tendaient à leurs clients semblaient arriver très vite ailleurs. Un homme fut arrêté à Montgomery, Alabama, en possession de 110 kilos de cocaïne ainsi que d'argent comptant qui avait été changé par l'International monétaire. D'autres billets de banque marqués furent retrouvés sur des individus soupçonnés de trafic de drogue à Toronto et à Vancouver. Des traites bancaires émises par le bureau de change furent déposées plus tard dans des banques aux Bahamas, au Panama, en Hollande, en Belgique, en Floride, à New York et à Miami. Pour rendre l'argent plus facile à suivre, les agents tentèrent de convaincre de nombreux clients d'accepter des traites plutôt que de l'argent liquide. La plupart du temps, les gangsters se moquaient bien du nom qui se trouvait sur ces traites, à condition bien sûr que ce ne fût pas le leur. Les enquêteurs commencèrent à faire des chèques pour d'énormes sommes d'argent aux noms de personnages de dessins animés comme Fred Flintstone, ou de stars du hockey comme Bobbie Orr, Larry Robinson et Frank Mahovlich. Ils utilisèrent même les noms de politiciens, bien qu'en prenant un peu plus de précautions. C'est ainsi qu'on retrouva les noms de Pierre Mulroney et de Brian Trudeau sur des chèques…

Sur les 25 organisations criminelles qui utilisèrent ses services de change, les ressources dont disposait la GRC ne lui permirent d'enquêter sérieusement que sur deux d'entre elles. Malheureusement pour Joe Lagana, il se trouvait en première ligne de l'une de ces organisations. En tant qu'initiateur des transactions monétaires clandestines les plus importantes, Lagana était une cible évidente. Sa candeur vis-à-vis des hommes qui travaillaient au bureau de change ne lui épargna pas leur regard inquisiteur. Le fait qu'il était avocat et que certains policiers pensaient qu'il avait des liens de parenté avec Vito Rizzuto — une affirmation que conteste un des vieux avocats de Vito — constitua fort probablement l'élément déclencheur.

Après avoir observé Lagana alors qu'il faisait passer par les guichets du centre de grandes quantités d'argent liquide, la police finit par s'occuper de lui, et, le 26 juin 1993, se mit à surveiller et à écouter la façon dont il agissait avec ses partenaires. Il parlait fréquemment avec Vito Rizzuto. Les enquêteurs comprirent vite qu'il était l'intermédiaire entre Vito et d'autres associés. La police mit secrètement sur écoute ses lignes téléphoniques et entendit de nombreuses conversations entre les deux hommes, alors qu'ils discutaient certainement de questions financières. Cependant, ces derniers communiquaient entre eux dans un code qui rendait «la teneur exacte des entretiens impossible à déterminer», trouve-t-on consigné dans un rapport de police. Dans chaque cas, la police affirme que Vito s'exprimait «sur un ton amical et familier». Vito et Lagana se rencontrèrent également en personne. Le 18 janvier 1994, pendant que la police exerçait sa surveillance, les agents aperçurent Vito qui immobilisait son Jeep Cherokee en face d'un immeuble de 12 étages de la rue Peel, où se trouvent de nombreuses agences de voyage et des sociétés financières. Il attendit que Lagana sorte de l'immeuble et qu'il monte dans la voiture. Le 4 février 1994, la police observa Vito alors qu'il rencontrait, au même immeuble, Lagana et Luis Cantieri, un importateur de drogue expérimenté, qui se trouvait en liberté conditionnelle à la suite d'une condamnation pour trafic de stupéfiants en 1986. Vito et

Cantieri s'entretinrent également avec Lagana. Des mois plus tôt, le 23 septembre 1993, la police avait vu Vito et Cantieri partager un repas au restaurant Latini à Montréal.

En dépit des lacunes chroniques en termes de ressources policières, les officiers accomplirent de sérieux progrès. Ils avaient gagné la confiance de plusieurs de leurs bons clients de la pègre liés aux Rizzuto et commencèrent à les fréquenter, à discuter des potins du milieu et de combines futures. Un client, Dominico Tozzi, âgé de 52 ans, était un homme d'affaires du jet-set manifestement impliqué dans une affaire d'import-export, et qui possédait une boîte de nuit. Il était également un associé d'affaires de Lagana et des Rizzuto, et louait un bureau en face de l'International monétaire, un étage au-dessus du cabinet d'avocat de Lagana. Il touchait également au trafic de cocaïne et au blanchiment d'argent. Tozzi se vanta un jour à l'un des policiers, alors qu'il se trouvait au bureau de change, qu'il avait des contacts à la police de la Ville de Montréal ainsi qu'au bureau montréalais de la GRC. Mais les contacts de Tozzi n'étaient pas aussi branchés qu'il l'espérait.

Le 29 mars 1993, un des agents de la GRC qui travaillait en sous-marin au bureau de change rencontra Tozzi dans un restaurant du centre-ville. Tozzi, bien sûr, croyait que le policier était un truand comme lui, qui travaillait au bureau de change depuis trois ans à faciliter les transferts d'argent du milieu.

Lors du déjeuner, Tozzi et l'agent discutèrent de leurs intérêts communs — les transferts d'argent sale. Tozzi révéla à son compagnon qu'il avait vraiment besoin de services de blanchiment d'argent pour environ deux millions de dollars. Selon les rapports de police qui furent établis après leur rencontre, le déjeuner s'éternisait et, dans la chaleur communicative des agapes bien arrosées, Tozzi commença à bavarder un peu plus qu'il n'aurait dû. Il confia à l'agent que «le grand patron» était un Italien. C'était celui qui prenait les décisions les plus importantes, précisa-t-il, allant même jusqu'à laisser échapper le nom de Vito Rizzuto.

En fait, Tozzi avait rencontré Rizzuto le jour précédent, et il s'en vantait. Vito était celui qui menait la barque à propos des deux millions qu'ils désiraient faire traiter par le bureau de change. Tozzi, vraisemblablement, s'approcha de son interlocuteur et baissa la voix, puis lui souffla à l'oreille que «le grand patron italien» ne se salissait jamais les mains dans ce genre de tractations, que le patron refusait «de toucher à quoi que ce soit». Le patron était une personnalité bien connue de la police et ne pouvait risquer d'être pris, sous peine d'une probable incarcération, reprit Tozzi. Les enquêteurs étaient emballés et se sentirent gonflés d'espoir; la bévue de Tozzi et leurs efforts combinés au cours de cette opération allaient faire de ces paroles une citation prophétique. Cette fois-ci, les agents en étaient certains, Vito serait épinglé.

Le policier infiltré mentionna ensuite le nom de Tozzi à Lagana. Ce dernier déclara que si jamais Tozzi se faisait arrêter un jour et qu'il disait à la police tout ce qu'il savait, la moitié de la population de Montréal pourrait se retrouver sous les verrous. Lagana lui dit ensuite de se méfier de ce qu'il disait à Tozzi. L'officier lui répondit que Tozzi pourrait bien se faire assassiner, s'il était aussi dangereux que cela.

«Je suis surpris que cela ne soit pas déjà arrivé...» répondit Lagana.

Les interactions entre les agents infiltrés et leurs clients criminels dépassaient de tels potins. En 1994, ils furent approchés avec une autre proposition d'affaires. Pouvaient-ils aider à «s'occuper» d'une livraison de cocaïne de la Colombie vers les États-Unis et le Canada? Les policiers n'hésitèrent pas à accepter. La chance qu'ils attendaient depuis longtemps leur arrivait enfin, servie sur un plateau: ils avaient l'occasion d'établir, de façon concluante, un lien entre tout l'argent qui leur passait entre les mains et les drogues illégales. Au fur et à mesure qu'avançaient les préparatifs de la livraison de la drogue, les gangsters dévoilèrent le chemin sans faille qu'empruntait la Sixième Famille, travaillant à la fois avec les cartels de la drogue en Colombie et le club de motards Hells Angels.

SUR LES CÔTES DE LA COLOMBIE, 17 AOÛT 1994

Un cargo se dirigeait lentement vers le sud, vers les eaux chaudes de la côte colombienne, à proximité de la ville de Barranquilla, un des quatre centres industriels les plus importants de la Colombie et un des ports les plus animés d'Amérique du Sud. Ce bateau avait été secrètement affrété par des agents de la GRC, en collaboration avec des agents des douanes américaines, ainsi qu'avec ceux de la DEA, et on laissait croire qu'il était sous le contrôle des présumés escrocs se trouvant derrière les guichets de l'International monétaire.

Le 17 août 1994, au moment où le bateau ralentissait pour s'arrêter à proximité du littoral, près de l'embouchure du fleuve Magdalena, l'équipage de policiers infiltrés reçut Norman Rosenblum, un homme d'affaires enthousiaste et prospère de Vancouver qui, en dépit de ses goûts pour le luxe, les vêtements griffés et les montres coûteuses, se sentit néanmoins fort aise à l'idée de mettre lui-même la main à la pâte. Lorsque le cargo atteignit le lieu du rendez-vous, Rosenblum arriva comme une flèche de la rive et participa au transbordement de 14 ballots de cocaïne pesant 558 kilos. Le cargo prit ensuite la direction du nord, fit un premier arrêt à Miami, suivit ensuite la côte Est en direction du Canada et emprunta enfin le Saint-Laurent jusqu'à Montréal.

Une fois arrivée au port de Montréal, la drogue devait être embarquée sur un bateau à destination de Londres. Dans la capitale anglaise, deux Québécois membres des Hells Angels attendaient pour prendre en charge la cargaison afin de la distribuer en Europe. La drogue ne traversa cependant jamais l'Atlantique. La police enleva la cocaïne du cargo à Montréal et la garda comme pièce à conviction, dans le cadre de son enquête sur le blanchiment d'argent qui avait duré quatre longues années. C'était la preuve dont ils avaient besoin pour prouver que l'argent liquide passant par le Centre international monétaire était, en fait, issu du trafic de stupéfiants.

Avec cette saisie, la police pouvait finalement commencer à conclure son opération survoltée concernant le nettoyage d'argent sale. Les agents, qui travaillaient en collaboration avec les procureurs fédéraux, commencèrent à faire la liste de ceux qui devraient — et qui pourraient — être arrêtés. La police souhaitait émettre un mandat d'arrêt contre Vito Rizzuto pour le rôle évident qu'il jouait en coulisses, dissimulé derrière les pions chargés du blanchiment de l'argent et du trafic de la drogue. Les avocats du gouvernement n'étaient pas aussi sûrs.

Un débat commença donc, alors que l'enquête se terminait.

MONTRÉAL, 30 AOÛT 1994

À six heures du matin, le 30 août 1994, des agents aux montres fort bien synchronisées intervinrent simultanément auprès de plus de 40 suspects, lors de raids coordonnés qui ciblaient des maisons, des commerces, des institutions financières, à Montréal et dans d'autres villes canadiennes dont Québec, Trois-Rivières et Vancouver. Environ 480 policiers des forces fédérales, provinciales et municipales participèrent à ce ratissage. Un des avocats accusés, Vincenzo Vecchio, fut arrêté alors qu'il venait de déposer son fils de six ans à l'école pour sa toute première journée de classe.

«Cela s'est fait très discrètement, admit sa femme. Mes enfants ne comprenaient pas ce qui se passait. Je leur ai dit qu'il partait quelque part avec un client...» Les deux membres des Hells Angels qui attendaient patiemment à Londres l'arrivée de la cocaïne furent arrêtés par la police britannique.

Au milieu de la matinée, le quartier général de la GRC du Québec à Westmount se trouva rempli de gangsters mis en accusation, de trafiquants de drogue, de personnes chargées de transferts illicites de fonds et de policiers nerveux. Le gymnase avait été divisé en 40 espaces distincts pour permettre aux agents de s'occuper, dans l'ordre, de tout ce beau monde. Dans chacun de ces emplacements, les prévenus étaient interrogés et traités séparément.

Ces arrestations réduisirent grandement les effectifs de la Sixième Famille. Emanuele Ragusa, que l'on avait baptisé «le banquier» du réseau, fut embarqué par la police, tout comme l'un des organisateurs des réseaux de drogue en qui la famille avait la plus grande confiance, Sammy Nicolucci. Lagana, l'avocat et parent de Vito, ainsi que les deux autres avocats du cabinet de Lagana furent également arrêtés. Vincenzo «Jimmy» DiMaulo, un ami de longue date de Vito — qui l'invitait plus d'une douzaine de fois par an à se joindre à lui pour un *foursome* — était parmi ceux qui furent emmenés au quartier général de la GRC. Rosenblum, qui fut décrit comme étant «le directeur du transport», fut appréhendé à Vancouver. Cantieri et Tozzi furent également pris dans le coup de filet.

Cependant, parmi cette foule à la mine basse, Vito Rizzuto ne se trouvait nulle part.

Devant l'insistance des procureurs fédéraux qui avaient évalué les nombreuses preuves réunies par les enquêteurs — y compris les enregistrements de plus de 3 500 conversations téléphoniques et autres ainsi que des vidéos des réunions —, il avait été impossible de porter des accusations contre Vito. La police dut se contenter de le citer à titre de «conspirateur», lui faisant de la mauvaise publicité plutôt que lui livrant une bataille judiciaire. Il ne serait pas arrêté ni ne serait traduit devant le tribunal. Bien que les mandats de perquisition et les déclarations sous serment se rapportant au procès fissent référence au «groupe de Vito Rizzuto», son nom brillait par son absence sur la liste des prévenus et des personnes recherchées en vue d'une arrestation. Le nom de Vito apparaissait cependant sur le mandat de perquisition qui autorisait les policiers à entrer dans le bureau d'avocat de Joe Lagana; en effet, Vito faisait partie des 26 personnes et des 34 sociétés dont les archives pouvaient être saisies si elles étaient trouvées dans ce bureau. Ces personnes, comme ces sociétés, étaient soupçonnées d'avoir été impliquées dans l'entreprise de blanchiment d'argent et de trafic de drogue de l'organisation Rizzuto.

«Nous savions qu'il faisait partie de la conspiration, mais étant donné les fondements du droit, nous ne pouvions pas déposer ces preuves contre M. Rizzuto», déclara à l'époque la procureure Danielle Côté. Une fois de plus, Vito s'en sortit. La police essaya de dissimuler sa déception.

«Nous avons saisi leur drogue et leurs maisons, et nous avons gelé leurs comptes en banque. Nous leur avons laissé 25 cents pour donner un coup de téléphone», dit le sergent Claude Lessard, optimiste porte-parole de la GRC, lorsqu'il annonça les arrestations massives. Il aurait mieux fait de se taire.

Vito et ses associés avaient conservé légèrement plus que 25 cents....

BERNE, SUISSE, 31 AOÛT 1994

Il n'y eut pas de fanfare diplomatique lorsqu'un représentant de l'ambassade canadienne en Suisse se présenta au quartier général de la police fédérale à Berne, le lendemain du jour où s'étaient déroulées les arrestations massives à Montréal. Il s'y rendait pour traiter d'une affaire urgente et obtenir de l'aide. Lorsqu'il présenta les requêtes officielles qu'il avait reçues de la GRC, l'ambassadeur sollicita « une aide judiciaire urgente » de la part des autorités suisses.

L'opération secrète menée contre l'organisation Rizzuto au Canada avait provoqué l'arrestation de quelques hommes, mais n'avait pas obtenu autant de succès en ce qui concernait l'argent lui-même. La GRC désirait ardemment reprendre les fonds qu'elle avait elle-même blanchis pour le compte des trafiquants. L'ambassadeur indiqua à la police fédérale suisse les noms des personnes accusées d'avoir transféré des fonds par l'intermédiaire du bureau de change de la GRC, et demanda que leurs activités bancaires en Suisse fussent interrompues et examinées. Les Suisses se concentrèrent rapidement sur le rôle de Joe Lagana. Un certain nombre de comptes qui avaient reçu ou envoyé de l'argent vers les nombreux comptes personnels ou d'affaires de Lagana furent bloqués, et on y accola une note disant que si jamais quelqu'un essayait d'avoir accès à ces comptes, il était impérieux que la police en fût immédiatement avertie. Trois de ces comptes étaient au nom de Luca Giammarella. L'un d'entre eux se trouvait au Crédit Suisse Trust de Lugano.

Une fois que leurs combines pour blanchir l'argent eurent été découvertes, Libertina Rizzuto et Giammarella se dirigèrent toutes affaires cessantes vers les banques de Lugano. Mais ils arrivèrent un jour trop tard. La police suisse s'employait déjà à passer au crible les comptes et les relevés bancaires et à retracer les mouvements internationaux d'énormes montants d'argent en devises étrangères, issues de plusieurs pays, au moyen de comptes de sociétés ou de comptes personnels. La succursale du Crédit Suisse Trust avait déjà reçu l'ordre du gouvernement le 31 août, et avait immédiatement prévenu le Ministère public de la présence à Lugano de Libertina et de Giammarella. C'est ce qui mena à leur arrestation.

Lorsqu'ils commencèrent à suivre les mouvements de l'argent, les enquêteurs suisses découvrirent un étrange ballet de comptes bancaires que l'on ouvrait et que l'on fermait ensuite. Ils discernèrent trois différents « cycles » selon lesquels l'argent des Rizzuto était réexpédié, à intervalles réguliers, vers de nouveaux comptes bancaires tout « frais ».

« On peut dire que la pratique de transférer l'argent d'un compte à l'autre a été instaurée pour rendre encore plus difficiles de futures enquêtes potentielles », conclurent les autorités suisses.

On peut pardonner à Luca Giammarella d'avoir noté les noms et les adresses des banques à Lugano dans lesquelles il possédait, théoriquement, l'autorité légale pour accéder à de grosses sommes d'argent liquide, car peu d'indices suggèrent qu'il en ait fait quelque chose entre le jour où il les a ouverts, à la fin du mois de mai 1988, et celui où il est venu en compagnie de Libertina Rizzuto pour les vider, six ans après.

Le 24 mai 1988, Giammarella s'était rendu à la Banque populaire suisse, une institution financière qui organise des expositions de tableaux et d'objets d'art en guise de contribution aux activités culturelles de la ville, et il avait ouvert le compte «MICA», le premier d'une série de trois comptes bancaires à son nom, qui seraient plus tard découverts par les autorités. Le même jour, il se rendit à la Banca di Roma, une succursale à Lugano d'une banque dont le siège social se trouve à Rome. Il y ouvrit un second compte, sous le nom de code «ASPARAGINA». Le jour suivant, il prit le chemin du Crédit Suisse pour ouvrir un troisième compte, celui auquel il tenta d'accéder en 1994. Il déposa 4 646 100 francs suisses dans ces trois comptes en deux jours, selon les autorités helvétiques. Cela représentait à l'époque la bagatelle de trois millions de dollars américains.

Giammarella n'était pas seul à Lugano lors de cette visite, et si l'ouverture de ces trois comptes dénotait son manque d'expérience, un autre associé des Rizzuto se trouvait à Lugano, un personnage qui possédait une grande expertise dans ce domaine. Selon l'enregistrement d'une notification douanière du poste frontière de la gare de Chiasso, situé entre l'Italie et la Suisse, là où les voies ferrées de la ligne Milan-Lugano sont surveillées, Beniamino Zappia entrait également en Suisse le 24 mai. Les archives financières suisses montrent que Zappia exécuta lui aussi des opérations bancaires, le jour même où Giammarella ouvrit ses comptes. Zappia effectua un retrait d'un compte de la Banca Privata Rothschild de Lugano — le compte n° 603.154, dont le nom de code était «SEBUCAN» —, compte pour lequel il était cosignataire avec Paolo Renda, le beau-frère de Vito. Le compte Zappia-Renda, dit «SEBUCAN», avait été gonflé à peine deux mois plus tôt par une série de cinq chèques consécutifs pour de gros montants qui, tous, provenaient de la même banque montréalaise.

D'après l'opinion des autorités, le fait que Zappia et Giammarella se furent trouvés à Lugano en même temps n'était pas le fruit d'une coïncidence, pas plus que ne le furent les visites simultanées de Giammarella et de Libertina, des années plus tard.

La police suisse croyait que ce que Zappia et Giammarella étaient en train de réaliser, au cours de ce mois de mai 1988, c'était le transfert de fonds de la seconde phase du cycle bancaire compliqué des Rizzuto, pour faire entrer l'argent dans une troisième phase.

À la première phase du circuit de l'argent en Suisse, des membres de la famille Rizzuto ouvrirent en personne des comptes en leur nom propre; un certain nombre de membres de la famille avaient procuration sur ces comptes. Il se trouvait, par exemple, quatre comptes, qui avaient été ouverts entre le 30 octobre 1980 et le 25 août 1981 au nom de Libertina Rizzuto, ou aux noms de Libertina et de Nick. La plupart des membres proches de la famille avaient une procuration sur ces quatre comptes, ce qui leur donnait un accès direct à l'argent liquide. Le fils et la fille de Nick, Vito Rizzuto et Maria Renda, ainsi que leurs époux respectifs, Giovanna Cammalleri et Paolo Renda, possédaient des procurations sur deux de ces comptes. Deux autres comptes ne comptaient pas Paolo Renda sur la liste des signataires autorisés. Au cours de cette phase, Joe Lopresti ouvrit également un compte en Suisse. Sa femme Rosa et Libertina Rizzuto y avaient une procuration. Un autre compte fut ouvert au seul nom de Beniamino Zappia, le compte «PRETORIA», duquel furent transférés 55 000 dollars américains dans le compte «BOUCHERVILLE» de LoPresti.

La première phase du parcours de l'argent se termina lorsque la majorité de ces comptes furent fermés l'un après l'autre, en mai, juin et juillet 1985. Seul un des comptes conjoints, le n° O-5722.089, dont le nom de code était «MARACAI», qui se trouvait à la Société de Banques Suisses et pour lequel tous les membres de la famille immédiate avaient des procurations, demeura ouvert, contenant un solde qualifié de «modeste». Il s'agissait, en fait, le plus petit des comptes. Lorsque les autorités le bloquèrent, il affichait un solde de 109 000 dollars canadiens et de 820 dollars américains.

Selon les Suisses, durant l'été de 1985, les Rizzuto déplacèrent l'argent liquide qui se trouvait dans des comptes à leur nom, signalant le début de la phase deux du parcours de l'argent.

D'après ce que la police suisse a découvert, ces nouveaux comptes furent confiés aux membres de la famille éloignée ainsi qu'à Beniamino Zappia, dont on devait découvrir que la jeunesse s'était déroulée à Cattolica Eraclea, la patrie du clan Rizzuto en Sicile.

Le compte qui avait été ouvert au seul nom d'une des personnes de la famille était encore ouvert lors de l'enquête de 1994, et les autorités gelèrent son solde de deux millions de francs suisses.

Trois autres comptes de la phase deux, chacun d'entre eux ouvert à une banque différente de Lugano, étaient au nom de Beniamino Zappia. Les autorités suisses déclarèrent qu'un de ces comptes indiquait Nick Rizzuto comme signataire. Un autre compte indiquait Paolo Renda, et Giorgio Bissi était inscrit pour le troisième. Ces comptes recevaient de nombreux transferts de la Fédération des caisses populaires Desjardins, une institution financière québécoise dont deux succursales se trouvent à peu de distance l'une de l'autre, de chaque côté du club social Consenza, le quartier général des Rizzuto à Montréal. Entre le 11 décembre 1986 et le 29 mars 1988, plus de 5 412 000 francs suisses, 1 306 715 dollars américains et 500 000 dollars canadiens furent transférés de ces Caisses populaires de Montréal vers les trois comptes suisses.

Selon les Suisses, la troisième phase de ces tours de passe-passe fut lancée lorsque Giammarella alla ouvrir des comptes en mai 1988. Les autorités pensent que Zappia était la personne qui, en coulisses, s'occupait des affaires des Rizzuto en Suisse. Le Bureau du procureur suisse remarqua à l'époque que la quantité totale de francs suisses transférée des comptes montréalais dans les comptes de Zappia était à peine supérieure au montant d'argent que Giammarella avait déposé dans les trois comptes, soit 4 646 100 francs suisses.

« Nous soupçonnons que les fonds déposés par Giammarella provenaient des transferts en Suisse du contenu de comptes appartenant à Beniamino Zappia, à partir de la banque canadienne », note un rapport de la police helvétique.

Le solde substantiel provenant de deux comptes de Giammarella fut ensuite siphonné lentement grâce à des transferts successifs dans des comptes reliés à Joe Lagana, l'avocat montréalais qui s'occupait de l'argent de la drogue de l'organisation Rizzuto au Canada. Le 23 décembre 1992, 500 000 dollars canadiens furent transférés dans le compte n° 001124870, dont le nom de code était « PINO », un compte au nom de Lagana à la banque Cantrade de Lausanne en Suisse. L'année suivante, le 29 novembre 1993, 500 000 francs suisses furent transférés dans ce même compte. Le 28 avril 1994, 600 000 francs suisses supplémentaires furent également transférés du compte de société de la banque Cantrade au nom de Biolight S.A., une société appartenant à Lagana. De façon similaire, le 20 février 1992, 500 000 francs suisses quittèrent le Crédit Suisse pour être déposés à la Banca Commerciale Italiana, à Genève. Le titulaire de ce compte était la Shield Enterprises S.A., une société qui, selon les Suisses, appartiendrait à Lagana.

« Il est important d'insister sur les transferts de fonds des comptes de Giammarella vers ceux de Giuseppe "Joe" Lagana, qui ont totalisé environ 2 500 000 francs suisses », mentionne un rapport du Bureau du procureur. Si l'on se fie aux arguments présentés par le conseiller juridique de Mme Rizzuto, Lagana aurait immédiatement rendu la plus grande partie de cet argent aux Rizzuto. C'est pourquoi ils admirent qu'il existait des relations d'affaires entre les Rizzuto et Lagana. Il s'agissait là d'une relation dangereuse pour la famille, étant donné que Lagana était désormais accusé de blanchiment d'argent, accusation pour laquelle il serait bientôt condamné.

La police suisse pense que la démarche de Libertina et Giammarella au Crédit Suisse, alors qu'ils essayaient de vider subrepticement le compte, ne représentait en fait qu'un autre pas de valse de l'argent de la Sixième Famille.

« Il semble évident qu'au moment de son arrestation, Mme Libertina Rizzuto essayait d'entamer une quatrième phase, après la fermeture des comptes de Giammarella », conclurent les autorités suisses.

La Suisse, ainsi que son petit voisin à l'est, la minuscule principauté du Liechtenstein, étaient donc inondés par l'argent de la Sixième Famille. La Suisse fut le premier pays au monde à instituer le secret bancaire, offrant ses services financiers aux aristocrates européens pendant des siècles. La loi du secret bancaire fut instaurée en Suisse dans les années 1930, ce qui signifiait que fournir des informations bancaires sur un compte, même à un gouvernement, devenait un crime. Ces deux pays, qui avaient conclu jadis une union monétaire et douanière, virent grandir leur réputation internationale de havre pour l'argent liquide et autres biens au cours de la Seconde Guerre mondiale, du fait qu'ils demeurèrent neutres. Durant la période qui suivit la guerre, ils offrirent de nouveaux services en facilitant la constitution de sociétés, en imposant modérément les revenus et en limitant le droit de regard réglementaire des opérations bancaires. Cela engendra une croissance phénoménale du secteur financier, tout en provoquant l'ire de la communauté internationale, qui condamnait la facilité avec laquelle le produit des activités criminelles y était blanchi. Les mesures énergiques que Carla Del Ponte avait réclamées furent prises par le Liechtenstein, qui décida d'agir pour combattre le blanchiment d'argent ; cette décision eut des suites, plus récemment, lorsque ce micropays conclut le Mutual Legal Association Treaty (Association juridique mutuelle) avec les États-Unis. Ces changements signifiaient que les personnes qui désiraient dissimuler un capital important devaient utiliser davantage leur imagination et faire l'usage de subterfuges plus élaborés — ou tout simplement éviter les centres financiers de l'Ancien Monde et rechercher des républiques bananières marginales qui cherchaient à reproduire la prospérité économique inattendue du Liechtenstein, qui se trouve à la tête d'une richesse incroyable pour un territoire de 161 kilomètres carrés, enclavé entre deux pays et ne possédant que très peu de ressources naturelles.

Ces deux petits pays aux banques accueillantes furent une terre de cocagne pour la Sixième Famille, à partir des années 1970 jusqu'à la fin des années 1990. Alfonso Caruana, intercepté par les douaniers suisses en novembre 1978, avait écopé d'une une amende pour avoir commis une infraction en rapport avec les 600 000 dollars américains qu'il transportait. Les Caruana-Cuntrera, qui étaient à l'époque en train d'établir un réseau de distribution basé principalement en Allemagne et en Angleterre pour la cocaïne et l'héroïne en Europe, établissaient de la même manière un pont roulant pour l'argent vers la Suisse et le Liechtenstein, une entreprise nécessaire pour gérer les profits. Ces dispositions étaient le plus souvent prises sous la direction de Giuseppe Cuffaro, un mafioso qui avait émigré à Montréal avant les Rizzuto et avait forgé une alliance dès le début entre les deux clans.

Tout comme ses amis les Rizzuto, le clan des Caruana-Cuntrera utilisait les membres de la famille élargie, s'empressait d'ouvrir des comptes d'affaires et de sociétés pour déplacer son argent entre l'Amérique du Nord, l'Europe et l'Amérique du Sud. En 1996, lorsque Alfonso Caruana fit l'objet d'une enquête policière dans plusieurs pays, il continua à utiliser une combinaison efficace de sociétés basées au Canada et de banques situées aux États-Unis pour faire parvenir l'argent de la drogue là où il en avait besoin.

«Une information a récemment fait surface. Elle indique que plusieurs millions de dollars provenant du trafic de cocaïne, dans lequel Alfonso Caruana est impliqué, ont été transférés à la City Bank de New York», affirme une transmission diplomatique sécurisée, envoyée en avril 1996 par agent de liaison de la GRC de l'ambassade canadienne de Rome à la police de Toronto qui enquêtait sur les activités de Caruana. Le compte new-yorkais était au nom de Bedford House International Ltd, une entreprise située à Etobicoke, en banlieue ouest de Toronto. Selon un autre télégramme diplomatique datant de la même année, dans le même ordre d'idées, des transferts d'argent reliés aux ventes de cocaïne de Caruana en Italie furent repérés par les autorités hollandaises et italiennes au moyen d'une société basée en Hollande dont le nom était Marshall Compton S.A., vers un compte à la Schweizerische Bankverein à Zurich, détenu par Experta Trustee Comp. Ltd. Une enquête suisse démontra qu'il s'agissait d'une société qui maintenait un compte dans une banque de Zurich pour d'autres compagnies, y compris la Hifalia Inc., constituée à Montréal.

Les Suisses étaient très conscients des conséquences possibles de ce genre d'activités financières suspectes : les grosses transactions d'argent liquide, les origines douteuses de ces fonds, l'implication de trafiquants de drogues connus, comme Joe LoPresti et Christian Deschênes ; l'implication des personnes accusées de blanchiment d'argent comme Joe Lagana, des liens entre les premiers titulaires de comptes et les saisies de drogue confirmées ; les allégations faites par plusieurs pays au sujet des intérêts de la Mafia et du rôle des Rizzuto dans le trafic de drogue, leur partenariat avec les clans mafieux et celui des Caruana-Cuntrera, mis sous enquête dans l'affaire de la Filière des pizzerias. Les autorités suisses soupçonnaient fortement que les soldes des comptes en banque dont elles suivaient la piste représentaient les recettes d'actions criminelles, plus précisément, du trafic international de la drogue. Et maintenant, elles avaient incarcéré la principale titulaire des comptes de la phase un, Libertina Rizzuto. Il leur tardait de saisir les biens des Rizzuto ; les policiers de Montréal employés du faux bureau de change étaient pressés de porter des accusations contre le fils de Libertina.

« [...] Selon les renseignements fournis par les autorités italiennes à Mme Del Ponte, Giuseppe [Joe] LoPresti entretenait des liens avec le crime organisé aux États-Unis et au Canada, tout spécialement en ce qui concerne des individus comme Nick Rizzuto, l'époux de Libertina Rizzuto, et Gerlando Sciascia, tous originaires de Cattolica Eraclea en Sicile, révèle un rapport du gouvernement suisse sur les transactions financières des Rizzuto. Il est également évident que les propriétaires de ces fonds ont fait tout ce qui était en leur possible pour ne pas être découverts (comptes au nom de tiers, changements de comptes répétés) et pour couvrir la trace de l'argent (dépôts et retraits en argent liquide) [...]. »

Cependant, une pièce importante du casse-tête manquait aux Suisses, qui leur permettrait de frapper de leur courroux la matrone des Rizzuto qui se trouvait en prison — la drogue elle-même. Ou encore, à défaut de drogue, la preuve tangible de tout autre crime...

« En ce qui concerne l'accusation d'avoir participé au crime organisé ou de le soutenir, il faut prouver que la famille Rizzuto forme une organisation criminelle ou appartient à une organisation de ce type, conclut le Bureau du procureur suisse. Il demeure impératif de prouver que les fonds en question, tout particulièrement ceux déposés dans trois comptes en banque au nom de Luca Giammarella, sont le fruit d'activités illégales, principalement du trafic de stupéfiants. »

Les enquêteurs suisses voyaient l'argent circuler librement sur leur territoire, non la drogue. La preuve qu'il existait un trafic de drogue devait donc être produite ailleurs. Les autorités suisses se tournèrent alors vers le Canada ; l'aide judiciaire qu'elles venaient de fournir à ce dernier n'avait-elle pas mené à l'arrestation de Libertina à Lugano ? Les autorités suisses firent parvenir leur « demande officielle pour de l'aide judiciaire urgente » aux autorités canadiennes, dans le but de terminer le travail que les agents de la GRC employés au bureau de change avaient commencé.

Le 16 décembre 1994, alors que Libertina et Giammarella se trouvaient encore en prison, Fabrizio Eggenschwiler, le procureur assigné par le Ministère public du canton de Tessin, en Suisse, demanda au gouvernement canadien de lui dire tout ce qu'il pouvait au sujet des Rizzuto. Eggenschwiler recherchait «tout ce qui pouvait démontrer que les membres de la famille Rizzuto étaient en fait une organisation criminelle ou appartenaient à une organisation de malfaiteurs», ainsi que des preuves de l'origine réelle de l'argent qu'ils blanchissaient. Les preuves rassemblées par les enquêteurs contre Joe Lagana, en particulier des renseignements «sur tous les liens possibles entre cette procédure et la famille Rizzuto», étaient censées se révéler une aide précieuse pour la justice helvétique.

«Le procureur public assigné à cette cause insiste sur la nature urgente de cette demande, étant donné les incarcérations de Libertina Rizzuto et de Luca Giammarella», conclut Eggenschwiler. Les Rizzuto, une fois de plus, firent appel à l'avocat Jean Salois. Son mandat était d'obtenir la libération des deux prisonniers. Il demeura de marbre devant les informations que la GRC avait envoyées aux Suisses.

Salois déclara à ce propos : «Les autorités canadiennes ont été fortement incitées à envoyer tout ce qu'elles avaient récolté comme renseignements sur les Rizzuto, ainsi que divers documents et des informations qui étaient souvent équivoques, puisque basées sur des opinions ou sur des conclusions de la police, ou tout simplement sur des soupçons qui ne pourraient être admis en cours». Lorsqu'il s'en plaignit à la GRC, les personnalités officielles furent atterrées lorsqu'elles apprirent que les Suisses avaient partagé avec l'avocat des accusés les éléments de preuve que les Canadiens avaient envoyés. Salois estimait que la GRC essayait de prendre avantage des différentes règles des systèmes judiciaires européens pour faire admettre des preuves qui ne seraient pas acceptables au Canada.

«Les autorités canadiennes ont été prises à leur propre jeu», affirma Salois.

MONTRÉAL, MARS 1995

Le procès suisse contre Libertina Rizzuto — comme tant d'autres procès entrepris contre la *famiglia* —, se termina en queue de poisson. Libertina et Giammarella furent libérés peu de temps après. Environ six mois après leur arrestation, Libertina et Giammarella furent remis en liberté sous caution et purent retourner au Canada. La matriarche des Rizzuto fut accueillie à l'aéroport par ses proches soulagés et transportés de joie par l'heureux dénouement de la situation, qui permit à Libertina d'être présente, vêtue d'une robe noire et arborant de nombreux bijoux, au mariage de son petit-fils, Nick.

Cependant, sa libération ne se passa pas sans soulever les soupçons et la controverse. En mars 1995, Michel Bellehumeur, un député du Bloc québécois, se leva durant une session parlementaire pour remettre en question publiquement l'incapacité ou le manque de volonté du gouvernement canadien à aider les Suisses dans cette affaire.

«Il semble que leur libération a été le fruit de la tiède collaboration que la GRC a accordée aux autorités suisses. Le premier ministre peut-il expliquer pourquoi la GRC n'a pas totalement coopéré avec les autorités suisses, refusant de leur fournir des renseignements cruciaux lors des procédures légales en Suisse?» demanda Bellehumeur. «Quelles raisons le premier ministre peut-il donner pour expliquer le fait que le seul officier de police familier avec l'affaire qui concernait Mme Rizzuto et M. Giammarella était en vacances lorsque les autorités ont dû les relâcher?» Le gouvernement promit de faire enquête. Deux semaines plus tard, Bellehumeur s'enquit des progrès réalisés dans cette affaire. Herb Gray, un vénérable défenseur du gouvernement, qui était à l'époque solliciteur général du Canada, déclara alors que le député du Bloc québécois «faisait erreur».

«J'ai été informé que les autorités suisses sont très satisfaites de l'appui qu'elles ont reçu de la GRC», soutint Herb Gray pour rassurer la nation. Selon Salois, environ trois ans après les arrestations, le 11 juillet 1997, les Suisses mirent officiellement fin à l'intérêt qu'ils portaient à cette affaire.

Le traitement accordé à sa mère, gardée prisonnière pendant des mois dans un pays étranger, fut bouleversant et pénible pour Vito, dévoila Oreste Pagano, qui admit avoir travaillé avec Vito dans le cadre d'une transaction qui avait mal tourné, à Puerto Cabello, à l'époque où Libertina était emprisonnée. Vito, qui avait hérité de la taille de sa mère, de ses pommettes saillantes et de ses yeux fuyants, n'aurait rien ménagé pour obtenir des conseils légaux pour protéger les droits de celle-ci, plaider son innocence et obtenir sa libération. L'incarcération de sa *mamma* était une source constante de distraction pour Vito, et le caïd montréalais déplora la situation en se confiant à Pagano.

«Il éprouve des difficultés en ce moment parce que sa mère est en prison en Suisse», fit remarquer Pagano.

Pagano mentionna également qu'il y avait beaucoup plus d'argent en jeu que ce que les enquêteurs suisses, aussi minutieux furent-ils, avaient découvert.

«Elle était partie pour prélever de l'argent dans un compte d'une banque suisse où il y avait, je crois, environ cinq millions de dollars américains. Et c'est là qu'elle a été arrêtée et qu'elle s'est retrouvée en prison», conclut Pagano. Et cette somme d'argent n'était que de la petite monnaie, lorsqu'on la comparait aux 91 millions de dollars que les policiers avaient blanchi à Montréal dans le bureau de change piégé de la «police montée», une somme qui, selon les enquêteurs, provenait de l'organisation Rizzuto.

Le séjour en Suisse de Libertina et l'opération clandestine à Montréal ne représentent que deux instantanés d'un moment et d'un lieu en particulier, mais ils laissent entrevoir la richesse considérable et les ressources financières que les Rizzuto avaient alors à leur disposition, et offre une preuve irréfutable qu'ils formaient une organisation multinationale, élaborée et fructueuse.

Leur argent, qui plus est, ne fut pratiquement pas touché.

Si la police ne réussit jamais à saisir qu'un dixième des drogues illégales, il est certain que le bilan de l'argent sale qu'elle mit au jour est encore plus faible. Lorsqu'on voit la quantité d'argent découvert au cours d'une seule enquête, il est facile d'imaginer la totalité des fonds à la disposition de la tentaculaire Sixième Famille.

Les quelques franchises qui connurent des ratés dans le cas de Manno, de Ragusa, de Sciortino et de Zbikowski ne fragilisèrent absolument pas l'organisation dans son ensemble. La police estime qu'au moment où certains de ses membres furent mis sous les verrous et où leurs réseaux de drogue furent découverts, il restait encore amplement de marchandise pour permettre à la famille de continuer à exercer son pouvoir. En 1997, les équipes de surveillance policière virent Nick Rizzuto conférer avec Gerlando Caruana, Agostino Cuntrera et Joe Renda. Les enquêteurs pensèrent que Nick Rizzuto était à l'origine de cette rencontre, qui aurait eu pour but d'ajuster le prix de la cocaïne. Un tel pouvoir est l'un des avantages qu'accorde la propriété des droits de franchise. Alors que la Sixième Famille étendait son champ d'activité — avec l'entrée massive du haschisch le long de la côte est du Canada, ainsi que de l'héroïne et de la cocaïne provenant d'Amérique du Sud, de la Floride, du Texas et de l'Italie, et avec tout son argent qui cherchait des sanctuaires à l'étranger — l'organisation était en proie à une croissance colossale, au-delà de tout ce que l'on pouvait imaginer.

Elle croissait, en fait, bien au-delà de New York.

Chapitre 30

Philip «Rusty» Rastelli n'avait jamais arboré un air de bonne santé, même avant d'être ravagé par le cancer. Le gang Bonanno ne fut donc pas surpris lorsque ses membres reçurent l'ordre de se présenter à la veillée funèbre et à l'enterrement de leur chef. Pendant trois jours, à compter du 25 juin 1991, les gangsters new-yorkais de toutes catégories firent la queue pour rendre hommage à la dépouille émaciée de leur chef, qui était exposée dans un salon funéraire situé à proximité du club social de Sal Vitale, sur Grand Avenue. La rue était encombrée de Cadillac et de Lincoln, et des cohortes de gangsters, portant pour la plupart chemise blanche, cravate noire et costume foncé, pénétraient dans le funérarium, bavardaient, offraient leurs condoléances à la famille Rastelli et sortaient discrètement pour fumer une cigarette.

Il s'agissait là d'un signe de respect important, bien qu'hypocrite en partie, car les gangsters, depuis longtemps, suppliaient leur chef de céder sa place afin de donner à Joe Massino la possibilité de revigorer la prospérité déclinante de la famille.

«Tout le monde est venu», a dit Sal Vitale plus tard. Tout le monde savait que Rastelli n'avait été, depuis de nombreuses années, qu'une façade pour la famille, et personne ne s'interrogeait sur l'identité de celui qui allait le remplacer. Après le meurtre de Carmine Galante et la purge des trois capitaines, le pouvoir de Rastelli n'avait perduré que parce que Joe Massino en avait décidé ainsi. Ce dernier avait tenu les rênes de l'organisation durant les années d'emprisonnement de Rastelli. Même les membres de l'état-major de Rastelli, à ce moment-là, étaient restés à l'arrière-plan pour laisser le champ libre à Massino. Nicholas «Nicky Glasses» Marangello était le sous-chef et Stefano «Stevie Beef» Cannone, le *consigliere*, et ni l'un ni l'autre n'avaient jamais contesté l'autorité du chef temporaire.

«Je ne pense pas que Nicky et Stevie désiraient vraiment prendre la place du chef. Ils ne voulaient pas confronter un capitaine incontesté, un individu fort comme Joe Massino. Tout ce que Joe voulait faire, Joe le faisait», a affirmé Vitale. D'ailleurs, lorsque Rastelli avait été relaxé en 1983, Vitale avait déclaré: «Philip Rastelli a voulu abandonner sa charge le jour où il est rentré chez lui… Lorsqu'il est sorti de prison, il voulait prendre sa retraite. Il voulait tout mettre entre les mains de monsieur Massino. Il voulait mener une vie pépère.» Bref, les signes de la faiblesse de Rastelli se retrouvaient partout.

«Lorsque monsieur Rastelli me donnait un ordre, j'allais vérifier auprès de Joe Massino avant de l'exécuter», a confié Vitale. Massino n'était pas pressé de voir son «patron» démissionner. Il ne voyait pas l'utilité de briguer la place de Rastelli, aussi longtemps que son statut de favori au sein de la famille était préservé. Il aimait la discrétion et l'anonymat que lui conférait son poste vis-à-vis des agents fédéraux. Massino savait que les chefs de famille de la Mafia sont des cibles privilégiées pour le gouvernement.

Cependant, lorsque la mort de Rastelli devint imminente, Massino ne prit pas le risque de perdre son droit à la succession. La position de chef, si elle comportait une pression plus grande, apportait également des profits appréciables. Il planifia donc ce qui allait se produire avant même la mort de Rastelli.

«Lorsque Rastelli sera mort, demande à Anthony Spero d'organiser un meeting. Fais-moi élire comme chef. Demande à quelqu'un d'approuver la motion, que ce soit toi ou Big Louie, peu importe, mais fais en sorte que je sois élu», ordonna Massino à Vitale. Les choses se déroulèrent exactement comme il l'avait demandé. Une fois le corps de Rastelli mis en terre, Spero donna l'ordre aux capitaines de la famille Bonanno de se réunir dans une maison de Staten Island.

«Rastelli est malheureusement mort. Voici donc le moment d'élire un nouveau patron», dit Spero aux hommes rassemblés.

«Pourquoi ne demandons-nous pas à Joe Massino de devenir notre nouveau chef?» suggéra l'un des capitaines, sur un ton qui donnait à penser que cette idée, spontanément, venait de s'imposer à lui. Personne ne s'étant opposé à cette possibilité, une nouvelle ère venait de commencer pour la famille Bonanno.

«À cette époque, la plupart des gens étaient morts. Il n'existait personne pour contester cette décision», a fait remarquer plus tard Frank Lino, un capitaine du clan Bonanno. Massino, ainsi que les actions en justice entreprises par les autorités fédérales, avaient contribué à éliminer toute concurrence possible, particulièrement celle venant des Zips. Sal Catalano, qui était le chef des Zips à New York, avait été autrefois un adversaire potentiel. Durant l'incarcération de Rastelli, Catalano avait été élevé au poste de chef de la famille, une action qui lui attira probablement une pression infernale de la part des autres chefs et, de façon non officielle, de la Commission au complet.

«Ils avaient cherché à faire de lui un *boss*, et je pense qu'ils avaient mis de côté Phil Rastelli; cependant, il ne pouvait pas devenir un chef parce qu'il en était déjà un en Italie, a rappelé Vitale. Il est impossible de prêter allégeance à deux pays. Soit vous êtes pour l'Italie, soit vous êtes pour l'Amérique. » Le problème de l'intégration des «hommes d'honneur» siciliens dans la mafia américaine n'était pas encore résolu. La règle à laquelle Vitale faisait référence ne semblait cependant s'appliquer qu'aux personnes occupant des postes élevés, des postes de chef, pour la bonne raison que de nombreux Zips en Amérique et au Canada avaient été accueillis dans la famille Bonanno comme soldats, puis élevés au rang de capitaines. Toute prétention qu'eût pu avoir Catalano s'évapora lorsqu'il fut condamné à 45 ans de prison pour son implication dans le dossier de la Filière des pizzerias, en 1987. Un autre Zip qui avait eu des ambitions, du charisme et qui se débrouillait bien dans la rue, Cesare Bonventre, avait été descendu en 1984 sur les ordres de Massino, le soir précédant les arrestations de la Filière des pizzerias.

Gerlando Sciascia, pour sa part, avait été nommé chef en Sicile, ce qui évitait la controverse. Après avoir aidé Massino à orchestrer la purge des trois capitaines et s'être enrichi grâce au trafic de drogue de la Sixième Famille, Sciascia avait été mis de côté au moment de son arrestation au Canada pour trafic de drogue et jusqu'à celui de son acquittement à New York, cinq ans plus tard, en 1990. Il avait été relâché après qu'un juré eut reçu un pot-de-vin, et avait voulu reprendre les affaires là où il les avait laissées. Six mois après son acquittement, un rapport du FBI disait : «Nous estimons que Sciascia continue ses activités et possède une grande influence dans le commerce des narcotiques. »

Tant et aussi longtemps qu'il put manipuler la drogue de la Sixième Famille, Sciascia parut satisfait de se tenir près des échelons élevés de la famille Bonanno, de conserver la confiance de Massino et de Vitale, et d'agir à titre de trafiquant zélé. Sciascia paraissait être un supporteur clé de la tentative de Massino de devenir le chef, ce qui signifiait que la Sixième Famille approuvait la direction que prenait New York. La position de Sciascia, sous la nouvelle administration, semblait être protégée. L'accord conclu précédemment entre Massino et la Sixième Famille, dans le but d'éliminer les trois capitaines et de laisser la drogue circuler, était toujours valide.

«Il était très respecté, a dit Vitale en parlant de Sciascia. J'aimais bien Georges. Georges était un type bien. » Et pourtant, à cette époque, quelque chose semblait tracasser Sciascia.

En juillet 1991, quelques semaines après que Massino eut été officiellement nommé chef, Sciascia, sa femme et sa fille déposèrent une demande de résidence permanente au Canada. Sciascia était en cela parrainé par son fils Joseph, qui était citoyen canadien. L'état de grâce du gangster à New York semblait tirer à sa fin.

«Georges disait ce qu'il avait à dire lorsqu'il avait quelque chose en tête. Il avait confiance dans notre style de vie. Lorsqu'il pensait que quelque chose n'allait pas, il le faisait savoir», a révélé Vitale. Sciascia n'aimait pas, par exemple, Anthony «TG» Graziano, un vétéran des Bonanno qui avait servi en tant que capitaine et de *consigliere*, parce qu'il était convaincu que Graziano consommait lui-même des narcotiques.

Sciascia, Vitale et Graziano se rendirent un jour à une réunion durant laquelle on devait discuter des affaires de la famille. TG s'y présenta les yeux rouges, dans les nuages, d'un pas mal assuré. Une fois Graziano parti, Sciascia, choqué, se tourna vers Vitale.

«TG est un capitaine, dit Sciascia, inquiet, à Vitale. Comme capitaine, tu es censé représenter la famille. Et on arrive complètement défoncé? On va chez les autres, en dehors de la famille, et on se ridiculise? Cela rebondira à la figure de la famille… Écoute, chaque fois que je vois ce type, il est complètement gelé!» Sciascia fulminait. Il s'agissait là de doléances plutôt inattendues, de la part d'un des plus importants trafiquants de drogue de New York… Vitale lui répondit qu'il en toucherait un mot à Massino. Sciascia rétorqua qu'il allait certainement lui en parler lui aussi. Graziano était très copain avec Massino et était l'un de ses sous-fifres préférés. Massino le défendit donc. Graziano soutint que le médecin lui avait prescrit un médicament pour soigner ses maux d'estomac, et qu'il ne prenait pas de drogue. Il jura: «Sur la tête de mes enfants, je jure que je ne me gèle pas.» Massino goba facilement son explication, mais Sciascia garda ses distances, et l'animosité entre les deux hommes continua de couver.

Sciascia se serait également disputé avec Marty Rastelli, le frère du vieux chef, Philip. Marty estimait que Sciascia lui devait de l'argent. Ce dernier refusa de reconnaître cette dette. Lorsque Marty insista, Sciascia le repoussa dans des termes très assurés: «Tu ne recevras rien. On peut se battre demain, si tu insistes.» Sciascia en rendait plus d'un nerveux…

LOWER MANHATTAN, MAI 1992

Une autre crise frappa la famille Bonanno au printemps de 1992, et Sal Vitale demanda l'aide de Sciascia, bien que cette démarche ressemblât davantage à un test de loyauté qu'à autre chose. Les combines à long terme de la famille Bonanno impliquant le service de la distribution du *New York Post*, un quotidien populaire qui aimait étaler sur ses pages les histoires sensationnelles concernant la pègre, étaient en train de faire long feu. Plusieurs soldats et associés du clan Bonanno recevaient de l'argent du *Post* en travaillant un minimum, et même sans travailler dans certains cas, un arrangement instauré sous la gouverne de Robert Perrino, le directeur de la distribution du journal. Lorsqu'un micro fut trouvé dans le bureau de Perrino et que les gangsters apprirent que la police de New York enquêtait sur leurs entourloupettes, ils craignirent que Perrino, qui était davantage un magouilleur en col blanc qu'un gangster pur et dur, croule sous la pression.

«Ils ont pensé qu'il allait se mettre à table et raconter tout ce qu'il savait concernant nos opérations, a reconnu Vitale. Cet idiot pouvait nous être très nuisible.» Il fut donc décidé que Perrino devait mourir. Vitale et Anthony Spero se rencontrèrent pour discuter de la situation. À ce moment, Massino était en prison.

«Georges se porte toujours volontaire pour nous envoyer des tireurs de Montréal. Testons-le et demandons-lui de s'en occuper», suggéra Spero. Vitale exposa l'idée à Sciascia devant une tasse de café.

«Je vais vous trouver deux tireurs de Montréal», promit Sciascia avec empressement. Cependant, une fois à Montréal, son plan ne fut pas accueilli avec l'enthousiasme auquel il s'attendait. On soupçonne que les gangsters décidèrent rapidement de ne pas prendre un tel risque alors que leur franchise de drogue ne se trouvait pas menacée. Ils ne voyaient pas l'intérêt qu'il y avait à faire le sale travail des gens de New York. Au cours d'une réunion qui se tint par la suite entre Vitale et Sciascia au Stage Diner, situé sur Queens Boulevard, Sciascia parvint à contourner le problème en proposant un plan de rechange.

«Au lieu de vous envoyer des gars du Canada, de Montréal — la frontière est toujours un peu difficile à traverser —, utilisons Baldo», suggéra Sciascia. Il proposait la candidature de Baldassare Amato, le Zip qui avait été le bras droit de Bonventre et qui était arrivé aux États-Unis en passant par le Canada. Amato était un soldat de la famille Bonanno mais, selon la structure de celle-ci, il faisait partie de l'équipe de Louie Ha-Ha, qui avait pris la direction de l'équipe de Bonventre après que ce dernier eut été liquidé. Sciascia proposait en somme le soldat d'un autre capitaine pour exécuter un contrat. Vitale consentit au remplacement. (Ce manquement à l'étiquette ne plut pas à Massino, qui réprimanda plus tard Vitale pour avoir permis à Sciascia de manquer ainsi de respect à un capitaine. Cela démontre bien que les Zips continuaient à travailler ensemble en dehors de la hiérarchie de la famille, une situation qui dérangeait profondément Massino.) Le meurtre de Perrino devait, selon le plan établi, coïncider avec l'anniversaire du fils de Vitale, et ce dernier préféra les devoirs paternels à ceux de la famille et demanda à un autre gangster de prendre sa place lors du meurtre. Pour accompagner Perrino à son dernier voyage, on choisit Michael «Mickey Bats» Cardello.

Perrino était le gendre de Nicky Marangello, désormais ancien sous-chef du clan Bonanno. Toutefois, si Perrino pensa jamais que son pedigree le protégerait des effusions de sang des Bonanno, il avait surestimé de beaucoup l'empathie des gangsters. On le vit pour la dernière fois le 5 mai 1992, alors qu'il sortait de la maison de sa fille pour rejoindre à une réunion des truands avec lesquels il travaillait. Perrino fut abattu comme il avait été prévu ; cependant, Frank Lino, tel qu'il le rapporta lui-même plus tard, ne fut pas impressionné par les capacités d'Amato, le présumé tireur. Lorsque Lino et son équipe se présentèrent sur les lieux pour faire disparaître le corps, ils remarquèrent que Perrino n'était pas tout à fait mort, et un autre gangster dut finir le travail en le poignardant avant d'emporter le cadavre.

« La prochaine fois que votre flingueur laisse traîner un macchabée, dit Lino d'un ton ennuyé à Vitale, assurez-vous au moins que le type est véritablement refroidi... »

•

Après avoir passé leur tour dans l'affaire Perrino, les gangsters de la Sixième Famille basés à Montréal se trouvèrent impliqués dans une combine que leur proposa Vitale, ce dernier agissant comme intermédiaire pour la famille DeCavalcante, une organisation mafieuse basée au New Jersey. À cette époque, Vitale avait déjà été introduit dans la famille Bonanno suite à sa participation au meurtre de Bonventre, et Massino l'avait nommé sous-chef. C'est donc à ce titre que Vincent « Vinny Ocean » Palermo, le chef intérimaire de la famille DeCavalcante, demanda à Vitale de le mettre en contact avec les membres de la famille Bonanno à Montréal. Vito Rizzuto, Gerlando Sciascia et Joe LoPresti avaient déjà fréquenté les membres de la famille DeCavalcante par le passé. Le patron de la famille, John Riggi, son *consigliere*, Stefano « Steve » Vitabile et son principal capitaine, Giuseppe « Pino » Schifilliti, avaient tous figuré parmi les invités au mariage de Giuseppe Bono en 1980.

« Il savait que nous avions mainmise sur Montréal, a dit Vitale en parlant de Vinny Ocean. Les États-Unis ont placé un embargo sur les tapis persans, mais pas le Canada. Si nous en achetions au Canada, Ocean avait un acheteur à Manhattan qui était prêt à prendre tous les tapis que nous pouvions obtenir. » Un réseau fut vite établi afin de faire traverser la frontière canado-américaine aux tapis controversés des Iraniens.

« Nous avons envoyé du monde au Canada pour acheter les tapis persans et pour leur faire passer la frontière en contrebande », a

expliqué Vitale. Un associé des gangsters montréalais, qui faisait théoriquement partie de la combine, raconta que les criminels trouvaient
hilarant le fait d'être impliqués dans la contrebande de marchandises
aussi inoffensives que des tapis. Ils élaborèrent même une plaisanterie
sur le sujet, un petit sketch mettant en scène l'un d'entre eux, coincé
à la douane avec des tapis. «J'ai dit que je faisais la contrebande de
tapis [*rugs*] et non de stupéfiants [*drugs*]», était le genre de calembour
qui courait. Le fait de remplacer *rug* par *drug* de toutes les façons
possibles provoquait l'hilarité générale. Les risques inhérents à cette
contrebande semblaient valoir la peine d'être encourus, uniquement
pour le jeu de mots. Mais bien sûr, c'était le profit qui comptait. Éton-
namment, la combine rapportait beaucoup, car les riches habitants de
Manhattan avaient un appétit insatiable pour les tapis orientaux. La
part de Vitale pour son rôle d'intermédiaire entre les gangsters
canadiens et ceux du New Jersey s'élevait à 20 000 $.

En dépit du succès remporté par cette innocente arnaque, la
détérioration des relations entre l'administration Bonanno et les chefs
de la Sixième Famille s'accentuait. Massino envoya donc vers le nord
des hommes chargés de parlementer avec Vito, afin d'essayer de faire
retomber la pression.

MONTRÉAL, JUILLET 1991

Le temps était agréable, en ce jour de fête nationale du Canada. Une
légère brise, un ciel sans nuage et nulle trace de pluie. Pour le baseball,
c'était un jour parfait. Le ciel bleu ne fit rien, cependant, pour
améliorer l'humeur des partisans à l'intérieur du Stade olympique de
Montréal. Les Mets de New York amorçaient, en ce lundi de congé,
une glorieuse semaine, au cours de laquelle ils rossèrent les Expos en
quatre matchs consécutifs, amenant à 11 le total des défaites successives de l'équipe de Montréal. La victoire des Mets fournit cependant
une bonne raison de faire la fête à un groupe de visiteurs, des durs à
cuire venus de New York qui se trouvaient dans les tribunes. Au programme de leur voyage étaient inscrites les boîtes de *strip-tease* les
plus en vogue et les discothèques les plus branchées de Montréal, en
plus des événements sportifs.

En dépit de ce frivole itinéraire, il ne s'agissait pas d'un groupe
d'aimables touristes, et leurs hôtes montréalais n'étaient pas non plus
des citoyens ordinaires. Il s'agissait d'émissaires de la famille
Bonanno, que Massino avait envoyés pour parler affaires avec leurs
amis canadiens. Anthony Spero, le *consigliere* du clan Bonanno,
dirigeait cette délégation d'ambassadeurs de l'amitié venus en pays
nordique pour calmer le jeu. Frank Lino, Frank Porco, et au moins
deux autres truands de New York en faisaient partie. Leur visite passa

inaperçue à l'époque. Cependant, lorsque les détails de leur itinéraire furent révélés plus de 10 ans plus tard, ils allaient causer tout un émoi dans le monde sportif new-yorkais, doublé d'un scandale politique à Montréal.

Les gangsters qui assistaient joyeusement au match de baseball au Stade olympique avaient réussi à soutirer leurs billets du lanceur des Mets John Franco, qui était considéré comme étant l'un des meilleurs releveurs et un emblème du sport pour la ville de New York. Le lanceur gaucher de Brooklyn avait même invité les gangsters à venir le rencontrer au club, selon les déclarations que fit Lino au FBI. Il a en outre ajouté que quelques gangsters partirent même faire la fête avec des joueurs des Mets. Une telle fête dut être mémorable pour les gangsters ; Franco était le meilleur joueur de la série. Lorsque l'on apprit en 2004 que Franco et ses collègues avaient fraternisé avec les gangsters, la nouvelle fut accueillie avec inquiétude dans les cercles du baseball professionnel, où la fraternisation entre les athlètes et les individus impliqués dans les tripots et le jeu clandestin est très mal vue. Lorsque les membres des médias demandèrent à Franco de confirmer ou d'infirmer la nouvelle, la réponse qu'il donna se révéla ambiguë. Il refusa de commenter les allégations qu'avait faites Lino et ajouta qu'il était fier d'être italo-américain et qu'il avait toujours mené une vie honorable. Plus tard au cours de cette même année, les Mets ne renouvelèrent pas son contrat, et il signa un contrat d'un an avec les Astros de Houston. Les gangsters rencontrèrent également d'autres personnes au Canada. Lorsque les détails d'autres allégations faites par Lino furent connus, le brouhaha qui avait entouré l'affaire John Franco parut dérisoire.

•

Frank Lino n'en était pas à sa première visite à Montréal, lorsqu'il s'y rendit pendant la fin de semaine de la fête du Canada pour s'adresser à Vito Rizzuto au nom des Bonanno. Plus de 10 ans plus tôt, quelques mois après le meurtre de Carmine Galante en 1979, Lino avait été envoyé à Montréal en compagnie de son capitaine, Bruno Indelicato (le fils de Sonny Red et un des assassins de Galante), et de Thomas « Tommy Karate » Pitera, un des soldats de l'équipe de Bruno.

« Vous savez, nous y étions allés pour voir s'il était possible d'entretenir des relations plus étroites avec la faction de Montréal », a commenté Lino au sujet de sa première visite. L'administration Bonanno semblait reconnaître la valeur de notre métropole, et craignait que le meurtre de Galante, qui avait lui-même gardé des liens étroits avec Montréal et dont New York disait qu'il était le chef de l'équipe montréalaise, ait pu rendre hostile l'aile canadienne. Alors qu'il était allé dîner un soir au restaurant, Lino fut présenté à Vito Rizzuto par Bruno, qui déclara que Vito était un soldat de la famille Bonanno. Il fit également la connaissance d'autres personnes qu'il décrivit comme étant membres de «la faction canadienne de la famille Bonanno». Bruno, Lino et Tommy Karate séjournèrent à Montréal pendant plusieurs jours, et ils rencontrèrent Vito quatre ou cinq fois au cours de leur visite. Pendant qu'il était là, Joe LoPresti, qui connaissait bien les New-Yorkais grâce à sa vente d'héroïne avec Sciascia, dit à Lino que Vito était «un personnage très puissant au Canada». (Il s'agissait là d'une curieuse délégation. Moins de deux ans après cette première visite, Indelicato et Lino allaient être les deux survivants de l'embuscade durant laquelle furent assassinés les trois capitaines des mains mêmes de Vito et de ses collègues.)

On demanda donc à Lino de retourner à Montréal en 1991, une décennie après la purge des capitaines. Durant cette deuxième visite, celle au cours de laquelle la victoire des Mets enchanta les New-Yorkais, une délégation plus conséquente devait livrer un message plus important. Les New-Yorkais, de nouveau, furent bien reçus à Montréal. Vito et LoPresti les escortèrent, leur firent visiter la ville et connaître la vie nocturne, a dévoilé Lino. Cependant, entre le baseball et les activités noctambules, de sérieux problèmes devaient être examinés. Comme c'est souvent le cas avec les mafiosi, la majorité de ces discussions eurent lieu lors de gueuletons. En signe de bienvenue, les gangsters de Montréal organisèrent donc une grande fête en l'honneur de leurs invités.

«[Lino] se souvient de la rencontre avec un groupe de membres de la famille Bonanno dans le restaurant d'un traiteur», peut-on lire dans une note du FBI datée de décembre 2003, lorsque les agents spéciaux du FBI, Christine Grubert et Jay Kramer, interrogèrent secrètement Lino après que ce dernier eut accepté de coopérer avec le gouvernement. «Lors de cette réunion, les membres canadiens du clan Bonanno ont été informés du nouveau statut de Massino, soit celui de chef de la famille», précise le rapport.

Lino ne se souvenait pas précisément de la date de la visite à Montréal. «J'ai vu LoPresti quand nous y sommes allés. Je n'ai pas vraiment fait attention à la date. On était en 1991, 1988, 1989. Quelle différence?»

Lino a insisté sur la présence de LoPresti aux réunions de Montréal. Il était certain de s'en souvenir, puisque LoPresti était un des rares Montréalais qu'il connaissait. LoPresti était déjà allé de nombreuses fois au bar de Lino à New York, et Lino le reconnut facilement lorsque les policiers lui montrèrent des photos. Si, effectivement, l'entourage de Bonanno s'était rendu à Montréal pour annoncer la nomination de Massino comme chef de la famille et que Lopresti était présent à la réunion, cela signifie que la promenade à Montréal eut lieu après la mort de Rastelli, le 24 juin 1991, mais avant le meurtre de LoPresti, le 30 avril 1992.

Si l'on accorde foi aux paroles de Lino, cela signifie également que la visite s'est produite pendant la série de quatre matchs entre les Mets et les Expos, qui se déroula entre le 1er et le 4 juillet 1991. (Il n'y eut qu'une seule autre série entre les Mets et les Expos à Montréal entre la mort de Rastelli et celle de LoPresti. Elle se déroula du 17 au 19 avril 1992 ; au cours de cette série, les Mets remportèrent deux matchs sur trois. La visite à Montréal aurait donc eu lieu presque un an après la mort de Rastelli, mais seulement 11 jours avant le meurtre de LoPresti. Cette dernière option, tout près de la mort de LoPresti, est tentante ; elle sous-entend que le Montréalais aurait commis quelque indiscrétion au cours des réunions, ou encore, que les New-Yorkais auraient révélé quelque chose ou se seraient plaints de lui en réclamant des mesures disciplinaires. Cependant, il apparaît que ces dates se trouvent trop éloignées du moment de la mort de Rastelli. Il fallut beaucoup moins d'un an à Massino pour s'installer dans ses fonctions de chef et, une fois en place, il n'aurait pas attendu aussi longtemps pour s'occuper du Canada.)

Le banquet organisé par la Sixième Famille dans un restaurant montréalais fut une grande réception à laquelle avaient été conviés la famille et les proches amis des Rizzuto. Tel que le rapporta Lino à la police, il s'agissait d'un dîner réservé aux seuls membres « établis ». Cela signifiait que les associés et les personnes non membres n'y étaient pas admis. Lino parla également de ces visites à Montréal, cependant avec moins de précisions, mais sous serment, devant un tribunal de Brooklyn.

« Nous avons rencontré Georges [Sciascia], Joe LoPresti, Vito Rizzuto et avons dîné avec quelque 30 ou 40 personnes », a dit Lino au tribunal. LoPresti et Sciascia durent être fort occupés durant le dîner, car ils étaient les deux seuls truands qui connaissaient tous les membres des deux villes. Il leur revenait donc de faire les présentations. Celles-ci constituent une coutume importante chez les gangsters. Les rites des présentations sont élaborés avec soin et scrupuleusement observés. Étant une société secrète, il faut, selon les traditions de la Mafia, trois membres pour permettre à deux d'entre eux de se rencontrer officiellement. Un membre ne peut révéler son appartenance en dehors de sa fraternité et ne peut donc pas la révéler à un inconnu, même s'il est à peu près certain que son vis-à-vis fait partie de la même « honorable société ». Seule une tierce personne peut faire les présentations entre deux autres membres. Elle doit confirmer à chaque membre que l'autre a également été dûment accueilli dans la congrégation de la Mafia.

« Lorsque vous dites de quelqu'un qu'il est *amico nostra* (un de nos amis), vous savez qu'il est l'un des nôtres. Lorsque vous dites qu'il est un ami, il n'est qu'un ami... » a expliqué Lino. Selon cette politique, il revenait donc à Sciascia et à LoPresti de faire la majorité des présentations durant le dîner. Ils étaient sans doute parmi les rares personnes de l'assemblée à pouvoir confirmer que deux personnes, originaires des deux villes différentes, que l'on présentait l'une à l'autre étaient bien membres de la Mafia.

Lino raconta au FBI qu'il avait été officiellement présenté à un Montréalais qui avait une certaine classe, une distinction dont on peut se vanter. Selon les documents du FBI, LoPresti aurait dit à Lino que l'homme qu'il venait de rencontrer était à la fois un soldat des Bonanno et un homme politique. Lino ajouta pour sa part que l'homme en question était Alfonso Gagliano, une allégation que l'ancien politicien canadien dément catégoriquement.

« On a présenté une photo d'Alfonso Gagliano à [Lino] », lit-on dans le rapport d'interrogatoire. Pour protéger leur identité, les noms des informateurs n'apparaissent pas dans ces rapports — ils y sont remplacés par le mot « individu ». Cependant, il était évident, d'après les notes, que Lino était à l'origine de ces déclarations, un point qui fut confirmé par la suite au tribunal. « [Lino] a déclaré qu'il reconnaissait Gagliano comme étant la personne rencontrée lors de son séjour à Montréal, Canada, au début des années 1990. [Lino] a fait savoir que Gagliano lui avait été présenté comme étant un soldat de la famille Bonanno par Joe LoPresti, un autre membre du clan Bonanno au Canada. Lors d'un dîner, LoPresti s'est vanté à l'indicateur que les Bonanno de Montréal avaient des relations bien placées, y compris Gagliano, un politicien », trouve-t-on dans le rapport. Lino affirme s'être également « entretenu » avec Gagliano lorsqu'il « traînait » avec Vito Rizzuto. Cette déclaration est fracassante. Alfonso Gagliano joua un rôle de premier plan dans la vie politique canadienne pendant deux décennies. Il fut élu pour la première fois au parlement pour représenter la population montréalaise de Saint-Léonard en 1984, et conserva son poste à la suite des quatre élections suivantes, un mandat durant lequel il devint un homme politique puissant. Il était responsable de l'important caucus du Parti libéral au Québec, fit partie du cabinet en 1996 et occupa les fonctions de ministre des Travaux publics en 1997. Il admit par la suite que sa nomination au cabinet fédéral avait été retardée à cause d'une enquête menée par la GRC sur ses associations passées. Après avoir abandonné la politique, il fut nommé ambassadeur du Canada au Danemark, mais fut rappelé au pays en 2004 à l'occasion du scandale soulevé par un rapport accablant du Vérificateur général du Canada, décrivant des dépenses gouvernementales injustifiées, reliées à un programme de commandites de 332 millions de dollars dans lequel Gagliano avait eu son mot à dire, du moins pendant un certain temps. Une enquête monumentale dirigée par le juge John Gomery démontra que le programme en question n'était en fait qu'une combine de pots-de-vin particulièrement élaborée, canalisant les fonds vers l'aile québécoise du Parti libéral du Canada et vers les dirigeants de firmes publicitaires amies de ce même parti. Le rapport du juge Gomery affirme que 147 millions de dollars des fonds publics dévoués à ce programme de commandites allèrent directement aux agences, sous forme d'honoraires et de commissions.

Les allégations de Lino concernant Gagliano furent d'abord relatées dans le *Daily News* de New York et provoquèrent aussitôt un véritable déferlement au Canada. Le jour où ces allégations devinrent publiques, Stephen Harper, qui était à l'époque chef de l'opposition et qui est le premier ministre canadien à l'heure actuelle, souleva la question au parlement.

Il posa la question suivante : « Le rapport indique que, dans les années 1990, il est "devenu" un membre actif de la famille Bonanno, établie à Brooklyn. Ma question est simple : étant donné que M. Gagliano a fait partie du cabinet et qu'il a ensuite été nommé ambassadeur au cours de cette époque, le gouvernement était-il au courant de cette information ? Et quand a-t-il été mis au courant de telles allégations ? » Le premier ministre de l'époque, Paul Martin, répondit : « Laissez-moi vous dire que ces allégations sont très sérieuses et que nous devons tous faire preuve d'une extrême prudence avant de les accepter ou de les répéter. » L'opposition ne se montra pas satisfaite de la réponse qui lui avait été donnée, et Peter MacKay, un membre de l'opposition de longue date, dit : « Il s'agit d'une affaire très sérieuse... Avant d'avoir été nommé ambassadeur au Danemark, monsieur Gagliano a eu la charge d'un grand nombre de postes au sein du cabinet libéral jusqu'en 2002. À nouveau, je demande au gouvernement, au premier ministre, au ministre responsable, quelles ont été les démarches entreprises par le Bureau du conseil privé et le Bureau du procureur général pour s'assurer que les autorisations spéciales émises par le service de sécurité ont été obtenues avant d'admettre monsieur Gagliano au cabinet. » Anne McLellan, vice-première ministre à l'époque, répondit à la question : « Je n'ai aucunement l'intention de commenter ces allégations, dit-elle. Si jamais l'honorable membre tient à poser des questions au sujet des activités de la GRC, je suggère que l'honorable député pose directement la question à la Gendarmerie royale du Canada. »

Gagliano, quant à lui, démentit avec véhémence, de façon répétée, les allégations de Lino.

« J'ai été un député très populaire », soutint Gagliano aux reporters, laissant entendre qu'il avait peut-être rencontré par inadvertance quelques-uns des gangsters nommés par Lino au moment où il faisait campagne et serrait beaucoup de mains. « En ma qualité de politicien, ajouta-t-il, il est possible qu'au cours d'événements publics, dans des lieux publics, lors de ma campagne électorale, lorsque je faisais du porte à porte, j'aie pu incidemment rencontrer de telles personnes. Cela ne signifie aucunement que je les connaisse sur le plan personnel... » Il déclara qu'il n'avait jamais participé à un dîner en compagnie de mafiosi et qu'il n'avait jamais été impliqué dans des affaires criminelles.

« Je ne suis pas un membre de la Mafia », réitéra Gagliano. Dans le répertoire des choses que les hommes politiques pensent devoir dire pour se défendre, une telle déclaration risque de surpasser le fameux démenti qu'avait prononcé Richard Nixon, l'ancien président des États-Unis, en déclarant : « Je ne suis pas un escroc. »

Ce n'était pas la première fois que Gagliano devait répondre à des affirmations selon lesquelles il entretenait des liens avec des mafiosi connus ainsi qu'avec des caïds du crime organisé. Lorsqu'il fut révélé qu'il avait été le comptable d'un commerce dont le propriétaire, Agostino Cuntrera, avait trempé dans l'assassinat de Paolo Violi en 1978, il déclara que cela avait été « une erreur de jugement ». Cuntrera et Gagliano étaient également connectés d'une autre manière. L'Association de Siculiana, un groupe culturel montréalais fondé et présidé par Gagliano, fut ensuite dirigée par Cuntrera, nommé à la présidence de l'association quelques années après que Gagliano eut renoncé à son poste. Gagliano, en tant que comptable, avait eu un client, Dino Messina, que l'on avait identifié, au cours de poursuites judiciaires concernant une fraude boursière, comme étant l'agent financier de Vito Rizzuto. Un autre individu possédant des relations peu recommandables, Filippo Vaccarello, un trafiquant de stupéfiants lié à la Sixième Famille, se trouvait sous surveillance policière lorsque des agents le virent entrer dans le bureau de comptable de Gagliano, un an après que ce dernier eut été élu au gouvernement fédéral. Gagliano dit à la police qu'il ne connaissait ni Messina ni Vaccarello. Et, en 2001, Gaetano Amodeo, originaire de Cattolica Eraclea, un présumé tueur de la Mafia recherché pour meurtre et tentative de meurtre en Italie et en Allemagne, fut arrêté à Montréal où il habitait depuis presque cinq ans. Plusieurs

Canadiens avaient fait le voyage à Cattolica Eraclea pour le mariage d'Amodeo et de Maria Sicurella en 1986. Les tribunaux italiens attribuaient à Amodeo le meurtre d'un officier des Carabinieri qui conduisait une enquête dans la province d'Agrigente. Les citoyens canadiens se montrèrent furieux d'apprendre que le gouvernement fédéral savait qu'Amodeo était au Canada depuis deux ans au moment de son arrestation ; la GRC avait même envoyé aux autorités italiennes une photo prise au cours d'une surveillance, où l'on voyait Amodeo discuter avec Nick Rizzuto. Dans les faits, le bureau de Gagliano avait envoyé une lettre au ministère de l'Immigration du Canada, dans laquelle il demandait des renseignements sur le dossier de Maria Sicurella di Amodeo, la femme d'Amodeo, qui avait fait une demande pour devenir immigrante reçue. Elle parraina par la suite son mari pour qu'il puisse entrer au Canada. Avant d'être renvoyé en Italie pour faire face aux tribunaux italiens, Amodeo fit une déclaration qui allait par la suite être reprise par Gagliano : « Je n'ai jamais fait partie de la Mafia. »

Un autre gangster avisa également secrètement la police que la mafia montréalaise avait un accès direct à un ami qui faisait partie du gouvernement canadien. Ces déclarations, qui n'avaient jamais été révélées jusque-là, s'ajoutèrent aux allégations concernant les contacts de la mafia montréalaise dans le monde de la politique.

Le trafiquant de drogue Oreste Pagano, comme on l'a vu précédemment, accepta de collaborer avec les autorités après avoir été inculpé, en même temps qu'Alfonso Caruana, de complot pour importer de la drogue. Au cours d'une session secrète de débriefing, il parla de la valeur que la mafia montréalaise accordait à ses contacts au gouvernement. Il déclara également qu'en Italie, la Mafia était bien enracinée dans les milieux politiques.

« Vous devez réaliser que la Mafia en Italie, disons au cours des 40 dernières années, a reçu des appuis considérables de la part des hommes politiques, des personnages politiques de taille », a-t-il déclaré. La coopération dans l'obtention des contrats de travaux publics importants était immensément profitable aux parties en cause. Il s'agissait là de la seule combine illicite pouvant entrer en compétition avec le trafic de drogue, pour les revenus qu'elle pouvait rapporter.

« Les investissements les plus importants, qui peuvent le plus leur rapporter, sont les investissements du secteur public. Il existait donc un lien très fort entre la Mafia et le gouvernement. Pour chaque investissement de 100 millions de dollars, par exemple, le profit était de 30 millions. Quinze millions allaient à la Mafia et 15 millions au gouvernement », a déclaré Pagano.

Un officier de l'Unité mixte des produits de la criminalité[1] de la GRC de Toronto lui a alors demandé si la Mafia entretenait une relation similaire au Canada. Pagano n'en était pas certain.

«Je ne pourrais pas vous répondre. Je ne vivais pas au Canada», a-t-il dit. Pagano savait-il si Alfonso Caruana avait déjà parlé d'une telle relation?

«Nous en avons parlé une fois. Il y avait une personne qui entrait au gouvernement et qui était du même village qu'Alfonso [Caruana]... Je ne connais pas cette personne», a affirmé Pagano. Il s'agissait là d'un genre de renseignement que les «hommes d'honneur» siciliens aimaient garder pour eux. Et, bien que Pagano eût fait partie des partenaires d'affaires les plus proches d'Alfonso Caruana, il n'était pas de la famille de ce dernier, pas plus qu'il n'était sicilien, et cela faisait de lui un étranger.

«Ils ne parlent pas de ces choses-là. C'est comme je vous l'ai dit; ce sont des choses qu'ils gardent pour eux», a-t-il dit. Les enquêteurs ne purent s'empêcher de remarquer que la famille d'Alfonso Caruana provenait de Siculiana, une petite ville de Sicile située dans la province d'Agrigente. Alfonso Gagliano en est lui aussi originaire.

Les gangsters, généralement, ont tendance à proclamer leurs liens avec un homme politique élu, alors qu'un politicien élu, cela va de soi, n'admettra que rarement avoir des liens avec la pègre. Mais il est bien possible que tout cela n'ait été que des paroles en l'air...

Le scandale résultant des affirmations relatives à Gagliano et à John Franco, le joueur de baseball, suite à la visite des malfrats de Bonanno à Montréal, n'avait pas été prévu par les gangsters à l'époque. Les ennuis avaient surgi, après tout, à la suite d'allégations concernant une activité sociale, et non criminelle. La chose qui eut le plus d'importance aux yeux des représentants des Bonanno à l'époque fut le message qu'ils transmirent à Vito de la part de Massino, qui constatait alors avec consternation la façon dont la Sixième Famille prenait de plus en plus ses distances par rapport à la famille Bonanno.

Quelle avait donc été la raison pour laquelle ces gens avaient rendu visite à Vito? «Eh bien! Pour leur faire comprendre qu'il existait toujours des liens avec New York, soutient Lino, et que Montréal

---

1. Les enquêteurs de l'Unité mixte des produits de la criminalité (UMPC) s'attaquent aux organisations criminelles en ciblant la motivation même de celles-ci, c'est-à-dire en saisissant les biens acquis par les criminels avec de l'argent «sale» généré par des activités illégales. Ils peuvent compter sur la collaboration de nombreux partenaires internes, de diverses agences externes, d'autres services policiers, des agences d'application de la loi étrangères, des banques et des ordres professionnels. (N.d.T.)

devait se rapprocher de la famille parce que, je pense, les liens s'étaient relâchés.»

MANHATTAN, FÉVRIER 1995

En dépit de l'accueil chaleureux que reçurent les New-Yorkais à Montréal, les relations entre la Sixième Famille et la famille Bonanno devenaient de plus en plus froides. Montréal continua à se retirer des affaires des Bonanno. Par conséquent, la vie de Gerlando Sciascia à New York était devenue de moins en moins plaisante. De plus en plus en désaccord avec la direction de la famille Bonanno, il dut également affronter la notoriété de l'accusation pour trafic de drogue à laquelle il avait dû faire face avec LoPresti. Même après l'acquittement, les accusations et les enregistrements réalisés chez Angelo Ruggiero lui conféraient une image certes peu souhaitable auprès des autorités canadiennes et américaines. Il n'avait jamais obtenu la citoyenneté canadienne, malgré les nombreux voyages qu'il faisait au-delà du 42e parallèle pour ses combines de trafic de drogue. Il avait conservé la nationalité italienne et une résidence permanente aux États-Unis. Sa demande d'immigration au Canada ne fut pas chose facile. L'étude du dossier traîna en longueur jusqu'en février 1995 ; Susan Burrows, une diplomate du consulat canadien à New York, informa alors les avocats de Sciascia qu'elle voulait lui parler personnellement.

Burrows avait été bien informée sur la Sixième Famille et ses associés d'affaires, et si Sciascia s'était imaginé qu'il devrait tout simplement répondre à un questionnaire portant sur sa connaissance de l'histoire du Canada ou encore fournir quelques détails sur ses investissements potentiels en tant qu'immigrant, il allait avoir une belle surprise.

«Connaissez-vous Salvatore Ruggiero? demanda Burrows d'entrée de jeu.

— Oui, répondit prudemment Sciascia. Nous nous sommes rencontrés à la pizzeria. Ses sept enfants avaient l'habitude d'y venir souvent, dit-il, en parlant de sa franchise de California Pizza qui se trouvait au Green Acres Mall. Nous étions des amis. Il me commandait toujours des pizzas... C'est là d'ailleurs que les problèmes ont commencé...

— Et qu'en est-il de Cesare Bonventre? demanda alors Burrows.

— Il est possible que je l'aie rencontré à plusieurs reprises, répondit Sciascia, par l'intermédiaire de [Sal] Catalano.

— Baldo Amato? continua Burrows.

— Je suis le parrain de la fille de monsieur Amato. J'ai connu son père en Italie, dit Sciascia. Je le rencontre de temps à autre, lors de l'anniversaire de sa fille, etc.

— Connaissez-vous Giuseppe LoPresti?

— Nous étions des amis en Italie, admit candidement Sciascia. Il était le parrain de confirmation de ma fille. Il est décédé.»

Aucune mention du meurtre, aucune mention de sa propre implication dans le meurtre.

«D'accord, monsieur Sciascia, poursuivit Burrows. Connaissez-vous Giuseppe Bono?

Il répondit de nouveau par l'affirmative.

— Oui, il a habité près de chez moi. Il a demandé à ma fille d'être sa bouquetière. Je ne les ai pas revus [les Bono] depuis leur mariage et leur retour en Italie.

— Connaissez-vous Nicolò, ou Nick, Rizzuto?

— Oui, il était mon *paesano* dans notre ville de 5 000 habitants, en Italie. Il a habité dans le même quartier que moi, à environ 10 maisons de la mienne. Je l'ai rencontré une fois au Canada lorsque ma nièce s'est mariée. Par la suite, je ne l'ai rencontré qu'à l'occasion de mariages. Il y a bien longtemps que je ne l'ai vu.»

Burrows lui posa alors quelques questions au sujet des circonstances au cours desquelles Nick avait été arrêté à la douane avec en main les papiers de la Peugeot de Sciascia. Ce dernier répondit que Nick avait eu ces papiers en sa possession «par erreur».

Burrows enchaîna en parlant de Vito Rizzuto.

«Je connais toute la famille, répondit Sciascia. Il n'existe rien entre nous. Je ne le vois qu'aux mariages et aux enterrements.

— Qu'en est-il de Paolo Renda? demanda la diplomate.

— Il a habité en face de chez moi, dit Sciascia, et il ajouta que Renda était le beau-frère de Vito. Je l'ai rencontré plusieurs fois lors de réunions familiales, rien de plus.»

Six mois plus tard, Burrows lui fit part en ces termes de sa décision: «Ayant fait une enquête approfondie sur les réponses aux questions que je vous ai posées lors de notre entrevue, je dois confirmer que je considère que vous n'êtes pas admissible pour obtenir une résidence permanente au Canada.» Elle ajouta qu'elle estimait que Sciascia était membre de la Mafia et représentait un danger pour le public. Le 8 septembre 1995, Joseph Sciascia, au nom de son père, fit appel de la décision de Burrows. Six semaines plus tard, le ministère de l'Immigration confirma que Sciascia représentait un danger pour le peuple canadien.

C'est ainsi que Georges le Canadien demeura aux États-Unis.

CHAPITRE 31

LONG ISLAND, MARS 1999

Une réception donnée pour célébrer les noces d'argent du neveu de Sal Vitale se tint au restaurant familial, à Hampstead, Long Island. Joe Massino — qui était arrivé en retard pour les réjouissances — prit son second à part, alors qu'ils étaient assis ensemble en bout de table, pour lui annoncer une stupéfiante nouvelle.

« Georges doit partir. » C'était là la façon simple de rendre une funeste sentence contre Gerlando Sciascia, le représentant de la Sixième Famille à New York. Vitale accueillit fort mal la nouvelle, car il aimait bien Sciascia et ses manières un peu démodées. Si Vitale se garda de contester son patron, cependant, les traits éloquents de son visage montrèrent bien que cette idée ne lui plaisait guère.

« Si cela te pose un problème, je demanderai à quelqu'un d'autre de le faire. Je n'ai pas besoin de toi », dit Massino d'un ton brusque.

« Je ferai ce que tu désires, Joe », répliqua Vitale, levant les paumes en signe d'assentiment. Vitale connaissait les règles : « Je n'avais pas le droit de savoir pourquoi… », a-t-il dit plus tard.

Massino somma ensuite Vitale de contacter Patrick « Patty du Bronx » DeFilippo, un autre capitaine des Bonanno, pour préparer le coup ; s'ils avaient besoin d'une voiture ou d'une camionnette pour faire le travail, ils devaient appeler Anthony « TG » Graziano. DeFilippo était membre de la famille Bonanno, et il avait été arrêté par la police de Montréal lorsqu'il s'y était rendu en 1966 pour assister au mariage de Vito Rizzuto.

Joe Massino était un chef astucieux. Pour pouvoir mener à bien cette entreprise délicate, il comptait utiliser deux gangsters qui, il le savait, avaient leurs propres raisons de régler son compte à Gerlando Sciascia. Graziano était l'instrument de vengeance tout indiqué contre Sciascia, depuis que Georges le Canadien s'était plaint de son usage présumé de stupéfiants. Graziano serait donc trop heureux de disposer de son rival. DeFilippo ressassait également des griefs contre Sciascia depuis une importante transaction de marijuana, et bénéficierait certainement de l'opération, si Sciascia était éliminé de l'équation. Exactement comme dans le cas du meurtre de Bonventre, et comme dans tous les cas d'actes hostiles contre les Zips, le meurtre de Sciascia exigeait une grande dextérité.

Il fallait déguiser la mort de Sciascia afin qu'elle semble être la conséquence d'une transaction de drogue qui aurait mal tourné. Aucun lien avec les Bonanno ne devait y être décelé. Le corps de Sciascia devait être abandonné dans une rue du Bronx. S'il disparaissait, on y reconnaîtrait la marque habituelle des meurtres « administratifs » commis par la Mafia.

« Il fallait que ce soit comme si Georges s'était enfoncé dans sa propre merde », a dit Vitale. Massino avait également planifié le moment du meurtre, ce qui démontrait bien la délicatesse de cette opération, et à quel point le *boss* insistait pour que nul ne fît le lien entre lui-même et l'assassinat. Massino partirait le jour suivant pour Saint-Martin, une île tropicale franco-hollandaise située dans les Antilles.

« Essayez d'en finir avant que je revienne à la maison », dit-il. Deux groupes en particulier devaient tout ignorer de son implication dans la liquidation de Sciascia : les forces policières, et Montréal.

Il était crucial que le fait se déroulât à l'insu de Vito et de la Sixième Famille, déclara Vitale, pour la simple raison que Massino les craignait.

« Ils ont 19 personnes avec lesquelles nous ne voulons pas être impliqués dans une guerre », dit-il en évoquant le pouvoir officiel des Montréalais, tous des soldats de Bonanno. La puissance réelle de la Sixième Famille, bien entendu, ne pouvait être mesurée selon des critères aussi étroits. Comme Vito allait bientôt le démontrer personnellement à Vitale et à Massino, la structure rigide de l'organisation de New York ne valait rien à ses yeux.

BROOKLYN, MARS 1999

C'est dans un secret encore plus grand que d'habitude, selon les traditions de la Mafia, que Massino ainsi que quelques hommes triés sur le volet élaborèrent leur plan pour assassiner Sciascia. Massino avait déjà rencontré DeFilippo pour en discuter. Vitale, dévoué comme toujours, suivit à la lettre les instructions de son chef. Il rencontra DeFilippo à l'extérieur de l'appartement du gangster, avenue York à Manhattan, dans le quartier prospère de l'East Side. Ils discutèrent du plan tout en marchant.

« Joe m'a envoyé. Tu sais ce que nous devons faire ? lui demanda Vitale.

— Je suis prêt, répondit DeFilippo.

— As-tu besoin d'une auto ? Je peux t'en trouver une, proposa Vitale.

— Je n'ai pas besoin d'auto, déclina DeFilippo.

— Patty, as-tu besoin d'une auto? répéta Vitale, et DeFilippo réitéra que c'était inutile.

— Comment vas-tu t'y prendre? Explique-moi ça, demanda Vitale.

— Je vais le buter dans le camion de Johnny Joe», répondit DeFilippo. John «Johnny Joe» Spirito était un associé des Bonanno en qui on pouvait avoir confiance. Rusé, DeFilippo utiliserait comme prétexte le différend qui l'opposait à Sciascia pour envoyer ce dernier à la mort. On annoncerait à Sciascia qu'un autre gangster était prêt à jouer le rôle de médiateur lors d'une rencontre entre Sciascia et DeFilippo, pour en arriver à un accord. Sciascia n'aurait qu'à se rendre à Manhattan pour y rencontrer DeFilipppo qui l'emmènerait à la réunion. Tout comme Bonventre, Sciascia était une personne soupçonneuse et rusée, mais l'on prit des précautions spéciales. DeFilippo était certain que Sciascia ne monterait pas dans une voiture inconnue, et c'est ainsi qu'ils décidèrent d'utiliser une voiture familière pour qu'il se sente à l'aise — le véhicule utilitaire sport Mercury Mountaineer blanc que conduisait Spirito.

«Il se sentira à l'aise en montant dans la camionnette de Johnny Joe. Il connaît Johnny Joe», dit DeFilippo à Vitale. Une fois le meurtre de Sciascia accompli, Spirito conduirait le corps dans le Bronx et le parachuterait dans la rue. Cet acte lui permettrait de devenir officiellement membre de la famille Bonanno. DeFilippo étudia bien le plan. Il fut également prévu que Michael «Nose» Mancuso se trouverait à proximité, à l'intérieur de sa Nissan Altima de couleur dorée, pour venir en renfort au cas où quelque chose tournerait mal.

Le jour suivant, au York Grill, un restaurant situé près de la maison de DeFilippo, Vitale passa deux revolvers et un silencieux à ce dernier.

«Il fonctionne? L'as-tu essayé? demanda DeFilippo sur un ton soupçonneux.

— Non, répondit Vitale. Veux-tu l'essayer? Allons faire une ballade en auto.»

Les deux hommes montèrent dans la Lincoln Town Car noire, et Vitale roula dans les rues de Manhattan pendant que DeFilippo essayait le pistolet, tirant par le toit ouvrant. Au moment où ils sortirent de l'auto pour retourner finir leur repas, Vitale agrippa brusquement DeFilippo pour s'assurer que le message qu'il s'apprêtait à lui livrer recevrait toute l'attention qu'il méritait.

«Joe m'a dit de te dire une chose importante: tire-le de haut en bas», dit Vitale. Cela qui signifiait, dans le langage des gangsters, qu'il devait viser en alternance la tête et la poitrine de sa victime pour l'atteindre «en haut et en bas», deux fois plutôt qu'une, afin que l'issue ne laisse aucun doute.

«J'ai compris. T'inquiète pas», dit DeFilippo. Essais des pistolets, utilisation de silencieux, ordre de faire le plus de dommages possible — là encore, des précautions spéciales étaient de rigueur.

Le jour où DeFilippo devait agir, il appela le magasin Throgs Neck Jewelers, situé sur l'avenue East Tremont — une boutique que fréquentait souvent Sciascia. Elle était tenue par John Chiazzese, un parent de Sciascia connu sous le nom de «John-le-Bijoutier». DeFilippo y avait laissé ce qui semblait être un message de conciliation : «Nous allons résoudre nos désaccords», avait écrit DeFilippo, puis il demandait à Sciascia de le rencontrer à l'intersection de la 79e Rue et de la 1re Avenue, à 21 heures.

Lorsque Sciascia arriva à la bijouterie, rien, dans son comportement, ne laissait présager que cette journée serait sa dernière. Il nota sur un bout de papier, de son écriture incertaine, l'endroit où il devait rencontrer DeFilippo : «PAT D. 79 ST AV 1.» Ce soir-là, il stationna son Jeep Cherokee noir sur le côté est de la 2e Avenue, entre les 79e et 80e rues. Il marcha ensuite jusqu'à son rendez-vous avec DeFilippo, un pâté de maison et demi plus loin. À cette intersection, Spirito immobilisa son Mountaineer, et Sciascia s'installa sur le siège arrière de l'habitacle luxueux du VUS. DeFilippo se trouvait sur le siège du passager, à l'avant. À un moment du trajet, sept balles de calibre 25 furent tirées de l'avant, presque à bout portant. Elles mirent fin à la vie de Sciascia peu de temps après son soixante-cinquième anniversaire. Il avait bel et bien été arrosé de balles, de haut en bas.

«J'étais dans la camionnette lorsqu'il a été tué, dit Spirito par la suite. J'ai conduit le véhicule jusqu'à Bowler Avenue, suis sorti, ai ouvert la porte et j'ai balancé le corps de Georges Sciascia ; qu'il repose en paix. Puis, je suis remonté dans la voiture et je suis reparti.»

Vitale avait fait en sorte de se trouver ce soir-là dans les environs de l'endroit où devait avoir lieu le meurtre, et il y était arrivé une demi-heure avant la rencontre de DeFilippo et de Sciascia. Il tourna en rond dans le quartier pendant une demi-heure avant de s'arrêter de l'autre côté de la rue, en face de l'édifice où habitait DeFilippo. Un téléphone public s'y trouvait. Il l'appela.

«Allô ? dit DeFilippo en décrochant.

— Patty, et alors ? demanda Vitale d'un ton soucieux. Descends», ajouta-t-il, puisqu'une telle discussion ne pouvait se poursuivre au téléphone. DeFilippo descendit en courant de son appartement. Il traversa la rue pour rencontrer Vitale. Les deux hommes partirent de nouveau en marchant.

«Que se passe-t-il ? reprit Vitale

— C'est fait. C'est fini», lui annonça DeFilippo.

•

Peu de temps après 11 heures du soir, le 18 mars 1999, un homme qui venait de sortir de l'appartement de sa petite amie sur Bowler Avenue, près du Hutchinson River Parkway, découvrit avec horreur ce qui paraissait être le corps d'un homme qu'on avait sorti d'un camion et qui avait atterri brutalement sur la chaussée, le visage vers le haut, étendu près d'une clôture en grillage. L'homme retourna à l'intérieur et composa le 911 pour contacter le service d'urgence. On dépêcha sur les lieux la police et une ambulance. Un médecin était inutile. Sciascia était allongé, mort. La police le trouva vêtu d'un chandail rouge et noir, d'un pantalon gris, de chaussettes noires, de chaussures et d'une ceinture de la même couleur. Ses cheveux argent étaient maculés de sang, et les traits de son visage perforé étaient figés dans un rictus. Sa tête et son corps avaient été criblés de balles qui avaient atteint son cerveau, ses poumons, son foie et son pancréas. Il avait vraiment été « sucré » de haut en bas. La découverte de son cadavre, cette fois-ci, n'inquiéta pas les Bonanno. Cela faisait partie du plan, afin que le meurtre ne porte pas l'empreinte de la Mafia, mais davantage celle d'une dispute concernant une livraison de came ayant mal tourné. La police trouva dans le portefeuille de Sciascia la carte de visite d'une bijouterie de Montréal qui appartenait à la femme de Gaetano Amodeo, l'homme de main de Cattolica Eraclea qui fut retrouvé plus tard, planqué à Montréal. Ils trouvèrent également sur Sciascia le bout de papier sur lequel il avait indiqué son rendez-vous avec DeFilippo, ainsi que d'autres gribouillis, dont une note relative à un appel téléphonique de Montréal, avec les noms et numéros de ses associés.

Un agent de police de la ville de New York coinça la première contravention pour stationnement interdit sous l'essuie-glace du Jeep de Sciascia à huit heures précises le lendemain matin. Huit autres allaient s'ajouter avant que l'heure de pointe ne fût passée et que les agents chargés du stationnement, totalement inconscients du fait que le propriétaire de la voiture n'était plus, désormais, en état de la déplacer, commencent à se poser des questions. Le Jeep finit par être remorqué et, lorsque le lien fut établi avec le corps retrouvé quelques heures plus tôt, le véhicule fut passé au peigne fin par la police. Sans aucun résultat.

Les tueurs, cependant, se retrouvèrent devant un problème inattendu. Le lendemain, le téléavertisseur de Vitale sonna. Le numéro de DeFilippo apparut, et Vitale s'empressa de le rappeler.

« Je dois te rencontrer. C'est important, dit DeFilippo.

— D'accord. À l'endroit habituel », répondit Vitale.

Cet endroit était un restaurant situé près d'une sortie d'autoroute fort achalandée. Cette fois, c'était DeFilippo qui paraissait anxieux.

« Tu dois me débarrasser de la camionnette. Trop de sang a giclé dedans. Ils ne peuvent pas la nettoyer », dit-il. Un peu plus tard, après que Massino fut revenu de ses vacances à Saint-Martin, il fut mis au courant du meurtre. Il écouta les macabres descriptions des gangsters qui avaient eu ordre de dépecer la camionnette.

« La camionnette était pleine de sang. Il y en avait vraiment partout et, à ce propos, Joe Massino a dit que le pauvre Georges avait dû mourir au bout de son sang », a déclaré Vitale.

Alors que DeFilippo et Vitale se faisaient de la bile au sujet du Mountaineer ensanglanté, la police annonça la triste nouvelle à la famille de Sciascia. Sa femme, Mary, téléphona ensuite à Baldo Amato, qui eut du mal à y croire. Il organisa vite une rencontre avec Vitale au Blue Bay Diner, situé boulevard Francis Lewis, dans le Queens, en précisant que c'était « très important ». Vitale était assis à table lorsque Amato arriva. Il était dans un état lamentable.

« Ils ont tué mon *goombah*, geignit Amato, utilisant le mot d'argot de la mafia sicilienne pour désigner un ami proche.

— Ils ont fait quoi ? répondit Vitale, feignant la surprise, tel que le prescrivait la ruse de Massino.

— Ils ont tué mon *goombah*, répéta Amato, alors que ses yeux se remplissaient de larmes.

— Que se passe-t-il ? répondit Vitale.

— Je ne sais pas, dit Amato. Ils ont tué mon *goombah*.

— Baldo, dit Vitale d'un ton compatissant, attends que le patron revienne et nous en discuterons avec lui. Je ne sais pas ce qui se passe, Baldo, je ne sais pas… »

Pendant que Vitale mentait effrontément à Amato, Massino distribuait des récompenses aux hommes qui l'avaient débarrassé de la menace qu'avait représenté Sciascia. Spirito fut accepté comme membre de la famille Bonanno sous le parrainage de DeFilippo. Massino ordonna également à Vitale d'effacer la dette de 54 000 $ qu'avait DeFilippo envers lui. Il s'agissait d'une somme d'argent qui restait à payer sur les 150 000 $ qu'il avait empruntés au chef. Vitale déchira la feuille de papier du cahier où étaient consignées les dettes et la réduisit ensuite en petits morceaux. Mancuso fut par la suite propulsé à un poste où il agit dès lors comme chef suppléant de la famille Bonanno, lorsque Massino n'était pas disponible.

WHITE PLAINS, NEW YORK, MARS 1999

Joe Massino avait lourdement insisté pour que son rôle dans le meurtre de Sciascia ne fût jamais connu, même des personnes à l'intérieur de la famille en qui il avait habituellement confiance. À cet effet, il donna l'ordre à Vitale et à tous les capitaines de la famille Bonanno de se présenter à la veillée funèbre qui aurait lieu au salon funéraire de White Plains. Il ordonna même aux gangsters qui se trouvaient à l'extérieur de la ville de se présenter.

«Je me trouvais à Las Vegas et j'ai reçu l'ordre d'aller à l'enterrement, a dit Frank Lino, qui était un capitaine des Bonanno à cette époque. Ils m'ont demandé de prendre l'avion pour y assister.» Vitale, durant la veillée funèbre, fut très occupé, et compliqua davantage le subterfuge en demandant aux capitaines d'enquêter sur la mort de Sciascia.

«Sur les ordres de monsieur Massino, j'ai demandé à tous les capitaines de notre famille, a dit Vitale. J'ai dit que l'administration n'avait aucun rapport avec le meurtre, car Sciascia était comme un frère pour nous tous. Nous voulions savoir ce qui se passait. Si jamais ils découvraient quelque chose, ils devaient nous le faire savoir. Nous voulions découvrir qui avait assassiné Georges.»

Lino se souvient d'avoir été pris à part par Vitale, qui lui dit: «Prête l'oreille. Personne ne sait qui a tué Georges.»

Vitale a expliqué que toute cette mise en scène avait été planifiée pour «faire diversion». Lorsqu'un gangster est tué dans une bataille entre bandes rivales ou qu'il meurt de causes naturelles, la tradition oblige ses congénères à faire preuve d'un très grand respect. Les gangsters et leurs associés arrivent en grand nombre à la veillée mortuaire et aux funérailles, et couvrent de fleurs et de cadeaux la famille en deuil. Cependant, lorsqu'un truand meurt dans ce que l'on nomme «une exécution planifiée», c'est-à-dire qui a été approuvée par la direction de la famille à la suite d'une infraction aux codes de la pègre, le mort est en général ostracisé. Ses comparses évitent d'aller à la veillée mortuaire et aux funérailles, à moins d'être liés par le sang ou d'avoir d'autres liens personnels avec lui. Lorsque Carmine Galante avait été assassiné, par exemple, le bruit avait couru que ses congénères, s'ils tenaient à agir intelligemment, ne devaient pas se présenter aux funérailles. Lorsque Sciascia fut tué, Massino voulut faire en sorte que les soupçons ne tombent pas sur lui. C'est pourquoi il exigea que tous les gangsters new-yorkais fussent présents à la veillée mortuaire et aux funérailles. Pendant deux jours, les forces policières purent y observer plus de 40 membres et associés de la famille Bonanno, dont Anthony «Tony Green» Urso, que le FBI avait catalogué comme étant le *consigliere*, et Vitale, le second du patron. Au moins un représentant de Montréal s'était déplacé: Joe Renda, décrit par Vitale comme étant «une bonne personne de la famille» et le neveu de Vito Rizzuto. Il était en fait le neveu de Sciascia.

La Sixième Famille ne fut pas dupe de la comédie jouée par Massino, au contraire de la police et des médias qui commencèrent par rejeter la théorie voulant qu'on ait affaire là à un règlement de comptes entre mafiosi. Le fait qu'on se bousculât aux funérailles les conforta dans cette idée.

MONTRÉAL, 2001

Massino fit une autre tentative pour maîtriser les éléments rebelles de la Sixième Famille. L'assassinat de Sciascia avait peut-être contribué à éliminer une certaine menace ; cependant, ce geste avait sectionné le lien direct entre New York et Montréal. Le premier émissaire de Massino avait été Frank Lino. Le deuxième, Anthony Spero, son *consigliere*. Vers 2001, comme preuve d'un respect encore plus grand envers la Sixième Famille, il envoya Vitale, son second, et Anthony Urso, qui venait de recevoir le titre de *consigliere*. La direction du clan Bonanno au complet, Massino en moins — car il y avait longtemps qu'il avait cessé de participer aux réunions publiques de la Mafia —, en appelait à Vito. Étant donné qu'une délégation new-yorkaise aussi importante se dirigeait vers le nord, il était évident que Vito n'avait démontré aucun intérêt à traverser la frontière américaine pour aller les rencontrer à New York.

«Monsieur Massino m'a envoyé, a expliqué Vitale, pour que nous nous familiarisions avec eux. Joe Massino désirait que j'aille à Montréal pour parler avec Vito, pour essayer de voir de quel côté le vent soufflait, pour que nous apprenions ce qui se passait à Montréal maintenant que Georges était mort... Il voulait prendre leur pouls et découvrir ce qu'ils pensaient du meurtre.» La mort de Sciascia sembla être un sujet déplaisant pour Vito.

«Il a été très chamboulé par ce qui est arrivé à Georges», a remarqué Vitale.

Avec le meurtre de Sciascia, Massino s'était coupé physiquement et émotionnellement de la Sixième Famille et, maintenant que Siascia et LoPresti étaient tous deux décédés, la *famiglia* n'avait plus de représentant officiel à New York, aux yeux de l'administration Bonanno. Massino désirait également que Vitale et Urso s'occupent d'une question relevant de la gestion domestique — Massino voulait nommer officiellement Vito au titre de chef de la faction montréalaise de la famille Bonanno. Massino croyait que l'offre d'une promotion au rang de capitaine serait flatteuse, un privilège pour lequel tous les gangsters seraient prêts à tuer (de fait, de nombreux gangsters tuèrent pour l'obtenir). Cependant, Massino, comme la plupart des gens, avait gravement sous-estimé la présence internationale et l'étendue des intérêts de Vito dans le milieu, et surestimé les intérêts qu'il portait aux rues de New York. De la même manière que Massino avait aimé se tenir loin des projecteurs sous l'administration Rastelli — c'est-à-dire être au pouvoir sans que sa position de chef attire l'attention —, Vito voulait lui aussi bénéficier de sa situation sans voir son nom sur les rapports et diagrammes de l'équipe du FBI chargée de surveiller les Bonanno.

La réunion entre Vito et Vitale, qui se déroula pendant un déjeuner, fut difficile. Cette réunion démentait la réputation que le FBI avait faite à Vito ; on disait de lui qu'il n'était qu'un simple soldat, ou encore qu'il n'avait qu'un rang de capitaine suppléant dans l'administration Bonanno. La réunion ne se passa pas comme Massino l'avait espéré, et Vitale ne reçut pas l'accueil auquel il s'attendait en tant que chef en second de la famille Bonanno, habitué à dicter ses ordres à des gangsters dociles qui les exécutaient souvent avec un zèle redoublé, dans l'espoir d'accéder à une promotion. Il convient de remarquer que lors de cette réunion entre un présumé simple soldat et le bras droit du patron de la famille, ce fut Vitale — le chef en second — qui afficha des signes de nervosité. Il semblait fébrile et démontrait beaucoup de déférence envers Vito, devant lequel il s'avéra que Vitale ne faisait pas le poids.

« J'ai rencontré Vito, a dit Vitale. Il s'est montré très contrarié, au début, du fait que personne ne lui avait parlé de Georges. Je ne pense pas qu'il ait cru que la mort de Sciascia ait été due à une transaction de drogue ayant mal tourné. » Vitale, après avoir tenté de le rassurer sur le sujet, aborda le second point à l'ordre du jour, c'est-à-dire la nomination d'un nouveau capitaine pour la ville de Montréal, afin de remplacer Sciascia.

« Quelle personne respectent-ils ici ? Qui est l'homme de la situation ? demanda Vitale à Vito, en espérant que Vito s'avance et déclare que c'était lui qui dominait. Mais Vito demeura silencieux.

— Nous sommes tous des frères. Nous sommes tous égaux, dit-il finalement. Vitale fit une nouvelle tentative, plus directement.

— Qui est la personne que les hommes respectent le plus ? Qui pourrait être un bon capitaine ?

— Mon père », répondit Vito.

Cette réponse désespéra Vitale. Les Bonanno n'avaient aucune envie de nommer Nick, qui était alors âgé de 77 ans, peu importe son origine et son expérience. Ils voulaient Vito. Mais Vitale semblait anxieux à l'idée de pousser plus loin son questionnement.

« Ce n'était vraiment pas la bonne façon d'agir, a raconté plus tard Vitale, bien qu'il se fût gardé de le dire directement à Vito. Il savait que nous voulions qu'il accepte le poste ; il a évité la question et j'ai pensé qu'il valait mieux ne pas insister… »

Vito et Urso rentrèrent donc à New York avec le problème du nouveau capitaine de la faction montréalaise en suspens. Massino ne fut pas impressionné par le compte rendu qu'ils lui firent de leur visite à Montréal.

« J'aurais dû vous forcer à le nommer officiellement capitaine », leur dit Massino d'un ton sec.

L'indifférence de Vito, que constatèrent les émissaires de New York à Montréal, sembla marquer la rupture des liens entre Montréal et New York, des liens qui, depuis que Carmine Galante avait proclamé Montréal territoire de la famille Bonanno 50 ans plus tôt, étaient jusque-là demeurés solides. L'ignorance dont Vitale, Urso et Massino faisaient preuve concernant la situation réelle de leurs frères montréalais était monumentale. Considérant qu'une équipe de soldats de la famille Bonanno compte en général moins de 10 personnes — « Un capitaine doit avoir 10 soldats, et comme on manque d'hommes, a dit Vitale, il peut arriver qu'un capitaine n'en ait que trois. » —, la proposition dut sembler ridicule aux yeux de Vito, qui commandait deux fois plus de gars « appartenant » aux Bonanno au Canada, et peut-être plusieurs centaines d'individus attachés à la tradition sicilienne, qui véhiculaient l'influence de la Sixième Famille à travers le monde.

Quand Vitale lui demanda quelle était la force du groupe montréalais, Vito répondit que maintenant que Sciascia était mort, il avait 19 hommes. Ce chiffre ne représentait que les membres en règle de la mafia américaine, la faction Bonanno, c'est-à-dire les quelques Montréalais membres de la Sixième Famille qui avaient double apparte-nance, se conformant à la fois aux règles de la mafia sicilienne et de la mafia américaine. La force de la faction montréalaise des Bonanno semblait avoir été fixée à 20 personnes. Selon les dires de Paolo Violi, l'ancien chef de la pègre montréalaise qui dirigeait à l'époque 20 membres en règle de l'organisation Bonanno, ce nombre avait été établi en 1974. Près de 30 ans plus tard, il était resté le même. Il semblait que Vito utilisât les rigides lois d'association de la mafia new-yorkaise pour cacher à Massino la vraie force de son organisation.

La question qu'avait posée Vitale quant à la force de la bande montréalaise — et la réponse qui lui fut donnée — démontra l'indépendance de Vito et l'autorité qu'il exerçait sur ses affaires au Canada. Cela laissait entendre que c'était Vito, et non Massino, qui avait le pouvoir de décision sur le nombre d'adhérents de son équipe. Si les membres montréalais avaient été des soldats de Bonanno au sens new-yorkais du terme, leurs noms auraient dû être portés à l'attention de Massino ou de ses prédécesseurs, et ces derniers au-raient dû choisir qui, parmi les noms reçus, pouvait être admis, étant donné le nombre restreint d'adhérents possibles. Le processus normal d'adhésion à la famille Bonanno devait être supervisé par Massino, qui était chargé de la sélection.

«La seule personne qui peut autoriser l'adhésion d'un membre est le patron», a fait remarquer Vitale. Massino disait à Vitale, son second, quelles recrues il désirait admettre dans la famille, et Vitale transmettait ensuite leur nom aux autres capitaines de la famille Bonanno pour que chacun d'entre eux vérifie les antécédents des membres potentiels. Ensuite, les noms qui n'avaient pas été contestés étaient envoyés aux autres familles de New York. «Étant donné que les nouveaux membres ne pouvaient être admis qu'en remplacement d'un mort — une stratégie mise en place pour conserver la force de chaque famille et empêcher la croissance d'une famille pour s'approprier le pouvoir —, les autres familles recevaient la liste des noms des postulants sur une colonne, et les noms des gangsters morts sur une autre, a expliqué Vitale. Nous demandions aux personnes de notre famille quels renseignements ils détenaient au sujet de telle ou telle personne. Ensuite, nous proposions une candidature. Nous écrivions le nom du candidat sur quatre feuilles de papier que nous faisions parvenir aux autres familles pour obtenir leur avis. Si, deux semaines plus tard, nous n'avions pas entendu parler de quoi que ce soit, nous savions qu'il n'y avait pas de problème.»

Massino et Vitale auraient pu savoir combien de membres il y avait à Montréal si Vito avait employé ce procédé pour choisir ses hommes. Il est bien possible que tous les tumultes que New York avait connus au cours des dernières années aient été la cause de l'absence d'un tel enregistrement, et le flux et le reflux des adhésions n'avaient pas été recueillis avec soin. Cela montre quand même à quel point l'administration Bonanno était ignorante des affaires internes des opérations canadiennes, et cela justifie sa méfiance à l'égard de Montréal.

Comme toutes les affaires concernant la pègre, la visite de Vitale à Montréal sous les ordres de Massino se termina par une courte discussion portant sur l'argent.

«J'ai dépensé de l'argent pour l'hôtel, pour les repas pour moi et Tony [Urso], et lorsque je suis revenu, Joe m'a demandé: "Combien as-tu dépensé?" J'ai répondu: "900 $." Il m'a donc donné les 900 douilles», a dit Vitale.

Il s'agissait d'un investissement minime pour Massino, dans le but de récupérer ce qu'il avait perdu après le meurtre de Sciascia. La Sixième Famille semblait avoir arrêté de payer son tribut à New York.

«Je pense que la dernière fois que je me suis trouvé en leur présence lorsqu'ils ont apporté l'argent, c'était peut-être en 1998 ou en 1999», a dit Vitale en parlant des gangsters montréalais. Il a déclaré que Montréal avait peut-être continué à payer le tribut traditionnel, mais qu'il n'en était pas certain. Un récent rapport interne de la GRC suggère que les relations financières entre la Sixième Famille et le clan

Bonanno se terminèrent lors de l'attaque sournoise orchestrée par Massino contre le représentant de Montréal à New York : « Après le meurtre de Sciascia, les enveloppes [d'argent] ont cessé d'arriver du Canada », peut-on lire dans ce rapport.

Les liens avec la famille Bonanno devinrent de moins en moins importants au fur et à mesure que progressait l'entreprise de la Sixième Famille. Le FBI accordait une attention toute particulière à la Mafia, et cette relation représentait une sorte de handicap pour les Montréalais. Le lien entre Massino et ses gangsters devenait peu à peu inutile, au sein de la structure moderne qu'avait instaurée Vito. On peut comparer cette évolution avec le déclin de la dépendance du public au système postal, que l'on a pu constater avec l'avènement d'Internet.

Vito avait clairement fait comprendre à Vitale que la Sixième Famille était en pleine croissance et qu'elle avait abandonné son asservissement à la famille Bonanno de New York. Les paroles que Vito avait prononcées devant Vitale durant la conversation relativement pénible qu'ils avaient eue au déjeuner étaient d'une bouleversante limpidité.

Vito expliqua à Vitale : « Nous sommes notre propre petite famille, entre 18 et 20 membres. Nous restons entre nous et nous nous respectons mutuellement. » Ces paroles avaient été prononcées avec beaucoup de politesse, comme on peut s'y attendre d'un hôte aussi courtois. Toutefois, New York venait de se faire dire, en clair, de se mêler de ses propres affaires. Vitale avait parfaitement compris le message et l'avait scrupuleusement rapporté à New York. Il avait d'ailleurs dit à Massino : « Ils ont leur petit groupe dissident. »

La Sixième Famille n'avait pas seulement éclipsé la richesse et la puissance du clan Bonanno ; elle semblait, en plus, s'être dégagée de la hiérarchie américaine, et se distinguait réellement, désormais, des Cinq Familles de New York.

CHAPITRE 32

MONTRÉAL, 1990

L'enseigne qui s'élevait au coin des rues Jean-Talon Est et Buies, à Montréal, aurait dû passer inaperçue, dans le fouillis urbain du paysage. On pouvait y lire : « Ouverture Bientôt — Pizza Hut. » L'affiche annonçait l'ouverture, prévue pour la fin de 1990, de la première succursale québécoise de la plus grande chaîne de pizzerias au monde, qui s'est fait connaître pour ses pizzas à la poêle, et qui provoquerait par la suite une vague déferlante. Un homme d'affaires québécois accompli avait réussi à obtenir les droits de franchise pour la totalité de l'île de Montréal, ce qui lui conférait le pouvoir exclusif d'ouvrir et d'exploiter des dizaines de restaurants Pizza Hut pour nourrir la vaste clientèle que représentaient les trois millions d'habitants de la région. Il lui sembla tout naturel d'implanter la première pizzeria à Saint-Léonard, la Petite Italie de Montréal, où elle se trouverait au cœur de ces gens dont la culture fit de la pizza un plat célèbre de par le monde. L'emplacement de sa pizzeria semblait donc idéal.

L'enseigne annonçant l'ouverture prochaine du restaurant Pizza Hut, cependant, fit rager au moins un de ses voisins.

En dépit du transfert de pouvoir qui s'était produit dans le milieu après la disparition de Paolo Violi et de Vic Cotroni, les choses ne paraissaient pas avoir changé sous la direction de la Sixième Famille. Tout comme Mauro Marchettini, l'infortuné propriétaire de salle de billard, l'avait appris à ses dépens pendant le règne de Paolo Violi, le propriétaire du restaurant Pizza Hut allait bientôt réaliser que certaines contraintes devaient impérativement être prises en considération, lorsqu'on ouvrait un commerce à Saint-Léonard. Les trois décennies qui venaient de s'écouler n'avaient pas changé grand-chose pour les gangsters ordinaires des rues de Montréal. Vito et Nick Rizzuto étant aux commandes, les hommes du milieu se croyaient toujours au-dessus des lois et, du moins à Saint-Léonard, c'étaient eux qui les dictaient. Le nouveau restaurant Pizza Hut, qui se trouvait directement en face d'un restaurant Mike's Submarines dont Agostino Cuntrera était le propriétaire, fut considéré comme un outrage flagrant, selon les agents de police de la ville de Montréal.

Agostino Cuntrera avait été reconnu coupable pour le rôle qu'il avait joué dans l'assassinat de Violi, et faisait partie intégrante de la Sixième Famille.

«Agostino supporte mal la compétition», nota un ancien enquêteur, spécialiste du crime organisé, qui fit enquête sur la pègre pendant des décennies à Montréal. Un message tout simple fut donc formulé par l'homme d'affaires, soutint le limier.

«Il a engagé quelques jeunes du quartier afin de brûler l'enseigne», poursuivit-il. Le matin suivant, le futur propriétaire trouva, là où s'était dressée son enseigne «Ouverture bientôt — Pizza Hut», les restes calcinés du poteau qui l'avait soutenue. Sa réponse ne fut cependant pas celle que les gangsters attendaient. Si le propriétaire du restaurant Pizza Hut avait été un Italien qui avait su lire entre les lignes, le message de l'enseigne brûlée à Saint-Léonard, avertissement pas très subtil de la part d'un «pègreleux» froissé, aurait probablement été compris. Mais ce propriétaire n'était pas italien.

«Bon, il est juif, donc il ne comprend rien aux choses de la Mafia, remarqua un enquêteur. Il n'a pas compris le message. Il répond de la seule façon qu'il connaît: il installe une autre enseigne, mais plus grande!»

Les travaux se poursuivirent au nouveau restaurant, et la frustration des gangsters augmenta. À la fin de juillet, un message plus menaçant fut envoyé. Cette fois-ci, l'enseigne ne fut pas seule à prendre feu. Selon les standards de la pègre, il s'agissait d'un modeste incendie criminel; les flammes furent étouffées avant que des dommages irréparables eussent été causés. Seules les toilettes, où le feu avait commencé, subirent de graves dommages. L'ouverture du restaurant fut retardée, mais cela n'empêcha pas le propriétaire d'aller courageusement de l'avant. Le restaurant, après tout, représentait un investissement d'environ 1,2 million de dollars…

«Comme n'importe qui, notre premier objectif était d'ouvrir le restaurant et de le faire fonctionner du mieux possible, déclara un ancien cadre supérieur de la société. Il [le propriétaire] voulait absolument ouvrir la boîte, et je pense qu'il s'était imaginé naïvement que, pour ouvrir un restaurant, il suffisait d'obtenir la franchise, de payer le loyer, d'obtenir l'accord du propriétaire des lieux et de construire l'édifice. Ensuite, il ne restait plus qu'à ouvrir, vous voyez? Et ensuite, vous ouvrez et vous vous attendez à faire concurrence aux autres restaurants au niveau de ce que vous avez à offrir. Ensuite, les clients vont chez vous ou chez votre compétiteur. C'est ça, les affaires, et nous sommes des gens d'affaires.»

«Je pense que tout le monde ne joue pas selon les règles», ajouta-t-il. Pas tout le monde, en effet.

À 2 h 37 du matin, le 12 février 1991, à peine quelques jours avant que le restaurant Pizza Hut n'ouvre ses portes, une explosion eut lieu sur Jean-Talon, réveillant les voisins et attirant d'urgence les pompiers sur les lieux. Cette fois-ci, un acteur de taille — un membre de longue date du club des Hells Angels — avait été recruté après avoir reçu l'ordre d'endommager sérieusement le restaurant, selon la police. Les pompiers furent vite rejoints par les enquêteurs et, dans la matinée, par la Brigade des incendies criminels.

Les preuves réunies démontrèrent que deux charges d'explosifs, composées de bâtons de dynamite, avaient été assemblées à l'extérieur du bâtiment, une à l'arrière et l'autre sur le côté, et placées de façon stratégique près des conduites de gaz naturel. La dynamite avait été reliée à un détonateur et à 80 mètres de fil électrique, ce qui suggérait que l'auteur s'était placé à une distance raisonnable pour déclencher l'engin avant de fuir. Si les conduites de gaz avaient pris feu, il est certain que l'immeuble se serait écroulé complètement à la suite de l'incendie. En fait, l'explosion fut forte mais ne produisit qu'un incendie mineur. Des dommages importants furent causés aux murs, au toit, aux conduites de gaz et, une fois de plus, aux toilettes ; cependant, l'immeuble resta debout. En signe de défi, la reconstruction commença le jour même, ce qui rendit certainement hystérique l'occupant d'en face, rue Jean-Talon. Des employés stupéfaits se rassemblèrent le matin suivant pour discuter entre eux, se demandant ce qui allait se passer.

« Nous n'avons jamais reçu de menace. Il ne s'agit pas d'une vengeance. Qui pourrait nous faire une chose pareille ? Nous n'en avons aucune idée », déclara un porte-parole de la société. Quelques employés démissionnèrent. Un ancien directeur qualifia ces désertions de réactions aux événements survenus à ce restaurant phare. Les employés locaux ne furent pas les seuls à poser des questions. La malheureuse histoire de ce commerce, qui n'avait pas encore ouvert ses portes, inquiéta également la compagnie d'assurances. Le bureau central de la société Pizza Hut, qui appartenait à l'époque à la puissante PepsiCo, les fabricants de Pepsi-Cola, un des plus importants conglomérats d'aliments et de boissons au monde, commença aussi à poser des questions gênantes. Le consortium PepsiCo avait alors un revenu annuel de 29 milliards de dollars.

« L'ouverture du magasin a certainement été à la source des problèmes, conclut un ancien cadre. À la suite de cela, la compagnie d'assurances n'a pas voulu nous assurer et nous avons donc dû demander l'aide de PepsiCo, qui a accepté de nous soutenir. Cependant, essayez d'expliquer ceci : Pizza Hut possède des restaurants un peu partout à travers le monde, et je ne pense pas qu'ils aient eu à faire face à ce genre de problème ailleurs. Vous pouvez donc vous imaginer, si l'on se met à la place des assureurs, qu'on ne peut pas leur dire grand-chose. Ils se demandent ce qui se passe et soupçonnent qu'il y a quelque chose de vraiment bizarre dans ce quartier...»

La suite fut encore plus étonnante.

«PepsiCo est une société gigantesque, et ses dirigeants ont décidé d'enquêter pour voir ce qui ne tournait pas rond à Montréal, déclara un officier de police, aujourd'hui à la retraite, qui s'occupait de l'affaire. Au début de l'enquête, on répondit aux gens de PepsiCo: «Vous essayez d'ouvrir une pizzeria à Saint-Léonard? Êtes-vous cinglés?» Cette réponse exaspéra le tentaculaire consortium. «Une lettre est partie du bureau de la direction de PepsiCo. Elle était destinée au chef de police et elle lui demandait d'intervenir», déclara l'officier. La société, dans sa lettre, insistait et posait la question: «Mais qui commande donc à Saint-Léonard, la Mafia ou la police?» Le chef de police savait qu'il devait obligatoirement se montrer à la hauteur du défi que lui lançait Pepsi. Il savait également qu'il était préférable que la réponse vienne de la police car, si tel n'était pas le cas, les commerces ne seraient pas les seuls à subir des inconvénients...

Les officiers savaient qu'ils devaient envoyer un message à Vito Rizzuto. La police de Montréal est connue pour sa façon créative d'attirer l'attention des mauvais garçons et pour les ingénieux moyens qu'elle emploie pour se faire entendre de la pègre. Ses limiers savaient que le langage que la Mafia connaissait le mieux était celui de l'argent. Aussi concoctèrent-ils un plan retors dont personne ne s'appropria jamais le crédit. À cette époque, les policiers qui enquêtaient sur le crime organisé savaient que les mafiosi obtenaient de très bons profits des appareils de loterie vidéo. Cela se passait avant que le gouvernement ne se rende compte de ce que la pègre savait depuis longtemps, et ne s'approprie les appareils, faisant ainsi entrer dans ses coffres tout un pactole plutôt que de le laisser dans ceux de la Mafia. Deux des hommes associés à l'organisation Rizzuto étaient bien connus dans la rue pour être les propriétaires d'appareils vidéo placés dans des clubs sociaux, des cafés et des bars un peu partout à Montréal. Nicodemo Cotroni et Vincenzo DeSantis avaient amassé une petite fortune en amenant les Québécois à gaspiller rapidement et facilement leur argent dans ces machines, selon la police. Ces deux hommes entretenaient bien sûr des liens avec le crime organisé. Nicodemo était le fils aîné du patron de la pègre Frank Cotroni, le frère de Vic. Il avait fait la démonstration de sa ruse en se soustrayant à plusieurs accusations pour jeu illicite, et à une autre pour agression. DeSantis était connu sous le sobriquet de «Jimmy Rent-a-Gun» — le «Loueur de flingues». Il se tailla immédiatement une place dans le milieu en devenant serveur au Reggio Bar, l'ancien quartier général de Paolo Violi. Chacun des appareils de loterie vidéo qu'ils y avaient placés rapportait entre 500 et 600 $ par semaine, ce qui permettait aux malfrats de se partager un revenu constant.

« Nous avons commencé par visiter ces établissements et par saisir les appareils vidéo de jeu, et ensuite, quand nous repartions, nous disions à chaque fois aux propriétaires : "Les *boys*, dites à Vito que c'est à cause de Pizza Hut", a dévoilé un ancien officier de police de la Ville de Montréal.

« Après avoir effectué 30 ou 40 de ces visites, nous avons téléphoné à Jean Salois [l'avocat de longue date de Vito] et lui avons dit que nous aimerions parler avec son client. Jean Salois est venu avec Rizzuto au poste de police et Vito — par l'intermédiaire de son avocat — a dit qu'il n'était venu que pour nous assurer qu'il n'était pas impliqué dans ce qui s'était produit au Pizza Hut. Nous avons alors répondu : "Nous comprenons que vous n'êtes pas impliqué ; cependant, nous voulons que cela cesse…"

« Et cela a cessé », a conclu l'ancien policier. (Il convient de noter que Salois a déclaré n'avoir jamais été contacté par la police, et que lui et Vito n'étaient jamais allés au poste à ce sujet : « Pendant toutes les années où j'ai représenté monsieur Rizzuto, ni lui ni moi ne sommes allés au poste ou autre part pour rencontrer la police, a-t-il soutenu. Il s'agit d'un mensonge flagrant. »)

Ce premier restaurant Pizza Hut finirait par ouvrir ses portes, et connaîtrait un grand succès à Saint-Léonard, comme ses semblables, partout à Montréal. Au printemps de 1991, PepsiCo annonça qu'elle ouvrirait d'autres franchises au Québec et, en septembre 1991, la franchise de Montréal possédait quatre restaurants, et trois autres devaient ouvrir avant la fin de l'année, ainsi que 15 nouveaux établissements en 1992. Il semblait y avoir un appétit particulier pour les différentes pizzas qu'offrait Pizza Hut ; Montréal, en dépit de sa forte population italienne, semblait éprouver des difficultés à produire de bonnes pizzas. En 2005, les restaurants Pizza Hut étaient devenus suffisamment populaires pour que les lecteurs du *Mirror*, un quotidien tabloïde, classent leurs pizzas deuxièmes en ville au niveau de la qualité. Il s'agissait là d'une baisse de leur popularité, car ces pizzas avaient été considérées comme les meilleures aux termes des sondages effectués au cours des quatre années précédentes. L'affaire du Pizza Hut de Saint-Léonard fut l'une des très rares victoires remportées sur la toute-puissante Mafia sur son propre terrain, bien que cette victoire eût été obtenue au prix d'une lourde implication émotionnelle.

« Cela a été très difficile, déclara le propriétaire de la franchise Pizza Hut à l'époque (celle-ci changea de propriétaire de nombreuses fois depuis ce temps). Je n'ai fait que subir les répercussions de cette affaire ; je ne connais rien de ce qui a pu nous amener là », dit-il. Il refusa toujours d'être considéré comme quelqu'un de courageux ayant montré aux honnêtes citoyens la façon dont ils pouvaient faire échec à la pègre.

« J'envisage cela d'une autre façon ; une façon incroyablement stupide. Vous devez voir cela de deux manières. Si jamais quelque chose était arrivé, cela aurait été incroyablement stupide. Les héros dans cette histoire sont en vérité les policiers membres de l'escouade antigang et ceux de la brigade chargée d'enquêter sur les incendies criminels. C'est cela. Non, il n'existe pas d'autre héros… »

Les gestes contre Pizza Hut indiquent la dualité de l'organisation qu'était devenue la Sixième Famille dans les années 1990. Elle s'était approprié le contrôle de la pègre urbaine traditionnelle et jouait un rôle prépondérant dans le marché international de la drogue, qu'elle gérait avec le savoir-faire d'une corporation moderne. Cependant, elle ne pouvait, en même temps, faire fi de ses racines traditionnelles mafieuses. Son mandat le plus important était de faire circuler la drogue. Cependant, plusieurs factions et cellules de l'organisation s'occupaient, au fil des jours, à toutes sortes d'autres affaires. Pendant que la famille Bonanno à New York subissait les mises en accusation répétées des gens qui la dirigeaient, ainsi que les conséquences des guerres intestines causant nombre d'assassinats entre ses factions, la Sixième Famille, pour sa part, maintenait une politique de croissance et de diversification, et évitait soigneusement les embrouilles qui finissaient mal.

La Sixième Famille connut une expansion dans d'autres domaines criminels — tout comme elle avait développé ses tractations de drogue, contrôlant le marché du haschisch et passant à la cocaïne en coopérant avec les gangs asiatiques et colombiens. Ses intérêts se diversifièrent, passant des escroqueries sur les marchés financiers de l'Ouest canadien aux petites extorsions sordides à Montréal ; d'une opération géante d'impression de faux billets américains à une combine qui avait pour but de récupérer l'or caché d'un dictateur philippin déboulonné. La Sixième Famille semblait atteindre tous les recoins imaginables du crime organisé.

TORONTO, AVRIL 1993

À l'échelle d'Enron, de WorldCom et de Martha Stewart, le cas de Penway Explorer Ltd. n'est en fait que l'une de ces insignifiantes histoires de boursicotage qui reviennent périodiquement dans les nouvelles, au terme desquelles un charlatan parvient à retirer des profits illégaux du marché boursier.

Dans la communauté des investisseurs, on nomme cette pratique *wash trading* (le boursicotage bidon) [1]. Des investisseurs vendent et achètent simultanément des actions de la même société, alors qu'en fait, ces ventes sont fausses, puisqu'il n'y a pas eu d'investissement supplémentaire. Une autre manœuvre se nomme le *pump and dump* (gonfler et larguer). Des vendeurs d'actions sans scrupules convainquent des investisseurs crédules d'acheter une certaine quantité d'actions sans valeur pour faire grimper leur prix ; lorsque celui-ci atteint un niveau préétabli, les personnes qui sont dans le coup vendent leurs titres. Penway Explorers avait été une des premières à mettre au point ce genre d'arnaque : une société d'exploration minière totalement anonyme avait été cotée sur le marché boursier albertain. Penway possédait des titres sur des concessions minières au nord de l'Ontario à la fin des années 1980. Ces actions ne valaient que quelques cents dans des conditions normales. Plusieurs de ces actions furent achetées à un prix plancher et conservées, pendant que des comparses faisaient grimpaient leur valeur de façon artificielle jusqu'à ce qu'elle atteigne 6 $ pièce.

Un des vendeurs clés des actions de Penways était Arthur Sherman, qui travaillait pour McDermid St. Lawrence Securities Ltd., une société de courtage située à Toronto. Son superviseur, John Shemilt, le décrivit comme étant un « bon à rien » dès l'instant où il fut engagé. Le 8 mai 1988, Sherman se volatilisa. Douze jours plus tard, il téléphona à son patron pour lui annoncer qu'il était à Aruba et qu'il reviendrait à la fin du mois. Il ne réapparut pas comme prévu et fut congédié sur-le-champ. À l'annonce de la disparition de Sherman, plusieurs de ses clients vérifièrent leurs comptes. Un grand nombre d'entre eux constatèrent que leurs actions Penway avaient disparu, pour un total global de 530 400 actions. On établit alors que Sherman les avait vendues avant de disparaître, emportant probablement l'argent. Il avait dû vendre les actions avant le moment convenu par les conspirateurs, leur dérobant ainsi les bénéfices de leur coup fumant. Le fait qu'il eut bazardé soudainement une si grande quantité d'actions fit culbuter le prix du titre à environ 30 centimes. Les investisseurs calculèrent qu'ils avaient été escroqués de 3,5 millions de dollars par Sherman et entamèrent des procédures judiciaires contre le courtier en fuite et contre la société de courtage. Les avocats de cette dernière s'opposèrent aux « investisseurs », une bande de fripouilles spécialisées dans les tractations de titres volés, comprenant un avocat ayant été rayé du Barreau et un promoteur douteux de Montréal. La société de courtage

---

1. *Wash trading* : Transactions boursière fictives portant sur le même titre à l'intérieur d'une courte période dans le but de donner l'illusion d'un marché actif. (N.d.T.)

soutint que ceux-ci n'étaient pas «les bénéficiaires uniques et exclusifs» des actions. Il y avait quelque chose de louche dans l'affaire Penway, qui allait au-delà de la disparition de Sherman.

Tout cela n'aurait pas eu grand intérêt à l'extérieur de la communauté boursière si des révélations n'avaient été faites, lors d'un procès civil, à l'effet que les véritables propriétaires des actions semblaient réticents à s'identifier. Les avocats de la société de courtage déclarèrent que les investisseurs qui avaient enclenché les poursuites judiciaires n'étaient en fait que des hommes de paille pour d'autres personnes décrites comme faisant partie d'un groupe de «mystérieux» Montréalais. Soudainement, une affaire de fraude d'une triste banalité présentait toutes les caractéristiques d'un roman à énigmes. Pendant les 45 jours d'audience qui se tinrent, de façon sporadique, d'avril 1992 à avril 1993, le juge George Adams apprit que l'escroquerie Penway était en fait le point de rencontre entre les marchés financiers et la Mafia.

La nature suspecte des transactions de la société Penway semblait évidente aux yeux de Lise Ledesma, la réceptionniste de la société de courtage. Elle devint, de par sa position, l'intermédiaire infortunée par qui devaient passer ceux qui voulaient joindre Sherman. Cette dame déclara avoir reçu des coups de fil grossiers et éprouvants de deux personnes utilisant le nom de Rizzuto, qui insistaient pour parler à Sherman. Un de ces appels provenait de l'étranger, et la connexion avait été faite par une opératrice parlant espagnol — c'était à l'époque où Nick Rizzuto était détenu au Venezuela après une condamnation pour trafic de cocaïne, période durant laquelle il avait manifestement besoin d'argent liquide pour payer ses honoraires d'avocats. Vito Rizzuto se présenta ensuite aux bureaux de McDermid à Toronto pour rencontrer Sherman. Mme Ledesma déclara qu'il était accompagné de «deux énormes brutes à la mine patibulaire». La visite, comme les appels téléphoniques, ne furent pas très appréciés. Sherman devint visiblement «fébrile et nerveux» à l'arrivée de monsieur Rizzuto, déclara la réceptionniste.

Les transactions concernant la société Penway conduisaient toutes à la mafia montréalaise. Robert Campbell, un avocat radié de l'ordre de sa profession et déjà condamné pour ses activités de faussaire, avait acheté ses actions Penway en passant par une société de courtage de Toronto nommée Mercore Securities Inc., qui semblait transiger uniquement des actions Penway. Le tribunal apprit que Campbell achetait les actions pour le compte de Vito qui organisait des réunions où l'on discutait de la combine, à Montréal et à Toronto. Toujours selon ce qui fut dit en cour, Campbell avait la «pleine confiance» de Vito qui, avec son associé, Dino Messina, lui avait prêté une grosse somme d'argent. Les chèques échangés pour couvrir les transactions d'actions provenaient également d'autres personnes reliées aux Rizzuto. L'un de ces chèques, au montant de 80 000 $, était libellé au nom de Rocco Sollecito, un individu que l'on avait souvent vu en compagnie de Vito et de membres de la Sixième Famille.

Les chèques, cependant, représentaient un problème mineur dans l'affaire Penway. Les employés d'une société de courtage de Montréal déclarèrent à quel point ils étaient ennuyés lorsque des paiements de 40 000 $ ou de 50 000 $ leur étaient versés en petites coupures — des billets de 10 $ et de 20 $. Le nom de Gennaro Scaletta, qui avait été arrêté en compagnie de Nick Rizzuto au Venezuela après avoir été accusé de trafic de cocaïne en 1988, apparaissait sur des bordereaux de dépôt, aux côtés de ceux de Messina, de Sollecito et de Libertina Rizzuto, la mère de Vito. Ces personnes représentaient un autre écran dissimulant le véritable propriétaire. Le juge déclara par ailleurs : « Selon les preuves qui me sont fournies, je trouve que la seule personne qui agit comme le véritable propriétaire de ces actions est Vito Rizzuto. » Les transactions étaient sujettes à « un examen extrêmement approfondi de Roméo Bucci en présence de Frank Campoli », expliqua le juge. À cette époque, le nom de Bucci sortait des brumes du passé de la Mafia, tandis que Campoli représentait en quelque sorte la nouvelle vague. Bucci était le gangster qui avait été envoyé à New York par Paolo Violi dans les années 1970 afin de voter, au nom de Montréal, lors des élections qui devaient décider du nouveau chef de la famille Bonanno. Frank Campoli avait été décrit lors du procès comme étant l'homme de Vito à Toronto. Il avait épousé une des filles de la famille Cammalleri et allait refaire surface des années plus tard, durant une enquête concernant l'implication de Vito dans une autre société controversée.

Le juge Adams ordonna une fin de non-recevoir. Il n'avait pas été convaincu que Sherman avait pris la fuite en emportant l'argent Penway avec lui. Il suggéra une autre possibilité, soit que la disparition de Sherman avait été le résultat de la « colère de monsieur Rizzuto ».

La mauvaise publicité que reçut Vito durant l'épisode de la Penway ne s'arrêta pas là pour autant. En 1995, des fonctionnaires de Revenu Canada scrutèrent attentivement les preuves présentées lors des débats. La question qu'ils se posaient était la suivante : Si Vito avait été le bénéficiaire de tous ces achats d'actions, alors pourquoi avait-il omis d'inscrire ces montants sur sa déclaration de revenus ? Le percepteur voulait sa part du 1 400 000 $ de revenus dont on avait remonté la trace jusqu'à Vito par le biais des actions, et il émit un avis de cotisation à cet effet. En plus des impôts non payés et des intérêts encourus, le gouvernement l'affligea d'une amende de 127 000 $. Vito porta la cause en appel auprès de la Cour canadienne de l'impôt. Le fisc se rua alors sur l'affaire avec un zèle peu commun. On aurait pu croire qu'il en avait fait une affaire personnelle. Les avocats du gouvernement avaient l'intention d'introduire en preuve les bulletins scolaires des trois enfants de Vito, les preuves de l'arrestation de Nick au Venezuela au moment de l'escroquerie, ainsi que les procès-verbaux des arrestations de Vito dans les affaires de contrebande de haschisch. Un autre document devait également être produit, intitulé *Les liens de Vito Rizzuto avec les éléments criminels au Canada et ailleurs,* ainsi que les dossiers criminels concernant Vito et 28 de ses associés, une triste collection de trafiquants de drogue, de blanchisseurs d'argent, de tueurs. On y comptait même l'ineffable Maurice «Mom» Boucher, le chef du club de motards Hells Angels, qui répondait aux trois qualificatifs. Figurait également à ce dossier une déclaration de faits qui comprenait cette phrase : «Le demandeur est connu comme étant le "Parrain" de la mafia italienne de Montréal.» À compter de ce moment, le terme «parrain» serait repris par les médias chaque fois que Vito ferait la une. Ces agressives tactiques semblèrent prendre Vito et ses avocats par surprise.

Vito, qui n'avait jamais aimé la publicité, se montra subitement réticent à s'opposer à la décision de la Cour canadienne de l'impôt et, après une suite rapide de rencontres en privé au mois d'août 2001 entre son avocat et celui du gouvernement, une entente à l'amiable fut conclue, à peine quelques jours avant le début des audiences.

«Nous pensions que nous avions des chances de gagner le procès ; cependant, nous voulions éviter le cirque médiatique que le procès allait provoquer», déclara Paul Ryan, l'avocat fiscaliste de Vito. Il ajouta que l'importance qu'accordait le gouvernement aux activités criminelles de Vito était peu habituelle. Les termes de l'accord ne furent pas révélés.

Selon les sources gouvernementales, Vito aurait accepté de payer 400 000 $ pour régler hors cour et ainsi éviter de s'attirer l'attention du public. Vito, par la suite, confirma lui-même cette somme. La soudaineté et l'aspect secret de l'accord causèrent bien des remous. John Williams, le président du Comité des comptes publics du gouvernement, déposa une requête au parlement, exigeant «tous les accords et documents s'y rattachant, la correspondance ou les deux, y compris les rapports, les comptes rendus de réunions, les notes, les courriels, les mémos existant entre le gouvernement et monsieur Vito Rizzuto». Quelqu'un pensait que l'accord était discutable. Le gouvernement répondit que les affaires concernant les impôts étaient du domaine privé et refusa de rendre publiques les informations. Le paiement de l'amende se déroula aussi de façon privée. Le règlement de 400 000 $

aurait été le fruit des efforts conjugués des membres de la famille Rizzuto, qui firent parvenir, pendant plus d'un an, des sommes d'argent importantes à leur avocat de longue date, Jean Salois, qui ouvrit un compte pour s'occuper des prêts d'argent au sein de la famille. L'argent commença à arriver le 21 janvier 2002, avec un dépôt de 50 000 $ de Giovanna, la femme de Vito. Elle répéta ce geste cinq mois plus tard et envoya 75 000 $ en septembre. Le fils de Vito, Nick, se montra à la hauteur de la situation en mettant 125 000 $ dans le compte le 15 mai, et 95 000 $ de plus le mois suivant. La fille de Vito, Bettina, injecta 50 000 $ le 5 février. Vito n'eut qu'à ajouter 5 000 $ pour arriver au montant de 400 000 $. Ce genre d'approche commune avait déjà été utilisé par la famille auparavant. Dans un compte légal qui avait été, apparemment, établi pour alimenter la lutte concernant le problème des impôts avec le gouvernement, 93 000 $ avaient été accumulés par le biais de plusieurs dépôts faits par Vito, sa mère, sa femme et son fils Leonardo, selon les documents comptables préparés par Salois, l'avocat de Vito.

Au début des années 1990, des enquêteurs qui surveillaient Vito se montrèrent perplexes lorsqu'une entreprise bizarre le mena en Suisse, à Hong Kong et aux Philippines. Ce voyage faisait partie d'une tentative pour s'emparer de lingots d'or provenant de la fortune de feu Ferdinand Marcos, l'ex-président déchu des Philippines. Vito soutenait qu'il détenait un mandat émis par la famille d'un général philippin, proche associé de l'ancien dictateur, pour aller chercher les biens appartenant à la succession Marcos au nom de la famille de ce dernier. La GRC croyait que ces biens avaient trouvé refuge dans des banques, en Suisse et à Hong Kong. Des discussions concernant l'or caché refirent surface pendant le projet Bedside, une autre opération policière destinée à faire la lumière sur un trafic de drogue dans lequel Vito aurait été impliqué. Les policiers découvrirent que Vito était en contact constant avec deux frères, des jumeaux, à Vancouver ; ils ne faisaient pas commerce de haschisch libanais, mais d'or philippin.

Roberto et Antonio Papalia avaient déjà travaillé dans des boîtes de nuit montréalaises en compagnie de Vito, lorsqu'ils étaient tous trois de jeunes gens. Leur frère un peu plus âgé, Adolfo, était copropriétaire avec Paolo Renda du Complexe funéraire Loreto, une entreprise montréalaise de pompes funèbres que Vito avait inscrite, jusqu'en 2001, comme étant son lieu d'emploi principal pendant plusieurs années. (Notons que ces Papalia ne sont pas parents avec les gangsters ontariens du même nom.) Après s'être installés à Vancouver, les deux frères devinrent des personnages controversés. Ils se firent connaître par le biais de transactions boursières et d'autres entreprises durant lesquelles ils se mirent à dos les autorités de réglementation.

Roberto avait été banni à vie du poste d'administrateur de toutes les sociétés publiques américaines par le Securities and Exchange Commission pour avoir escroqué des investisseurs ; la police avait noté qu'Antonio, connu sous le surnom de Tony, avait évoqué avec Vito des questions de transactions boursières en 1996 et qu'ils avaient été en contact jusqu'à tout récemment sur une base hebdomadaire. On rapporte que les Papalia contrôlaient une petite mine d'or et de fer sur l'île Texada, une bande de terre de 50 kilomètres de long et de 10 kilomètres de large située dans le détroit de Géorgie, à environ 300 kilomètres au nord de Seattle. Cette mine constitue peut-être la raison de l'intérêt des deux frères pour l'or des Marcos ou, inversement, la raison pour laquelle Vito sollicita leur contribution.

La police canadienne se trouva désemparée lorsqu'elle découvrit le motif de l'association de Vito Rizzuto avec les frères Papalia. Il n'existait aucune preuve de crime, du moins, pas au Canada, et toute enquête sur une combine aussi globale représenterait certainement une entreprise onéreuse. Les autorités pouvaient en outre alerter la police du gouvernement philippin des visées de Vito.

« Nous avons prévenu les autorités philippines que Vito arriverait le mardi à Manille, et qu'elles devraient le suivre dès son arrivée à l'aéroport, voir où il allait et qui il rencontrait, déclara un policier montréalais qui suivait cette affaire. Les Philippins répondirent : "Vous allez devoir nous payer, si vous désirez que nous le suivions." Nous ne pouvions croire ce que nous venions d'entendre, et nous avions envie de leur dire : "Attention, il s'agit de votre trésor public qui risque de s'en ressentir, pas le nôtre..." » On ne sut jamais si la tentative de Vito de jouer les intermédiaires réussit ou non.

SAINT-DONAT, QUÉBEC, FÉVRIER 1995

Le bruit répétitif et sourd, provenant du sous-sol encombré d'un chalet, aurait facilement pu passer pour celui d'une machine à laver en plein cycle d'essorage. Des visiteurs inattendus arrivèrent au chalet, situé au bord d'un lac isolé près de Saint-Donat, à 130 kilomètres au nord de Montréal. Au lieu d'une laverie, ils y trouvèrent une presse d'imprimerie remise à neuf qui, lorsqu'elle fut découverte, fabriquait des piles et des piles de faux billets de 100 dollars américains. Lorsque la police rassembla les boîtes contenant des planches de billets pas encore massicotés représentant, après calcul, 15 millions de dollars en valeur nominale, les limiers procédèrent à l'arrestation de l'homme qui faisait fonctionner la presse. Au moment où le surprirent les agents des services secrets américains, de la GRC et de la police de Montréal, Joseph Baghdassarian, originaire du Liban, était complètement défoncé par la cocaïne. Sa conduite fantasque ne fit qu'ajouter à l'étonnement des agents, déjà fascinés par la qualité de son travail.

«Nous avons affaire à un maître artisan, déclara Paul Laurin, le spécialiste en fausse monnaie de la GRC qui avait conduit le raid. Je dois dire que cet homme était un faussaire qui mettait vraiment du cœur à l'ouvrage. Il n'existe pas tellement d'imprimeurs aussi talentueux qui tournent mal.» La clé du travail de Baghdassarian, connu sous le surnom de «l'Artiste», était sa capacité à copier les fibres rouges et bleues gravées dans les vrais billets de banque de la réserve fédérale américaine. La magie de l'Artiste opérait vraiment à l'impression, mais c'était les membres de la Sixième Famille qui devaient faire circuler l'argent bidon. Le clan avait depuis longtemps reconnu la valeur des faux billets et, dès 1972, ses membres en vendaient de grosses quantités et les utilisaient également pour régler leurs factures. Les billets qui venaient de la presse de l'Artiste se vendaient 15 $ pièce, et on en retrouvait à Albany, Buffalo, Boston, Cincinnati, Miami, Honolulu, Houston, Los Angeles, Reno, San Francisco, Toronto et Vancouver. Pas moins de 24 millions de dollars étaient récemment sortis de sa presse, et il était certain qu'il ne s'agissait pas de sa première fournée. Sept personnes furent arrêtées à la suite du raid du chalet de Saint-Donat. Elles furent accusées de fabrication de fausse monnaie, de conspiration et de possession de faux. Les autorités désignèrent audacieusement la Mafia montréalaise comme ayant financé et organisé la distribution de la monnaie de singe. Cependant, là encore, aucun membre de la Sixième Famille ne fut accusé...

Les escroqueries boursières et les transactions d'or, la fausse monnaie et les extorsions tenaient occupés plusieurs membres de la Sixième Famille et les nourrirent pendant des années. Cependant, jamais de telles activités ne furent destinées à remplacer leur vrai commerce. La drogue demeurait leur priorité, et ils feraient bientôt la rencontre d'une nouvelle puissance criminelle, qui deviendrait à la fois leur collaboratrice et leur adversaire.

CHAPITRE 33

Maurice «Mom» Boucher était le chef ambitieux, charismatique et apparemment aguerri du club de motards Hells Angels de Montréal. Il dirigeait une section particulièrement téméraire et brutale du gang de motards le plus important et le plus tristement célèbre au monde. Le chapitre des Hells Angels dirigé par Boucher s'appelait les Nomads de Québec, un nom qui traduisait bien leur personnalité. Tout comme la Sixième Famille, ils n'étaient pas rattachés à un territoire en particulier. Et comme la Sixième Famille, les Nomads étaient obsédés par les profits faramineux que le trafic de drogue pouvait rapporter. Les cibles principales de Mom Boucher à Montréal étaient les clubs de motards rivaux et les trafiquants indépendants de stupéfiants, auxquels il faisait la guerre jusqu'à ce qu'ils se rendent, prennent leur retraite ou soient assassinés. Il achetait de grandes quantités de drogue et travaillait dur pour que les revendeurs de rue ne distribuent que ce qu'il leur fournissait. Boucher exerçait un pouvoir immense au Québec, contrôlant une entreprise de trafic de drogue importante et toujours en expansion.

À ses yeux, cependant, cela ne suffisait pas. Là encore, comme la Sixième Famille, Boucher voulait établir son propre monopole, avoir sa propre marque de commerce et diriger son propre trafic. Il croyait dur comme fer qu'il finirait par voir enfin le jour où il serait assez puissant pour dégommer Vito Rizzuto en tant que chef de la pègre, mais savait néanmoins que ce moment n'était pas encore arrivé. Entre-temps, il fut confronté à un défi qui exigea son attention immédiate. Les revendeurs de rues des environs n'étaient pas tous intéressés à faire affaire avec lui. Un certain nombre de trafiquants de drogue, de propriétaires de bar et de distributeurs se regroupèrent et partirent à la recherche de meilleures conditions d'approvisionnement, et ils les trouvèrent au sein de la Sixième Famille. Lorsque Boucher apprit que son monopole était contesté par un groupe qui s'était donné pour nom l'Alliance et qui s'approvisionnait en drogue auprès de la Sixième Famille, il devint furieux.

«Les Hells Angels se sont plaints avec véhémence de cet état de choses auprès des Italiens», raconta un inspecteur de police s'occupant de trafics de drogue à Montréal. Comme de nombreux policiers au Canada, y compris les agents d'origine italienne, il utilisait le mot «Italiens» pour désigner la Mafia lorsqu'il parlait du crime organisé, tout comme le terme «Russes» désignait les individus originaires d'Europe de l'Est, et «Jamaïcains», les malfaiteurs en provenance des Indes occidentales.

«Les Italiens ont déclaré aux Hells Angels: "Nous allons vendre à qui nous le voulons. Nous n'avons pas à demander la permission à qui que ce soit. Lorsque nous aurons un acheteur, nous lui vendrons la drogue, et si cela vous cause un problème, arrangez-vous avec..."», rapporta l'enquêteur. Les Nomads, sous la direction de Boucher, prirent au pied de la lettre la mise en demeure des Italiens. S'ils ne pouvaient empêcher leurs concurrents de recevoir la drogue avant eux, ils allaient devoir la stopper à l'autre bout de la filière. Lorsque le gang rival, qui, à cette époque, avait officialisé sa structuré et changé son nom pour celui des Rock Machine, refusa de limiter ses sources d'approvisionnement en drogue, la guerre éclata. Les Hells Angels se montrèrent tenaces, et les Rock Machine, tout autant. La violence de la guerre des motards au Québec fut sans précédent au Canada. Elle s'amorça en 1994 et ferait plus de 160 victimes. Les Hells Angels semblaient avoir le dessus dans cette bataille, une réalité dont la Sixième Famille prit bonne note.

Vito Rizzuto semble avoir reconnu la taille impressionnante du réseau de distribution de drogue des Nomads, ainsi que la détermination de leur chef. Boucher finit par se retrouver à la tête d'un organe unique de revente de drogue dont la portée s'étendait à tout le Québec et aux provinces maritimes, et continuait à se ramifier à travers le Canada. Les deux hommes trouvèrent donc de bonnes raisons de se parler, exactement comme l'auraient fait un magnat du pétrole et un gros distributeur d'essence. Ils ne tissèrent jamais de liens d'amitié, mais se traitèrent toujours avec courtoisie. Les Hells Angels et la Sixième Famille élaborèrent lentement une entente. La Sixième Famille, dans le monde du crime, présentait le seul obstacle à l'ambition et au pouvoir de Boucher, et Vito était en mesure de contrer tout adversaire uniquement grâce à sa réputation. Lorsque la violence envahit les rues de Montréal, peu de ces agressions purent être attribuées à la Sixième Famille.

«Ils ont, en fait, signé des contrats d'exclusivité d'approvisionnement, a déclaré André Bouchard, l'ancien chef de la section des Crimes majeurs de la police de Montréal. Les Italiens possédaient des contacts en Amérique du Sud que les motards n'avaient pas à ce moment-là. Les Italiens ont dit aux Hells: "Nous allons faire parvenir la drogue jusqu'au port et vous vous chargerez de la distribuer à travers la province"», a expliqué Bouchard, évoquant la première entente qui définissait le rôle primaire de la Mafia, du gang de l'Ouest et des Hells Angels. Le gang de l'Ouest était composé de malfrats irlandais qui avaient leurs entrées dans le port de Montréal et qui, pour un certain prix, par exemple, une fraction de la cargaison de stupéfiants, pouvaient s'occuper de décharger la drogue des cargos et de la remettre aux Hells Angels sans que qui que ce soit au sein de la Sixième Famille n'eût besoin d'y toucher. Ainsi, la Mafia contournait le risque de se faire arrêter en s'occupant du déchargement de grandes quantités de drogue. Un accord fut conclu entre les trois organisations criminelles pour déterminer le déroulement de l'approvisionnement et les prix, accord que l'on baptisa «le Consortium».

Dès l'été de 1995, le fonctionnement régi par l'accord était tellement efficace qu'à l'exclusion de Mom Boucher, l'approvisionnement en drogue se trouva limité pour la plupart des distributeurs. Dany Kane, un motard haut gradé des Hells Angels devenu informateur pour la police, déclara à son agent traitant le 20 juin 1995 qu'une «disette» sévissait chez les trafiquants de drogue qui n'étaient pas liés à Boucher. Les autres membres des Hells Angels réalisèrent que la Sixième Famille les tenait à l'écart et refusait de vendre la drogue à qui que ce soit, à l'exception de Mom Boucher, bien sûr. Ce dernier avait formé un conseil d'administration chargé de contrôler la distribution de la drogue, constitué de lui-même et de quatre autres Nomads. Il se nommait «la Table». La majorité des motards Hells Angels au Québec avaient l'obligation d'acheter leur drogue en passant par la Table.

Les distributeurs des rues de Montréal constatèrent bien vite qu'ils ne pouvaient plus choisir qu'entre deux options pour s'approvisionner en drogue : la mafia locale, ou les Hells Angels. Ces intermédiaires, qui utilisaient toute leur ingéniosité pour distribuer la drogue à travers la province, dans les bars, les cafés, les boîtes de nuit, mirent au point un langage des signes pour indiquer aux personnes avec lesquelles ils transigeaient de qui provenait la drogue. Un signe de deux doigts en forme de V, similaire au signe de «paix» des hippies mais inversé, les articulations faisant face, signifiait que la drogue venait de Vito ; une rotation de la main imitant le mouvement d'une personne qui actionne la manette des gaz d'une moto signifiait que la drogue provenait de Mom Boucher. Des codes à deux lettres étaient aussi employés.

«Les personnes disent V-R pour désigner Vito. Ils vont dire, par exemple, "Cela vient de V-R" ou "Cela vient de H-A"», déclara un gangster, faisant référence aux initiales de Vito Rizzuto et à celles des Hells Angels. Vito était également connu par son surnom, «Le Grand».

Les Hells Angels installèrent bien vite un climat de terreur dans les rues de Montréal. Cependant, un incident survenu en février 1997 démontre bien l'étendue de la réputation de Vito. Dany Kane raconta aux policiers que deux ou trois motards, dont Donald Magnussen, le bras droit d'un membre important des Hells Angels, avaient battu le plus jeune fils de Vito, Leonardo, à l'extérieur d'un bar situé sur le boulevard Saint-Laurent. Cette bavure n'avait pas eu pour objectif de défier l'autorité du Parrain. Ces motards peu futés avaient tout simplement fait erreur sur la personne et n'avaient aucune idée de l'identité du type qu'ils étaient en train de tabasser. Une rumeur se mit à circuler parmi la pègre à l'effet que Vito voulût se venger, et Magnussen, qui, en temps normal, se vantait d'être un redoutable meurtrier et affichait un caractère effroyable, se planqua lâchement. Il refusait même de sortir seul. Peu de temps après l'incident, il appela ses copains motards pour demander si l'un d'eux accepterait de l'accompagner au gymnase, raconta Kane. Peu de motards se portèrent volontaires pour l'aider ; Magnussen avait également contrarié des confrères lorsqu'il avait assassiné, avec une brutalité excessive et gratuite, un motard des Los Brovos, un gang de Winnipeg que courtisaient les Hells Angels dans le but de conclure une alliance. Magnussen fut retrouvé mort en 1998, un meurtre commis par l'un ou l'autre de ses ennemis. Son corps fut trouvé flottant dans le Saint-Laurent. Il avait été sauvagement battu avant d'être assassiné. Un dur à cuire québécois qui possédait des liens de longue date avec le crime organisé déclara qu'il doutait que Vito pût avoir quelque rapport avec la mort de Magnussen.

« À mon avis, Vito n'a pas dû être très content de son fils. Il l'a probablement engueulé pour s'être trouvé mêlé à ce genre de problème débile, pour avoir causé du désordre et s'être permis de se retrouver dans cette position. Vito préfère éviter ce genre de problème… », affirma le vieux routier du milieu.

« Ce sont des personnes très, très, très conservatrices. Extrêmement conservatrices, poursuivit notre truand d'expérience, en parlant du noyau de la Sixième Famille. Tous les troubles, tout ce qui pourrait attirer inutilement l'attention, c'est mauvais. De nombreuses choses auxquelles vous ne penseriez même pas peuvent représenter un problème pour ces gens. Ainsi, si jamais vous les rencontrez au restaurant et que vous les appelez par leur nom, cela peut causer un problème. Si jamais vous avez trop bu, que vous faites du tapage dans un bar et qu'ensuite vous vous dirigez vers eux après les avoir aperçus, salut les problèmes ! En fait, ce sont des gens d'un ennui mortel… »

MONTRÉAL, AVRIL 2000

Plus les Hells Angels paraissaient sur le point de remporter la guerre pour le contrôle de la distribution de la drogue au Québec, plus la

Sixième Famille envoyait des signes d'amitié au gang. En l'an 2000, ils travaillaient en étroite collaboration, coordonnaient leurs activités, leurs prix et leur main-d'œuvre et, au mois d'avril de la même année, selon l'informateur Kane, les membres les plus anciens des Nomads et leurs associés tinrent une rencontre avec Nick, le fils de Vito. Normand Robitaille, membre des Nomads et l'un des favoris de Mom Boucher, était l'homme de liaison avec la Mafia. Kane montait souvent la garde durant les réunions. Ces contacts, visiblement, n'avaient pas besoin d'être cachés : une de ces réunions entre Nick, Robitaille et d'autres Nomads se tint le 10 avril 2000 dans un restaurant montréalais. Le 25 avril, une autre réunion se déroula dans le stationnement d'un restaurant Poulet Frit Kentucky entre Nick et Robitaille, rapporta Kane à ses agents traitants. Du côté de la Sixième Famille, Antonio « Tony » Mucci jouait parfois les intermédiaires avec les motards, révéla Kane. Mucci avait obtenu ses quinze minutes de célébrité lorsque, en 1974, il était entré dans la salle de rédaction du quotidien montréalais *Le Devoir* et avait tiré à bout portant sur Jean-Pierre Charbonneau, un journaliste qui suivait la Mafia de près. Charbonneau survécut à ses blessures et continua à dévoiler les secrets du monde interlope [1]. Il devint plus tard un politicien populaire.

À la fin du mois de mai, les réunions entre les Hells Angels et la Sixième Famille devinrent plus fructueuses. Un cartel avait été formé pour fixer un prix uniforme de la cocaïne à tous les niveaux. Lorsque la coke arrivait en vrac, elle coûtait 50 000 $ le kilo, une bonne augmentation lorsqu'on compare ce montant aux 32 000 $ que valait le kilo de cocaïne quelques années plus tôt. La dose, dans la rue, se vendait 25 $ le quart de gramme. Vers la mi-juin, les motards et autres trafiquants, qui ne faisaient partie ni du Consortium ni de la Table, commencèrent à se plaindre du prix qui avait été fixé. Ils perdaient des clients. Mais le Consortium ne versa pas de larmes sur leur triste sort, et ses porte-parole insistèrent énergiquement en disant qu'il était hors de question de baisser les prix.

Les relations entre les Hells et la Mafia allaient si bien que la possibilité d'autres projets en commun fut évoquée. Par exemple, on élabora des arnaques par téléphone, au cours desquelles il suffisait de téléphoner à des Américains pour leur annoncer qu'ils avaient gagné une voiture à l'occasion d'une loterie. Les victimes, pour prendre possession du véhicule, devaient régler les taxes d'abord. Les personnes suffisamment crédules pour verser l'argent ne mettraient jamais le pied dans la voiture promise ; ils se le mettraient plutôt eux-mêmes au derrière, furieux d'avoir été roulés. Kane déclara aux poli-

---

1. Notamment dans son livre à succès, *La Filière canadienne*, paru en 1975. (N.d.T.)

ciers qu'il lui avait été promis un pourcentage de la combine simplement pour monter la garde lors des rencontres. Cette arnaque téléphonique devait rapporter environ un million de dollars par semaine...

L'alliance avec les Hells Angels froissa cependant quelques
membres de la Mafia, tout comme certains motards, qui se sentirent
vexés d'avoir été exclus de la Table. Salvatore Gervasi, par exemple,
était un homme imposant, pas seulement à cause de ses 130 kilos
mais aussi parce que son père, Paolo Gervasi, était un mafioso très lié
à Vito Rizzuto. Paolo Gervasi était également le propriétaire du cabaret
Castel Tina, une boîte de *strip-tease* située à Saint-Léonard et populaire
parmi les membres de la pègre montréalaise. On croit que le plus vieux
des Gervasi fut intronisé par Vito dans la Mafia ou, comme le disent
certains mafiosi montréalais, avait eu «des mains brûlantes», une référence à l'image ardente d'un saint que les futurs mafieux tiennent
entre leurs mains pendant la cérémonie de leur intégration. Au milieu
des années 1980, Vito avait utilisé le club de Gervasi comme base et
faisait de nombreux appels téléphoniques depuis le cabaret. Une
dizaine d'années plus tard, l'établissement demeurait un endroit de
prédilection où étaient traitées de nombreuses affaires illicites.

«Salvatore avait l'habitude de se tenir au club en compagnie de
membres des Rock Machine. Ces derniers portaient leur insigne à
l'intérieur du club, et il les approvisionnait en stupéfiants grâce à ses
contacts, explique André Bouchard, ancien cadre de la police de
Montréal à la retraite. Cela ne plaisait pas aux Hells Angels, parce que
les Hells traitaient directement avec les Italiens, et les Italiens n'étaient
pas censés vendre de la drogue aux Rock Machine.» Lorsque les
membres des Hells se plaignirent à la direction de la Mafia, Paolo
Gervasi reçut l'ordre de dire à son fils de se tenir tranquille. Les avertissements se firent plus fermes, mais les relations entre Salvatore et
les Rock Machine persistèrent.

«La nuit où Salvatore a été assassiné, nous l'avons découvert dans
le coffre d'une Porsche garée devant la maison de son père, à Saint-
Léonard. Ce dernier est arrivé et s'est retrouvé en pleine scène du
crime; nous avons dû le saisir à bras-le-corps pour le tenir loin du
coffre, a dit Bouchard en commentant le meurtre du jeune Gervasi,
survenu en avril 2000. Le vieux est devenu furieux à l'extrême contre
les Italiens qui avaient assassiné son fils et il a déclaré qu'il allait se
débarrasser de son club. Les Italiens lui ont offert de l'acheter, et il
leur a dit d'aller se faire foutre, puis il est allé chercher un bulldozer
et a démoli son propre établissement; il s'agissait de sa façon à lui de
se venger. Puis, il a fait construire des immeubles à logements et un
stationnement sur le terrain où se dressait la boîte de nuit. Cela a
vraiment enragé les Italiens qui, pour la première fois, lui ont tiré

dessus. » Quatre mois après la mort de son fils, plusieurs balles atteignirent Gervasi alors qu'il sortait de la banque. Cet attentat n'avait pas pour but de le tuer, à moins que le tireur eût été particulièrement incompétent. Gervasi, un vrai dur au tempérament caractériel, décida cependant de faire abstraction du message et, en guise de réponse, imagina l'impensable : il chercha à s'en prendre à Vito en personne !

Selon un rapport de la GRC, la police fut mise au courant du complot et, pendant des semaines, surveilla les deux hommes qui avaient été engagés comme tueurs. Les enquêteurs jugèrent également qu'il était nécessaire de prévenir les personnes visées, soit Vito Rizzuto et Francesco Arcadi. Le 13 juillet 2001, la police surveillait les assassins en puissance qui se trouvaient au volant de deux voitures et paraissaient se diriger tous les deux vers le quartier général de Vito, le club Consenza. Craignant des tirs imminents, la police intercepta les deux véhicules et arrêta les deux individus. Bien que ni l'un ni l'autre n'eût été armé, une perquisition effectuée à leur domicile permit de découvrir un fusil automatique AK-47, un revolver magnum de calibre .357, deux pistolets 9 mm, deux gilets pare-balles, des walkies-talkies et des cartouches. La tension ne diminua pas pour autant. Le 25 février 2002, un passant rapporta qu'il avait vu un objet insolite sous un Jeep Grand Cherokee stationné près du club Consenza. La police ne crut pas que Vito fût la cible de cette bombe, tel que le consignèrent les enquêteurs dans un document interne. Elle était plutôt destinée à Paolo Gervasi. Mais la chance du vieux mafioso n'allait pas durer éternellement. Il serait par la suite assassiné, pris dans un échange de coups de feu alors qu'il était assis au volant de son Jeep. Toutefois, le chapitre final de la vie de Gervasi n'était pas encore joué, au moment où les Hells Angels et la Mafia continuaient à partager leur butin.

Le 21 juin 2000, Robitaille n'avait que des éloges en bouche à l'égard de la Sixième Famille, se répandant en compliments, auprès de Kane, envers Vito et Tony Mucci. Si les affaires entre les deux groupes avaient été tendues par le passé, Robitaille déclara à Kane que désormais, ils formaient une seule grande équipe unie. La confiance de Robitaille avait été consolidée au cours d'une réunion qui s'était tenue plus tôt dans la journée dans un restaurant de Laval, sur la rive opposée du fleuve. Vito, Mucci et deux de leurs associés avaient rencontré Robitaille et deux des plus anciens membres des Nomads.

« Norm m'a dit que Vito était quelqu'un de très gentil, et ce n'était pas feint, écrivit Kane dans son journal intime au sujet d'une conversation qu'il avait eue avec Robitaille. Il m'a dit que les Italiens étaient solides et que si jamais les Hells Angels décidaient de leur déclarer la guerre, ils allaient avoir encore plus de problèmes avec eux qu'ils n'en avaient eu avec les Rock Machine. » Le 31 juillet, Kane monta de nouveau la garde pendant une réunion entre les deux organisations. Le restaurant situé boulevard Saint-Laurent était fermé, ce qui permit à l'informateur d'entendre une partie de la conversation entre Vito, son fils Nick et Robitaille, au cours de laquelle Nick mentionna que 250 kilos de cocaïne étaient distribués à Montréal chaque semaine. Au nouveau taux fixé, cela représentait un revenu hebdomadaire de 12,5 millions de dollars.

●

Le modèle des affaires de la Sixième Famille permettait à celle-ci de laisser aux autres le travail le plus dangereux, c'est-à-dire la vente de stupéfiants au Canada, et garantissait bien d'autres bénéfices, remarquèrent les enquêteurs.

«Vito ne faisait jamais venir de la marchandise qui n'est pas vendue d'avance. Il n'aurait jamais fait venir, admettons, 5 000 kilos de came s'il n'en avait vendu que 1 200. La marchandise était achetée et payée d'avance, et son travail consistait à l'acheminer au port de Montréal, à celui de Vancouver ou à celui d'Halifax — celui que vous désiriez», a dit André Bouchard. Un enquêteur expérimenté sur le trafic de drogues fut d'accord pour dire que Vito était un maître au plan du financement.

«Vito ne mettait jamais 10 cents de son propre argent dans une transaction. C'était toujours l'argent de quelqu'un d'autre, mais il finissait toujours par récolter 60 pour cent du produit. Il ne prenait pas de risques, sauf celui de l'emprisonnement... et encore! Ce risque était minime étant donné son niveau d'isolation. Lorsque la transaction tournait bien, il empochait entre 50 et 60 millions, et si jamais la transaction ne fonctionnait pas, un idiot avait perdu son argent, a expliqué l'officier de police. Oui, ce type est très intelligent...»

Les motards représentaient plus pour Vito que de simples hommes chargés de vendre sa drogue. La guerre persistante entre les Hells Angels et les Rock Machine attira l'attention de la police et du public, ce qui faisait des motards l'organisation criminelle numéro deux, mais la première cible de la police au Québec et, plus tard, partout au Canada.

«Nous n'avions pas vraiment le temps de nous occuper des Italiens. Tout notre temps était pris par les motards», a confessé Bouchard. Cela signifiait que Vito pouvait s'occuper de ses affaires sans être importuné par les autorités provinciales et fédérales. «Cela n'avait aucun rapport avec la corruption, a dit Bouchard, mais avec la nature crue de la guerre qui faisait rage tous les jours entre les gangs rivaux de motards et qui laissait des cadavres dans les rues de Montréal.»

«Les Italiens agissaient très intelligemment, a ajouté Bouchard. La police a mis tout son argent et tous ses œufs dans le même panier. Elle s'est dit : "Nous devons nous attaquer aux gangs de motards. Ce sont eux qui font le plus de bruit." Si vous mettez suffisamment d'argent dans quelque chose, il est certain que le boulot peut être fait. Mes hommes ont travaillé 16 heures par jour pendant des années sur le problème des motards.» Il ne restait donc presque plus d'effectifs pour surveiller la Sixième Famille. Pendant la guerre des motards, Vito avait la vie facile à Montréal.

«Pendant toute la période qui s'est étendue de 1992 à 2001, personne n'a touché aux Italiens. La police ne les pourchassait pas. Nous ne les avons pas surveillés. Nous n'avons pas mis leurs lignes téléphoniques sur écoute. Toutes les informations qui nous parvenaient avaient été recueillies par les autres services de police. Ils nous disaient : "Surveillez ce type, surveillez celui-là." Les Italiens étaient tranquilles, ils faisaient de bons revenus, achetaient des commerces, blanchissaient leur argent», constate Bouchard, qui dit regretter n'avoir pas eu suffisamment de ressources pour diriger son attention vers les deux organisations à la fois.

Les étincelles provoquées par la guerre des motards devinrent trop brûlantes, même pour la Sixième Famille. Des innocents se trouvaient pris dans les échanges de coups de feu. En 1995, un jeune garçon de 11 ans fut abattu par des shrapnels provenant d'une voiture piégée. Deux ans plus tard, deux gardiens de prison furent tués dans une tentative de déstabilisation du système judiciaire. Ensuite, en 2000, le reporter le plus connu de Montréal dans le domaine de la criminalité, Michel Auger, fut victime d'un attentat dans le stationnement du *Journal de Montréal*, le quotidien populaire où il travaillait. Malgré les six balles qui l'atteignirent dans le dos, Auger survécut. Cependant, l'outrage causé par cette attaque audacieuse était palpable chez les citoyens. Des marches de protestation furent organisées, et la population exigea des lois antigang beaucoup plus sévères. Les hommes politiques commencèrent à parler d'une loi dans le style de la loi américaine antiracket. Soudain, la guerre des motards mettait des bâtons dans les roues de l'existence tranquille de la Sixième Famille.

«Vito s'est assis avec Mom Boucher et lui a dit : "Vous devez arrêter ces conneries. Elles font du mal à tout le monde…"», a rapporté Bouchard.

Lorsque Vito parlait, même le chef d'un gang de criminels comme Mom Boucher, aussi influent et agressif qu'il pût être, devait écouter gentiment, car Vito pouvait faire la paix comme il pouvait faire la guerre.

MONTRÉAL, MARS 2001

Le 28 mars 2001, aux petites heures du matin, les autorités rassemblèrent quelque 2 000 agents de police des forces fédérales, provinciales et municipales pour préparer un assaut policier majeur contre le crime organisé au Canada. Après des années d'enquêtes effectuées par la police, qui utilisa un grand nombre d'informateurs (l'un d'entre eux fut assassiné alors qu'il portait encore sur lui le dispositif transmetteur qui le reliait à la police — détail macabre : sa mort fut enregistrée « en direct » lorsque sa couverture fut éventée. Dany Kane, pour sa part, finit par se suicider), une quantité de mandats d'arrêts fut rassemblée dans le cadre de la plus grande opération policière à être menée au Québec et en Ontario. En fin de compte, 128 personnes avaient été coffrées au cours de ce qui fut surnommé « l'Opération Printemps 2001 ». Tous étaient des motards ou des associés. Les membres des Hells Angels Nomads furent épinglés. Les membres de leurs clubs-écoles, leurs tueurs, leurs blanchisseurs d'argent et leurs revendeurs de drogue furent mis sous les verrous.

En s'attaquant à la société aussi ouvertement et avec une telle attitude subversive, les Hells Angels s'étaient attiré toute la pression, et devaient maintenant faire face à toutes les conséquences.

Leurs partenaires de la Sixième Famille, une fois de plus, évitèrent le carnage et continuèrent à vaquer tranquillement à leurs affaires.

Chapitre 34

Avant que la police n'eût provoqué l'effondrement des Hells Angels et emprisonné certains des motards les plus dangereux au monde, Vito Rizzuto et la Sixième Famille s'étaient déjà mis à l'œuvre pour planifier une stratégie susceptible de contrer leur force grandissante. Si Vito reconnaissait la menace qu'ils représentaient, il les accueillait à sa table et négociait de bonne grâce avec eux, probablement pour obéir au vieil adage qui recommande de garder ses amis près de soi et ses ennemis, encore plus près.

Dans les mois qui précédèrent l'opération policière Printemps 2001, qui devait régler cette question une fois pour toutes, Vito tenta de faire avec ses mafieux ce que les Hells Angles avaient réussi à faire avec leurs adeptes. En effet, les Hells avaient récemment admis dans leurs rangs plusieurs vieux groupes de motards ontariens, abandonnant complètement leurs propres règles pour accorder leur cocarde à tous ceux qui acceptaient de mettre leur propre insigne de côté. C'était une initiative audacieuse, qui offrit sur-le-champ aux Hells Angels une couverture complète du marché de la drogue à travers tout le Canada. Vito projetait de faire de même avec tous les clans mafieux et de les unir sous sa propre bannière, un geste qui lui conférerait une autorité sans précédent.

Au cours du mois de janvier 2001, des enquêteurs de police rôdant autour du crime organisé commencèrent à entendre des rumeurs au sujet d'une réunion au sommet de tous les clans canadiens. Apparemment, une rencontre avait eu lieu ou était sur le point d'être convoquée à Toronto, dans le but évident de forger une alliance entre des gangs mafieux constamment en conflit au Québec, en Ontario, en Colombie-Britannique, et peut-être même dans l'État de New York. L'objectif était de faire front commun devant ce groupe de motards nouvellement formé, et international de surcroît.

«Les Hells de l'Ontario se sont alliés aux Hells de Montréal; est-ce une menace pour la Mafia? Je le croirais, dit un policier de Toronto affecté au crime organisé. Le moment serait opportun pour que les Italiens mettent leurs différends de côté. S'ils perçoivent les motards

comme une menace, cela leur donne une motivation pour le faire»,
ajouta-t-il. Les forces policières croyaient que la réunion serait ou avait
été présidée par Vito. Utiliser la menace des motards comme un prétexte
pour s'approprier le territoire de l'Ontario était une habile manœuvre
stratégique ; plutôt que conquérant, il se présentait en protecteur.

Malgré une concentration assez forte de gangsters en Ontario,
postée surtout aux environs de Toronto, de Hamilton et de Niagara
Falls, le leadership y faisait défaut. Le dernier jour de mai 1977,
Johnny «Pops» Papalia, figure de proue du crime organisé, qui s'était
joint à la famille mafieuse de Magaddino à Buffalo pour y mener une
carrière de quatre décennies, avait été assassiné. Papalia, tout comme
Vic Cotroni, s'était allié à une organisation mafieuse américaine pour
devenir son représentant au Canada. La mafia de Chicago était puissante, et lui avait permis de survivre à la plupart de ses contemporains. Sa disparition, à l'âge de 73 ans, laissait sa province sans dirigeant mafieux. La Sixième Famille voulait combler ce vide, mais, fidèle
à ses habitudes, elle agit avec précaution. Les enquêteurs ne parvenaient pas à chasser de leur esprit l'hypothèse selon laquelle les
desseins de la famille avaient joué un rôle dans le malheur de Papalia.
Son assassinat avait été précédé de celui de son homme de confiance
à Toronto, Enio Mora, tué par des gangsters siciliens, et suivi du
meurtre de son homme à Niagara Falls, Carmen Barillaro. Cela ressemblait à une purge du vieil establishment mafieux en Ontario,
comme celle qui s'était déroulée deux décennies plus tôt à Montréal.
Giacinto Arcuri fut accusé du meurtre de Mora, mais il fut acquitté.

Le tireur qui avait abattu Papalia et Barillaro fut arrêté, et il
informa la police et le tribunal qu'il avait agi sur les ordres de la
famille Musitano, un clan rival de Hamilton. Les doutes de la police
furent loin d'être apaisés lorsque les enquêteurs filèrent Pasquale
«Pat» Musitano, le jeune chef de la famille, alors qu'il se rendait à un
restaurant à Woodbridge, au nord de Toronto. Là, le 23 octobre 1997,
précisément trois mois après l'assassinat de Barillaro et cinq mois
après celui de Papalia, Musitano et son cousin, Giuseppe «Pino»
Avignone, eurent un long entretien avec Vito et son imposant gorille,
Gaetano «Guy» Panepinto. Quelle pouvait bien être la filière? se
demandèrent les policiers.

Panepinto avait longtemps fait partie des annales du crime dans
le sud de l'Ontario, et, de petit truand de rue, il avait été promu aux
ligues intermédiaires de la criminalité. Il lui était cependant difficile
d'oublier l'ivresse de l'action, car la pose de bombes, l'incendie criminel, le prêt usuraire et l'extorsion avaient longtemps constitué son
domaine d'expertise et sa marque de commerce. Ses liens étroits avec
des *hijackers* en faisaient un fournisseur de choix pour les armes, les

voitures volées, les pièces de motocyclettes, les stéroïdes, la cocaïne et autres drogues.

« Guy, c'était l'homme à voir si vous aviez besoin d'un peu de robustesse ou si vous cherchiez quelqu'un à qui donner un mandat un peu risqué. C'était une énorme brute, mais avec un si gentil sourire. Il connaissait tout le monde. Les motards l'adoraient. Les Italiens ne tarissaient pas de compliments à son sujet. Il n'avait pas peur de se conduire en vrai criminel », dit un jour au sujet de Panepinto un motard qui lui était associé. Tout en exécutant ses basses œuvres, l'homme de main se donnait une apparence de légitimité, érigeant des entreprises qui lui serviraient tant de façades que de sources de revenus légales. Il acquit ainsi une franchise de Casket Royale, une chaîne ayant pignon sur rue dans la Petite Italie de Toronto, qui offrait à rabais des cercueils et autres accessoires funéraires. Ses prix pouvaient varier entre 295 $ pour une bière en contre-plaqué et 4 900 $ pour un cercueil en bronze. Il offrait même à sa clientèle des articles décorés au goût du jour, par exemple, le cercueil doublé de denim ou orné selon le style country, poussant même le raffinement de ses sinistres techniques de mise en marché jusqu'à offrir gratuitement des cercueils pour enfants.

« Il avait un remarquable sens de l'humour. Lors de l'ouverture de son magasin d'accessoires de pompes funèbres, il déclara qu'il deviendrait lui-même son meilleur client », raconta un de ses amis du crime organisé.

Panepinto se rangea vite du côté de Vito. Il se joignit en Ontario à une drôle de bande composée de vieux mafieux siciliens, de gangsters calabrais, de motards et autres criminels professionnels, tous attirés par Vito et la Sixième Famille.

Vito était loin d'être isolé, quand il fit le premier geste pour prendre le commandement de la province. La Sixième Famille y avait déjà de nombreux amis. D'abord, ses parents par alliance, qui étaient depuis longtemps actifs en Ontario sous le leadership d'Antonio Cammalleri, l'oncle de la femme de Vito. Puis Peter Scarcella, un gangster sicilien que Vito rencontra dans les années 1960, alors qu'il courtisait sa femme. Scarcella devait choisir Vito comme parrain pour sa fille, et se distinguer par la suite dans le milieu du crime torontois. Giacinto Arcuri, qui avait fui Cattolica Eraclea après le meurtre de son maire, était un proche des associés montréalais et new-yorkais des Rizzuto et de Gerlando Sciascia. Arcuri, selon la police de Toronto, avait la cote au sein du crime organisé, se trouvant même à un rang supérieur à celui de Scarcella dans la hiérarchie sicilienne.

Il y avait aussi ses alliés traditionnels, les Caruana-Cuntrera, qui s'étaient installés en Ontario au début des années 1990. Alfonso

Caruana y dirigeait son empire de narcotiques à partir de sa base au nord de Toronto, où sa famille et lui-même possédaient résidences et commerces.

En Ontario se trouvait aussi Frank Campoli, qui avait épousé la cousine de la femme de Vito, une Cammalleri. Ce Campoli fut identifié comme étant «l'homme de Vito» durant la fraude boursière Penway en Ontario, en 1988. Mais l'homme devait connaître plus de succès avec OMG Media.

À l'origine, OMG s'appelait le Groupe marketing Olifas. Il s'agissait d'une firme de Toronto qui s'était montrée fort astucieuse en combinant la mode du recyclage à la publicité payante. De gros récipients en métal étaient disposés aux coins des rues pour que les passants y déposent leurs déchets recyclables aussi bien que leurs détritus. Ces contenants affichaient de la publicité sur leurs faces extérieures. OMG pressait les municipalités de lui adjuger des contrats qui lui permettraient de placer ces contenants aux endroits les plus fréquentés. Plus il y avait de contenants, plus la publicité rapportait. Mais l'opération exigeait une mise de fonds importante, car il fallait non seulement fabriquer ces «poubelles», mais aussi les transporter aux endroits choisis. Malgré cela, OMG semblait offrir à ses clients des conditions plus que favorables.

En moyenne, OMG offrait aux municipalités et autres institutions 10 $ pour chaque récipient qu'il pouvait placer. La société assumait alors les coûts de fabrication, environ 1 500 $ par contenant, les frais de transport et d'installation, ainsi que l'entretien. Dans certains cas, OMG se chargeait aussi de récupérer le contenu de ces bacs. En contrepartie, l'entreprise cliente pouvait placer de la publicité sur deux des faces de ces poubelles. La plupart du temps, les municipalités disposaient également d'un espace gratuit sur ces contenants où afficher leurs messages d'intérêt public.

OMG avait signé des contrats avec les villes de Montréal, Toronto, Ottawa, Hamilton, London, Markham et Windsor. Il était aussi présent auprès des institutions, ayant placé des contenants ou signé des ententes avec des universités, des collèges ou des écoles, incluant l'université McMaster de Hamilton et la Commission scolaire de Toronto. En 2003, OMG signait son plus important contrat aux États-Unis, une entente avec la Commission scolaire de New York lui permettant de placer 2 770 récipients sur ses terrains. OMG avait aussi une perspective internationale, démarchant des ententes avec l'Italie, l'Europe de l'Est, la Malaisie, la Barbade ainsi que Trinité et Tobago.

À ses débuts, OMG employait plusieurs personnes bien connues. Frank Campoli, Giancarlo Serpe et Salvatore Oliveti étaient de ceux-là. Campoli, selon la police, était en contact hebdomadaire avec Vito

Rizzuto. Serpe, pour sa part, avait été vu au fil des ans en compagnie de gangsters, notamment feu le mafioso Enio Mora. Selon les documents de la cour, Serpe était le dernier témoin à avoir vu Mora vivant. On avait aussi vu Serpe en compagnie de Giacinto Arcuri, qui fut subséquemment accusé et acquitté du meurtre de Mora. La division québécoise d'OMG était dirigée par Michael Strizzi, un ami intime de Vito Rizzuto depuis plus de 20 ans. Ce réseau de relations semblait être passé inaperçu, ou encore avoir été simplement ignoré, des politiciens et fonctionnaires, alors que la compagnie négociait ses contrats.

La présentation à la Ville de Toronto, le plus important contrat de la société au Canada, avait été réalisée grâce à l'appui de Joe Foti, un argentier du Parti libéral qui en menait large à l'époque. Son barbecue annuel était notoire ; l'événement était fréquenté par des politiciens fort connus, notamment le premier ministre canadien d'alors, Jean Chrétien. OMG avait aussi retenu les services d'un puissant lobbyiste, Paul Pellegrini, président du Sussex Strategy Group, dans le but de conclure un contrat fédéral de publicité. Pellegrini devint lobbyiste pour le compte d'OMG le 19 décembre 2001, déclarant son intention de contacter des gens, organiser des réunions et établir un réseau informel de liaison avec les ministères du Patrimoine, de la Défense, du Revenu et des Travaux publics. Le lobbyiste déclara plus tard que sa collaboration avec OMG avait été de courte durée, et que ni lui ni son entreprise n'avaient gardé de contact avec cette compagnie.

La proposition d'OMG fut bien reçue par la Ville de Toronto. Nonobstant l'avis de ses fonctionnaires, le comité des Travaux publics de la Ville décida par scrutin de lui accorder un contrat de 10 ans sans tenir d'appel d'offres. Cette décision fut toutefois renversée par le Conseil. Lorsque les offres de service en bonne et due forme eurent été reçues de plusieurs compagnies, celle d'OMG fut jugée comme étant la meilleure. En 2003, la compagnie avait disposé 2 797 contenants sur les rues de Toronto, pour un coût estimé à quatre millions de dollars.

Au fur et à mesure que le recyclage des déchets imprégnait la conscience populaire, la compagnie se positionna de manière à en profiter. Les prévisions budgétaires d'OMG pour l'année 2003 estimaient son revenu à huit millions de dollars. Ses activités de relations publiques auprès des municipalités donnaient de merveilleux résultats. Comme le disait Lou Galluci, son vice-président à l'époque, dans un affidavit, « OMG dépend de la bonne volonté des municipalités où il est actif, car OMG a besoin de leur consentement et de l'approbation pour fournir ses services ».

L'Ontario était désormais un territoire mieux disposé que jamais envers la Sixième Famille. Une fois Papalia et les plus puissants et ombrageux de ses sbires disparus, bien peu de groupuscules ontariens furent tentés de contrecarrer les Rizzuto. La nature profitable de leur coopération avec les Hells Angels au Québec leur gagnait automatiquement les bonnes grâces des motards ontariens restés indépendants, et qui étaient assidûment courtisés par leurs confrères québécois.

S'inspirant du succès de la stratégie employée par son père au moment où la jeune Sixième Famille avait commencé à lever le ton contre Paolo Violi et s'était conséquemment associée au clan Caruana-Cuntrera, Vito se mit à la recherche d'un groupe fort à la feuille de route impeccable avec qui s'associer en Ontario. Mettant de côté l'habitude bien ancrée de la famille de s'en tenir à des Siciliens, il trouva en la famille Commisso le partenaire de choix. Regroupés autour de trois frères, Cosimo, Rocco Remo et Michele, les Commisso avaient émigré de Calabre à Toronto en 1961, et possédaient probablement la plus grande influence à Toronto qu'un clan pût espérer exercer.

De boîte de nuit en salon de culture physique, de boîte de *strip-tease* en resto rapide, la drogue était acheminée aux consommateurs de Toronto par des voies semblables à celles de la chaîne de distribution de la cocaïne au Québec, qui rapportait tant aux gangsters québécois. Le moment d'envahir l'Ontario était arrivé.

«Était-ce une simple mainmise? Absolument», dit l'un des principaux enquêteurs de la police de Toronto. «C'était bel et bien leur intention.»

«Vito venait se promener ici de plus en plus souvent. À chaque semaine, il s'assurait qu'on le voyait, qu'on constatait sa présence. Il était ici en personne, histoire de montrer aux gens que le moment était peut-être venu pour lui d'assumer la direction des activités et de s'assurer que les choses se feraient à sa façon», raconta un autre enquêteur. «Il souhaitait unir tous les Italiens, comme les motards étaient tous unis en Ontario. Vito faisait la même chose avec les Italiens. Les motards se sont joints aux Hells, les Italiens, à Vito.»

Ce dernier était difficile à manquer à Toronto, car il se déplaçait constamment avec deux gorilles, contrairement à son habitude; à Montréal, il se promenait seul et conduisait sa propre voiture.

«Il se déplace avec autorité. Son allure est distinguée. Il a le maintien d'un homme d'affaires. La plupart des fois où je l'ai vu, il portait complet et cravate, précisa un policier affecté à la filature de Vito durant ses visites à Toronto. Non seulement en a-t-il l'air, mais il en a la chanson.»

De façon générale, les gangsters torontois reconnurent son autorité, sinon sa mainmise. Mais sa situation en Ontario était bien différente de l'hégémonie qu'il exerçait au Québec.

«Même si Vito est présentement le patron, à Toronto, il ne contrôle pas ses gens comme à Montréal, précisa un enquêteur. Il a des associés, des gens qui lui sont apparentés, des gens qui s'occupent de certaines choses pour lui ou en son nom. Tant qu'il est au courant et d'accord avec leurs agissements, tant qu'il touche sa part, il semble heureux de la situation. Il vient de temps en temps vérifier ce que font ses amis et sa famille. C'est tout ce qu'il doit faire : se montrer. Il a le statut et le nom. »

Les responsables de l'écoute électronique de certains membres de la Sixième Famille à Toronto parlaient à l'époque d'une structure passablement souple. Un officier commenta en ces termes le comportement de Peter Scarcella, cet important associé de la famille à Toronto : « Même s'il fait partie de la famille, il ne se rapporte pas de façon hebdomadaire ni mensuelle. Même pas à chaque trimestre. Il lui rend visite — Vito est le parrain de sa fille —, mais les conversations entre associés dénotent le fait que la façon de fonctionner à Toronto est bien différente de celle de Montréal. Le respect continue d'être la norme à Montréal au sein des diverses familles. Le respect, le sens de la hiérarchie, l'obligation d'informer le patron de ses agissements. Aussi, remettre aux hautes instances leur part sur tout ce qui se fait, sans que ces dernières n'aient à le demander. À Toronto, rien n'est aussi bien rodé. Le respect n'est pas aussi ancré au sein des familles. »

Vito ne sembla pas vouloir s'imposer trop fermement. Il s'agissait peut-être du premier pas d'une stratégie visant à susciter davantage d'adhésion volontaire que de ressentiment ou d'exclusion.

« On a délié les cordons de la bourse, confia un criminel du milieu, évoquant la nouvelle façon de mener les affaires. Beaucoup plus d'argent est désormais en circulation, contrairement à l'époque de Papalia, qui était plutôt radin. »

Histoire d'instaurer un peu de discipline, toutefois, Vito commença à placer plus de ses hommes en poste à Toronto. Deux d'entre eux s'établirent à Hamilton, et d'autres en banlieue de Toronto.

Giuseppe « Joe » Renda, un neveu de Gerlando Sciascia, fut dépêché de Montréal à Toronto pour travailler, avec Gaetano Panepinto, Frank Campoli et d'autres, à solidifier l'emprise de la Sixième Famille.

À l'aide de son personnel, l'organisation Rizzuto profita de son nouveau potentiel d'affaires pour mettre en place un réseau de paris sportifs utilisant l'Internet et les BlackBerry pour enregistrer des centaines de millions de paris placés dans des cafés Internet, des stations-service et autres petits commerces de détail du genre, à Toronto, Ottawa et Hamilton. La clientèle afficha vite un appétit vorace : un client plaça un pari de 100 000 $ sur une seule joute de football. Le réseau devint rapidement l'un des plus importants au Canada.

Ces manœuvres portèrent fruit : Vito se retrouva bien vite là où il le voulait, à la tête. Personne n'osait lui porter ombrage. Son territoire était immense, non seulement du point de vue géographique, mais aussi en termes de population et d'économie. Toronto et ses banlieues affichaient une population de 5 millions d'habitants, et Montréal, 3,5 millions. Vito avait aussi des poignées d'amis et de collègues dans d'autres villes canadiennes, particulièrement Vancouver. « La Sixième Famille, note un rapport de la Gendarmerie royale, a complété sa mainmise du monde interlope avec l'aide de ses associés dans tout le pays. »

Alors que l'Ontario tombait sous l'emprise de la Sixième Famille, l'Unité mixte d'enquête sur le crime organisé (UMECO), une unité réunissant plusieurs corps de police canadiens, jugea bon de sonner l'alarme. Composée de certains des meilleurs enquêteurs sur le monde interlope sous l'égide de la Gendarmerie royale, l'UMECO avait pour fonction d'analyser les rapports de surveillance, et même les bribes de conversation entre mouchards et enquêteurs, et constata dès lors que le casse-tête prenait forme.

« La Sixième Famille, indique un rapport secret de surveillance, est en train de dominer non seulement la province de Québec, mais aussi l'Ontario, ce qui en fait l'une des plus influentes et puissantes organisations criminelles traditionnelles en Amérique du Nord. »

C'est là un genre d'alarme difficile à ignorer.

« Malheureusement pour Vito, dit un enquêteur, tout a commencé à s'écrouler. »

CHAPITRE 35

TORONTO, 15 JUILLET 1998

La première indication limpide, pour la Sixième Famille et ses associés, que l'Ontario était un territoire fort différent de Montréal survint le 15 juillet 1998, avant même que Vito et ses proches n'eussent réussi à annexer pleinement la province. L'avertissement fut féroce : des auto-patrouilles bloquèrent une rue tranquille de la banlieue de Wood-bridge, tout juste au nord de Toronto, à 7 h 45 du matin, ne laissant passer que des véhicules de police. Le convoi serpenta devant les imposantes résidences et leur impeccable pelouse. Deux minutes plus tard, un officier de la Gendarmerie royale sonnait à la porte du 38, Goldpark Court. À l'intérieur, on arrêta Alfonso Caruana, le patron du clan Caruana-Cuntrera, ami des Rizzuto, qui avait été pendant quatre décennies leur allié fidèle. Le même jour, on procéda à l'arrestation des deux frères d'Alfonso, Gerlando à Montréal et Pasquale à Toronto, ainsi qu'à celle d'autres membres du réseau de distribution de drogue. À Cancún, le principal agent du clan en matière de narcotiques, Oreste Pagano, fut cueilli par la police mexicaine et renvoyé au Canada.

Ce dossier fut conclu, et on considéra cette enquête sur la mafia sicilienne comme l'une des plus réussies ; pourtant, elle avait commencé de façon fort modeste par l'interception de la mention au téléphone par Enio Mora, vieux routier du gangstérisme en Ontario, d'un mariage devant être célébré sous peu. Mora avait été surnommé « Pegleg[1] » à la suite de la perte d'une partie de sa jambe, au cours d'une fusillade. Les officiers torontois Bill Sciammarella et Tony Saldutto parvinrent à établir la date, l'heure et l'endroit de la célé-bration ; les détectives et autres membres de l'Unité mixte purent alors organiser la surveillance de l'arrivée des invités à l'hôtel Sutton Place. La Sixième Famille était dûment représentée : Vito lui-même y était, vêtu d'un complet gris ; Rocco Sollecito, Francesco Arcadi et Frank Campoli s'y présentèrent aussi. Entre le mariage en question, en avril 1995, et les arrestations en 1998 des frères Caruana et de leurs associés, les forces policières canadiennes menèrent le projet

---

1. « Jambe-de-bois » (N.d.T.)

Omerta, investissant environ 8,8 millions de dollars pour capturer ces gangsters.

L'inquiétude de la Sixième Famille à la nouvelle de ces arrestations était palpable : il y avait eu énormément d'échanges entre Alfonso Caruana, Vito et les autres membres et associés de sa famille. Une volumineuse documentation déposée au tribunal au cours de l'opération Omerta faisait état d'appels téléphoniques à des pizzerias reliées à des trafiquants de narcotiques proches des Rizzuto, à des cafés qui servaient aussi de lieux de réunions pour la Sixième Famille, à des avocats près de la famille et à des concessionnaires automobiles soupçonnés d'utiliser des véhicules pour y dissimuler de la cocaïne destinée à l'Ontario. Durant l'une de ces conversations, on pouvait entendre Nick Rizzuto dire à l'un des frères Caruana d'amener deux trafiquants à une réunion. Au cours d'une autre, la police entendit des trafiquants faire référence au «vieux». Selon un résumé de cette conversation, «le "vieux" en question aurait été identifié comme étant Nicolò Rizzuto... [Les trafiquants] disent de ne pas s'adresser à lui parce qu'il parle trop, et recommandent de communiquer plutôt avec son fils, qu'on croit être Vito Rizzuto». Les équipes de surveillance du projet Omerta, qui filaient les suspects à Toronto et Montréal, purent prendre de nombreuses photos de Nick assistant à des réunions. Il fut établi qu'au total, plus d'une douzaine de membres de la Sixième Famille collaboraient constamment avec les suspects que visait l'opération Omerta. Certains se rendaient aux États-Unis pour y transporter drogue ou argent, quoique que les têtes d'affiche, incluant Caruana, Nick et Vito, ne se sentirent jamais vraiment confortables à l'idée de traverser la frontière américaine.

La relation évidente entre les Rizzuto et les Caruana, assortie de leur longue alliance, fit dire à l'un des principaux enquêteurs criminels canadiens qu'ils représentaient les deux côtés d'une même opération : «Je me suis longtemps demandé jusqu'à quel point ils étaient vraiment séparés», dit-il, illustrant son propos en agitant les doigts d'une même main.

Même si le projet Omerta devait démontrer des liens cruciaux entre la Sixième Famille et le réseau de trafic de drogue de Caruana, et malgré les allégations d'Oreste Pagano concernant Vito, encore une fois, aucune accusation ne fut portée contre ce dernier.

TORONTO, ÉTÉ 2000

La vigueur de l'enquête policière ne fut pas seule à causer des problèmes à la Sixième Famille. Les traditions centenaires de la Mafia contribuèrent aussi à provoquer des dégâts parmi ses nouvelles recrues, notamment Gaetano Panepinto, l'imposant homme de main qui fournissait cercueils et cocaïne à ses clients torontois. Panepinto se réjouissait de son sort au fur et à mesure que la présence et l'influence de Vito s'étendaient à Toronto. Un des premiers à adopter une «franchise» Rizzuto, il exploitait cette association au maximum, et le sentiment de pouvoir que cela provoquait chez lui lui fit vraisemblablement oublier qu'il ne faisait pas partie du cercle intime de l'organisation. Dans le monde interlope, une telle erreur peut avoir des répercussions tragiques.

Comme tout bon gangster, Panepinto ne pouvait pas sentir la concurrence. Quand deux mafiosi calabrais commencèrent à empiéter sur son territoire, il sortit de ses gonds. Les deux hommes étaient des 'ndranghetisti qui avaient fui la police de leur ville natale de Siderno, sur la côte ionienne du sud de l'Italie. Toronto était un bon refuge pour de tels individus, puisqu'un nombre important de mafiosi de Siderno s'étaient, au fil des générations, établis dans la ville et aux alentours, fondant ce qu'un juge italien décrivit récemment comme la plus importante «colonie» de 'ndranghetisti à l'étranger. Lorsque les deux fugitifs, présumément cousins, quittèrent l'Italie, les leaders de la «colonie» furent avisés de leur arrivée imminente. Ils y furent les bienvenus, et on leur permit de se mettre au travail, sous la protection de la colonie, comme le prévoyait son code.

Les deux arrivants se mirent rapidement à chercher des façons de faire de l'argent, et pensèrent y arriver en installant des gobe-sous illégaux. Peu leur importait que leur entreprise naissante fût en concurrence directe avec celle de Panepinto. L'homme de Vito se plaignit immédiatement du fait que les Calabrais tentaient de le tasser. En qualité de collaborateur important, rentable et loyal à la Sixième Famille, Panepinto crut qu'il pouvait s'occuper directement des deux parasites.

«Il faut se rappeler que Guy n'avait jamais été "initié", même s'il se conduisait comme s'il l'avait été, avec des gens autour de lui et sa propre équipe. Mais il n'avait jamais gagné le gros lot», raconta un criminel torontois particulièrement bien informé. Un autre, qui gérait un salon de culture physique où Panepinto avait des intérêts, déclara que ce dernier avait déposé une plainte formelle lors d'une réunion avec une puissante figure du crime organisé du nord de Toronto.

«Il lui fut répondu qu'il n'y avait rien à faire, continua la gérant. Qu'on essaierait de faire en sorte qu'il reçoive un bout des profits, mais qu'en dernière analyse, il pouvait dire adieu à ses propres machines à sous. Les gens de Siderno étaient les seuls qui comptaient, et non Panepinto, qui n'avait jamais été admis officiellement comme un des leurs. Mais malgré tout, il demeurait un lien entre les Rizzuto, qui lui fournissaient de la drogue, et les motards et autres malfrats qui la distribuaient. Peut-être aurait-il été admis un jour, qui sait ? On m'a dit qu'il s'est rendu à Montréal et à Vancouver pour discuter de la situation avec certains motards, peut-être pour amener des bras musclés à Toronto. Mais il n'obtint absolument rien. Montréal ne se souciait ni de ses machines à sous ni de ses vols de camions. Tout ce qu'on voulait, c'était qu'il continue d'acheminer la drogue qu'on lui fournissait.»

Il est probable que les leaders de la «colonie» eussent toléré qu'un non-initié portât directement le problème à leur attention, par respect pour ses relations avec la Sixième Famille ; mais la démarche de Panepinto avait peu de chances d'aboutir.

Ulcéré par sa propre incapacité à se débarrasser des fugitifs, Panepinto décida de prendre un risque. Selon la police, il attira les deux hommes au sous-sol de son commerce de cercueils de la rue Saint-Clair et, aidé d'au moins un autre tireur, les abattit. Les corps furent déplacés et ne furent jamais retrouvés. On mit le feu à l'établissement afin de détruire toute preuve de l'assassinat, et Panepinto continua à vaquer à ses affaires.

Il ne fallut que peu de temps pour que l'absence des deux fugitifs ne préoccupe les familles calabraises, qui se mirent à enquêter sur leur disparition. Tous les indices qu'elles découvrirent pointaient dans la direction de Panepinto. Selon les enquêteurs, on en informa la Sixième Famille. Le problème était grave car, dans la Mafia, un initié est protégé en vertu d'un code, et celui-ci est remarquablement uniforme sur ce point.

«Quand vous êtes initié, c'est comme obtenir un permis, dit un gangster torontois. Vous avez des occasions d'affaires, vous avez de la protection et du soutien. Vous faites partie d'une organisation. Personne ne peut entrer dans votre territoire et saisir vos gains. Aucun autre tripot n'ouvrira sur une de vos rues. Si vous vendez de la *dope*, personne ne viendra couper vos prix. Que ce soit la mafia calabraise, sicilienne ou américaine, vous vous joignez à l'organisation pour gagner votre vie et le faire en toute sécurité. Quand vous êtes initié, vous devenez comme un dieu.» Dans le monde interlope, c'était là l'objectif même de l'organisation du crime.

Une des règles les plus importantes de la Mafia est qu'un initié ne peut être tué sans l'aval des autorités supérieures. C'était la règle qui avait tant embêté la Sixième Famille lorsqu'elle avait voulu se débarrasser de Paolo Violi, dans les années 1970. Pour un non-initié, quel que soit son pouvoir ou sa capacité à générer des profits, abattre un membre initié d'une famille représente une transgression qui invalide statut, argent et liens interlopes. Panepinto croyait que sa contribution financière l'exemptait de ce principe de base de la Mafia.

Pendant un moment d'épouvante, il est possible qu'il se rendît compte de l'ampleur de l'erreur qu'il avait commise. Jouaient aussi contre Panepinto les traditions des gens qu'il avait offensés. Les *'ndran-ghetisti* fonctionnent selon un code de conduite aussi implacable qu'impitoyable. Il renferme les valeurs d'honneur, de virilité, de puis-sance de l'individu et de la *faida*, la vendetta. La *faida* est une com-posante importante de la culture *'ndranghetisti*. Il était tout simple-ment inconcevable, selon cette dernière, qu'un tel affront demeurât sans réponse.

«Panepinto avait lui-même décidé de se débarrasser de ces deux-là, dit un agent de police mêlé à l'enquête. Les gens qu'il avait tués faisaient partie d'autres familles. Elles sont probablement allées voir Vito pour lui dire : "Pourquoi avoir fait ça à nos hommes?", ce à quoi Vito aurait répondu : "Je n'ai rien fait. Je n'ai rien à voir avec tout cela. Faites ce que vous avez à faire de la façon dont vous le voulez. Faites ce qu'il faut pour obtenir réparation."» Le moment n'aurait pu être plus mal choisi pour Panepinto. Si les lois du monde interlope n'avaient pu persuader Vito qu'il devait abandonner Panepinto à son sort, ses efforts pour unifier les gangsters ontariens lui donnaient une raison fort pragmatique de se tenir à l'écart et d'éviter d'exaspérer davantage les influents Calabrais.

«Vito travaillait au regroupement des familles italiennes. Quel qu'en soit le coût, quel que soit le prix pour garder la paix», dit un autre policier.

TORONTO, 3 OCTOBRE 2000

Panepinto se trouvait à quelques coins de rue de son domicile, dans un chic quartier de l'ouest de Toronto, quand une fourgonnette dépassa sa Cadillac bourgogne. Une fusillade nourrie jaillit du véhicule. Panepinto fut atteint à plusieurs reprises, perdant le contrôle de sa voiture qui s'immobilisa, accidentée. Des voisins, alertés par les coups de feu et le crissement des pneus, y découvrirent son cadavre, affaissé sur le volant. À l'intérieur du véhicule, la police trouva les plans pour une nouvelle boîte de nuit à Barrie, une ville au nord de Toronto, ainsi qu'un livre portant sur le crime organisé au Canada. Les détectives de la section des homicides décrivirent l'incident comme un «attentat organisé par des professionnels», et se butèrent par la suite à un mur de silence de la part des amis et associés de la victime.

Parents et amis du défunt se rassemblèrent rapidement au domi-cile de Panepinto. Parmi les véhicules qui s'y trouvèrent garés, un fut identifié comme appartenant à Frank Campoli. Si Toronto avait besoin d'une indication de la vastitude du réseau de contacts de Panepinto, l'occasion se présenta à ses funérailles, sept jours plus tard. La fumée des tuyaux d'échappement de 50 motocyclettes Harley-Davidson flotta dans la rue, alors que des motards, dont plusieurs échangeraient bientôt leur cocarde pour devenir membres en règle des Hells Angels, formaient un cortège d'honneur pour le corbillard de Panepinto. Dans le nuage bleu, les policiers virent Vito Rizzuto arriver à l'église, escorté de cinq personnes qui avaient voyagé avec lui de Montréal, un entourage qui incluait Paolo Renda, Francesco Arcadi et Rocco Sollecito, trois de ses plus haut gradés.

«On s'attendait à une forte assistance, mais ceci dépasse ce que nous croyions que méritait Panepinto», dit un policier. Un des motards présents fut plutôt laconique : «Nous sommes ici pour faire acte de présence, dit-il. Nous l'escortons à son dernier repos et les choses se tasseront d'elles-mêmes.» Il n'y eut pas grand-chose à tasser. Le sang de Panepinto effaçait l'affront fait aux gangsters de Siderno, et la Sixième Famille classa cette perte comme l'un des coûts inhérents à son désir de faire des affaires en Ontario.

Mais les pertes continuèrent à s'accumuler. En avril 2001, le surintendant en chef Ben Soave, alors dirigeant de l'Unité mixte, dévoila l'opération Oltre qui visait la mise sur pied d'un détachement spécial affecté à la surveillance du nouveau et imposant réseau de jeu de Rizzuto. Cinquante-quatre personnes furent arrêtées à Toronto, Hamilton et Montréal, notamment Joe Renda. La police affirma que la valeur des paris amassés par le réseau s'élevait à environ 200 millions de dollars. Sur une période de 140 jours, la police put établir, selon les documents obtenus, que 20 millions de dollars avaient été pariés sur des joutes de la NHL, la NFL et la NBA, de même que sur le sport collégial et les courses de chevaux. Agissant selon les traditions de la Sixième Famille, des douzaines de *bookmakers* plaidèrent coupables. De larges amendes et d'importantes saisies de biens furent menées sans contestation. Les autorités s'emparèrent entre autres du Lincoln Navigator de Joe Renda, un véhicule d'une valeur de 50 000 $, concédé en retour de l'abandon des poursuites contre les chefs du réseau. Renda et plusieurs de ses acolytes quittèrent le palais de justice en hommes libres. À la suite de tout ce branle-bas de combat policier, Renda décida de revenir à Montréal.

Ébranlée par ces échecs, la Sixième Famille dépêcha un nouveau représentant à Toronto pour prendre les choses en main.

WOODBRIDGE, ONTARIO, OCTOBRE 2001

Juan Ramon Fernandez est un homme musclé, à la mâchoire carrée, à la chevelure noire et aux yeux foncés. Ses traits hispaniques forcent parfois la comparaison avec l'acteur Antonio Banderas, mais ses agissements rappellent plutôt ceux du personnage de Tony Montana, le caïd meurtrier de la drogue incarné par Al Pacino dans le film *Scarface*, du réalisateur Brian DePalma. Les gens qui le virent à l'œuvre diront qu'il parle et agit comme le personnage de l'impitoyable et maniaque gangster cubain. Espagnol, Fernandez ne pouvait pas être initié en tant que membre de la Sixième Famille, mais à titre d'opérateur fiable ayant démontré ses aptitudes criminelles, il était accepté comme un loyal associé.

Né le lendemain de Noël en 1956, Fernandez immigra de l'Espagne au Canada avec sa famille à l'âge de cinq ans. En grandissant, il s'établit sur la rue, à la force de ses poings, une solide réputation. Une telle carte de visite était susceptible de lui faciliter l'obtention d'un poste qui, traditionnellement, permet de grimper les échelons du monde interlope : il devint le chauffeur d'un haut gradé de la Mafia, en l'occurrence Frank Cotroni. Fernandez s'adapta à la perfection à son nouveau métier. Il était poli envers ses supérieurs, loyal envers ses amis et implacable envers ses ennemis. En 1979, il demanda à sa copine, une effeuilleuse de 17 ans, d'avoir une relation sexuelle avec un de ses associés. Lorsqu'elle refusa, il lui assena un violent coup de poing à la gorge, ce qui devait entraîner son décès plus tard à l'hôpital. Il fut accusé d'homicide involontaire et condamné à 12 ans de prison. Son dossier carcéral fait mention de nombreuses plaintes contre lui, incluant des menaces à d'autres prisonniers. Il força un prisonnier à introduire du haschisch en contrebande dans la prison suite à une visite à l'extérieur. Véritable entrepreneur, Fernandez devint un important trafiquant de drogue entre les murs de sa cellule, ayant recours à des prisonniers pour collecter les sommes dues par d'autres détenus.

Le personnel de la prison ne se sentait guère plus en sécurité ; une geôlière se plaignit que Fernandez lui avait dit connaître l'adresse de son domicile, alors qu'un autre raconta à un collègue s'être fait dire par Fernandez : « Tu ne sais pas ce dont je suis capable. »

Son talent pour imposer sa volonté aux durs d'une prison fut remarqué par la Sixième Famille. Lors de sa libération, on ordonna sa déportation, mais il parvint à contester cette décision pendant 12 ans. En janvier 1990, il était vendeur chez un concessionnaire Jaguar et, le soir, travaillait dans une boîte de nuit dirigée par la Sixième Famille. Dix-huit mois plus tard, il était de nouveau arrêté, avec en poche 32 000 $ en liquide et de trois kilos de cocaïne. Il plaida coupable à une accusation de possession de drogue et fut condamné à 42 mois de prison. Alors qu'il purgeait sa sentence, il se maria à la chapelle de la prison. Il invita Vito Rizzuto et Raynald Desjardins, un trafiquant de drogue de la Sixième Famille, à ses noces. Les autorités de la prison refusèrent de laisser entrer Rizzuto. En 1999, tous ses recours épuisés, Fernandez fut finalement déporté. Les autorités canadiennes pensaient bien avoir eu le dernier mot, mais peu de temps après, on le retrouva dans un café de Woodbridge en Ontario, et on le déporta de nouveau. Pas aussi loin qu'on aurait pu l'espérer, toutefois. Il s'installa en Floride dans un condominium appartenant à son avocat de l'époque, Carmine Iacono, avant de revenir au Canada avec un faux passeport canadien. Au début de l'été de 2001, il s'imposa dans le paysage torontois sous le nom de Joe Bravo.

« Bravo était plus près de Vito que Pantepino, précisa un enquêteur. Il agissait directement en son nom. Il allait collecter et s'assurait que Vito recevait son dû. Il était ses yeux et ses oreilles. Il disait à Vito : "Ces gars-là sont bons, ceux-là ne font rien." Et Vito ajoutait : "Ce serait bien si ces gars nous en donnaient un peu." Et Bravo revenait à la charge et essayait de percevoir une quote-part pour Vito. Bravo faisait directement le travail de Vito. Il n'avait pas d'autre véritable travail. En plus, il devait s'assurer que la paix régnait entre les motards. » On le voyait souvent marcher à côté de Vito, plus court que le patron, mais les épaules plus larges et les bras plus lourds. Souvent, il déambulait un pas en arrière, respectueusement. Mais comme bien d'autres initiatives de la Sixième Famille, celle-ci devait se conclure en trébuchement.

Maintenant que la guerre des motards s'était apaisée, la police de Montréal décida de s'occuper de la Sixième Famille. Un ancien courrier de narcotiques décida de collaborer avec les autorités en retour d'argent et d'une chance de mener une existence honnête. Cet homme fréquentait l'entourage de la Sixième Famille. En l'utilisant comme cheville, la police de Montréal et la Gendarmerie royale lancèrent une enquête conjointe, l'opération Calamus. Sa première cible était Vito, et ses objectifs secondaires étaient ses principaux lieutenants. Les pistes à suivre étaient nombreuses.

Lorsque l'ancien courrier raconta à la police qu'à Montréal, en 2001, il avait rencontré un présumé fournisseur de drogue colombien, Abraham Nasser, l'opération prit une autre tournure. À cette réunion, dit l'informateur, se trouvait aussi José Guede, un vieil ami de l'informateur au sein d'une association sociale hispanique, et aussi un avocat de la défense à l'emploi du cabinet de Loris Cavaliere, l'un des avocats de Vito. Ce cabinet présentait un certain intérêt pour la police, car il employait deux des enfants de Vito, son plus jeune fils, Leonardo, et sa fille, Bettina, tous deux avocats. Guede fréquentait occasionnellement Vito et d'autres lors de parties de poker où on jouait gros. Nasser, le contact colombien, donna, après l'avoir signée à l'endos, sa carte à l'ancien courrier, l'informant que s'il devait visiter

Bogota, il n'avait qu'à la présenter à n'importe lequel de ses restaurants, et qu'il pourrait s'y procurer de la cocaïne. Lorsque l'indicateur
raconta la chose à Guede, celui-ci lui dit d'en rapporter autant qu'il le
voulait et l'assura qu'il pourrait l'en débarrasser via ses contacts.
La drogue, déclara en cour l'informateur, était destinée à Antonio
Pietrantonio, un Montréalais déjà condamné pour une affaire de
stupéfiants, qui s'était mérité le surnom de «Tony Suzuki» parce qu'il
était propriétaire d'une importante concession automobile éponyme.
À maintes reprises, la police constata les liens de Pietrantonio avec la
Sixième Famille ainsi qu'avec Vito, mais il ne fut pas accusé relativement à l'affaire de drogue révélée par l'informateur. Tout ceci devait
être révélé après que Guede eut été accusé par la police de complot
pour importer de la cocaïne. Un juge du Québec ordonna la fin des
procédures dans cette affaire lorsqu'on découvrit qu'un officier de la
Gendarmerie royale s'était parjuré lors de son témoignage, dans le but
d'accroître la crédibilité de son délateur. Ce dernier rencontra aussi
Fernandez, qui amorçait alors ses activités en Ontario tout en maintenant quelques affaires à Montréal. Les deux discutèrent de la meilleure façon de faire passer en contrebande la cocaïne qu'il planifiait
d'importer au Canada. On discuta de l'établissement d'une société
d'importation à Montréal et d'une autre au Venezuela, pour camoufler
les envois de drogue éventuels.

«Lorsque le premier conteneur arrivera, sûrement, le gars des
douanes va vérifier, affirma l'informateur. Mais si les conteneurs continuent d'arriver régulièrement, après quelques mois, ils vont vérifier,
mais pas autant. Si nous importons des fruits dix fois de suite et que
la onzième fois, on ajoute de la coke, les chances qu'ils vérifient sont
beaucoup moins fortes.» L'informateur, Fernandez et d'autres ergo-
tèrent sur le type de sociétés qui devrait être mises sur pied, envi-
sageant une façade d'importations de textile, mais quand tous les
arrangements furent pris, l'informateur appela Fernandez.

«OK, mon ami, bonne nouvelle. Notre ami dit qu'on s'occupera
de fruits, dit-il à Fernandez. Ouais, il vend des mangues et toutes
sortes d'autres choses.» «Formidable», répondit Fernandez. Puisque
ce dernier passait désormais plus de temps à Toronto qu'à Montréal,
l'informateur l'y accompagna, sous l'œil de ses contrôleurs.

À York, une banlieue du nord de Toronto qui englobe la ville de
Woodbridge, où plusieurs gangsters vivent cachés au milieu d'une forte
population d'honnêtes Italiens, les policiers s'étaient employés à déterminer les changements survenus au sein du monde interlope depuis
l'arrivée revigorante de la Sixième Famille. Ils avaient remarqué la
fanfaronnade croissante de Gaetano Panepinto et avaient lancé une
enquête sur lui et ses associés, lorsque le vendeur de cercueils fut

assassiné. Cet événement fournit à la police de York un nom de code approprié pour l'opération, R.I.P.[1], un acronyme habituellement réservé aux monuments funéraires. Les policiers responsables du projet R.I.P. s'intéressèrent à la vieille équipe de Panepinto — pour se rendre compte qu'elle était désormais dirigée par Fernandez — au même moment où l'opération Calamus suivait la piste de Fernandez vers Toronto, pour finalement le retrouver à Woodbridge. Une entreprise policière conjointe s'ensuivit, alors que Vito et son fils Nick devenaient les auteurs principaux de l'une des nombreuses pistes d'enquête à être découvertes.

En 2001, la police mit au jour un complot d'extorsion impliquant un vendeur d'automobiles de luxe de Toronto qui devait 500 000 $ à Frank Martorana, un autre vendeur de voitures de luxe de Montréal. Selon la version des policiers, Martorana devait un montant équivalent à un troisième concessionnaire de Montréal. La police croit que celui-ci sollicita l'aide de Vito pour récupérer l'argent que lui devait Martorana. Ce dernier avait réalisé certaines tractations avec la Mafia dans le passé et possédait un modeste casier judiciaire, incluant une condamnation pour avoir vu dans une galerie d'art des tableaux à son goût et décidé de les décrocher des murs et de les emporter sans payer. Alors que le commerçant de Toronto, celui qui était à l'origine de la chaîne de dettes, était en visite à Montréal, il fut accueilli par quatre hommes : Vito, son fils Nick, un membre de la famille Caruana et un quatrième personnage, associé des Rizzuto. Le vendeur de voitures fut informé que la dette devait alors être payée non plus à Martorana, mais bien à eux, ce qui faisait de cette dette un enjeu beaucoup plus dangereux. La police croit que le montant fut rapidement versé à un avocat qui entretenait des liens avec Vito. Lorsque le vendeur dépité mentionna avec désinvolture la possibilité d'une plainte auprès du Barreau du Québec, l'organisme qui régit la pratique des avocats québécois, l'argent lui fut retourné. Plutôt que d'être dénoncés, les Montréalais préféraient se retirer tout simplement de l'affaire. Ce n'était pas ainsi que les choses devaient se dérouler ; rarement les affaires tournaient-elles autant au vinaigre à Montréal.

Durant une entrevue, le vendeur d'automobiles torontois refusa de fournir des précisions sur cette affaire, la qualifiant de « question personnelle ». Il reconnut avoir rencontré les Rizzuto, Carmelo Caruana et un autre homme relativement à une question financière, mais refusa d'en dire plus.

« J'ai fait une déclaration à la police, dit-il. Ceci est chose du passé. » Peut-être l'est-ce vraiment, car aucun des détails de l'affaire ne fut jamais révélé publiquement. Cet événement constituait toutefois

---

1. *Requiescat in pace.* Qu'il repose en paix. (N.d.T.)

un autre signe qu'en Ontario, on ne procédait par de la manière confortable à laquelle les Rizzuto s'étaient habitués au Québec. Aucune accusation ne fut portée en cette affaire et, de fait, lorsqu'il devint évident que ni Vito ni son fils ne feraient l'objet de poursuites criminelles pour leur rôle dans toute cette affaire de dettes, le projet Calamus fut mis au rancart.

Une autre tentative pour épingler Vito et sa famille venait de s'écrouler. Le délateur du projet Calamus, qui se baladait alors dans Toronto avec Fernandez, demeura en Ontario et continua de collaborer avec les policiers de l'opération R.I.P.

TORONTO, MAI 2002

L'informateur de la police de Montréal avait gagné la confiance de Fernandez, ce qui n'était pas la plus facile des tâches. Que le délateur ne soit pas devenu une loque à force de le côtoyer d'aussi près est en soi un prodige. Presque tous étaient pétrifiés par Fernandez. Des membres de gangs de motards criminalisés aux autres gangsters, des vétérans du commerce de la drogue aux criminels de l'Europe de l'Est, la crainte de vexer Fernandez était un thème récurrent de toutes les conversations. D'implacables membres du monde interlope révélaient sans pudeur la crainte qu'il leur inspirait, leurs tentatives de flatterie et leur détermination à lui faire plaisir.

Alors que Fernandez s'apprêtait à s'immiscer dans le monde interlope de l'Ontario pour le compte de la Sixième Famille, il reçut une aide provenant d'une source inattendue : les membres de deux corps policiers. Un officier de la police municipale et un membre de la police fédérale semblaient prêter secrètement la main à la famille. Un des deux tenta de découvrir le nom d'un informateur qui coulait à la police des renseignements sur Fernandez, informa les gangsters qu'un édifice où ils se rendaient était sous surveillance policière, les avertit lorsqu'un juge autorisa l'émission de mandats de perquisition et vérifia pour leur compte les banques de données centrales de la police à partir de son auto-patrouille. Un des principaux associés de Fernandez aurait eu un cousin au sein de l'escouade des narcotiques de la police régionale de York, et un autre qui travaillait pour la Gendarmerie royale à Milton, à l'ouest de Toronto, selon certains gangsters dont les conversations furent interceptées et déposées devant le tribunal.

« Ils ont posté une équipe de surveillance devant le Fabulous Fitness, dit un proche à Fernandez le 20 décembre 2001.

— Pour quelle raison ? rétorqua Fernandez.

— Bien, je l'ignore. On lui a dit de se tenir là et de photographier toute personne qui entrait et sortait, lui répondit l'associé. Il a, euh, été assigné à cette tâche et il y a passé la nuit dernière.

— Qui t'a dit ça? demanda Fernandez.

— Mon petit cousin; il travaille pour la région de York. Ils ont commencé il y a deux jours.

— OK, alors, garde tes oreilles bien ouvertes pour moi, d'accord?» répondit Fernandez.

Le même comparse lui raconta également qu'il avait fait vérifier son téléphone portable par le Centre d'information de la police canadienne (CIPC), la banque centrale de données des corps de police canadiens. Lorsque Fernandez mentionna qu'il était possible, selon lui, de mettre un téléphone cellulaire sous écoute, son interlocuteur lui répondit qu'il savait que le sien ne l'était pas.

«J'ai demandé à mon petit cousin de le vérifier auprès de la banque de données du CIPC via son propre ordinateur, se vanta son collaborateur. De fait, il s'est pointé immédiatement, à bord de son auto-patrouille, juste pour m'en parler.»

Le 7 mars 2002, le policier informateur refila des renseignements supplémentaires aux gangsters, des renseignements qui aideraient Fernandez à découvrir l'identité d'un mouchard. Une personne avait été arrêtée en compagnie de plusieurs amis, et avait informé la police de la présence de Fernandez en Ontario, histoire d'obtenir un peu de clémence à la suite des accusations qui seraient portées contre elle.

«J'ai parlé à mon cousin, raconta le comparse. Il ne sait pas précisément qui c'est... mais [la police] croit que tu te trouves dans le coin de Woodbridge, poursuivit-il. Quelque chose s'est passé il y a quatre mois... Il me dit que quatre personnes auraient été arrêtées à cette occasion.

— Ouais? fit Fernandez.

— Il me dit qu'il va me trouver qui c'est dès son retour au travail.

— Tout ce dont j'ai besoin, c'est des noms des gens qui ont été arrêtés, dit Fernandez. Tu comprends?

— Ouais.

— Puis, je vais m'en occuper», affirma Fernandez d'un ton sinistre.

Le 24 avril 2002, le même acolyte lui refila encore une fois des renseignements obtenus de sa source policière. «Il y a eu de nombreux mandats de perquisition émis au cours de la même journée, l'informat-il. C'est une grosse enquête dans les régions de Metro, York et Peel. Il dit qu'il n'en a qu'une vague idée, car il fait partie de l'escouade des narcotiques... mais le 2 avril, il m'a dit qu'il y a eu 10 mandats de perquisition émis par le même juge et pour les mêmes raisons.»

Le 15 mai, Fernandez, aux abois pour une fois, passa un coup de fil à son informateur. «Ce matin, quelque chose est arrivé qui me fait vraiment suer», lui dit-il. Il avait surpris des policiers en train de le filer, sans toutefois pouvoir vérifier s'ils étaient sur sa trace ou sur celle de quelqu'un d'autre. «As-tu une façon de le savoir?»

«Ouais, ouais, j'pense bien, lui répondit son interlocuteur. J'ai un autre cousin qui travaille comme répartiteur pour la Gendarmerie à Milton. Donne-moi une demi-heure, OK?»

Ce jeu du chat et de la souris, la police infiltrée au sein de la Mafia et les gangsters infiltrés parmi les policiers, était bien compliqué.

Tant les informateurs que les policiers consignèrent de nombreuses conversations et rencontres entre Vito et Fernandez, ainsi que plusieurs échanges amicaux entre ce dernier et Frank Campoli, l'un des cadres de la compagnie OMG. Au cours d'une de ces conversations téléphoniques, Campoli demanda à Fernandez s'il voulait parler à «notre copain». Campoli passa alors le téléphone à Vito, qui eut une brève conversation avec Fernandez, selon la transcription qui en fut faite. Fernandez et Campoli discutèrent aussi de la possibilité d'utiliser un camion d'OMG pour transporter un important chargement de tuiles. Fernandez affirma aussi avoir des intérêts dans OMG, ou à tout le moins, mentionna qu'il profiterait de sa vente à des intérêts espagnols. (Cette affirmation amena les enquêteurs à suggérer au gouvernement de saisir la compagnie en tant que bien criminel, mais aucune suite ne fut donnée à cet avis.)

Entre-temps, l'informateur avait été mis au courant de l'ambition que nourrissait Fernandez d'introduire au pays une grande quantité de cocaïne, et il refila cette information à ses contrôleurs. Ces derniers voulurent savoir quand et où arriverait la marchandise. C'est à ce moment que le mouchard fut convoqué pour une autre réunion avec Fernandez.

Alors que les deux hommes se trouvaient seuls pour un bref moment, Fernandez, sans autre préambule, remit à l'indicateur un chausson de laine sale gonflé par un pistolet et une poignée de balles. Fernandez lui intima de prendre l'arme et de l'utiliser pour abattre Constantin «Gros Gus» Alevizos. Gros Gus mesurait 1 mètre 83 et pesait plus de 200 kilos, ne laissant ainsi aucun doute sur l'origine de son surnom. Le géant avait irrité Fernandez: selon une rumeur, il serait soupçonné d'avoir fait disparaître un gros sac de billets de banque de la maison de Panepinto après son assassinat. Fernandez semblait d'avis que cet argent était la propriété légitime de la Sixième Famille. Ce contrat mettait la police dans une situation fort délicate. Si on mettait fin à l'enquête, on perdait tout espoir de suivre la trace de la cocaïne. Si on retirait l'indicateur, Fernandez risquait de se rendre compte qu'il avait eu affaire à une taupe. Et si cette dernière refusait tout simplement le mandat, les policiers craignaient que Fernandez ne le confie à un autre de ses petits copains. On ne pouvait pas se permettre cela.

Peu de temps après la remise du bas de laine chargé, la police barra la route 417, une artère majeure du nord de Toronto, et ses agents, lourdement armés, procédèrent à l'arrestation d'un véhicule utilitaire sport. Fernandez s'y cachait. Une fois appréhendé, on le trouva en possession de fausses pièces d'identité et d'une carte de crédit au nom de Carmine Iacono, l'avocat de Miami qui lui avait prêté son condominium. La chose était surprenante, car Iacono était un membre en vue de la communauté, ayant porté sans succès les couleurs du Parti conservateur dans le comté de Vaughan-King-Aurora lors des précédentes élections provinciales. Iacono refusa de commenter ses liens avec Fernandez.

Quatre mois plus tard, des raids policiers sur des commerces et des résidences des environs de Toronto, de la côte est du Canada et de l'État de New York conclurent l'opération R.I.P. Trente-deux personnes furent arrêtées et accusées de trafic de narcotiques, de possession de cartes de crédit volées, de recel, de possession illégale d'armes à feu et de violence.

Les opérations Calamus et R.I.P ne s'approchèrent pas plus près de la Sixième Famille. Mais l'accueil plutôt tumultueux que recevait la famille en Ontario n'était pas terminé.

MONTRÉAL, 30 MAI 2002

Un Jeep Cherokee bleu à l'intérieur beige se déplaçait en direction ouest sur le boulevard de Maisonneuve lorsqu'il fut intercepté par un policier. Il était 3 h 45 du matin et apparemment, l'agent de police avait détecté des signes de conduite en état d'ivresse. Il demanda au conducteur de se soumettre à un alcotest, ce que ce dernier refusa. Un incident somme toute banal, qui se produisait fréquemment lors de patrouilles des rues de Montréal. Mais le fait que le chauffeur était Vito Rizzuto et que le véhicule ne lui appartenait pas rendait ce contrôle routier tout à fait particulier.

Vito fut arrêté et informé de ses droits. Une demi-heure plus tard, l'avocat Jean Salois fut éveillé et informé du statut de son client. Peu de temps après, Vito était libéré, ayant fait la promesse de se présenter au tribunal deux jours plus tard. La curiosité de la police fut certainement éveillée par le fait qu'un Montréalais aussi notoire conduisait un Jeep immatriculé en Ontario. Une vérification des plaques révéla que le véhicule était immatriculé au nom d'une société ontarienne, OMG Media Inc.

Il fallut six mois avant que le lien entre Vito et le Jeep d'OMG ne fût révélé au public. Ce fut un véritable scandale. Le chef de la division des Travaux publics de la ville de Toronto demanda à la police d'enquêter sur les liens possibles entre OMG et la Mafia, et les fonctionnaires des villes d'Ottawa et de Montréal se mirent à réexaminer leurs contrats et à demander leur avis aux conseillers juridiques. Les représentants d'OMG minimisèrent l'affaire. La société était propriétaire en tout de huit véhicules ; sept se trouvaient en Ontario et un seul, le Jeep, au Québec. Ce dernier avait été confié à Michael Strizzi, le patron d'OMG au Québec, pour utilisation professionnelle, affirma Salvatore Oliveti, le président et fondateur d'OMG. C'était le Jeep que conduisait Vito Rizzuto.

« Tout ça est dû au fait que je suis Italien et que je parle avec un accent à couper au couteau », affirma Oliveti. Peu de gens avalèrent son assertion. Strizzi, pour sa part, déclara avoir prêté le véhicule à Vito environ un mois plus tôt. Désireux de prendre ses distances avec toute cette affaire, Oliveti accepta la démission de Strizzi.

Vito, pour sa part, déclara ignorer la raison de cette controverse. Au cours de l'une des rares entrevues qu'il accorda à un journaliste, il expliqua comment il s'était retrouvé derrière le volant du véhicule.

« OMG Media fait des affaires au Québec. Un de mes amis y travaille. Depuis quatre ou cinq ans, je ne sais pas exactement. Son nom est Michael Strizzi. Il est le conducteur officiel de ce camion. Nous l'utilisons parfois ensemble, et il arrive qu'il me le prête, déclara Vito, ajoutant qu'il était l'ami de Strizzi depuis une vingtaine d'années. C'est tout.

« Je ne comprends pas toute cette excitation tout simplement parce que je conduisais ce camion, dit-il. Tout ce qu'ils ont à faire est de communiquer avec la compagnie et de leur demander ce que j'y fais. »

Malgré la nonchalance affichée par Vito concernant ses liens avec la compagnie en question, les résultats furent dévastateurs pour cette dernière. Des revenus anticipés de l'ordre de huit millions de dollars chutèrent à trois, selon une note envoyée par Oliveti à une organisation qui envisageait de se porter acquéreur de la moitié du capital d'OMG.

« Les événements de février dernier nous ont causé des torts graves et probablement irréparables, écrivit Oliveti au sujet de la révélation de l'incident du boulevard de Maisonneuve. Des mois après cette couverture médiatique intense de gens associés avec OMG, nous nous rendons compte de l'étendue des dommages. » La compagnie se trouva dans l'obligation de « se livrer à des exercices élaborés de relations publiques auprès des municipalités » et, malgré ces efforts, le stigmate du crime organisé persistait. « Plusieurs organismes refusent tout simplement de faire quoi que ce soit avec les actionnaires actuels de la compagnie », ajouta Oliveti dans une lettre destinée à des investisseurs potentiels, la Corporacion Americana de Equipamientos Urbanos S.L. de Mexico. « Il va sans dire que cela a affecté négativement nos relations d'affaires avec plusieurs municipalités, et nous avons travaillé très fort pour regagner leur confiance.» Le président croyait aussi que le problème pourrait empirer «à tout moment.» Pour le vice-président d'OMG, Lou Galluci, cet embarras prenait une dimension personnelle.

«Le personnel d'OMG a souffert terriblement de ces allégations. Mes enfants se sont vu demander si je faisais partie de la Mafia. Je n'oublierai jamais le jour où je suis revenu à la maison et que mon enfant m'a demandé ce que c'était et si j'en faisais partie. Cette expérience était typique de ce qui arriva aux autres membres du personnel», déclara Galluci par voie d'affidavit.

Afin d'honorer ses contrats en cours, OMG avait besoin d'environ 10 millions de dollars pour installer ses bacs. Pour les obtenir, elle se tourna vers des investisseurs externes. En avril 2003, on entama des négociations avec Torstar, la société qui possède le *Toronto Star*, le plus important quotidien au Canada. L'acquéreur offrait six millions pour les actifs d'OMG, à l'exception du contrat avec la Commission scolaire de New York et des filiales européennes et asiatiques, que les investisseurs originaux, principalement la famille Campoli, désiraient conserver. Mais la transaction se retrouva embourbée dans plusieurs poursuites civiles entre investisseurs potentiels, les uns contestant le droit des autres de l'effectuer.

Finalement on trouva un nouveau propriétaire, une société espagnole, la Eucan Urban Equipment of Canada Inc., une filiale du conglomérat hispanique Cemusa, qui acheta ce qui restait de l'opération et sollicita de nouveaux contrats pour des bacs encore plus volumineux et de l'espace publicitaire encore plus vaste.

Les nouveaux administrateurs de la société, par l'intermédiaire de leurs conseillers juridiques, nièrent toujours entretenir quelque lien que ce soit avec Vito, Campoli ou toute autre figure du crime organisé.

L'arrestation de Vito coûta cher à plusieurs de ses amis, et contribua à révéler l'implication de certains de ses associés en Ontario.

Entre-temps, Vito plaida non coupable à l'accusation de conduite avec facultés affaiblies.

Quand la Sixième Famille s'était autrefois emparée de la direction de Montréal, il ne s'était agi que de terrasser une seule figure de marque, Paolo Violi. En Ontario, le prix à payer était plus élevé; elle devrait souffrir un millier de petites entailles, des blessures qui, à ce jour, continuent à saigner.

CHAPITRE 36

MONTRÉAL, 21 MAI 2003

Même du trottoir, on peut sentir le rythme de la musique hip hop qui émane du Joy Club, l'une des nombreuses boîtes de nuit que compte le centre-ville de Montréal. Ce jour de mai 2003, quand Mitchell Janhevich en ouvrit la porte et y entra, la musique sembla subitement tonitruante. Ce policier montréalais était un des nombreux patrouilleurs qui faisaient la ronde des boîtes de nuit, histoire de se mettre à jour sur les gangs de rue et petits trafiquants qui comblaient le vide laissé par l'arrestation des hauts dirigeants des Hells Angels. Les mardis sont habituellement des soirées tranquilles pour ce genre d'établissements, mais pour le Joy, c'était la soirée la plus achalandée de la semaine, la « soirée du personnel », une occasion pour ceux qui, le reste de la semaine, sont là pour divertir les autres de se payer eux-mêmes une soirée de plaisir. Ces mardis rassemblaient barmen, portiers, effeuilleuses, serveuses et plongeurs de beaucoup d'autres boîtes de nuit, qui venaient s'amuser au Joy.

Au moment où Janhevich y mit les pieds, on était passé du mardi soir au mercredi matin, et la fête battait toujours son plein. Plusieurs clients retinrent l'attention du policier. Debout près du bar se tenait l'un des rares acolytes des motards toujours en liberté. Tout près, se trouvaient deux hommes que Janhevich avait lui-même arrêtés la semaine précédente pour possession illégale d'armes à feu. Et puis, dans la pénombre, il vit cinq hommes regroupés à l'écart, dans la section VIP du club. Il dut regarder à deux reprises, n'en croyant pas ses yeux ; c'étaient bien Vito Rizzuto et quatre autres personnes qui, assis à une table, discutaient entre eux.

« C'était bizarre. Vous entrez, et voici un des derniers Hells en liberté ; ensuite des gars de gangs de rue, et puis lui. C'est vraiment le gros lot pour un policier, dit Janhevich. Il semblait tenir une petite réunion avec eux. Que diable se passait-il ici ? Car ce n'était pas le genre d'endroit où on s'attendrait à le trouver. Je suis ressorti vérifier son nom sur mon ordinateur. Lorsqu'on fait cela, l'appareil semble exploser. Il vous faut appeler l'escouade des renseignements et leur fournir les détails. » Le policier et son équipe continuèrent de monter la garde à l'extérieur. Bientôt, Vito et ses compagnons en sortirent et montèrent à bord d'une Mercedes, Vito devant, à côté du conducteur, et les trois autres à l'arrière. L'auto démarra, mais Janhevich lui fit rapidement signe de s'arrêter et s'approcha du conducteur.

« Y a-t-il un problème ? demanda ce dernier en tendant son permis de conduire et les enregistrements du véhicule.

— Non, c'est une simple vérification, répondit le policier, qui remarqua alors qu'un des passagers ne portait pas sa ceinture de sécurité. Ceci est une infraction. Je dois voir vos papiers. »

Le passager refusa.

« Écoutez, si vous refusez de vous identifier rapidement, nous allons devoir vous arrêter. Même s'il faut un ou dix policiers, vous serez appréhendé et nous allons vous identifier », continua Janhevich. L'homme persista dans son refus. À ce moment précis, Vito sortit de l'auto pour se diriger vers le policier.

« Bon Dieu, qu'est-ce qui se passe ? s'exclama le gangster. Qu'est-ce qu'on a fait ? Qu'est-ce que vous foutez avec vos saloperies de vérifications ? Pourquoi voulez-vous nous emmerder ? » Janhevich a pour habitude, lorsqu'il patrouille, d'être d'une absolue politesse. Par contre, si on l'insulte, il a aussi pour habitude de rendre obscénité pour obscénité.

« D'abord, tu vas arrêter de hurler, parce que si c'est un spectacle que tu veux, tu vas en avoir tout un, sans problème. Aucun besoin de me parler comme ça. J'ai un boulot à faire, et tu vas te tasser et me laisser travailler », répliqua Janhevich.

Vito sembla surpris. Les deux hommes, aussi grands et élancés l'un que l'autre, s'affrontaient, séparés de quelques centimètres, et le ton montait. Les passants s'arrêtaient et les policiers observaient la scène, estomaqués.

« As-tu une idée de qui je suis ? demanda Vito.

— Ouais. Mais toi, sais-tu qui je suis ? répliqua le policier. C'est ma rue. Quand t'es à ton commerce ou à la maison, tu fais ce que tu veux. Quand t'es sur mon territoire, tu t'écrases. Et là, t'es sur mon territoire. C'est mon show. C'est moi qui joue. »

Subitement, Vito sembla se détendre. Un sourire narquois lui glissa sur le visage, comme s'il avait apprécié l'altercation verbale autant que l'attitude ferme du policier.

« OK, OK, prends ça calmement », lui répondit Vito.

Janhevich procéda alors à l'arrestation du passager récalcitrant. Vito lui demanda ce qu'il comptait faire de lui. En apprenant que son ami serait emmené au poste de police pour identification, il tenta d'intervenir.

« Bon, d'accord, je vais te donner son nom », consentit Vito. Il s'agissait de Vincenzo Spagnolo. Comme ce dernier ne présentait toujours pas de pièce d'identité, le policier le mit en état d'arrestation. Vito demanda s'il pouvait savoir où on allait l'emmener, et s'il pouvait le rejoindre, pour aider Spagnolo à s'en sortir. Janhevich lui répondit qu'il se rendait au centre des opérations de la rue Guy. Quand Janhevich arriva, il fut surpris d'entendre le préposé à l'accueil, ébahi, lui dire que Vito Rizzuto était là pour le voir.

«Je me rendis dans le hall d'entrée et il me tendit la main, disant : "Tu me ressembles un peu. Tu t'occupes de tes hommes. Je m'occupe des miens. Je respecte ça. J'apprécie comment tu t'es conduit avec mes hommes. Je fais de même avec eux."»

Ses hommes. Vito en avait plusieurs.

Le grand mafioso, à l'allure presque aristocratique, qui se trouvait debout dans la lumière crue du hall d'entrée d'un poste de police, avait fait pas mal de chemin. De même que la famille dont il était devenu le leader — et non le *boss* — grâce à son charisme. Ses hommes, sous sa tutelle et celle de son père, Nick, étaient devenus une unité dont l'importance était nettement supérieure à celle que lui conféraient les organigrammes du crime organisé établis par le gouvernement américain. Vers 2003, le gang de Rizzuto était tout simplement classé dans les archives du FBI et de la DEA comme étant l'équipe montréalaise du clan Bonanno, ou encore comme étant sa faction montréalaise. La réalité était tout autre. Le territoire que dirigeait Vito Rizzuto était immense, plus d'un million et demi de kilomètres carrés au Québec et en Ontario étaient sous son influence directe, une zone équivalant à un peu plus du quart des États-Unis. Ce territoire comprenait de grandes villes, le poste frontière le plus achalandé entre le Canada et les États-Unis et plusieurs segments mafieux bien établis qui, de façon générale, coopéraient sous les couleurs de la Sixième Famille.

Alors que les chefs mafieux américains dirigent habituellement une portion ou un quartier d'une ville, New York par exemple, ou encore l'un de ses segments industriels, comme l'industrie du vêtement, la Sixième Famille était devenue une entreprise dont la portée était internationale. La Sixième Famille éclipsa totalement toute équipe du clan Bonanno et, de fait, homme pour homme et dollar pour dollar, la famille Bonanno au complet.

Vito pouvait sauter dans un avion et se rendre dans n'importe lequel de la douzaine de pays dans lesquels il serait immédiatement reconnu et, surtout, respecté. Il pouvait communiquer avec ses associés en plusieurs langues : anglais, français, italien et espagnol. Alors que le territoire d'un clan mafieux pouvait s'implanter rue par rue dans un voisinage donné, ou, progressivement, dans d'autres domaines d'activité criminelle, la Sixième Famille le faisait à l'échelle de pays entiers et même de continents, s'insérant au sein des économies nationales et y récoltant d'incroyables bénéfices. Les quelque 20 membres que la famille Bonanno considérait comme étant siens à Montréal n'étaient plus que le pâle reflet de ce qu'était devenue la Sixième Famille.

Il n'est donc pas surprenant que Sal Vitale ait révélé que le clan Bonanno craignit une guerre avec Montréal, suite à l'assassinat de Gerlando Sciascia en 1999.

La Sixième Famille, par son envergure et son évolution, était tout simplement époustouflante à tout point de vue.

•

La Sixième Famille combine les traditions de la mafia sicilienne avec les méthodes modernes des grandes sociétés, ce qui en fait une robuste et durable organisation mafieuse, constamment en expansion. Si elle conserve le caractère secret de la Mafia traditionnelle, son noyau interne est contrôlé de manière beaucoup plus rigide que ne l'est celui de la mafia américaine. La Sixième Famille laissa tomber la vieille structure militaire des Cinq Familles, selon laquelle les soldats se rapportent aux capitaines et ces derniers, au chef. Cet agencement fut remplacé par un autre, beaucoup plus ancien : celui de la famille. Ce n'est pas seulement un rite d'initiation qui lie le noyau, mais plutôt, presque sans exception, les vœux de mariage et les liens du sang, beaucoup plus efficaces à éveiller et garantir la loyauté et la confiance, et à empêcher que la famille soit infiltrée et trahie. C'est une chose que de trahir des amis, des voisins et des collègues, mais une toute autre affaire que de vendre des frères, oncles et cousins. Un traître au sein de la Sixième Famille se verrait forcé de rompre tous ses liens familiaux.

La mafia sicilienne fut souvent comparée à une pieuvre, à cause de ses bras nombreux et souples qui attrapent leur proie ; si un tentacule est perdu, elle en fera vite pousser un nouveau. La comparaison est valable. Au-delà des comparaisons avec le monde des affaires, à d'autres organisations criminelles ou au monde animal, on peut faire un excellent rapprochement entre la Sixième Famille et un culte religieux. Dès la naissance, ses membres sont isolés des courants de la société qui les entourent, qu'ils soient intellectuels, moraux ou culturels. Leur incubation se fait dans un monde insulaire où chacun vit en conformité avec les règles, valeurs et croyances bien particulières de la famille. Celle-ci exige un engagement absolu et une loyauté totale. Ses membres apprennent que la fin justifie les moyens, dogme qui suscite une forte polarisation au sein de la famille, une mentalité de « eux contre nous ». Les membres n'ont pas de comptes à rendre à la société. Leur préoccupation principale est de faire de l'argent et de rapporter à la communauté, même au détriment de l'individu. Quitter l'organisation entraînerait de graves conséquences.

Ce concept du culte a bien servi l'organisation. Protégée dans son insularité, enrichie par son commerce de narcotiques et toute-puissante sur la rue, la Sixième Famille a établi une position dominante au sein du monde interlope, glissant ses doigts dans tous les aspects de la vie de tous les jours, de la politique, de la finance et du crime, qu'ils fussent sophistiqués ou ordinaires. C'est un mélange de l'ancien et du moderne, le meilleur de la mafia sicilienne traditionnelle et de la mafia américaine, apte à constituer une entreprise presque parfaite dans le domaine du crime. Flexible et rapace, elle réussit à contourner tous les obstacles, dévorant tout sur son passage tout en protégeant son noyau. Ce noyau, pour le moment, est constitué des Rizzuto, les leaders de la Sixième Famille.

« Il n'y a pas de couronnement, de vote pour choisir un chef parmi les clans que vous appelez la Sixième Famille. Le chef émerge tout naturellement et il devient alors le guide des intérêts et activités de ses parents, tant par le sang que par alliance, affirme un enquêteur de la police italienne qui s'est penché sur les clans de la Sixième Famille. Il ne s'attribue pas le pouvoir. Le pouvoir lui vient plutôt tout naturellement. Et il ne se limite pas aux seules choses criminelles. Il est au courant des questions familiales et s'en mêle constamment : des mariages qui vont mal, la naissance des enfants, le respect dû aux aînés. Il consulte les plus vieux qui, même s'ils ont pris leur retraite, sont encore bien au fait des affaires de la Mafia et ont encore leurs propres réseaux de contacts. »

Le chef de la Sixième Famille, pour le moment du moins, c'était Vito Rizzuto. C'est un leader impressionnant. S'il n'avait pas été, depuis l'enfance, confiné à la Mafia, il est probable qu'il aurait évolué légitimement dans le monde des affaires, peut-être même en politique ; il est charismatique, efficace, dynamique, intelligent et ambitieux.

« Vito Rizzuto dirige la famille comme une compagnie », conclut un rapport de la GRC sur l'organisation.

En qualité de chef, la présence et le nom de Vito eurent beaucoup d'impact sur le monde interlope, mais tout geste concret de sa part fut toujours soigneusement dissimulé. Il déclarait des revenus modestes sur sa déclaration d'impôts, mais se plaisait à conduire des voitures de luxe. À un moment donné, il possédait une Lincoln, une Mercedes, une Jaguar et trois Corvettes, dont un modèle rare datant de l'année 1959. Sa vie était mouvementée et occupée, même si elle n'était absolument pas régie par les contraintes du « neuf à cinq ». On l'aura vu jouer au golf plus d'une centaine de fois par année, utilisant souvent les moments passés sur le vert pour discuter discrètement d'affaires avec les membres triés sur le volet de son *foursome*. Il s'agissait sans doute de la version gentleman du *walk-and-talk* traditionnel du chef de clan, profitant d'une balade pour tenir, à l'abri du micro d'un policier, une discussion confidentielle avec ses acolytes. La routine de Vito l'amenait à fréquenter le club social Consenza et trois autres clubs et cafés. Sa tâche consistait à faire acte de présence, tout simplement, et la magie de son nom faisait le reste. Son père l'avait bien formé.

Pendant longtemps, le père de Vito, Nick, fut son conseiller le plus fiable et le plus précieux, selon la police.

Nick passait la plupart de son temps au club social Consenza, s'amusant à jouer aux cartes avec des intimes derrière une grande fenêtre donnant sur le mail du petit centre commercial où se trouve le club. Toujours impeccablement vêtu, arborant souvent chemise, cravate et veston lorsqu'il se déplaçait en ville, il n'était pas sans rappeler le style « gangster chic », avec sa tendance à couvrir sa calvitie d'un feutre mou et ses yeux, de verres fumés, à la recherche peut-être de plus d'anonymat.

Durant ses vertes années, Nick affichait un air énergique, voire menaçant. Il marchait avec assurance et pouvait parfois lancer un regard de désapprobation tel que ses associés mettaient tout en œuvre pour que son courroux cessât au plus vite. Avec l'âge, son allure changea considérablement. Sa taille devint moins imposante et ses traits s'adoucirent avec le temps, et avec les généreux sourires qu'il avait pris l'habitude d'arborer. Cette gaieté pourrait être, toujours selon la police, la conséquence de rencontres fructueuses avec de nombreux associés. Aujourd'hui, au Consenza, ou à d'autres restaurants qu'il fréquente à Montréal, tel le Roma, la police raconte qu'il tient de discrètes conversations avec des interlocuteurs lui exposant plans et projets ; Nick donne alors la bénédiction de la famille à ceux qu'il approuve, croit la police, puis quitte les lieux avec une liasse d'argent, sa *cote d'argent*[1], ce que les gangsters américains appellent le tribut, la part des profits qui doit remonter vers les sommets de l'organisation. Selon la police, il cacherait cet argent dans son veston, son manteau ou autre pièce vestimentaire jusqu'à ce qu'il puisse s'en débarrasser. Comme il sied à quelqu'un de sa classe et position, cet argent, Nick ne le « collecte » pas, mais l'« accepte » plutôt. Aux dires de la police, son rôle s'accomplit dans la discrétion la plus totale. Vito ne l'aurait pas souhaité autrement.

---

1. En français dans le texte. (N.d.T.)

Toutefois, une telle existence décontractée ne signifie pas que Nick se tienne loin des affaires de la famille. Il sert souvent d'ambassadeur à d'importantes réunions. Presque à chaque jour, Nick rencontre au club Consenza Paolo Renda et Francesco «Frank» Arcadi, l'un des principaux lieutenants de Rizzuto, selon les autorités. Arcadi fut trouvé coupable en 1984 d'avoir exploité un tripot, mais ce n'est qu'en 1992 qu'il attira vraiment l'attention de la police, lorsqu'on le remarqua aux côtés de Vito Rizzuto aux funérailles de Joe LoPresti. C'est alors qu'il commença à passer du temps en compagnie de Vito ; les policiers le trouvèrent dans sa voiture au cours d'arrestations, et des agents chargés de la surveillance l'aperçurent lors de cérémonies de mariage ou de funérailles familiales, incluant les derniers hommages rendus à Toronto à Gaetano Panepinto. La police est d'avis qu'il assumait pour le compte de la famille la supervision de tout ce qui se passait sur le «terrain», étant directement responsable des territoires de Saint-Léonard et de Rivière-des-Prairies.

Paolo Renda, toujours vigoureux et alerte sous sa chevelure clairsemée et grisonnante, est lui-même arrivé à un âge certain. Aussi discret qu'efficace, Renda fut le compagnon de Vito toute sa vie. Il est le cousin de Nick et l'époux de sa fille, Maria, la sœur de Vito. En qualité de beaux-frères, tous deux se lièrent, et l'amitié des deux hommes fut cimentée dès leur jeunesse, à l'occasion de leur tentative avortée d'incendie criminel.

La police, au fil des années, consacra peu d'attention à Renda, malgré le fait qu'il fut considéré comme un suspect dans l'assassinat de Paolo Violi. Il est un homme d'affaires. Il dirige une entreprise de construction, Renda Construction Inc., une entreprise qui compta à un certain moment Vito comme deuxième actionnaire, vice-président et administrateur. Ses bureaux sont situés dans le même centre commercial que le club Consenza, où on le voit presque quotidiennement. Des documents émanant de la police montrent cependant que l'entreprise est loin d'être un succès florissant. En 2001, elle ne réussit à afficher qu'un profit de 21 008 $, qui tomba l'année suivante à 8 031 $, pour remonter par la suite à un montant déclaré de 34 032 $. Renda est impliqué dans plusieurs autres compagnies, incluant une autre entreprise de construction, un motel, un bistrot et un restaurant de Longueuil. L'ampleur de ses intérêts commerciaux laisse croire qu'il est responsable de l'aspect financier des intérêts de la famille.

La police suit également de près les carrières des fils de Vito. Les enquêteurs croient que Leonardo, le plus jeune des fils, serait le plus apte à reprendre le flambeau de l'entreprise familiale. Avocat intelligent, il est diplômé de la faculté de droit de l'université d'Ottawa. De même que sa sœur Bettina, il pratique au sein du cabinet de Loris Cavaliere, qui représente souvent Vito. À cause de son statut particulier d'avocat, Leonardo cause énormément d'ennuis à la police durant les enquêtes menées sur Vito et ses associés. Leonardo, selon la police, assista souvent à des réunions entre membres de la famille, incluant son père et son frère, ce qui place ces rencontres sous la protection du secret professionnel entre un avocat et son client. Les policiers se montrèrent toujours réticents à espionner ce type de conversations, car de telles interventions, comme devait le démontrer l'épisode des tables d'écoute des avocats de Vito par la GRC, ne sont guère appréciées par les tribunaux.

Nick, le fils aîné de Vito, serait l'homme des choses pratiques au sein de la famille, selon l'opinion de la police. Il sert bien souvent d'intermédiaire entre un individu désireux de rencontrer Vito et Vito lui-même. Astucieux, dégourdi, c'est lui qui jauge les étrangers qui veulent s'approcher de la famille; souvent, il parle au nom de sa famille. Avec un proche associé, il dirige une entreprise immobilière de Longueuil.

Au-delà de ce noyau de commande, les rangs de la Sixième Famille — les gens qui sont sous les ordres de Vito — sont vastes.

«Le noyau de la Mafia sicilienne établie à Montréal [comprend] des centaines de soldats et associés», déclare un rapport de la police canadienne rédigé en 2004. Ceux qui ne font que des affaires avec la Sixième Famille ou qui ne travaillent avec eux que sur des projets de courte durée n'en font pas partie. Les gens d'affaires qui leur rendent des services de nature non criminelle en sont également exclus. Évaluer la force d'une organisation secrète est une tâche bien difficile. Certains de ses membres, sans doute, réussissent à éviter le radar des policiers et des observateurs du monde du crime. D'autres meurent — certains décèdent de causes naturelles, d'autres sont abattus lors de querelles —, et d'autres encore se retrouvent en prison. Ces derniers, pour la plupart, restent associés au groupe, tant à l'intérieur qu'à l'extérieur de l'institution carcérale, mais ne comptent pas pour autant lorsqu'on fait le décompte des membres de l'organisation disponibles sur le terrain tant qu'ils restent à l'ombre. Il y a aussi beaucoup de joueurs mineurs qui, par commodité, sécurité ou intérêt, font serment d'allégeance à l'organisation sans en faire partie pour autant. Cette définition s'applique à de nombreux gangs de rue de Montréal, qui ont progressivement comblé le vide au sein du réseau de distribution des Hells Angels.

Il existe des éléments de preuve démontrant que le nombre de gens qui font partie de façon habituelle et continuelle de l'organisation criminelle de Rizzuto, ceux qui semblent tenir un rôle permanent, avoir un mandat spécifique et occuper une place au sein de la structure d'autorité des entreprises du réseau et sont donc considérés comme des membres, dépasserait 500 personnes. Ainsi :

- Un récent rapport interne de police concernant les membres de l'organisation criminelle de Rizzuto à Montréal qui furent des cibles principales d'enquêtes montre trois grandes *cellules*[2] de l'organisation, deux d'entre elles comptant 50 personnes, et la troisième, 30 personnes.

- Chaque cellule possède sa propre structure d'autorité. Trois personnes dirigent chacune des deux grandes cellules, et un leader, la plus petite. Ces sept *boss*, qui, pendant des décennies, furent les hommes les plus prééminents de la Sixième Famille, se rapportent, selon les informations réunies, à Vito.

- L'organisation de la Sixième Famille à Montréal comporte aussi deux petites cellules satellites, comptant environ une demi-douzaine de membres chacune, l'une établie sur la rive sud de Montréal, et l'autre à Cornwall, la ville ontarienne reliant Massena, New York, aux territoires de l'Ontario et du Québec. Elle aurait aussi avant-poste à Kahnawake, la réserve autochtone de la rive Sud.

- Dans un dossier de la police de Montréal sur Vito Rizzuto sont consignées certaines de ses réunions et conversations téléphoniques avec ses principaux lieutenants, des informations obtenues par le biais d'écoute électronique au cours d'enquêtes sur le crime organisé. Si l'on s'en tient à la liste de ceux qui ont assisté à de telles réunions depuis 1985, après le décès de Paolo Violi, et en éliminant les réunions purement sociales, on dénombre 75 personnes. La plupart ont des dossiers criminels et sont bien connues du monde interlope. Seulement 14 de ces noms se retrouvent aussi dans d'autres listes.

- Un organigramme classé secret, préparé par le bureau d'analyse criminelle de la Gendarmerie royale, décrit les « affiliations criminelles par parenté ou mariages de Vito Rizzuto ». Il retrace les liens de mariage et de parenté entre Vito et 10 familles, représentant ensemble une trentaine de personnes, dont la plupart forment le noyau même de la Sixième Famille. Presque tous ont des parents qui firent face à des arrestations pour affaires de narcotiques ou à d'autres accusations criminelles, et tous ont des parents qui font l'objet de dossiers au sein des organismes d'enquête et de surveillance du crime, en tant que membres ou associés du crime organisé.

---

2.   En français dans le texte. (N.d.T.)

- Un autre rapport de police dissèque le leadership de l'organisation à Montréal en 1997. Il présente une toile d'araignée dont les fils relient des «sous-organisations» et des hommes de main à Vito et à son père, Nick. Ce rapport montre 13 cellules, chacune dirigée par un proche associé et se rapportant directement à Vito. Un autre groupe de trois hommes est aussi indiqué séparément, mais se rapporte lui aussi à Vito. Quatre cellules supplémentaires — les restes de la vieille organisation de Cotroni et de Violi, comptant certains des plus vénérables gangsters de Montréal — sont aussi reliées à Vito, par l'intermédiaire de feu Frank Cotroni. Quatre autres cellules se rapportent à Nick par le biais d'Agostino Cuntrera. D'autres membres sont inscrits individuellement dans l'organigramme comme étant sous l'autorité directe de Nick, puis de Vito.
- Un rapport récent sur les principaux lieutenants de la Sixième Famille en Ontario dénombre 15 personnes, dont la plupart dirigent leur propre organisation mafieuse toute-puissante, dans la région de Toronto. Ces groupes ne comptent parfois que de cinq à six personnes, ou encore représentent de vastes organisations regroupant plusieurs douzaines de membres, étroitement tricotés entre eux, ce qui fait de chacun une impressionnante famille mafieuse en soi. En Ontario, la police soutient que quatre ou cinq hommes d'affaires dynamiques et prospères, sans dossier criminel, travaillent pour le compte de Vito.
- La Sixième Famille compte aussi des succursales ou représentants, en nombre plus restreint, dans d'autres villes canadiennes, notamment à Vancouver, l'importante métropole de l'ouest du Canada, où la police a documenté la présence d'un «front de l'Ouest».
- Il existe aussi un groupe distinct au sein de la Sixième Famille, que la police se plaît à appeler la «nouvelle génération». Elle est généralement composée des fils, neveux et jeunes cousins de membres plus âgés de la famille. Rizzuto, Sciascia, Manno, LoPresti, Renda et Cuntrera sont tous des noms de famille qui ruissellent à travers le temps et se retrouvent, au fil des générations, dans des dossiers policiers.

Sur la scène internationale, la Sixième Famille possède aussi de vastes intérêts. Au-delà de ses nombreuses activités au Canada et aux États-Unis, ses entreprises de trafic de stupéfiants au Venezuela et en Colombie, et ses nombreux parents demeurés à Cattolica Eraclea et dans les villages siciliens avoisinants, une analyse du ministère canadien de la Justice a recensé les activités financières et les contacts de la Sixième Famille dans 16 autres pays, incluant:

- du blanchiment d'argent, des investissements et des transferts d'argent via la Suisse, l'Allemagne, le Royaume-Uni. La famille maintient aussi au moins un représentant à Londres ;
- des investissements en Arabie saoudite effectués avec l'assistance présumée d'un membre de la famille royale saoudienne ;
- de l'importation de produits forestiers, de couvre-plancher et d'investissements en Chine ;
- des investissements financiers dans des projets en Algérie et aux Émirats arabes unis, une puissance pétrolière du golfe Persique ;
- des investissements à Cuba, assortis de visites régulières et de séjours prolongés dans ce pays ;
- des transactions de drogue, des réunions et visites au Mexique ;
- l'infiltration présumée de grands travaux publics en Italie. La famille aurait aussi au moins un représentant à Rome et un autre à Milan ;
- de l'importation de drogue en provenance d'Haïti et une participation aux activités aéroportuaires de ce pays ;
- des entreprises de jeu au Belize, un petit pays de l'Amérique Centrale près de la frontière du Mexique ;
- des membres et associés de la famille qui se rendent en visite et assistent à des réunions au Panama, à Aruba, aux Bahamas et en République dominicaine.

L'allégation policière peut-être la plus alarmante au sujet de l'ampleur des rangs de la Sixième Famille serait celle qui concerne la présence en son sein d'une « division légale », l'une de ses divisions les plus secrètes et précieuses, et certainement la mieux protégée. La police soutient que des avocats seraient impliqués dans les entreprises de la famille à un point tel qu'un petit nombre d'entre eux formerait une section distincte de l'organisation. Chacune des principales cellules aurait son propre avocat. Ceci constituerait une différence notoire avec d'autres organisations criminelles qui maintiennent un lien permanent mais à distance avec leurs avocats. Les enquêteurs soupçonnent que la division légale ne s'en tient pas aux seules questions juridiques. Pas moins de 11 avocats de différents cabinets du Québec suscitèrent la curiosité des policiers à cet égard. Un autre fut identifié par la police comme étant impliqué de très près dans les affaires de la famille en Ontario. Les avocats auraient joué des rôles variés au sein des entreprises de la famille, pensent les policiers. Mais ceci est loin de signifier que tous les avocats qui représentèrent la famille au fil des ans furent mêlés à des activités douteuses ; de fait, la plupart ne le furent pas.

Un avocat, surnommé « le Messager » par les enquêteurs de police, transporterait les messages ; par exemple, de Montréal, il se serait rendu à New York, de New York, à Toronto, de Toronto à une prison dans le nord de la ville. Sur son chemin, l'avocat québécois parle discrètement et dispense avertissements et conseils, toujours selon la police. À New York, il se serait adressé à des membres de la faction sicilienne ainsi qu'à d'autres membres du clan Bonanno, plusieurs en prison, d'autres en liberté surveillée, d'après un enquêteur. À Toronto, il aurait rencontré des avocats représentant des associés de la Sixième Famille qui faisaient face à des accusations dans cette ville. Dans la salle des visiteurs d'une prison ontarienne, il aurait rencontré un membre haut gradé de la famille Caruana-Cuntrera.

La police constate depuis longtemps que le secret professionnel sert de première ligne de défense de la Sixième Famille. Un avocat semble avoir pour rôle d'assister à toutes les réunions de la famille, dans le but de les couvrir du voile du secret professionnel. Le mandat de ces avocats est fort simple : s'assurer que les communications sont efficaces et que le nom et les affaires de Vito ne soient pas traînés en cour. Des gens, par ailleurs combatifs et déterminés, acceptèrent docilement de plaider coupables à des accusations relatives au crime organisé, dans l'espoir de s'en tirer le mieux possible. Un accusé, croyant qu'il pourrait être innocenté d'une accusation de trafic de drogue, demanda à son avocat d'informer un certain avocat québécois qu'il pensait s'en tirer en cour.

«Il ne s'agit pas de lui, aurait répondu cet avocat à son confrère. Il s'agit du Grand. Arrange-toi pas pour que son acquittement devienne le jour le plus triste de sa vie.»

Des indicateurs parlèrent de placements faits par le biais d'un cabinet d'avocat, le cabinet servant d'endroit sécuritaire où discuter de sujets critiques, de comptes en fiducie utilisés pour blanchir de l'argent. Parfois, un avocat assiste à la réunion ; parfois il s'absente de la pièce pour se rendre dans un autre bureau. Les interceptions téléphoniques qui se rendirent jusqu'au tribunal contiennent des allusions à des liens douteux avec quelques avocats. Un des malfrats mentionna un jour avoir voulu payer son avocat pour certains services rendus, pour se faire dire que l'argent liquide n'était pas accepté. Par contre, l'avocat l'aurait informé qu'il avait grand besoin d'un nouvel ordinateur. D'autres informateurs évoqueront l'aide que leur apportèrent ces professionnels pour obtenir de faux documents de voyage, dénicher des renseignements personnels sur d'autres individus, et d'autres mandats plutôt irréguliers de ce genre. Il y eut aussi le cas de cet avocat qui reçut présumément le paiement exigé par un vendeur de voitures pour le compte de Vito Rizzuto. Que ce montant pourtant substantiel eut été retourné au débiteur lorsque ce dernier menaça de se plaindre auprès du Barreau semble démontrer la valeur attachée à la confidentialité, au cours de ce genre d'activités.

D'autres indices émergèrent également au fil des enquêtes. Des réunions portant présumément sur d'importants envois de cocaïne se seraient tenues en présence de José Guede, un avocat montréalais, selon un rapport de la police de Montréal déposé à la cour. (Les accusations contre Guede furent plus tard retirées.) De la même façon, les rapports bizarres entre Ramon Fernandez, l'homme de Vito à Toronto, et l'avocat Carmine Iacono filtrèrent lors de la poursuite résultant de l'opération R.I.P. Précédemment, Joe Lagana, un avocat de Vito, et deux avocats subalternes de son bureau avaient plaidé coupables à des accusations de blanchiment d'argent, suite à l'exploitation d'une maison de change fabriquée de toutes pièces par la Gendarmerie royale du Canada.

« Les avocats représentent l'aspect délicat pour atteindre la famille Rizzuto, affirme un enquêteur sur le crime organisé. Lorsqu'on est en ligne [en écoute électronique], à la minute à laquelle on se rend compte qu'il s'agit d'un avocat, il nous faut diminuer le débit [éteindre les enregistreuses]. » Comme Vito et ses principaux associés s'entourent depuis toujours de plusieurs avocats, ceci amène beaucoup de « diminutions de débit ».

« Nous sommes vraiment dans une impasse, soutient un autre officier. Si nous désirons soumettre un affidavit [dans le but d'obtenir la permission d'un juge d'installer une table d'écoute], il nous faut affirmer que nous avons des raisons de croire que l'avocat est impliqué dans un crime. Mais cette preuve, vous ne l'avez pas, car vous ne pouvez jamais écouter leurs conversations. »

Plusieurs enquêteurs d'expérience affirment soupçonner que des avocats douteux sont utilisés de plusieurs façons pour contrecarrer l'écoute électronique par les corps de police.

« Si on est en ligne et qu'un avocat se joint à la conversation, notre autorisation précise que l'on doit cesser. L'avocat se met en ligne et se présente comme un avocat, disant : "OK, maintenant, concernant la cause où vous et moi sommes impliqués..." On doit alors arrêter d'écouter. Il le faut, tout simplement. Si le gars est pris dans une affaire criminelle, on ne peut l'entendre », explique un officier impliqué de très près dans les enquêtes concernant la Sixième Famille.

La police reconnaît certains numéros de téléphone comme étant ceux de bureaux d'avocats, et peut ainsi savoir si un appel est destiné à un avocat avant même que la conversation débute. Plus souvent qu'autrement, l'enquêteur mettra fin à l'enregistrement sans même attendre que la connexion s'établisse, de façon à s'assurer scrupuleusement que les termes de l'autorisation du tribunal, interdisant l'inter-

ception des conversations entre un client et son avocat, soient respectés. Certains officiers de police sont d'avis que cette situation amène
des abus. Selon eux, certains avocats inscrivent des numéros de
téléphones portables à leur nom, pour remettre ensuite ces appareils
à des membres ou associés de la Sixième Famille.

« Vous vous retrouvez alors avec un pourri muni du téléphone
d'un avocat. Ces gars-là savent qu'on ne peut intercepter l'appel d'un
avocat. Pour éviter de causer préjudice à notre enquête, nous coupons
immédiatement la communication », précise un enquêteur. Autrefois,
un enquêteur pouvait tout aussi bien écouter la conversation interdite,
quitte à effacer par la suite la bobine utilisée. Mais à l'ère du
numérique, alors que les appels sont enregistrés et consignés de façon
exhaustive, il se crée un dossier permanent qui ne peut être détruit.

« Si nous enfreignons l'ordre du tribunal, ils le sauront. Cela en
vaut-il la peine ? Non. Et c'est extrêmement frustrant », d'ajouter le
policier. D'où le constant rappel du peu de succès qu'obtinrent les
enquêtes sur Vito Rizzuto.

Les policiers soupçonnent aussi que certains avocats évitent
l'écoute électronique grâce au transfert d'appels. La personne visée
par une enquête appelle alors un avocat, amorce une conversation qui
ne saurait être interceptée et, lorsque les interlocuteurs sont à peu près
certains que la police a cessé d'écouter, un transfert d'appel de l'avocat
à un tiers est effectué, accordant ainsi aux parties une conversation
libre de toute interférence.

« Il nous faut un coup de main du ministère de la Justice », affirme
un enquêteur. « Dans certains cas, il faut pouvoir écouter pour pouvoir
juger si la conversation est protégée légitimement ou non. »

À l'aube du nouveau siècle, Vito Rizzuto se trouvait à la tête d'une
organisation criminelle sans précédent, dont le Canada n'avait jamais
connu la pareille. Alors que les forces de l'ordre s'attaquaient avec
succès aux Cinq Familles de New York, la Sixième Famille, opérant en
toute quiétude à partir de sa base canadienne, put à la fois agrandir
son territoire et consolider sa position. Ces trajectoires opposées, le
quasi-écrasement des familles américaines et la croissance de l'organisation des Rizzuto, permirent à cette dernière d'éclipser les familles
mafieuses américaines.

Elle façonna ainsi une machine que peu de cartels criminels en
Amérique pouvaient dominer.

Chapitre 37

À 6 h 15 précises du matin, vêtu d'une robe de chambre sur son pyjama, Vito Rizzuto suivit sa femme jusqu'à la porte d'entrée de sa maison montréalaise après avoir entendu quelqu'un frapper fort à la porte. À l'extérieur, les sergents-détectives Pietro Poletti et Nicodemo Milano de la police de Montréal se trouvaient sur le grand perron de la patricienne demeure de style Tudor des Rizzuto, sise au 12281, avenue Antoine-Berthelet.

Cette maison a fière allure, avec sa façade en pierres de taille, son garage pour trois voitures et ses vitraux aux fenêtres. Poletti et Milano, deux policiers italo-canadiens, dévoués membres de l'équipe policière spécialisée dans le crime organisé, conservèrent toujours un intérêt particulier pour les enquêtes concernant la Mafia, malgré la guerre des motards qui faisait alors rage. La décision d'envoyer ces deux hommes frapper à la porte de Vito ce matin-là tenait plus de la récompense pour les efforts qu'ils avaient déployés que d'une nécessité stratégique. Quatre agents étaient cachés un peu à l'écart de la maison, dans des auto-patrouilles dont on avait laissé tourner le moteur. La police de Montréal s'efforçait de faire en sorte que l'arrestation fût conduite avec le maximum de courtoisie, et souhaitait surtout éviter qu'elle se transforme en un lamentable spectacle.

Les deux policiers saluèrent poliment Giovanna Rizzuto, la femme de Vito, lorsqu'elle entrouvrit la porte. Ils s'excusèrent pour cette intrusion matinale, puis expliquèrent à Vito, en anglais et en français, qu'il était en état d'arrestation, et qu'un tribunal de New York l'accusait relativement à trois meurtres survenus le 5 mai 1981. Vingt-deux ans et huit mois après les assassinats d'Alphonse «Sonny Red» Indelicato, Philip «Philly Lucky» Giaccone et Dominick «Big Trinny» Trinchera, les autorités américaines alléguaient enfin formellement que Vito, maintenant âgé de 57 ans et cinq fois grand-père, avait été le premier à sortir du placard du club social de Brooklyn, et qu'il était celui qui avait donné le signal du massacre.

La nouvelle ne sembla pas surprendre Vito, pas plus que ne l'avait fait l'irruption matinale de la police. Il se montra coopératif et se conduisit en gentilhomme du début à la fin. Sa femme demeura très calme. Poletti accompagna Vito à sa chambre pour qu'il s'habille. Il choisit un chandail à col roulé de couleur poil de chameau, un pantalon habillé et une veste sport. Il s'abstint de mettre une cravate ; il était évidemment conscient que les cravates sont confisquées aux prisonniers avant qu'ils ne soient placés dans leur cellule, de peur qu'ils les utilisent pour se suicider. Quinze minutes plus tard, Vito se trouvait dans une voiture de police banalisée en compagnie des deux enquêteurs, en route vers le poste pour y être écroué.

Une fois arrêté, Vito fut aussitôt emmené au tribunal. La discrétion qui avait imprégné son arrestation avait disparu. La nouvelle se répandit comme une traînée de poudre à travers Montréal, et c'est dans une voiture de police roulant au milieu d'un convoi d'auto-patrouilles, gyrophares allumés, toutes sirènes hurlantes, qu'ils partirent à toute vitesse, alors qu'une cohorte de cameramen de la télévision et de photographes des différents journaux leur faisaient une haie d'honneur, se bousculant pour avoir une meilleure vue. Lors de sa comparution préliminaire, qui dura à peine trois minutes dans le moderne et imposant palais de justice de Montréal, un Vito bien bronzé écouta d'un air sombre son avocat, Loris Cavaliere, demander au juge un peu plus de temps pour étudier les documents d'extradition. À l'extérieur du tribunal, Cavaliere décrivit son client comme étant «très confiant», et déclara qu'ils contesteraient l'extradition, mais qu'aucune décision n'avait encore été prise concernant une éventuelle demande de liberté sous caution. Vito reprit ensuite rapidement le chemin des cellules.

Vito fut le seul Canadien à être arrêté ce jour-là. Cependant, à New York, les agents du FBI, de la police d'État et de la police municipale se déployèrent à travers la ville et arrêtèrent, le même jour, 26 personnes accusées de 15 meurtres et de complot pour meurtre. Il s'agissait d'une vaste action synchronisée qui devait frapper durement la famille Bonanno, le point culminant d'un effort considérable pour supprimer une des familles les plus célèbres de New York.

Mais la cible principale du gouvernement américain était Vito Rizzuto.

BROOKLYN, LE 31 DÉCEMBRE 2003

Trois semaines plus tôt, à la veille du Nouvel An, 16 membres d'un grand jury du tribunal du district Est de New York se rencontrèrent et se montrèrent d'accord avec les allégations du procureur, consignées dans l'acte d'accusation, un document de sept pages. On y mentionnait que Vito Rizzuto — lui seul — devait être accusé de *racketeering*.

« L'accusé, Vito Rizzuto, a été à plusieurs reprises un soldat ou un associé de la famille Bonanno », stipulait la mise en accusation, qui spécifiait que, du 1er février 1981 jusqu'en décembre 2003, Vito s'était livré, en compagnie d'autres personnes, à de telles activités, qui s'étaient déroulées aussi bien au niveau national qu'international, à savoir le meurtre des trois capitaines. La mise en accusation fut ensuite soigneusement signée par le président du jury, et le dossier de Vito au tribunal reçut le numéro 03-CR-1382. Ce document allait par la suite atteindre une épaisseur impressionnante. Un mandat d'arrêt fut émis contre Vito au cours de la même journée. Il était signé par un juge de Brooklyn, qui émit également une ordonnance limitée permettant au gouvernement de fournir l'acte d'accusation aux autorités américaines et canadiennes dans le but de procéder à l'arrestation et à l'extradition de Vito. Le mandat d'arrêt donnait ordre à toute autorité policière d'arrêter Vito, mais aucun agent n'eut la chance de voir ce document, et encore moins d'agir. Le mandat d'arrêt et la mise en accusation furent immédiatement placés dans une enveloppe blanche de 25 par 38 centimètres ; on la scella et y apposa le titre *U.S.A. v. John Doe*[1], puis elle fut classée parmi les documents de la cour, avec l'instruction qu'elle ne devait pas être inscrite au plumitif (ou registre du greffe) du tribunal. Le procureur Greg Andres quitta ensuite le prétoire pour célébrer les fêtes du Nouvel An.

Peu de temps après les vacances de Noël, Nicolas Bourtin, un adjoint juridique du Ministère public des États-Unis, termina le brouillon de la requête de l'accusation, un document de 13 pages dactylographiées qui, clairement articulé et numéroté, détaillait les allégations contre Vito et révélait l'existence de quatre témoins qui avaient coopéré secrètement avec les autorités et étaient prêts à venir témoigner contre lui. Il s'agissait d'anciens membres et d'anciens associés de la famille Bonanno. Le document était le point de départ obligatoire du processus d'extradition, toujours très long. Bourtin devait convaincre les autorités canadiennes, politiques et judiciaires, qu'il existait suffisamment de preuves contre Vito Rizzuto pour que cela vaille la peine de l'envoyer affronter la justice américaine — en somme, pour justifier son extradition aux États-Unis. Au Canada, ce processus n'est pas toujours facile ni rapide, car le pays possède une généreuse Charte des droits et libertés, ainsi qu'une culture institutionnelle qui offre aux contrevenants de nombreuses sauvegardes et de multiples appels légaux.

Bourtin rassembla donc les preuves et commença à consigner les prémisses de l'affaire contre Vito.

---

1.   Les États-Unis contre John Doe.

«Le gouvernement entend démontrer l'association et l'apparte-nance de Rizzuto avec la famille Bonanno ainsi que son rôle dans le complot pour assassiner Indelicato, Giaccone et Trinchera, grâce à de nombreuses preuves, dont les affirmations d'un témoin coopératif, celles de personnalités officielles chargées de faire respecter là loi, la déposition d'un expert du crime organisé, des preuves obtenues par surveillance et examen de la scène du crime et le témoignage du médecin légiste», écrivit Bourtin. Dans le document qui avait été pré-paré plusieurs semaines avant les arrestations, les noms des témoins qui collaborèrent furent cachés. Sal Vitale, par exemple, y était nommé CW#1, une façon abrégée d'écrire *First cooperating witness*, c'est-à-dire «premier témoin coopératif».

Bourtin attacha ensuite au document deux photos de Vito — une qui avait été prise au mariage de l'ineffable Giuseppe Bono, et un cliché plus récent fourni par les autorités canadiennes —, des photos du corps de Sonny Red au moment où il fut récupéré par la police, et une photo fascinante provenant de la surveillance faite par le FBI et montrant Vito en train de quitter le Capri Motor Lodge en compagnie de Gerlando Sciascia, Joe Massino, le *boss* des Bonanno, et Giovanni Ligammari, leur allié Zip. Ces photos constituaient autant de preuves servant à démontrer que Vito entretenait des relations avec des gangsters connus et, ce qui est encore plus important, indiquaient qu'il était à New York au moment de la boucherie. Bourtin inclut également en annexe le rapport de l'autopsie réalisée en 1981 sur un corps exhumé dans Ruby Street, et un certificat signé par le beau-fils de Sonny Red, qui avait alors identifié le cadavre. Ces documents confirmaient qu'au moins une des personnes dont on attribuait l'assassinat à Vito était vraiment morte et, qui plus est, morte à la suite de trois blessures infligées par une arme à feu, une au visage, une à la poitrine et une dans le dos.

Bourtin mit ensuite le tout dans une enveloppe, qu'il data du 5 janvier 2004 et signa, ajoutant d'élégantes fioritures au sommet du N et au pied du B. Le gouvernement canadien reçut le paquet au cours de la même journée, en même temps qu'une note diplomatique, ce qui représentait la troisième communication entre les États-Unis et le Canada depuis le début de la nouvelle année. Ces communications intergouver-nementales sont traditionnellement envoyées à la manière d'un faire-part de mariage. Le message commençait en effet par ces termes : «L'ambassade des États-Unis d'Amérique présente ses compliments au ministère des Affaires étrangères et du Commerce international et a l'honneur de demander l'extradition de Vito Rizzuto du Canada.»

Un peu plus tard, une mise en accusation subséquente — de nou-velles accusations remplaçant les accusations originales — fut émise, et on ajouta 26 noms à celui de Vito dans l'affaire 03-CR-1382.

MONTRÉAL, JANVIER 2004

Le lundi 12 janvier, huit jours avant l'arrestation de Vito, le sergent-détective Poletti surveillait tranquillement la maison du caïd lorsqu'une Mercedes grise ML 500 2002 quitta l'allée pavée, à 9 h 15. Poletti suivit le véhicule sur une courte distance, et au moment où celui-ci s'apprêtait à tourner le coin de la rue Antoine-Berthelet pour prendre le boulevard Gouin Ouest, il rapprocha sa voiture de la Mercedes. En tournant brièvement la tête, il vit que Vito en était bien le conducteur. Deux jours plus tard, à 10 h 31, Benoît Poirier, un agent de la police de Montréal, vit sortir de l'allée de la maison des Rizzuto un Jeep Grand Cherokee bleu immatriculé au nom de la femme de Vito. L'agent envoya la nouvelle par radio à sa collègue Josée Poitras, qui prit immédiatement le Jeep en filature jusqu'à ce qu'un autre agent confirme que Vito était au volant, et seul. Puis, 23 minutes plus tard, Réal Lépine observa Vito pendant qu'il garait sa voiture et entrait dans un immeuble du boulevard Saint-Laurent.

La surveillance de Vito s'était resserrée, et ce n'était pas une coïncidence. Dès la seconde semaine de janvier, des membres de la police de Montréal triés sur le volet furent informés que le gouvernement américain avait l'intention de traduire Vito en justice à New York. En prévision des événements qui s'ensuivraient, les policiers montréalais commencèrent à surveiller étroitement Vito, à l'affût de signes annonçant qu'il se préparait à fuir, tout en confirmant qu'il habitait encore la maison qui était la sienne depuis bien longtemps et évaluant les difficultés relatives ou les dangers inhérents à son arrestation. On augmenta le nombre d'agents chargés de surveiller son domicile. Il est toutefois difficile d'imaginer que cette surveillance passa inaperçue, dans une rue où de nombreux résidants étaient liés aux Rizzuto.

Si Vito, qui est une personne extrêmement rusée, ne repéra pas les signes de l'intérêt accru que lui portait la police, ses inquiétudes concernant son avenir auraient dû être intensifiées quand il constata l'attention soudaine que la presse lui accordait. Dès le début du mois de février 2001, Vito avait pu apprendre, s'il ne le savait pas déjà, que les autorités américaines étaient convaincues qu'il avait joué un rôle dans le meurtre des trois capitaines. Le *National Post* avait publié, dans le cadre d'un reportage, un portrait exhaustif de Vito dans lequel figurait la photo, pièce à conviction fournie par le FBI, représentant Vito, Sciascia, Massino et Ligammari sortant ensemble du Capri Motor Lodge. On trouvait également dans le même article des extraits d'un rapport confidentiel du FBI soutenant que Vito était impliqué dans les assassinats des trois *capi*.

Les sources de renseignement personnelles de Vito le prévinrent probablement aussi que des problèmes pouvaient survenir à New

York. Un an plus tôt, les arrestations de Joe Massino et de Sal Vitale, les deux grands chefs de l'organisation Bonanno, attirèrent certainement son attention ; peu de temps après, Vito avait quitté le Canada à bord d'un avion avec sa femme pour une destination inconnue.

Coïncidence ou non, le 2 mars 2003, peu de temps après qu'un des informateurs de la famille Bonanno eut annoncé à son avocat qu'il n'avait plus besoin de ses services pour la bonne raison que, dorénavant, il collaborerait avec le gouvernement, Vito quitta à nouveau le Canada. Cette fois-ci, il voyagea seul à bord d'un avion de la société Skyservice. Il revint à Montréal huit jours plus tard. Il reprit un vol de la Cubana de Aviación pour La Havane le 21 mars en compagnie de sa femme. Il y resta six semaines, selon les déclarations de douane enregistrées à l'Agence des services frontaliers du Canada. Les renseignements policiers soupçonnent que Vito avait choisi Cuba pour ce voyage parce qu'il était tout à fait conscient que les fonctionnaires cubains et américains ne coopéraient pas bien, et parce que sa présence à Cuba pouvait le mettre à l'abri de la justice américaine. Cependant, les autorités gouvernementales ne travaillent pas aussi vite que l'on pourrait le croire.

Vito était de retour au Canada depuis longtemps lorsque, le 14 janvier 2004, dans le plus grand des secrets, Irwin Cotler, qui était à l'époque le ministre de la Justice du pays, donna aux autorités canadiennes l'autorisation de procéder à l'arrestation de Vito. Celle-ci devait cependant être menée conjointement avec le FBI. Malgré le secret qui entourait ces derniers développements, une semaine avant les arrestations projetées de Vito et de ses coaccusés, un article surprise titré *Eyeing Canadian Club*[2] parut dans le *New York Sun* ainsi que dans un site Internet populaire spécialisé dans les activités du milieu, www.ganglandnews.com. Jerry Capeci, un célèbre chroniqueur et reporter spécialiste du crime organisé à New York, avait été prévenu de l'intérêt que le FBI portait à Vito.

« Les procureurs fédéraux de Brooklyn lorgnent vers le nord et considèrent le célèbre chef de la mafia canadienne comme étant un des suspects de l'abominable assassinat des *capi* du clan Bonanno en 1981. » C'est en ces termes que commençait l'article que publia Capeci le 15 janvier 2004. Cet ancien observateur du milieu citait des sources policières anonymes qui accordaient un intérêt particulier au « riche *capo* des Bonanno » et le comparaient à John Gotti. Il était certain que les sources de Capeci étaient sérieuses. Son scoop fut publié le jour même où le grand jury du district Est de New York émit, contre Vito

---

1. Jeu de mots sur la marque de whisky canadien bien connue aux États-Unis, Canadian Club, et sur la surveillance d'un clan (*club*) canadien.

et ses coaccusés new-yorkais, l'acte d'accusation remplaçant le premier et comportant 20 chefs d'accusation, prétendument sous le sceau du secret. L'article échappa cependant à l'attention des enquêteurs canadiens. Le jour de sa parution, un reporter canadien préparait un article mentionnant l'intérêt que manifestaient les Américains pour Vito. Ce reporter avait contacté des personnalités officielles de la police et certaines sources confidentielles pour obtenir commentaires et confirmation. Les enquêteurs prirent panique et demandèrent qu'une copie de l'article de Capeci leur fût faxée immédiatement. La confirmation fut ensuite publiée à travers tout le Canada.

Deux articles avaient été publiés des deux côtés de la frontière. Cela aurait dû alerter Vito. Les officiels du Canada et des États-Unis, qui s'apprêtaient à effectuer une arrestation simultanée massive de tous les hommes mis en accusation dans les deux pays, faisaient face à un dilemme. S'ils n'agissaient pas assez rapidement, Vito risquait de fuir à Cuba où il serait hors de leur portée. D'autre part, s'ils arrêtaient immédiatement Vito, cela risquait d'alerter ses présumés conspirateurs à New York. Après de nombreuses tergiversations, les enquêteurs décidèrent que le degré de surveillance de Vito devait être augmenté considérablement, mais qu'ils devaient s'en tenir à leur plan initial et ne rien tenter contre lui. Cette décision serait reconsidérée si les enquêteurs obtenaient la preuve qu'il se préparait à fuir.

Cependant, Vito n'avait aucune envie de fuir.

NEW YORK ET MONTRÉAL, LE 20 JANVIER 2004

Au moment où Poletti et Milano frappèrent à la porte de la maison de Vito à Montréal pour l'arrêter, environ 150 agents du FBI, enquêteurs de la police de l'État de New York et inspecteurs du NYPD, la police municipale new-yorkaise, les imitèrent à travers tout le territoire de la métropole américaine. Les policiers qui avaient été envoyés dans la partie sud dudit territoire remportèrent le même succès. La plupart des personnes nommées dans l'acte de mise en accusation furent arrêtées facilement, tôt le matin du 20 janvier 2004, lorsque les policiers se présentèrent à la porte de leur maison ou de leur planque.

Les autorités américaines étaient en liesse lorsque les mises en accusations des 27 personnes de la famille Bonanno — y compris de nombreux chefs de la famille — furent finalement dévoilées aux médias et rendues publiques.

Roslynn R. Mauskopf, la procureure du district Est de New York, déclara que ces arrestations constituaient «l'opération judiciaire la plus vaste et la plus profonde exécutée contre une famille de la mafia new-yorkaise». Cette affirmation ne suscita aucune controverse.

«La totalité de la direction, de la direction suppléante et pratiquement tous les chefs criminels de la famille Bonanno ont soit reçu une condamnation, soit été mis en accusation. Grâce à un accès sans précédent aux gestes les plus secrets de l'administration de la famille Bonanno, nous avons été placés au premier rang, nous avons pu écouter ces criminels professionnels quand ils planifiaient le meurtre de victimes innocentes dans le but d'essayer de sauver leur entreprise criminelle en pleine déliquescence», déclara Mme Mauskopf.

Raymond Kelly, le commissaire de la police de la ville de New York — le policier en lui s'exprimait davantage que le juriste — fit pour sa part un commentaire plus succinct : «La famille Bonanno est une espèce en voie de disparition.»

La position précise de Vito à l'intérieur de la famille Bonanno créa une certaine confusion au sein des autorités. Officiellement, ils continuaient à utiliser la nomenclature officielle des Cinq Familles de New York et, étant donné que Vito était considéré comme un membre à part entière qui n'avait toutefois jamais accepté sa nomination au rang de capitaine, ils décrivirent son rang au sein de la famille Bonanno comme étant celui de «soldat». Toutefois, son pouvoir, son importance et ses états de service bien distincts méritaient certainement une meilleure note. Dans un communiqué de presse, les autorités américaines fournirent une bonne idée de son véritable rang. «Vito Rizzuto, un soldat de la famille Bonanno à qui les autorités policières et la presse canadienne accordent le titre de "parrain de la mafia italienne à Montréal", est le membre le plus influent de la famille Bonanno au Canada», disait ce communiqué de presse.

Lors d'une conférence de presse fourmillante de journalistes, le premier nom mentionné par Pasquale «Pat» D'Amuro, le directeur adjoint en charge du FBI à New York, fut celui d'un homme sur lequel il n'avait pas encore réussi à mettre la main.

«Parmi les nombreuses réussites de cette enquête, se trouvent la solution de nombreux meurtres commis à New York au cours des deux dernières décennies, ainsi que l'arrestation et l'emprisonnement de Vito Rizzuto, le parrain du crime organisé au Canada», dit D'Amuro. Plus récemment, le FBI publia un communiqué qui résumait les différentes démarches entreprises dans le but de contrôler le crime organisé. Dans ce communiqué, le FBI nomme Vito comme étant une des trois plus importantes captures de l'opération. Les deux autres étaient celles du sous-chef de la famille Bonanno, Anthony «Tony Green» Urso, que les autorités décrivaient comme étant le chef au pouvoir, puisqu'il remplaçait Joe Massino pendant que ce dernier était aux prises avec la justice, et Joseph «Joe Saunders» Cammarano, le sous-chef suppléant chargé de remplacer Sal Vitale qui, lui aussi, devait faire face à des accusations. Il y est rapporté que ces deux derniers individus avaient ordonné le meurtre d'Anthony Tomasulo, un associé des Bonanno qui avait été trouvé enveloppé dans une housse mortuaire sur le siège arrière de sa propre voiture en mai 1990, parce qu'il avait refusé de payer aux chefs de la famille Bonanno une part des gains qu'il avait obtenus grâce à ses machines illégales de loterie vidéo.

Louie «Ha-Ha» Attanasio, qui avait également agi en tant que sous-chef pendant un certain temps, fut aussi inculpé le même jour, mais les agents qui entreprirent de le chercher revinrent bredouilles. Louie Ha-Ha, soupçonné d'avoir tiré derrière la tête de Cesare Bonventre pendant que Vitale conduisait le chef des Zips à sa mort, était passible d'une peine d'emprisonnement à vie. Louie Ha-Ha profitait donc de sa résidence d'hiver, qui faisait face à la mer sous le climat chaud de Saint-Martin, une île des Antilles. Il demeura hors d'atteinte du gouvernement pendant presque un an, se délectant d'une loi de l'île qui protège ses résidents permanents en leur garantissant une courte période de prescription criminelle, même pour le meurtre. Cependant, les autorités locales plièrent devant les pressions exercées par le gouvernement américain et révoquèrent le statut de résident légal d'Attanasio, sous prétexte qu'il l'avait obtenu illégalement — il aurait déclaré qu'il n'avait pas de passé criminel. Il fut ensuite arrêté et ramené à New York, une manœuvre que son avocat, Larry Bronson, qualifia d'«enlèvement».

Sept présumés capitaines des Bonanno ou capitaines actifs furent également nommés lors des mises en accusation, y compris un Zip, ami de Vito et de la Sixième Famille, Baldassare «Baldo» Amato. Ce dernier fut accusé d'avoir tiré sur Robert Perrino, le responsable de la livraison du *New York Post*, sous les instances de Gerlando Sciascia qui n'était pas parvenu, à l'époque, à faire venir des tueurs Montréalais pour exécuter le travail. Le deuxième meurtre pour lequel Baldo fut mis en accusation était celui de Sebastian «Sammy» DiFalco, un de ses associés. Le 17 mars 1992, le corps de DiFalco avait été retiré du coffre de sa propre voiture, retrouvée dans le stationnement d'un Dunkin' Donuts situé dans le quartier de Queens.

Quinze autres soldats et des associés furent également arrêtés. Il s'agissait d'un beau coup de filet qui renforçait l'assaut du gouvernement contre les Bonanno. Entre le mois de mars 2002 et la divulgation de la mise en accusation de Vito Rizzuto, le gouvernement américain procéda à l'arrestation de plus de 70 membres et associés de la famille Bonanno à qui, selon les archives du gouvernement, l'on imputait 23 assassinats, en plus de conspirations et de tentatives de meurtres.

«En un peu moins d'un an, le gouvernement a démantelé les directions successives de la famille Bonanno. À l'heure actuelle, la direction entière de cette famille a été virtuellement anéantie, et seuls quelques capitaines n'ont pas été mis en accusation», claironnait le gouvernement dans un communiqué de presse de 21 pages annonçant le coup de filet. La déclaration du gouvernement selon laquelle les opérations avaient duré «un peu moins d'un an» était en fait un pieux mensonge. On passait sous silence le fait que les efforts «anti-Bonanno» des différentes agences avaient été monopolisés à divers niveaux de l'administration dans deux pays. On oubliait aussi que ces corps policiers n'avaient obtenu pratiquement aucun résultat pendant de nombreuses années, avant cette percée fructueuse dans le monde de la Mafia.

L'exultation que les autorités ne purent contenir, en cette journée où eurent lieu les arrestations, compensait pour la frustration et l'humiliation qu'elles avaient subies pendant des décennies.

CHAPITRE 38

Il y avait plus de 20 ans que le FBI n'avait causé de sérieux dommages à la famille Bonanno, mais il faut admettre que l'attaque s'était révélée alors si spectaculaire et retorse qu'elle avait pris des proportions épiques. Pendant six ans, l'agent spécial du FBI Joseph D. Pistone avait réussi à s'infiltrer au sein de l'organisation sous le pseudonyme de Donnie Brasco et avait été accepté par la famille comme un mafioso, un vrai. Lorsque sa fausse identité fut révélée aux truands, les preuves que Pistone soumit en cour ébranlèrent profondément la *famiglia*. Ses membres firent l'objet de 200 accusations et de 100 condamnations, mais elle n'en mourut point. Le travail en sous-marin de Pistone contribua à envoyer plus d'un gangster au placard, mais Joe Massino, accusé d'avoir pris part à l'assassinat des trois capitaines, qui comparut au tribunal en 1987 avec Pistone comme témoin à charge, se débrouilla pour échapper à une condamnation. Une fois que les mises en accusation se furent amenuisées, après que Pistone eut fini de vider son sac, le clan Bonanno continua néanmoins à souffrir de blessures profondes, car les exploits de l'intrépide agent secret furent exposés en détail dans un best-seller. On porta par la suite cette histoire à l'écran, dans le film populaire intitulé *Donnie Brasco*, mettant en vedette Al Pacino et Johnny Depp. En guise de réprimande pour la brèche qu'elle avait causée dans le rempart de sécurité de la Mafia, la famille perdit son siège à la Commission et ne tarda pas à devenir, pour la pègre, une sorte de paria.

Depuis lors, toutefois, le FBI n'avait connu que de maigres succès dans sa croisade contre le clan. Les policiers de l'escouade anti-Bonanno se démenaient comme des diables dans un bénitier et, pendant ce temps, la sacro-sainte famille remontait la pente. Alors que les chefs des autres formations mafieuses subissaient coups et contre-coups, le gang Bonanno semblait imperméable à toute poursuite. Cela devint une source de fierté pour les gangsters qui, au fil des ans, renforcèrent leur crédibilité. L'humiliation subie par l'infiltration de Pistone était lentement tombée dans l'oubli.

En 1986, Carmine Persico, le patron de la famille Colombo, fut accusé d'extorsion et condamné à la détention à perpétuité. En 1992, John Gotti, le flamboyant patron de la famille Gambino, celui qu'on appelait l'«Élégant Don» ou «le Don Téflon», après avoir été acquitté à trois reprises, écopa lui aussi d'une condamnation à perpétuité pour extorsion. La même année, Vittorio «Little Vic» Amuso, patron de la famille Lucchese, reçut la même peine. En 1997, ce fut au tour de Vincent «The Chin» — «le Menton» — Gigante, un vieux de la vieille de la Mafia qui avait été le parrain de la famille Genovese, de se retrouver lui aussi à l'ombre, toujours à la suite d'accusations d'extorsion. Vers la fin des années 1990, le leadership de quatre des Cinq Familles de New York ne tenait plus la route.

Accordant foi au dicton voulant que ce qui ne vous tue pas vous renforce, Joe Massino avait beaucoup appris en étudiant la manière dont Donnie Brasco avait réussi à gagner la confiance d'autant de gens de sa famille. Il avait examiné les échecs des parrains qui avaient été condamnés, ainsi que les méthodes utilisées pour les coincer. Il observait même les agents du FBI qui le filaient, et se faisait un plaisir de le leur faire savoir. Il félicitait souvent les agents qui avaient reçu des promotions et, parfois, mentionnait au passage leur formation universitaire ou leurs réussites passées.

Sous la gouverne de Massino, la famille Bonanno vivait une véritable renaissance, flottant allègrement alors que le reste du monde du gangstérisme semblait chanceler. Cette situation n'avait pas échappé aux médias. Les reporters et chroniqueurs remarquèrent que Massino était le seul parrain qui n'était pas sous les verrous et le surnommèrent «le Dernier Don» — une intronisation officielle, en quelque sorte, dans l'Olympe de la truanderie. Toutefois, pour les hommes et les femmes qui tentaient de faire basculer son trône, rien n'était plus enrageant.

•

L'escouade anti-Bonanno avait réévalué ses progrès en 1998. Cette unité, fichée au sein du FBI sous l'appellation d'Escouade C-10, une abréviation pour «Unité d'enquête criminelle n° 10», en avait plein les bras. Sa charge de travail était plus fragmentée que celle de toutes les équipes de policiers affectées à la surveillance des Cinq Familles de New York. En plus de ses tâches de surveillance et d'investigation des activités de la famille Bonanno en ville, l'Escouade C-10 était responsable de la famille DeCavalcante, basée au New Jersey, du syndicat des Teamsters ou camionneurs et, pour corser le tout, des relations internationales bien particulières que le clan Bonanno entretenait depuis New York avec des gangsters canadiens et siciliens.

La découverte par Sal Vitale d'un micro du FBI dans le plafond du club de Massino illustra de manière flagrante que l'écoute électronique ne remporta pas le même succès avec le clan Bonanno que celui qu'obtint l'espionnage de la maison d'Angelo « Couac Couac » Ruggiero, de la famille Gambino, partenaire de la Sixième Famille. En dépit des offres généreuses que firent les autorités aux membres du clan Bonanno sur lesquels pesaient des chefs d'accusation, celles-ci ne parvinrent à persuader aucun d'entre eux de coopérer avec elles. Tandis que le FBI et les procureurs fédéraux prenaient de plus en plus conscience du rôle crucial que jouaient les informateurs de la pègre dans l'obtention de condamnations dans les cas délicats — comme par exemple celui de Salvatore Gravano —, les malfrats de Bonanno résistaient toujours.

Même les gangsters qui avaient la mort aux trousses pour s'être portés garants de Donnie Brasco refusaient de coopérer, malgré des offres très alléchantes du gouvernement. Ainsi, Sonny Black refusa même de prendre le numéro de téléphone d'un agent. Au lieu de cela, il confia ses bijoux au barman du club social Motion Lounge, le prévenant qu'il ne reviendrait peut-être pas, et s'en fut retrouver ses collègues de la pègre qui, soupçonnait-il, s'apprêtaient à le liquider. Sur les ordres de Sciascia et de Massino, Frank Lino attira Sonny Black à une réunion bidon dans la maison d'un gangster et le poussa dans l'escalier. Arrivé en bas, un tueur tira sur lui, mais son arme s'enraya. Alors qu'il gisait blessé sur le sol, Sonny Black regarda ses amis et les implora de faire feu pour en finir une fois pour toutes. Ils acquiescèrent aimablement à sa requête.

Le clan Bonanno s'enorgueillissait du fait qu'aucun de ses membres n'ait jamais été un mouchard. Joe Massino insistait d'ailleurs sur ce point lorsqu'il admettait un nouveau membre dans sa confrérie mafieuse.

Sal Vitale déclara : « Au cours de la cérémonie, M. Massino nous disait que sa famille était la seule à n'avoir jamais eu d'informateur chez elle au cours de son histoire. Nous avions bien eu deux gars qui étaient allés frire sur la chaise électrique dans les années 1950, mais jamais la famille n'avait hébergé de mouchard. » Cette renaissance de la famille Bonanno fut si bien reconnue que l'organisation put reprendre son siège à la Commission, et Massino fut élevé au pinacle du crime organisé américain, devenant l'aîné des membres de cette même Commission.

« Les parrains des quatre autres familles étaient en taule, expliqua Vitale. En fait, les gars qui se rendaient aux réunions de la Commission étaient des sous-fifres ou des patrons intérimaires. Joe estimait que tout ça n'était pas à sa hauteur, alors il me déléguait… » Ainsi, la toute-puissante Commission perdait elle aussi des plumes.

Mais Massino poursuivait son ascension, passant de terreur des quartiers louches à patron d'une organisation mafieuse, même si cette dernière n'était plus que l'ombre d'elle-même. Vers la fin de 1993, par souci de prolonger sa longévité et d'éviter de sérieuses poursuites, il rebaptisa discrètement toute la famille en son honneur.

«Nous l'avons transformée en famille Massino», a déclaré Frank Lino. Les gangsters semblaient tout à coup pressés d'enterrer leur association avec le parrain fondateur.

«Joe Bonanno a écrit un bouquin sur la Commission, a ajouté Lino. Ils voulaient juste se débarrasser du nom. On a dit qu'il avait trahi la famille...»

Vitale confirme : «Ouais, Joe Bonanno a écrit un livre. Il était le fondateur de la famille. Je pense que ce bouquin s'appelait *Un homme d'honneur*. Mais en jouant à l'écrivain, il a foutu le bordel dans nos vies. C'est pour ça que nous ne voulions plus être connus sous le nom de famille Bonanno. Derrière des portes closes, on était connus comme étant la famille Massino. D'ailleurs, M. Massino ne voulait plus que nous portions l'ancien nom. Et puis, nous ne sommes pas très chauds sur des publications nous concernant, ni portés à faire parler de nous dans le grand public. Ce que nous faisions ne regardait pas l'homme de la rue. En écrivant un bouquin, cela nous a trop mis en évidence. Voilà pourquoi nous pensons qu'il nous a manqué de respect...» Les nouvelles concernant le changement de nom de la famille parvinrent lentement aux oreilles des membres du clan Bonanno.

«Nous n'avons pas claironné le changement chez nos capitaines, mais, durant nos cérémonies ou une réunion, nous parlions de la famille Massino», renchérit Vitale.

Au milieu des années 1990, de nouvelles manières de traiter les affaires apparurent dans la famille. En réalité, Massino essayait de ramener l'organisation plus près de ses racines, comme l'avaient fait ses collègues de Montréal. Il promulgua, par le truchement de la Commission, un règlement selon lequel tous les nouveaux membres devaient désormais être des «Italiens de souche», ce qui signifiait que les deux parents du postulant devaient pouvoir détailler leurs origines jusqu'au lieu de naissance de leur société secrète. Pendant des années, tant qu'un truand pouvait s'amener avec de l'argent et démontrer que son père était originaire d'Italie, il présentait un potentiel de choix pour la mafia américaine. Massino reconnaissait également la puissance que l'on pouvait retirer des liens familiaux — d'une véritable famille — et il encourageait ses membres à initier leurs fils. «Il avait le sentiment qu'il connaissait les liens du sang et pensait que ce qui était assez bon pour le père l'était également pour le fils», a dit Vitale.

Massino se débrouillait également pour se mettre à l'abri de toute poursuite. Il ordonna la fermeture des clubs sociaux de gangsters, lieux qui faisaient depuis si longtemps partie de la mystique de la mafia new-yorkaise. Selon lui, cette mesure limitait les possibilités, pour les policiers, de fourrer leur nez dans les affaires du milieu. Massino lui-même cessa d'assister aux veillées funèbres, mariages et funérailles, des événements sociaux faisant partie du quotidien des parrains traditionnels. Il tenait à réduire les occasions de se montrer en public. Il interdit à ses sbires de discuter de quoi que ce soit de sérieux au téléphone ou sur un portable. Pour pallier ces restrictions, il assigna à chacun de ses 15 capitaines un numéro de deux chiffres en guise de code. Ainsi, Sciascia était le n° 02. Quand un de ses hommes voulait rejoindre l'administration du clan Bonanno, il appelait le téléavertisseur de Vitale d'un téléphone public en laissant le numéro de la cabine[1] suivi du code du capitaine. Vitale se rendait alors dans une autre cabine téléphonique et rappelait.

« Grâce aux deux chiffres du code, je savais à qui je parlais », se rappelle Vitale. Massino avait même essayé de faire disparaître son propre nom des enregistrements secrets qu'il soupçonnait le FBI de recueillir un peu partout dans son entourage.

« Il nous recommandait de ne pas utiliser son nom », se rappelle Lino. Les hommes de Massino étaient censés recourir à un geste — par exemple, se toucher l'oreille ou se pincer le lobe au lieu de mentionner son patronyme — lorsqu'ils parlaient de lui en public. Lors d'une réunion à la Casa Blanca, le restaurant de Massino, le *boss* déclara à Lino qu'en tant que parrain, les capitaines et les soldats devaient le protéger, faute de quoi la famille risquait fort « de se désintégrer ». Les hommes suivaient généralement ses directives ; ils savaient qu'ils avaient tout intérêt à protéger Massino tant qu'il se montrait productif, qu'il réussissait et qu'il protégeait leurs profits au cours de leurs transactions avec les cinq autres familles.

« Envers les autres familles, vous êtes aussi forts que votre *boss* peut l'être », aimait répéter Vitale.

•

La nouvelle manière dont Massino se protégeait signifiait que l'enquête du FBI devait progresser dangereusement. Vers 1999, une stratégie différente se dessina, une tactique qui singeait le conseil que Deep Throat[2] donnait jadis aux journalistes d'enquête : « Suivez le

---

1. Inconcevable au Canada où, de nos jours, les compagnies de téléphone s'arrangent pour que l'on ne puisse pas joindre un appareil public. (N.d.T.)
2. Ou « Gorge profonde », surnom donné au directeur adjoint du FBI, William Mark Felt Sr, qui, en juin 1972, coula des informations au *Washington Post* relativement

pognon…» L'enquête qui menaçait de renverser la famille Bonanno fut éventuellement réduite à une tâche plutôt barbante d'analyse de paperasse. On ne comptait plus tant sur des flics énergiques que sur des comptables fouineurs et pointilleux qui, inlassablement, examinaient les moyens dont la famille Bonanno gagnait sa vie et les endroits où allait son argent.

Kimberley McCaffrey et Jeffrey Sallet étaient deux agents spéciaux du FBI rattachés à l'Escouade C-10, qui avaient aussi la formation de juricomptables. Ils commencèrent à mettre le nez dans les déclarations de revenus et les documents d'ordre financier, afin de voir d'où provenaient les revenus illicites de Massino.

«À cette époque, tout le monde s'occupait de surveillance, alors que nous disséquions chaque petit bout de papier contenu dans une pile de boîtes en carton, expliqua McCaffrey. Lorsque nous trouvions un relevé financier de type K-1, nous étions tout excités, et les gens riaient en nous traitant de *nerds*. "Les gars, vous êtes de vrais *nerds*…"» Cet ingrat travail de gratte-papiers permit toutefois de constater que la plupart des activités de la pègre consistaient davantage en crimes de cols blancs qu'en agressions spectaculaires.

«Nous avons analysé les sources de revenus et les dépenses, ainsi que la hiérarchie de la famille. Nous avons examiné les montages financiers et les crimes correspondants, expliqua McCaffrey. Nous avons eu recours aux assignations à comparaître devant jury, à des interrogatoires, des rapports de surveillance, des documents bancaires, des dossiers financiers…»

«Cette partie de notre enquête sur la famille Bonanno a commencé avec une approche non traditionnelle visant à combattre le crime organisé, a déclaré Pat D'Amuro, du FBI. Une équipe de "légistes" de la comptabilité a suivi la piste de l'argent sale et disséqué les modèles d'interconnexion et d'activités criminelles.»

Une nouvelle enquête fut lancée, non plus à propos de règlements de comptes non résolus ou de trafic international d'héroïne, mais… à propos de reçus de stationnement! Le rapport de type K-1 que dépecèrent McCaffrey et Sallet se rapportait à une déclaration conjointe de revenus et d'association d'affaires. Cela démontrait que Massino et Vitale gagnaient des sous grâce à plusieurs parcs de stationnement new-yorkais, selon une entente conclue avec la femme de Richard «Shellackhead» — «le Gominé» — Cantarella, un des capitaines de l'organisation Bonanno. En 2000, l'enquête sur ces entreprises conjointes

_____

à l'affaire du Watergate. Celle-ci mena à la destitution du président Nixon. Il fallut 30 ans (2005) pour que fût connue l'identité de Deep Throat, dont le surnom faisait allusion au titre d'un célèbre film pornographique de l'époque. (N.d.T) avait mené les policiers jusqu'à Barry Weinberg, un homme d'affaires qui aimait s'encanailler et qui, en échange de l'excitation que cela lui procurait, aidait les truands dans leurs magouilles. Les agents s'aperçurent rapidement qu'ils avaient touché le maillon faible de la chaîne.

McCaffrey et Sallet mirent Weinberg au pied du mur en janvier 2001, lorsque les agents de la police de New York immobilisèrent sa Mercedes en plein Manhattan et emmenèrent l'homme dans une camionnette banalisée. Les agents le menacèrent de l'accuser d'évasion fiscale et autres méfaits et, en quelques minutes, le truand en col blanc fondit comme beurre au soleil et montra sa nature plutôt timorée. N'ayant aucun intérêt à se retrouver dans un établissement de villégiature de l'État, ne serait-ce que pour un temps limité, Weinberg accepta d'aider le FBI à ferrer plus gros poisson que lui. Weinberg passa l'année qui suivit en compagnie du Gominé et de Frank Coppa, un autre capitaine du clan Bonanno, en portant sur lui une enregistreuse. C'était la première infiltration du genre depuis que Donnie Brasco avait dissimulé ses micros indiscrets dans l'entourage du clan. Pendant que cette investigation commençait à causer des ravages, les Bonanno devaient accuser un autre coup du sort, qui provint d'une direction différente.

BOCA RATON, FLORIDE, MARS 2002

Le 19 mars 2002, Anthony « TG » Graziano, le gangster âgé de 61 ans que Gerlando Sciascia avait appris à mépriser et qui, depuis lors, était devenu *consigliere* du clan Bonanno, fut accusé de *racketeering* à New York. L'inculpation était liée à une seconde accusation en rapport avec les enquêtes financières du tenace duo McCaffrey et Sallet, qui fut déposée contre lui le jour suivant en Floride. L'affaire instruite à New York portait sur des histoires classiques de meurtre, de stupéfiants et d'extorsion, tandis que celle de Floride traitait d'une fraude financière sophistiquée. À New York, on parlait d'un collègue délinquant torturé à l'aide d'une lampe à souder, d'un autre traîné dans une chambre, un nœud coulant autour du cou, d'un troisième chatouillé avec un briquet de voiture, et autres délicatesses. En Floride, on parlait de conseillers financiers véreux qui, déployant leur bagout et leur charme, contactaient des pigeons par téléphone pour leur vendre des actions bidon sur le marché international. Ces deux accusations portées contre Graziano illustrent à merveille les deux nouveaux visages de la pègre moderne, et indiquent que les enquêteurs du FBI, pour mener à bien leurs opérations, devaient maîtriser ces nouvelles méthodes et s'adapter en conséquence.

La condamnation subséquente de Graziano à 11 ans de prison allait constituer dans les mois qui suivirent un sérieux avertissement à ses acolytes du clan Bonanno, quant aux répercussions d'une condamnation en vertu de la loi sur les organisations corrompues ou influencées par l'exercice de *rackets*, la célèbre Loi RICO. En Floride, un policier de Tampa s'était infiltré dans le gang en se présentant comme un spécialiste du blanchiment d'argent, et Graziano eut de la compagnie lorsqu'on arrêta un certain John F. Finkelstein, un homme d'affaires montréalais installé à Boca Raton qui supervisait quatre *boiler rooms*[3], des locaux depuis lesquels des escrocs, beaux parleurs, étaient parvenus à tromper par téléphone des investisseurs naïfs à travers l'Amérique du Nord — principalement des personnes âgées — en leur extorquant 11,7 millions de dollars, pour le plus grand bénéfice de la famille Bonanno. Finkelstein, que son avocat présenta comme un bon père de famille juif d'une piété exemplaire, portait un surnom peu enviable chez ses comparses mafieux. On l'appelait « Fink », c'est-à-dire le mouchard, l'indic, le salopard...

Des surnoms aussi peu flatteurs durent rendre Massino paranoïaque à propos de la présence possible de mouchards dans son entourage. Il se mit donc à enquêter sur chacun de ses complices. Il cherchait des indices de leur possible coopération avec le gouvernement, par exemple chez les accusés qui changeaient soudainement d'avocat, plaidaient coupable de manière peu rationnelle ou écopaient de sentences bonbon. Chacun de ses subalternes répondant à de tels critères devenait automatiquement un suspect. Dans un mémo déposé en cour, la poursuite mentionnait que le chef demandait régulièrement à l'avocat Matthew Mari, qui défendait depuis belle lurette plusieurs membres du clan Bonanno, de consulter les fichiers du tribunal pour voir où en étaient les poursuites contre certains des collègues de Massino. Personne ne semblait être au-dessus de tout soupçon, pas même Vitale, son beau-frère. Massino soupçonna Vitale d'être un « repenti » bien longtemps avant que Vitale ne décide réellement d'en devenir un. Il le fit savoir avec véhémence aux autres gangsters et ne cacha pas son antipathie croissante envers lui. Il alla jusqu'à suggérer que Vitale devait être descendu. Les autres membres de la famille Bonanno commencèrent à appeler Vitale « Fredo », le nom du frère faiblard qui trahit le patron dans le deuxième volet de la trilogie *Le Parrain*. Dans ce film, le personnage de Fredo finit par être abattu pour manque de loyauté.

Ce fut une gaffe stratégique de la part de Massino. Avec une myriade d'informateurs et de tables d'écoute électronique surveillant chacun de ses faits et gestes, il ne fallut guère de temps pour que ses

---

3. Officines de vente à pression. Décrit une opération frauduleuse de vente de valeurs mobilières sous pression. (N.d.T)

propos déjantés parviennent à l'attention du FBI, où des policiers astucieux ne tardèrent pas à en faire bon usage. Avec les Fédéraux recueillant le moindre indice de preuve contre le cercle des intimes de la famille Bonanno, les efforts considérables que déployait Massino pour se protéger représenteraient bien vite un coup d'épée dans l'eau. La trahison planait.

BROOKLYN, OCTOBRE 2002

Frank Coppa n'était pas un mafieux typique. D'abord, il avait complété ses études secondaires, et avait même commencé à fréquenter l'université. Puis, il y avait son apparence. C'était un bonhomme rondouillard affligé d'une calvitie précoce qui lui donnait davantage l'allure d'un curé de paroisse que celle d'un redoutable bandit. Un an à peine après son admission dans la Mafia, en 1977, Coppa se distingua en étant blessé dans l'explosion d'une voiture. Il avait été l'une des rares victimes de ce type d'attentat, dans un monde où l'on préfère grandement aplanir les problèmes personnels à l'aide d'armes à feu. Mais Coppa n'avait pas fini de se démarquer. Connaissant parfaitement les responsabilités qu'imposait l'omerta, qu'il avait prononcée devant Carmine Galante en personne lorsqu'il avait accepté de faire partie de l'«honorable société», il avait juré de garder le silence et comptait bien tenir parole.

«Cela veut dire que vous vivrez du pistolet et que vous crèverez du pistolet...» avait-il coutume de dire.

En 2002, Coppa avait 61 ans et purgeait les premiers mois d'une sentence de cinq ans pour tripotage de titres boursiers. En prime, il venait d'être accusé d'extorsion, ce qui pouvait fort bien lui valoir une vingtaine d'années supplémentaires à l'ombre. Coppa n'avait jamais été un dur, même s'il avait trempé dans plusieurs histoires de règlements de comptes entre gangs. Il se considérait comme une sorte de truand gentleman, et la prison n'était pas précisément son lieu de prédilection. Au début de son incarcération, il éclata apparemment en sanglots devant des compagnons de cellule, écœurés par son comportement. Contrairement à ses affirmations sur les joies de «vivre et de crever du pistolet», Coppa s'écroula à la seule perspective de croupir dans une cellule au milieu d'une bande de perfides malfrats. Décelant la peur panique chez le prisonnier, les limiers du FBI offrirent à ce personnage à l'allure ecclésiastique le salut.

En novembre 2002, Coppa fit ce qu'aucun membre en règle de la Mafia n'avait jamais osé faire dans la famille Bonanno : il accepta de devenir témoin à charge contre ses collègues mafiosi.

«J'en avait marre d'être au placard...» déclara-t-il sans plus d'explication. Au cours de son débriefing, les agents de l'Escouade C-

10 furent abasourdis de l'entendre déballer ce qui avait représenté jusqu'alors d'insondables mystères de la pègre. Il étala avec force détails les meurtres de Sonny Black, de Robert Perrino et de Tony Mirra, tout en impliquant Joe Massino, Sal Vitale, Frank Lino, Richard «le Gominé» Cantarella et autres sbires de la bande à Bonanno. Le témoignage de Coppa fut acclamé par les Fédéraux; il s'agissait sans contredit d'un événement marquant pour eux. C'était indubitable. L'Escouade C-10 avait grand besoin de ce coup de pouce. La véritable importance de Coppa se manifesta cependant par l'effet domino que la nouvelle provoqua dans la pègre, lorsque ses anciens complices apprirent qu'il avait retourné sa veste. On peut dire que ce fut un moment historique.

Lorsque la mauvaise nouvelle parvint à Massino, son sang se figea. Il avisa Vitale, même si ce dernier portait un bracelet électronique à la cheville en attendant son jugement et qu'on lui avait strictement interdit de communiquer avec son patron. Fidèle à son chef, Vitale prit néanmoins l'appel. Le message de Massino était des plus laconiques :

«Frankie Coppa a mal tourné…» se contenta-t-il de dire.

Lorsque le reste de la direction du clan Bonanno apprit la défection de Coppa, Richard le Gominé, qui avait été accusé d'extorsion en sa compagnie, vit s'évaporer ses chances de s'en tirer à bon compte. Lorsqu'il avait été arrêté, la police avait également accusé sa femme et son fils Paul, reçu en tant que membre en règle dans le clan Bonanno. Le Gominé était un petit futé qui savait tirer le maximum d'une affaire, ce qui avait fait de lui l'un des gangsters les plus prospères de la famille Bonanno. C'est pourquoi, en bon joueur, il calcula ses chances de recouvrer sa liberté et constata que le contexte lui était défavorable. Voilà pourquoi, en décembre 2002, un mois seulement après que Coppa eut décidé de collaborer avec les autorités, la famille Cantarella plaça à son tour sa foi dans le gouvernement de l'Oncle Sam et devint «repentie». L'implication du Gominé dans les opérations du clan Bonanno était autrement plus importante que celle de Coppa, pour la bonne raison que Cantarella était branché directement sur le patron. De 1996 à 2002, il avait dîné une fois par semaine avec Massino au restaurant Casa Blanca, dans le Queens, où les deux comparses réglaient le sort du monde devant des plats de pâtes et des bouteilles de vin. Massino préparait d'ailleurs le Gominé à occuper un poste important, celui d'adjoint sans titre officiel, en l'utilisant comme courroie de transmission entre lui et ses capitaines. Il s'agissait pour Massino d'une manœuvre destinée à mieux se soustraire aux poursuites, et ce choix indiquait également la méfiance croissante qu'il manifestait envers Vitale. Selon ce dernier, cette décision positionnait

Vito Rizzuto comme l'un des rares privilégiés à pouvoir encore parler directement à Massino, à condition d'avoir quelque chose à lui dire.

Le Ministère public s'appuya fortement sur les témoignages que livrèrent Coppa et le Gominé pour formuler des inculpations contre les cibles primordiales de la famille Bonanno, c'est-à-dire le parrain et son sous-fifre. Le 3 juillet 2003, un jury du district Est de New York porta 19 chefs d'accusation contre Massino et Vitale. L'inculpation portée en vertu de la Loi RICO cita Massino comme ayant trempé dans l'assassinat de Sonny Black, et Vitale, dans celui de Perrino. Frank Lino était cité dans la même accusation pour sa participation à la mort de Sonny Black.

Le jour suivant, le Ministère public déclara que 20 criminels étaient prêts à témoigner, pour le gouvernement, de l'existence de la famille Bonanno et que 15 d'entre eux affirmaient que Massino en était le patron. Au moment du dépôt des pièces, ce que Massino savait déjà fut confirmé publiquement par le gouvernement : deux des témoins qui coopéraient étaient des membres en règle du clan Bonanno. À sa plus grande surprise, Vitale n'était pas l'un d'entre eux.

Les autorités incarcérèrent Massino et Vitale dans des prisons différentes pendant leur tour de piste devant les tribunaux. Alors qu'il se trouvait loin de Massino, les agents firent savoir à Vitale que son patron l'avait dans le collimateur, et ils lui firent une offre de collaboration. Vitale était mûr pour s'allonger. Peu satisfait de sa mauvaise fortune dans le cadre de la réorganisation du clan Bonanno, il y avait des mois qu'il songeait à son avenir. Sa femme était même allée trouver Massino pour lui demander s'il avait l'intention de tuer son mari — une démarche qui provoqua plus d'un rire gras chez les gangsters qui en entendirent parler. Massino avait déjà fait savoir à Vitale que la plupart des hommes « le méprisaient ». Et même si Massino avait laissé à Vitale son titre plus ou moins officiel d'assistant, il minait son autorité en douce en se fiant davantage à Shellackhead — le Gominé.

« Au bout d'un certain temps, il a réussi à m'isoler des capitaines, ce qui me plaçait dans une position très vulnérable, a expliqué Vitale. Ils n'avaient pas le droit de m'appeler ni même de me donner des cadeaux de Noël. J'avais le titre d'adjoint, mais les *capi* ne pouvaient ni m'appeler ni me fréquenter. Ils ne pouvaient pas me laisser gagner ma vie. J'étais, on peut dire, sur une voie de garage. En un tel cas, vous avez peut-être le titre, mais vous n'en avez rien à foutre ; vous n'êtes en quelque sorte qu'une image… »

Lorsque plus tôt, en 2001, Vitale fut accusé, personne n'appela sa femme pour lui proposer de l'aide. Lorsqu'il subit un ennui de santé, un unique soldat lui rendit visite à l'hôpital. Se sentant aliéné et vulnérable, Vitale se décida et fit savoir par le truchement d'un ami de son fils, qui était avocat, qu'il était prêt à discuter de coopération avec la police. On l'incarcéra dans une prison plus sécuritaire pour lui, et il commença à se mettre à table avec les agents fédéraux.

«J'étais sous l'impression que ma femme et mes enfants allaient finir sur le pavé. C'est ce qui m'a poussé à faire ce que j'ai fait», expliqua Vitale. Il n'en montra pas moins son affection persistante pour Massino, car il qualifia son retournement en des termes que l'on réserve généralement à la fin d'une aventure sentimentale. «Nous avons rompu», dit-il.

Trahi, vulnérable, il vida son sac et offrit aux policiers des informations dévastatrices pour Massino et pour la famille Bonanno. Il avait aussi beaucoup de choses à raconter sur le Canada.

Comme d'autres «repentis», Vitale commença à subir de longs interrogatoires, au cours desquels il déchira les lourdes tentures qui bloquaient la vue des Fédéraux sur les agissements de Joe Massino, l'incarnation de la famille Bonanno, ainsi que sur les hommes qui lui conféraient sa puissance, comme Vito Rizzuto, entre autres.

Si Coppa laissa couler un filet d'informations, la décision de Vitale de vendre la mèche ouvrit toutes grandes les vannes. Les membres du clan Bonanno et leurs acolytes furent soudainement confrontés à la perspective de longues années de prison, et tremblèrent pour leur carcasse. Aucun de ces malfrats ne voulait être le malheureux qui subit les rigueurs du tribunal pendant que d'anciens collègues repentis, mais souvent plus coupables qu'eux, les désignaient d'un doigt accusateur à la vindicte populaire. Et tandis que les nouvelles couraient à propos de défections, tranquillement, les membres du clan Bonanno soupesaient mentalement ce que ces transfuges pouvaient connaître de leurs combines, ainsi que les risques qu'ils puissent les incriminer. Lorsque ces risques semblaient être particulièrement élevés, les gangsters, de plus en plus, changeaient leur fusil d'épaule.

La confirmation de la défection de Vitale, même si elle ne prit pas le clan Bonanno par surprise — après toutes les insanités que Massino avait déversées à propos de son adjoint et beau-frère —, fit aux gangsters l'effet d'une tonne de briques dégringolant du ciel. Frank Lino, par exemple, savait que Vitale lui causerait grand tort s'il déballait l'affaire du meurtre de Sonny Black et corroborait le témoignage si attendu de son vieux copain Frank Coppa. Pire, Vitale était en mesure de lui faire porter le chapeau pour d'autres meurtres...

Tout au long de sa carrière de mafioso, Lino avait prouvé à plusieurs reprises qu'il possédait un fort instinct de survie. La preuve la plus probante de sa longévité dans ce milieu était qu'il avait échappé à une mort certaine en 1981, lorsque les trois *capi* avaient été massacrés devant ses yeux. Le fait qu'il eut mis de côté son allégeance à Sonny Red lorsqu'il s'était aperçu que Massino tenait le gros bout du bâton était une autre preuve de son opportunisme. Mais au début de 2003, le spectre de l'emprisonnement à perpétuité planant au-dessus de lui, ce survivant prit un autre virage en oubliant son serment d'omerta. Il ne tournait pas seulement le dos à la confrérie du crime. En tant que criminel aguerri et vieux routier de la pègre, le gouvernement lui demandait de dresser la liste de tous ses méfaits passés, de dévoiler ses complices et de débiter les noms de tous les membres en règle de la Mafia ainsi que de leurs associés. Bref, de déculotter ses souvenirs. Cela l'amènerait à dénoncer son propre fils, Joseph, intronisé par la famille Bonanno, ainsi que d'autres parents. Même Duane «Goldie» Leisenheimer, le loyal compagnon de turpitudes de Massino, celui qui avait fait de la prison pour protéger son patron, retourna sa veste et devint témoin pour le gouvernement. Le nombre de malfrats de tous rangs qui devinrent informateurs surprit même les investigateurs.

Selon l'agent du FBI Pat D'Amuro, le nombre de membres dits «dûment intégrés» de la famille Bonanno qui avaient accroché leur serment d'omerta au vestiaire, qui collaboraient activement avec la police ou avaient manifesté leur intention de le faire était sans précédent. «Au lieu de tabasser des gens, ils se battent pour frapper à notre porte afin de s'empresser de coopérer...» remarqua l'agent fédéral.

Certains de ces informateurs, incluant Joseph «Joey Mook» D'Amico et James «Big Louie» Tartaglione, acceptèrent de porter des magnétophones ou des micros sur eux lorsqu'ils rencontraient des complices, afin de contribuer à la collecte des informations. Pour le gouvernement, il s'agissait d'une première dans son assaut contre le château fort des Bonanno. Les Fédéraux enregistraient les propos de vétérans du crime discutant de sérieux problèmes du monde interlope, y compris au cours de réunions administratives ou fortuites entre membres de trois des Cinq Familles new-yorkaises : celles des Gambino, des Colombo et des Genovese. Au cours de l'enregistrement effectué durant une réunion en septembre 2003, alors que la famille Bonanno était durement éprouvée par la pression policière provoquée par les révélations des informateurs, Anthony Urso, le patron intérimaire, suggéra un bon moyen de mettre un terme au flot des transfuges.

«Faut que ça cesse ! Faut foutre ces gens-là à la rue. C'est ce qu'on aurait dû faire, et c'est ce qui était fait dans le passé. Si tu devenais informateur, on massacrait ta famille. Que dirait Sal si je tuais un de ses petits ? demanda Urso à Big Louie. Pourquoi les enfants d'un traître devraient-ils être heureux quand les miens ou les tiens ne le sont pas parce qu'on m'a envoyé à l'ombre? Si tu zigouilles un de leurs p'tits cons, je déteste dire ça, mais ces fumiers vont y penser à deux fois...»

Il s'agissait là d'une suggestion plutôt ignoble de la part d'un père de famille comme Urso. Curieusement, dans une démarche en vue d'obtenir la libération sous caution de ce dernier après qu'il eut été coffré, Steven Craig Urso, professeur associé au Nassau Community College de Garden City, dans l'État de New York, écrivit au juge une lettre touchante. «Je voudrais vous faire savoir que mon père est un homme attentionné et bon... Mon papa m'a également appris tant de choses: l'honnêteté, le respect et la valeur du travail... Malgré les nombreux défis qu'il a dû relever et les blessures physiques qu'il a subies, il a toujours mené une vie saine et modeste. Il m'a aussi appris à respecter mon âme et mon corps, et à affronter la vie courageusement et avec dignité...» Urso père semblait, selon son fils, avoir été touché par la grâce. Le père avait peut-être été touché par la grâce, car il ne tarda pas à renoncer à sa vie de mafioso!

«Presque chaque jour de ma vie, je dois encore me battre avec mes démons intérieurs en pensant à la mort de ce jeune homme. J'aurais souhaité pouvoir faire quelque chose pour le sauver, écrivit Urso au juge Garaufis, en parlant de cet associé de la famille Bonanno qu'il avait abattu. J'ai fait certains mauvais choix dans la vie mais, parfois, au moment où l'on se rend compte qu'on a commis une erreur, il est trop tard pour reculer. Maintenant que je me suis finalement libéré de cette vie criminelle, tout ce que je peux espérer, c'est avoir l'occasion de vivre les dernières années de ma vie en paix avec ceux que j'aime.»

Malgré le fait que ses amis gangsters fussent parvenus à dissuader Urso de s'en prendre aux proches des renégats, sa rage donnait une bonne idée du désespoir qui s'abattait sur les mafiosi de la faction Bonanno. Cela montrait aussi les risques auxquels s'exposaient les informateurs. Lino l'avait d'ailleurs souligné en disant que des informateurs de son genre risquaient de se faire descendre en pleine rue. «Si je n'avais pas coopéré, je serais probablement en train de supprimer les témoins», a avoué Lino.

Vivant dans la crainte des traîtres, la vieille garde de l'administration Bonanno, c'est-à-dire les hommes choisis pour remplacer Massino durant son incarcération, faisait tout pour sauver les biens de l'organisation. Grâce à Big Louie Tartaglione, un capitaine vétéran de la famille Bonanno qui enregistrait secrètement les conversations au profit du gouvernement, on découvrit que les vieux gangsters new-yorkais faisaient référence aux gens de «là-haut», un code signifiant le Canada, selon Tartaglione.

« Avec toute cette affaire qui se déroule, il ne veut surtout pas leur montrer qu'on a aussi le Canada », affirmait Joe « Saunders » Cammarano sur l'un de ces enregistrements. Tartaglione expliqua plus tard cette phrase sibylline : elle signifiait simplement que Joe Massino ne tenait pas à ce que ses hommes parlent des relations qui existaient entre New York et Montréal pendant que le FBI fouinait partout.

« Ils ne veulent pas que les gens commencent à déblatérer des choses comme "Le Canada par-ci, le Canada par-là". Le mieux est de ne pas en parler. Alors, peut-être que nous réussirons à ne pas vendre la mèche », dit Tartaglione. Quand Cammarano insista sur le fait qu'ils devaient tous protéger la partie canadienne de la Mafia, Anthony Urso déclara qu'il était peut-être trop tard parce qu'à son avis, « les mouchards s'étaient déjà fait aller la gueule… »

« Pensez-vous qu'il ne leur a pas raconté qu'il s'était rendu là-bas avec moi pour rencontrer tous ces gens ? » demanda Urso, faisant référence au voyage qu'il avait entrepris avec Vitale quelques années auparavant pour rencontrer Vito et ses hommes.

Les gangsters du clan Bonanno sur lesquels ne pesait aucune accusation se résignèrent lentement ; l'omerta, dans leurs rangs, n'était plus respectée comme autrefois. Évaluant la situation de manière réaliste, Vincent « Vinny Gorgeous » — « le Beau » — Basciano faisait des prédictions apocalyptiques..

« Vous allez voir : en bout de piste, nous allons tous nous retrouver en taule… » disait-il.

Peu de temps après qu'il eut prononcé ces mots, Vito Rizzuto et ses acolytes new-yorkais étaient coffrés.

•

Le 13 février 2004, les coaccusés de Vito, ceux qui avaient été arrêtés le même jour que lui lors du grand coup de balai donné par les corps policiers de New York, commencèrent à prendre conscience de la solidité du dossier que le gouvernement avait échafaudé contre eux. Selon les règlements concernant la divulgation des documents, la première partie de la preuve amassée par les autorités fut soumise aux avocats de la défense. Dans cette première partie se trouvaient plus de 250 pièces à conviction et plus de 70 enregistrements provenant d'écoutes réalisées par des « repentis » au cours de conversations avec des comparses.

« D'autres faits suivront… », laissa tomber sèchement Greg Andres, le procureur du Ministère public. Les informations affluaient de tant de délateurs qu'elles ajoutaient chaque fois une nouvelle couche d'authenticité, corroborant les preuves existantes. Cette situation présentait un réel défi aux intimés. Les jurés n'appréciaient guère les renégats qui n'hésitaient pas à vendre leurs complices ; à l'issue d'un contre-interrogatoire serré, deux témoins leur semblèrent suffisamment douteux pour que l'on ne prêtât pas foi à leurs propos, mais plus de six autres informateurs donnèrent de telles quantités de preuves connexes qu'ils se montrèrent terriblement persuasifs.

Toutefois, les perspectives juridiques de Vito se révélèrent non seulement mauvaises mais potentiellement désastreuses, lorsqu'un informateur imprévu, voire inimaginable, sortit de l'ombre.

Chapitre 39

BROOKLYN, 30 JUILLET 2004

Après neuf semaines d'un procès animé, le président du jury, au nom des 12 membres anonymes qui le composaient, se leva devant le juge Nicholas Garaufis pour faire connaître leur conclusion. Joseph Massino, alors âgé de 61 ans et patron de la famille Bonanno, était trouvé coupable d'avoir ordonné sept règlements de comptes. Ce verdict entraînait automatiquement une sentence d'emprisonnement à vie. Parmi les meurtres dont on lui imputait la responsabilité, figuraient l'embuscade mortelle de ses trois capitaines ainsi que les meurtres de Sonny Black et d'Anthony Mirra, coupables d'avoir accueilli Donnie Brasco dans l'entourage de la famille. Greg Andres et ses procureurs adjoints, Robert Henoch et Mitra Hormozi, avaient emmené dans le box des témoins six sous-fifres de Massino chargés de pointer un doigt accusateur vers le patron.

« Pour la première fois dans l'histoire de la lutte judiciaire contre le crime organisé, des membres de la famille Bonanno qui avaient prononcé le serment d'omerta ont juré en tant que témoins. »

La fiche du gouvernement contre les Bonanno était sans précédent. La condamnation de Joe Massino portait à 30 le nombre de verdicts de culpabilité enregistrés suite à un procès, ou de plaidoyers de culpabilité. Ce total comprenait le chef, son adjoint, le *consigliere*, 10 membres du « comité de direction » de la famille, 10 capitaines permanents ou temporaires, et 7 soldats accomplis. De plus, 33 autres membres ou associés faisaient face à des accusations devant la justice, incluant Vito Rizzuto.

Le gouvernement américain mit peu de temps à souligner l'un des paramètres de son succès : les chefs reconnus des Cinq Familles de New York étaient désormais derrière les barreaux, sous le coup de lourdes peines de prison. Mais les problèmes de Massino ne s'arrêtaient pas là, car il faisait toujours face à une autre accusation : celle d'avoir ordonné l'exécution de Gerlando « Georges le Canadien » Sciascia.

Cette dernière plainte différait des autres de sinistre manière : cet assassinat avait eu lieu en 1999, cinq ans après que la peine de mort fût devenue la norme légale dans les cas de meurtres reliés au *racket*. Cette loi avait été adoptée malgré une discrète campagne de lobbying de la part des gangsters. La crainte de ces derniers était bel et bien fondée. Le cas Massino démontrait clairement que le gouvernement n'hésiterait pas à envoyer un chef mafieux à son exécution. Le dossier Massino était désormais une question de vie ou de mort.

En novembre 2004, la chose fut rendue officielle par les procureurs : en cas de condamnation, le gouvernement demanderait la peine capitale contre Massino pour avoir commandé le meurtre de Sciascia. Cette décision de demander la peine de mort contre le chef mafieux fut cependant critiquée par le juge au dossier, le juge Garaufis, qui la considérait comme étant un coup bas de la part du procureur général démissionnaire des États-Unis, John Ashcroft.

« Même s'il est patent que le procureur général sortant ait l'autorité requise pour prendre la décision annoncée en cour aujourd'hui, le choix de M. Ashcroft de prendre une décision aussi lourde de conséquences, voire potentiellement mortelle, maintenant, après moult délais, et seulement après avoir soumis sa démission au président et annoncé à tout le pays qu'il ne souhaitait plus présider aux destinées du ministère de la Justice, n'est pas sans troubler profondément ce tribunal, déclara depuis son siège le juge Garaufis. J'espère et je m'attends à ce que le procureur général pressenti, le juge Alberto R. Gonzales, reconsidère soigneusement dès son entrée en fonction la décision tardive de son prédécesseur. »

John Nowacki, un porte-parole du ministère de la Justice, se porta à la défense de la prérogative du procureur général : « La peine de mort est la loi du pays, promulguée comme la peine ultime lors de crimes abominables, et notre administration s'est engagée à administrer impartialement la justice. »

Même si elle était controversée, la manœuvre contre Massino agit à merveille. Il faisait maintenant face à une mort certaine. Sa famille mafieuse, qu'il avait travaillé si fort à rebâtir et à revigorer — allant même jusqu'à lui donner son propre nom — gisait à nouveau en lambeaux. Ses anciens associés s'étaient succédé dans le box des témoins pour le trahir. Sa propre famille s'était déchirée suite à la décision de son beau-frère, Sal Vitale, de coopérer avec la justice. Sous le coup d'une sentence d'emprisonnement à vie et devant la perspective d'une peine capitale imminente, Joseph Massino fit un geste qu'il n'aurait jamais cru possible : il offrit sa collaboration à la justice.

La nouvelle stupéfia et galvanisa les rares hauts fonctionnaires mis au courant du secret le mieux gardé de l'administration judiciaire depuis que Donnie Brasco avait écumé les bas-fonds de New York. Jamais le chef d'une des Cinq Familles n'avait accepté de collaborer en tant que témoin. Ses révélations et sa contribution seraient inestimables. Même en prison, Massino avait conservé son rôle de chef. Il avait continué à recevoir des rapports et à donner ses ordres par son réseau d'intermédiaires, dont sa femme et un de ses avocats. Il pourrait fournir un compte rendu minutieux et complet des activités auxquelles s'était adonnée la Mafia pendant des décennies.

«Il y a des choses dont seul Joey est au courant», dit un des enquêteurs au dossier. La coopération de Massino rapporta rapidement des dividendes. Il accepta en effet de porter un dispositif d'écoute électronique pour que les enquêteurs puissent enregistrer ses conversations supposément secrètes avec Vincent Basciano qui, selon le gouvernement, agissait à titre de chef intérimaire de la famille Bonanno. Durant l'une de ces séances, on put entendre Basciano révéler à Massino qu'il avait ordonné l'exécution de Randolph Pizzolo, un associé, en décembre 2004. À Massino qui lui demandait la raison de l'assassinat du jeune homme, Basciano fournit une réponse toute prête.

«Parce que ce jeune est salement dangereux et qu'il n'écoute sacrement jamais, aurait déclaré Basciano selon des documents soumis à la cour. Je croyais que sa mort servirait d'avertissement à tous les autres.»

Ce qui était cependant plus troublant pour les fonctionnaires du ministère de la Justice fut l'assertion selon laquelle Basciano avait voulu faire abattre Greg Andres, le procureur fédéral qui dirigeait toute la charge judiciaire contre l'organisation Bonanno, ainsi que le juge Garaufis, qui avait présidé à tous les procès Bonanno, dispensant des sentences d'une grande sévérité. Des références à ce complot auraient été enregistrées durant une conversation entre Basciano et son chef, selon les enquêteurs. Mais Massino avait encore bien d'autres secrets à dévoiler.

QUEENS, AUTOMNE DE 2004

Le 4 octobre 2004, 23 ans après que le corps de Sonny Red eut été exhumé de la terre noircie, des agents du FBI, des détectives de la police de New York et du personnel médico-légal de cette ville retournèrent sur le terrain vague de Ruby Street. Cette fois, ils avaient avec eux des chiens formés à la détection des cadavres et de la machinerie lourde d'excavation. Malgré l'opulence que pourraient évoquer les noms des rues en question, tous des noms de pierres précieuses, ces artères se sont détériorées avec le temps et affichent aujourd'hui un visage désolant : un mélange de bâtiments délabrés, parsemés de carcasses d'autos rouillées et de vieux pneus, et de complexes résidentiels imposants. «Paiement Rapide — Prix Élevés», clame une affiche près du terrain en question, fournissant un numéro de téléphone à ceux qui voudraient se départir de leurs terrains. En effet, les promoteurs immobiliers s'intéressent maintenant aux anciens territoires des mafiosi situés près de l'aéroport John F. Kennedy, même si les activités policières de la rue Ruby ne contribuèrent évidemment pas à en faire augmenter la valeur. Munie d'un mandat de perquisition, la police érigea ce jour-là des barricades et installa du ruban jaune indiquant « Scène de crime » autour du terrain qui avait fait office de tombeau pour Sonny Red. La terre, semble-t-il, n'avait pas encore révélé tous ses secrets.

Pendant trois semaines, les autorités, alertées par les révélations de Massino, creusèrent profondément dans le sol boueux et ranci, extirpant des racines d'arbres et fracassant des restes de pavés de béton qui recouvraient encore certaines parties du terrain.

Après ces trois semaines de fouille et de criblage, la police trouva les restes de deux autres cadavres. La première preuve que cette opération n'était pas superflue fut la découverte d'un pied, toujours attaché à sa cheville et encore chaussé, preuve irréfutable qu'une chaussure de qualité peut durer longtemps. Puis, d'autres ossements surgirent. Parmi un tas de restes, on trouva la montre Piaget que Philly Lucky portait le jour de sa disparition; dans un autre, une carte de crédit estampillée au nom de Big Trinny. Après comparaison des données génétiques de ces ossements avec des informations fournies par les familles, l'identité des deux capitaines disparus fut confirmée.

La nouvelle de la coopération de Massino avec le gouvernement fut un choc pour tous, surtout pour ses proches.

« C'est un homme amer, torturé, qui se retrouve tout seul, déclara la fille de Massino, Adeline, à Anthony DeStefano de *Newsday*. Ma mère, ma sœur et moi ne comprenons pas pourquoi il fait ce geste, et nous ne le comprendrons probablement jamais. Peut-être que lui-même ne le comprend pas. Nous l'avons appuyé tout au long de son procès, mais il est désormais impossible de continuer de le faire ou d'excuser son comportement », ajouta-t-elle, précisant que ses gestes contredisaient maintenant le principe qu'il avait toujours professé, selon lequel on ne devait jamais faire de tort à ses amis.

Le 23 juin 2005, Joe Massino, alors âgé de 62 ans, se leva en cour devant le juge Garaufis et, les mains croisées devant lui, fit une incroyable déclaration:

« Comme chef du clan Bonanno, j'ai donné l'ordre, parvint-il à soupirer.

— L'ordre de faire quoi? demanda le juge Garaufis.

— De tuer Georges le Canadien », répondit Massino. Le chef admit s'être rendu compte, à l'époque, que Sciascia, et peut-être toute la

Sixième Famille, étaient devenus une menace. Massino déclara au tribunal qu'il avait ordonné l'exécution de Sciascia dans le but de maintenir ou d'améliorer son statut au sein de la famille Bonanno.

«Cet ordre fut exécuté par Sal Vitale, Johnny Joe, Michael Nose et Patty DeFilippo», ajouta-t-il, devenant ainsi le premier chef d'une famille mafieuse de New York à témoigner contre ses lieutenants les plus loyaux, des hommes qui avaient tué leur ami à sa demande.

Sa confession, son plaidoyer de culpabilité et sa décision de collaborer avec les autorités amenèrent le gouvernement à abandonner sa controversée demande de peine de mort, et Massino reçut plutôt une sentence de prison à vie. Donna, la fille de Sciascia, assistait au procès pour voir justice être rendue, et elle avait envoyé une lettre au juge décrivant la perte subie par sa famille, lui demandant cependant de ne pas la rendre publique. Dans le box, Massino demeura impassible tandis qu'on lui lut une lettre de Laura Trinchera, la fille de Big Trinny : «Joseph Massino a pris une "grosse" partie de nos vies, mon père, qui était le meilleur père que quelqu'un aurait pu souhaiter avoir, écrivait-elle. Jamais je n'oublierai le jour où on nous a appris que mon père ne reviendrait plus.»

La défection de Massino fit probablement tressaillir Vito Rizzuto, qui savait que s'il affrontait le juge Garaufis, Massino serait en mesure de pointer un doigt accusateur dans sa direction. Massino avait démontré sa crédibilité en indiquant aux policiers où trouver les restes des deux victimes de Ruby Street. Sa collaboration raviva certainement l'intérêt des enquêteurs pour un certain cliché qui avait aidé les autorités dans leur dossier d'extradition, une photo prise en 1981 montrant Vito, Massino, Sciascia et Giovanni Ligammari quittant un motel de New York, le jour suivant le meurtre des trois capitaines.

Ligammari était décédé de façon fort inusitée : la police l'avait trouvé avec son fils, aussi membre du clan Bonanno, tous deux pendus dans la résidence familiale. On classa leurs décès comme étant des suicides, mais à ce jour, la suspicion d'une main occulte perdure.

Sciascia et Ligammari étant tous deux décédés, seules deux personnes étaient en mesure de révéler ce qu'ils faisaient ce jour-là, à ce motel. Désormais, l'une de ces deux personnes était prête à parler.

Subitement, Vito faisait désormais face à la perspective de subir un procès à New York, alors que Massino serait appelé à la barre en tant que témoin vedette, dans un procès aussi spectaculaire que médiatisé où le chef chevronné montrerait du doigt l'un de ses plus précieux collaborateurs.

CHAPITRE 40

BROOKLYN, MAI 2004

Les silhouettes familières des tours de granit néogothiques escaladant le ciel et des câbles soutenant le pont de Brooklyn au-dessus des courants turbulents de l'East River se dessinent au-dessus des grands arbres qui encadrent la Plaza Cadman, une vaste aire de promenade à l'extérieur du palais de justice de Brooklyn, aux États-Unis. Cet édifice est constitué d'une rotonde de verre et, à ses extrémités, de tours abritant bureaux et salles d'audience. Une fois à l'intérieur, les visiteurs, les avocats et le personnel de la cour sont accueillis par des officiers fédéraux qui procèdent à une fouille minutieuse avant de les laisser passer.

Au sixième étage, derrière d'immenses portes en bois, se trouve la salle d'audience numéro 11.

Devant une muraille de granit s'élevant du plancher au plafond siège le juge Nicholas Garaufis. Devant lui s'étendent deux longues tables de bois, l'une pour les défendeurs et leurs avocats, l'autre pour la poursuite. Sur un côté se trouve le jury, confortablement installé dans des fauteuils de cuir brun bien rembourrés. Devant se trouve la tribune du public, où s'entassent les spectateurs sur cinq longues rangées de bancs de bois, aussi austères que durs. Cette pièce est le fief personnel du juge Garaufis, comme le district de Maspeth à New York fut celui de Joseph Massino, et Saint-Léonard, celui de Vito Rizzuto.

C'est dans cette salle qu'une photo couleur de format 5 x 7, montrant l'image claire et nette du visage d'un homme aux cheveux soigneusement coiffés et au sourire narquois, était exhibée au bénéfice du jury, et montrée pour examen à un témoin bien charpenté qui avait été convoqué pour déposer au procès de son patron.

« Je vais vous montrer quelques photographies et je vais vous demander si vous reconnaissez ces individus », déclara Greg Andres, le procureur fédéral, à Frank Lino, qui se retrouvait sous serment dans le box pour témoigner contre Massino. Ces événements se déroulèrent le 24 mai 2004, le premier jour du témoignage de Lino, le premier vire-capot à venir d'emblée témoigner.

«Dites-nous qui ils sont et leur rang, s'ils en ont un, au sein de la famille Bonanno», poursuivit Andres. Après avoir fait défiler plusieurs photos, notamment celles de Philip Rastelli, Joe Massino, Cesare Bonventre, Sal Catalano, Sal Vitale et Gerlando Sciascia, Andres arriva à la photo de l'homme en complet noir affichant le sourire narquois.

«Pièce 2-VV, qui est-ce?

— Ça ressemble à Vito Rizzuto de Montréal.

— Détenait-il un poste au sein de la famille Bonanno?

— Quand je l'ai rencontré, il était soldat», répondit Lino. Le lendemain, de retour dans le box, Lino raconta son séjour au Canada, durant lequel il avait rendu visite à l'équipe de la famille à Montréal, rencontré Vito et sympathisé avec lui.

Le 29 juin 2004, le deuxième jour du témoignage tant attendu de Sal Vitale, le sous-fifre devenu délateur, la curiosité du tribunal se tourna de nouveau vers le nord.

«Monsieur, commença Andres, est-ce que la famille Bonanno fonctionne à l'extérieur des États-Unis?

— Oui, répondit Vitale.

— Où, précisément? demanda Andres.

— Nous avons une cellule à Montréal, répondit le témoin.

— Savez-vous s'il y a un membre de la famille Bonanno qui dirige le Canada ou cette région?

— Présentement? demanda le témoin.

— Oui.

— Vito Rizzuto, révéla Vitale.

— Connaissez-vous son rang? poursuivit Andres.

— Il agit comme *capo regime*, dit Vitale, utilisant le terme italien désignant un capitaine non confirmé, faisant référence au fait que Vitale reconnaissait Vito comme le patron de Montréal sans que ce dernier eût accepté l'invitation de Massino de devenir officiellement capitaine.

— Quand avez-vous vu M. Rizzuto pour la dernière fois? demanda Andres.

— Il y a trois ans, à peu près, répondit Vitale, et Andres lui demanda alors s'il s'était rendu au Canada pour rencontrer Vito.

— M. Massino m'y a envoyé.»

Une des pièces à conviction montrées au jury consistait en un grand carton sur lequel étaient alignées de nombreuses photographies de visages masculins. Plusieurs étaient des photos d'identification judiciaire, d'autres étaient le fruit de surveillance policière, alors que d'autres encore avaient été prises lors du mariage de Giuseppe Bono. Ce carton, marqué «Soldats», était la suite d'un autre carton portant une mosaïque semblable de photos, identifié celui-là sous le vocable

«Famille du crime organisé Bonanno-Massino (1975-2004), administration et administration intérimaire». Sur la partie affichant les soldats
Bonanno, on pouvait voir une photo de Vito, extraite de l'album du
mariage Bono. Le bas de vignette de cette photo indiquait «Vito
Rizzuto», tout en précisant que son surnom était parfois «Vito le
Canadien». Le visage de Vito se trouvait entre la photo d'identification
judiciaire de la brute Thomas «Tommy Karate» Pitera, dont le nez
enflé et mutilé indiquait que son arrestation n'avait pas été aisée, et
une photo de surveillance policière de Benjamin «Lefty» Ruggiero, un
gangster que le cinéma devait immortaliser dans *Donnie Brasco* sous
les traits de l'acteur Al Pacino. Se retrouvait aussi sur cette même
rangée Tony Mirra, abattu pour avoir, dans la «vraie» vie, introduit
Donnie Brasco au sein de la famille.

C'était là le genre de preuve qui entraînerait toute poursuite contre
Vito à New York. Les mêmes procureurs guideraient les mêmes informateurs, Joe Massino en prime, dans leur témoignage pour décrire les
expériences qu'ils avaient vécues avec Vito le Canadien. Cette perspective devait être accablante pour un homme aussi discret que Vito.
Jamais ses affaires illicites n'avaient reçu autant d'attention de la part
des tribunaux.

OTTAWA, 2005

Vito n'avait aucunement l'intention de faire face à tous ces vire-capots.
«Je maintiens que je suis innocent de toutes ces accusations», déclara-
t-il. Il décida cependant de clamer son innocence au Canada, plutôt
que dans le fief du juge Garaufis, aussi longtemps qu'il le pourrait. Sa
bataille contre une extradition vers les États-Unis était bien financée,
bien organisée et comportait plusieurs stratégies de défense. Lors
d'une comparution à cette fin devant un tribunal du Québec, il fut
représenté par pas moins de cinq avocats œuvrant sur son dossier, en
plus de son plus jeune fils, Leonardo, et de sa fille Bettina, tous les
deux avocats, qui portaient un vif intérêt à l'affaire. Il avait aussi
retenu les services d'un avocat new-yorkais réputé en matière de
défense, John W. Mitchell, qui avait représenté Sal Vitale lors d'une
double accusation de *racketeering* jusqu'à ce que ce dernier décide de
passer du côté du gouvernement. Le rôle de Mitchell était de fournir
les informations requises sur le droit et la procédure des tribunaux
américains.

Une équipe légale de cette envergure est coûteuse. Après l'arrestation de Vito, on se rendit vite compte de la nécessité de constituer
un fonds pour mener à bien la bataille légale. Comme ils l'avaient fait
pour traverser la cause fiscale contre Vito, les membres de la famille
Rizzuto se mirent à contribuer financièrement. Le 10 février 2004,

l'épouse de Vito ouvrit un compte au bureau de leur avocat, Jean Salois, en y déposant 50 000 $. Le fils de Vito, Leonardo, devait y mettre 40 000 $, alors que sa fille, Bettina, y ajouta 25 000 $. Ses parents, Nick et Libertina, devaient y ajouter 50 000 $, selon un rapport comptable effectué par Salois. Les avocats se mirent au travail.

«Les procédures d'extradition allèguent des infractions pour lesquelles je ne suis pas recherché au États-Unis», déclara-t-il par voie d'affidavit déposé devant la Cour fédérale du Canada à Ottawa, en appel d'une décision de déportation aux États-Unis. «Je ne suis pas accusé de meurtre aux États-Unis», déclara-t-il encore, faisant référence à l'accusation déposée contre lui en vertu de la loi américaine RICO, accusation portant non pas sur le meurtre comme tel, mais plutôt sur le complot de racket, lequel inclut la commission de meurtres.

«La confusion entre ces infractions est intentionnelle», déclarait également Vito dans l'affidavit. Ses arguments furent cependant ignorés par les tribunaux canadiens.

Si Vito se sentit abandonné par son gouvernement, au moins une personne était en position d'agir et se préoccupait de lui. Il s'agissait de Noël Kinsella, sénateur conservateur du Nouveau-Brunswick, le leader de l'opposition au Sénat, qui se leva dans cette chambre pour remettre en cause la décision du ministre de la Justice, Irwin Cutler, d'ordonner l'extradition de Vito, un homme que le ministre avait décrit comme «un membre présumé de la mafia montréalaise». Sa question au gouvernement fut la suivante: «L'honorable leader du gouvernement dans cette chambre est au courant que des lois existent au Canada concernant l'extradition de personnes vers des pays où la peine de mort est requise en cas de meurtre. Le ministre dira-t-il à la chambre si le ministre de la Justice a reçu des assurances que la peine de mort ne sera pas demandée?»

Jack Austin, le leader du gouvernement au Sénat, répondit qu'il croyait comprendre que de telles assurances avaient «été demandées et reçues».

Pendant ce temps, l'accusation de conduite avec facultés affaiblies qui pesait contre Vito devant les tribunaux avait été mise en veilleuse jusqu'à ce que son problème «plus substantiel» fût réglé.

MONTRÉAL, 6 AOÛT 2004

Dans un des nombreux corridors entrecroisés du véritable labyrinthe que constitue le palais de justice de Montréal, un avocat portant lunettes se dirigeait lentement vers une des nombreuses salles d'audience. Son large sourire et ses cheveux en broussailles le rendaient facilement reconnaissable aux autres avocats et reporters qui déambulaient, même si certains devaient s'informer auprès de leur voisin pour réussir à mettre un nom sur ce visage. L'arrivée d'Alan M. Dershowitz, le fameux avocat bostonnais et professeur de droit à Harvard, célèbre pour avoir représenté des vedettes comme O.J. Simpson et Mike Tyson, causait en elle-même une certaine commotion, créant un moment d'agitation dans le cours des mornes procédures d'extradition de Vito Rizzuto devant la Cour supérieure du Québec.

Les services de Dershowitz avaient été retenus pour le compte de la défense ; on lui avait demandé de témoigner sur certains points du droit américain. Le but de son témoignage était de renforcer la prétention des avocats de Vito à l'effet que les chances de réussite d'une poursuite en sol new-yorkais étaient minces, et qu'il serait donc dans l'intérêt de la justice de libérer leur client sous caution alors qu'il attendait, en appel, les décisions de la Cour d'appel et de la Cour fédérale.

Sa présence causa tout un émoi, et Dershowitz fut vite entouré de journalistes réclamant un commentaire. Ils furent rapidement déçus, car le célèbre avocat respecta rigoureusement le scénario prévu, selon lequel il devait s'en tenir aux seuls arcanes du droit.

« Les accusations dans ce dossier sont spécifiques et très précises ; elles se terminent en 1981. Alors, si on analyse les statuts traditionnels de prescription, [Vito Rizzuto] aurait dû être poursuivi au plus tard en 1986 », déclara Dershowitz aux journalistes. Sa présence révélait cependant que Rizzuto ne reculerait devant rien pour renforcer sa défense. Mais rien n'y fit, pas même Dershowitz, ni cinq Montréalais qui offrirent leur résidence pour garantir que Rizzuto, s'il était libéré sous caution, resterait au pays. Parmi ces gens désireux de se porter garants, on retrouvait le propriétaire d'un supermarché situé dans le centre commercial adjacent au club social Consenza, une femme originaire de Cattolica Eraclea et son mari, proches voisins des Rizzuto. Se porta aussi volontaire un couple, propriétaire d'un restaurant de sandwiches à Laval et de plusieurs propriétés foncières à Montréal. Un autre citoyen, originaire lui aussi de Cattolica Eraclea et qui avait connu Rizzuto toute sa vie, offrit son commerce de traiteur en garantie, alors qu'autre proposa sa modeste chaîne de boulangeries.

La demande de libération sous caution ainsi que l'appel étaient dirigés par Pierre Morneau, le même avocat qui avait défendu Vito à Terre-Neuve lorsqu'il avait fait l'objet d'écoute électronique de la part de la Gendarmerie royale du Canada.

La requête de Vito concernant l'ordre de déportation fut rejetée, et au cours du mois de novembre 2005, Vito fit appel de cette décision ; un panel de trois juges de la Cour d'appel rejeta unanimement sa demande. Comme il avait déjà retiré une semblable requête auprès de la Cour fédérale, ses options s'amenuisaient considérablement.

Le 22 décembre 2005, Vito en appelait à la Cour suprême du Canada, le plus haut tribunal au pays, pour qu'elle casse la décision du gouvernement de l'envoyer à son procès aux États-Unis.

BROOKLYN, 2005

À New York, les coaccusés de Vito n'étaient pas confrontés aux mêmes délais, et quelques-uns s'étaient déjà présentés devant le tribunal. Sans grand succès. Le gouvernement avait dès le début des procédures demandé à ce que 16 des prévenus fussent mis en détention, incluant Vito, déjà décrit dans des documents déposés en cour comme étant un prévenu dangereux et susceptible de prendre la fuite, même s'il ne se trouvait pas encore devant un tribunal américain. Pour de nombreux accusés, la requête en cautionnement fut une étape difficile. Plusieurs y échouèrent.

La caution de Patrick Romanello, décrit comme étant un associé de toujours de la famille Bonanno et passible d'être condamné à la prison à perpétuité, s'élevait à six millions de dollars. Il était accusé du meurtre d'Enrico Mazzeo, l'ancien commissaire adjoint du Département de la marine et de l'aviation de New York, qui, à temps partiel, avait œuvré comme associé de la famille Bonanno. Il avait été abattu, emballé dans un sac de plastique et placé dans le coffre de sa voiture de location. Avant de refermer le coffre, un soldat de Bonanno avait poignardé Mazzeo dans le cou à 8 ou 10 reprises pour s'assurer de sa mort.

Romanello était aussi accusé du meurtre, survenu en 1990, de Louis Tuzzio, un associé du clan Bonanno qui avait été abattu suivant la consigne de Sal Vitale, après que John Gotti eut réclamé sa tête. Tuzzio s'était attiré la haine de «l'Élégant Don[1]» pour avoir été mêlé à une attaque contre Gus Farace, un autre associé du clan Bonanno. Le meurtre de Farace avait été commandité parce qu'il avait tué l'agent spécial infiltré Everett Hatcher de la DEA, l'agence américaine de contrôle des narcotiques. La fureur policière qui s'était ensuivie avait mis la Mafia à rude épreuve. Dans le cafouillis de l'attentat contre Farace, Tuzzio et ses deux acolytes avaient atteint le fils d'un soldat influent du clan Gambino. L'assassinat de Tuzzio fut en fin de compte un beau gâchis : lorsque les détectives trouvèrent son cadavre à Brooklyn, assis sur le siège du conducteur de sa voiture, ils découvrirent plusieurs indices d'une lutte acharnée. La tête de la victime était marquée de nombreuses coupures, et son pied droit était posé sur le tableau de bord, indiquant qu'il essayait de défoncer le pare-brise

---

1. Surnom de John Gotti, un mafieux aussi friand de publicité que de mode vestimentaire. (N.d.T.)

au moment de son décès. Dans la main, il tenait toujours une touffe des cheveux de l'un de ses meurtriers.

La requête en cautionnement de Romanello prit une tournure tout à fait inattendue après qu'il eut fourni une liste de propriétés, inscrites au nom de sa femme et de sa belle-mère, en guise de garantie de sa présence à son procès. Le gouvernement mit alors en doute l'influence que sa femme pouvait réellement avoir sur lui, révélant à ce moment que Romanello avait une deuxième famille, dont son épouse ignorait totalement l'existence.

«Si cela constitue un obstacle à l'octroi d'un cautionnement, M. Romanello a autorisé son procureur à reconnaître ce fait devant sa femme et ses enfants, et face au tribunal», répondit son avocat. Les observateurs se demandèrent alors lequel était le pire sort ; la détention dans l'exécrable Metropolitan Detention Center, ou la «garde à vue» sous la vigilance d'une épouse qui venait tout juste d'être informée des activités extramaritales de son mari ?

Nonobstant la virilité présumée de Romanello, un examen des dossiers médicaux de plusieurs des coaccusés de Vito (en faisant abstraction des accusations qui pesaient contre eux) permet de dresser le portrait d'un groupe d'accusés bien peu robustes. La quantité de malaises dont ils se plaignirent ou qu'ils portèrent à l'attention du tribunal pour favoriser l'obtention de leur libération aurait pu remplir une encyclopédie médicale.

«Il est dans un pitoyable état de santé physique, souligna au tribunal James Faccaro, l'avocat du gangster Louis Restivo, alors âgé de 70 ans. J'ai même dû prendre des notes tellement ses maux sont nombreux», ajouta-t-il avant d'en décliner la liste : diabète, hypertension, problèmes rénaux, problèmes de vision, gangrène au pied, problèmes lombaires aigus et chroniques, le tout couronné d'une opération à cœur ouvert subie trois années plus tôt.

Un vieil ami de la Sixième Famille, Baldassare «Baldo» Amato, avait quant à lui des problèmes d'un type bien différent. Il était déjà emprisonné suite à une condamnation pour vol lorsqu'il fut arrêté de nouveau et accusé de racket. Son avenir était sombre.

«Plus de 10 témoins coopératifs vont témoigner à l'effet qu'Amato était associé et membre en règle de la famille Bonanno», déclarèrent les procureurs dans des documents soumis au tribunal. «Amato a été repéré par des enquêteurs pendant plus de 20 ans dans des lieux fréquentés par le crime organisé, et à des événements de son ressort», ajoutait le gouvernement. Toutefois, encore plus grave pour Amato, il se retrouvait désormais dans une posture vraiment fâcheuse suite à une inculpation de vol et *racketeering* déposée contre lui lors de la mise en accusation. On l'accusait d'avoir commandé le vol à main armée du Café Vienna dans le quartier de Queens, en mars 1997, durant lequel des clients et des employés avaient été violentés. Deux des hommes de main qui s'étaient rendus, armés de bâtons de base-ball, de marteaux et d'un pistolet, au tripot clandestin dans le but de forcer ceux qui s'y trouvaient à leur remettre bijoux et argent, étaient prêts à témoigner qu'ils y avaient été envoyés par Amato en guise de représailles contre l'audace de son propriétaire, qui avait osé livrer concurrence à un de ses propres tripots. Soutenir cette accusation devenait un jeu d'enfant pour les procureurs du gouvernement, car, le 13 juillet 2000, Amato avait accepté de plaider coupable d'avoir orga-nisé le hold-up suite à une entente qui fut qualifiée à l'époque d'offre « bonbon ». Dans le nouveau contexte légal, cette décision était tout simplement désastreuse pour l'accusé. En effet, c'est une des particu-larités de la Loi RICO qu'une condamnation criminelle passée peut servir à nouveau contre un inculpé, s'il peut être démontré plus tard que le geste criminel a été fait dans le contexte d'une activité de *racketeering*. Le gouvernement avait l'intention d'apporter en preuve le plaidoyer de culpabilité d'Amato pour démontrer sa complicité dans cette activité. Sa tâche était déjà à moitié accomplie.

« Pour démontrer la participation d'Amato dans un "contexte habituel de participation à un racket", le gouvernement n'a besoin que d'avoir raison sur un des quatre délits de racket dont il est tou-jours accusé, alors que la preuve de chacun est solide », affirmèrent les procureurs. S'il était trouvé coupable, Amato était passible d'empri-sonnement à vie. De plus, en qualité d'immigrant italien n'ayant jamais obtenu la citoyenneté américaine, il risquait la déportation. Peut-être la pression engendrée par ce risque affecta-t-elle la santé mentale du gangster angoissé, ou encore contribua-t-elle plutôt à le rendre plus créatif dans ses tactiques de défense. Toujours est-il que ses apparitions en cour furent tumultueuses. Il s'y présenta plusieurs fois sans conseiller juridique. On lui en assigna un, ce qui ne sembla toutefois pas alléger ses tourments. Son nouvel avocat, Michael Hueston, réclama toute une batterie de tests psychologiques, neuro-logiques et physiques. Après une audience en cour en début de journée, Amato se plaignit de s'être senti mal durant son transfert de la prison et demanda au tribunal de l'exempter dorénavant des comparutions de routine pour raisons médicales.

« Il semblerait que le prévenu puisse ou ne puisse pas subir son procès », déclara le juge Garaufis, qui ordonna alors un examen neu-rologique pour Amato. Même si on se préoccupait un peu du bien-fondé de ses plaintes, on jugea inacceptable de retarder le procès des autres coaccusés jusqu'à ce qu'on eût obtenu le résultat des tests d'Amato. On sépara rapidement ce dernier des autres prévenus, quitte à le ramener devant le tribunal si sa santé devait le permettre. Dans l'intervalle, Amato n'abandonna point ses efforts pour se défendre. Un enquêteur privé dont il retint les services fut aperçu aux Archives nationales de New York, fouillant des boîtes d'archives concernant de vieux procès pour trafic de drogue, incluant le dossier de la fameuse Filière des pizzerias. Il s'empressait de lire, entre autres, le témoignage de Tomasso Buscetta, le mafioso sicilien devenu vire-capot.

Les procureurs fédéraux croyaient que la position de faiblesse d'Amato pouvait être exploitée. Ils lui demandèrent si souvent de collaborer avec eux qu'il finit par écrire au juge Garaufis pour l'implorer de sommer le gouvernement de cesser de l'importuner pour qu'il incrimine Vito et les autres accusés. «J'ai dit à mes avocats dès la première fois, écrivit Amato après une autre tentative du gouvernement, que je n'étais pas intéressé à collaborer. Je prie Votre Honneur de ne pas permettre aux procureurs fédéraux de discuter de ma possible collaboration avec mes avocats.» Il finit par gagner cette bataille, une victoire pyrrhique. Forcé de subir son procès au cours de l'été de 2006, un jury écouta la litanie de ses crimes, constatant à quel point Amato pouvait encore terroriser les gens. Francisco Fiordinilo, un associé du clan Bonanno originaire de Castellammare del Golfo, qui avait connu Amato presque toute sa vie, s'était joint au groupe des collaborateurs, témoignant même au procès de Joe Massino, le patron du clan. Après s'être présenté au procès d'Amato, il fit toutefois une annonce qui devait provoquer la surprise.

«Votre Honneur, je ne témoignerai pas, dit-il.

— Quoi? répondit le juge Garaufis, de toute évidence stupéfait.

— Je ne témoigne pas.»

Le procureur du gouvernement, John Buretta, expliqua le «problème» de Fiordilino. «Le témoin est terrorisé par Baldo Amato.» Durant la pause du déjeuner, le témoin récalcitrant fut amené à tenir sa promesse, mais tout ce drame ne contribua nullement à convaincre le jury de l'innocence d'Amato. Il fut trouvé dûment coupable à la fin d'un procès de six semaines. En octobre 2006, le gangster de 54 ans, qui avait souvent visité le Canada, reçut une sentence de prison à vie et une verte mercuriale de la part du juge Garaufis. «M. Amato, vous n'êtes qu'un meurtrier banal et ordinaire, ainsi qu'un vulgaire assassin mafieux. La décision que je vais prononcer à votre égard n'est, en autant que je sois concerné, qu'un cadeau.»

La santé fragile de certains prévenus n'est bien souvent qu'une diversion, insistent les procureurs du gouvernement. Ceux qui pourchassent les mafieux avec la fréquence avec laquelle s'y employèrent les procureurs de New York savent pertinemment que les gangsters se retrouvent gravement malades face à la perspective de comparaître, et connaissent une guérison subite aussitôt qu'ils sont acquittés, ou condamnés à une modeste sentence.

Robert Henoch, procureur adjoint, proche collaborateur de Greg Andres, soutint éloquemment que l'âge avancé ou la débilité physique ne correspondent aucunement à une perte de pouvoir ou une diminution de dangerosité chez les mafiosi.

«Ronald Reagan était âgé de 78 ans alors qu'il était président, et je l'aurais probablement emporté sur lui au tir au poignet. Ce qui n'empêche pas qu'il fut l'homme le plus important du monde.»

La défense combative qu'opposa Amato aux accusations portées contre lui demeure une rareté. En mai 2006, à la veille de la sélection du jury dans la cause de racket, cinq autres prévenus abandonnèrent la lutte, incluant Michael «Mickey Bats» Cardello, l'homme qui avait «escorté» le contremaître du *New York Post* à sa mort aux mains d'Amato. Il accepta une sentence de 10 ans en échange de son plaidoyer de culpabilité. Tous les coaccusés de Vito, c'est-à-dire tous ceux qui avaient été pris au filet le même jour de janvier 2004, devaient par la suite choisir la même option en retour d'une entente avec la poursuite, ou devaient être reconnus coupables.

De toute la toile d'accusations du dossier 03-CR-1382, qui avait débuté avec Vito Rizzuto pour gober finalement 27 personnes, seul le dossier de Vito demeura en fin de compte actif. C'était peut-être exactement ce que sa défense avait souhaité.

CHAPITRE 41

Le décor cubiste et contemporain du Moomba Supperclub, à Laval, occupe 840 mètres carrés sur deux étages. Il est situé tout juste en face de Montréal, de l'autre côté du fleuve, sur la rive Nord. Il attire encore plus le regard que les personnes branchées qui s'y entassent tous les soirs. Au printemps de 2005, le club s'était taillé une place de choix parmi les établissements bondés à la mode, grâce à son concept du souper tout-inclus. On y servait de savoureux repas suivis d'une soirée avec disc-jockey, danse et consommations jusqu'à trois heures du matin. Le Moomba, qui offrait un service de voiturier et imposait la tenue de ville à ses clients, attirait une clientèle un peu plus choisie que celle que l'on rencontre dans de nombreux bars et boîtes de nuit du centre-ville de Montréal.

Il était un peu plus de deux heures du matin, le 10 mars 2005, lorsque des détonations interrompirent le rythme de la musique latine. La clientèle se précipita par terre pour se protéger et se dispersa à l'intérieur du club, qui était bondé. Lorsque les 250 clients s'égaillèrent et qu'arrivèrent la police et les ambulanciers, on découvrit deux blessés. Mike LaPolla, âgé de 36 ans, se trouvait allongé à l'intérieur du bar. C'était un homme chauve au teint olivâtre et au visage ovale, qui avait travaillé comme homme de main pour la Sixième Famille pendant plusieurs années et qui avait récemment été condamné dans une affaire de drogue. À l'extérieur du Moomba, la police trouva également Thierry Beaubrun, âgé de 28 ans, un Noir aux cheveux courts arborant une barbichette. Selon un rapport de police, Beaubrun était très impliqué dans le Crack Down Posse, un gang montréalais très agressif, et avec les 67, un autre gang de Montréal. LaPolla et Beaubrun furent blessés après qu'une bagarre eut dégénéré, pour se terminer par des coups de feu. Les deux individus moururent quelques heures plus tard à l'hôpital.

Les chefs de la Sixième Famille se rassemblèrent très vite pour discuter des événements et évaluer leurs possibles répercussions sur leurs affaires. Lorenzo Giordano, que la police décrivait comme un des chefs de l'organisation, un individu au tempérament agressif, était au Moomba lorsque les tirs fusèrent et fut interrogé de long en large par ses supérieurs. Rocco Sollecito, un expatrié originaire de Cattolica Eraclea, très proche des Rizzuto, déclara qu'on lui avait dit que le meurtre de LaPolla avait été «un événement isolé». Cependant, le fils de Rocco, Giuseppe Sollecito, les prévint que le rival qui était mort, Beaubrun, était «le capitaine des Noirs» et que le sang coulerait dans les rues de Montréal à cause de cela.

«Les nègres ne sont pas des gens avec qui vous pouvez vous asseoir pour leur faire entendre raison, aurait dit Giuseppe Sollecito. Ils ne sont pas comme nous. Ce sont des animaux...» Les amis de LaPolla n'étaient pas les seules personnes à s'inquiéter des suites de cet assassinat. La police craignait que l'échange de coups de feu n'indique une tension montante à l'intérieur de la pègre, entre la Mafia et les gangs de rue composés en majorité de Noirs. Il se tramait peut-être une guerre qui aurait des répercussions beaucoup plus graves que la mort de deux têtes brûlées qui avaient refusé de faire des concessions.

Les directeurs de prison étaient eux aussi très inquiets et décidèrent de ne pas prendre de risques avec un de leurs prisonniers les plus médiatisés. Immédiatement après la fusillade du Moomba, Vito fut placé dans un environnement protégé, c'est-à-dire en isolation à la prison de Sainte-Anne-des-Plaines, un établissement fédéral situé au nord de Montréal. Les gardiens de prison craignaient que des membres des gangs de rue, dont la présence est importante dans le système carcéral, décident de venger la mort de Beaubrun en s'en prenant à Vito. La prison est un des rares endroits au Québec où les rivaux de la Sixième Famille la dépassent par le nombre.

L'incarcération de Vito au Canada avait connu des hauts et des bas, tandis qu'il luttait contre son extradition aux États-Unis. Il avait été emprisonné pendant un certain temps dans un établissement pénitentiaire provincial à Rivière-des-Prairies, non loin de chez lui, confiné à une cellule sinistre qui ne contenait qu'un petit lit, un lavabo en porcelaine et un petit bureau fixé au mur. Vito pouvait toucher les deux murs verts de son placard en même temps, lorsqu'il se tenait debout sur le plancher noir et usé. Alors qu'on lui refusait une libération sous caution, un transfert à la prison de Sainte-Anne-des-Plaines lui fut cependant accordé. Il y disposa d'un peu plus d'espace pour bouger, jusqu'à ce qu'il fut placé dans un environnement protégé, ce qu'il n'apprécia pas mais qui fut relativement bref, dit un de ses amis de longue date.

Vito, durant son incarcération dans les deux établissements, se tenait bien informé sur les événements qui se déroulaient à l'extérieur. Il recevait la visite de sa famille, de son père, de ses enfants et de ses petits-enfants, ainsi que des appels téléphoniques de ses associés les plus proches. Il bénéficiait grandement, en prison, du fait d'avoir deux enfants avocats. Bettina et Leonardo pouvaient rencontrer leur père chaque fois qu'ils le désiraient et passer autant de temps avec lui qu'ils le jugeaient nécessaire.

Les nouvelles à apporter à Vito étaient nombreuses depuis le jour de son arrestation.

MONTRÉAL, MAI 2005

Deux mois après les incidents du Moomba, un autre signe de nervosité au sein de la pègre se manifesta lorsque quatre hommes de forte carrure s'engouffrèrent dans un salon de coiffure pour hommes de Saint-Léonard. Une fois à l'intérieur, ils se battirent avec Frank Martorana — suffisamment pour le faire saigner — et le forcèrent ensuite à entrer dans un véhicule utilitaire sport qui attendait dehors. Martorana, un vendeur de voitures de luxe à Montréal, était lié depuis longtemps à la Sixième Famille. Ce kidnapping audacieux, qui se déroula en plein jour, provoqua de grandes inquiétudes concernant la sécurité du personnage et déclencha des recherches frénétiques. La police trouva sa Mercedes-Benz S55 AMG, évaluée à environ 130 000 $, stationnée à proximité. Six jours plus tard, Martorana revenait chez lui, apparemment sain et sauf. Il fit un appel de courtoisie à la police de Montréal pour lui demander de mettre fin à ses recherches, sans toutefois expliquer son absence ni porter plainte.

Cette histoire marquait le commencement d'un étrange scénario. Plusieurs autres hommes qui, pour la plupart, avaient des liens avec le milieu, furent kidnappés pour une certaine période de temps — de quelques heures à quelques semaines, suivant les cas — avant d'être relâchés. Un de ces hommes, Nicola Varacalli, le père du propriétaire d'une de boîte de nuit montréalaise, fut capturé alors qu'il était dans sa maison à Montréal, le soir d'Halloween 2005, lorsque quatre hommes costumés et masqués frappèrent à sa porte. Ses kidnappeurs lui donnèrent la permission de faire plusieurs appels téléphoniques à ses associés pour les supplier «d'arrêter de vendre la camelote dans la rue». Le 8 décembre, Varacalli, qui avait été condamné pour des problèmes de drogue, contacta la police en passant par un avocat; tout comme l'avait fait Martorana, il les informait qu'il n'était plus retenu prisonnier, mais qu'il ne désirait toutefois pas poursuivre sur ce sujet avec les autorités.

Aussi inquiétant que pût être le kidnapping de Varacalli pour les personnes de son entourage, il s'agissait simplement du symptôme d'un problème plus important auquel la Sixième Famille faisait face.

Cela faisait partie d'une dispute grandissante avec le clan de l'organisation D'Amico, de Granby, une ville tranquille située à une heure de route de Montréal. L'organisation D'Amico, qui estimait qu'Arcadi lui causait du tort, défiait ouvertement l'hégémonie de la Sixième Famille. Le 1er décembre 2005, Luca D'Amico se présenta au club social Consenza pour y remettre une lettre adressée à «Uncle Cola», une version anglicisée d'un surnom courant pour Nick Rizzuto. Cette lettre présentait la version des faits des D'Amico. Il apparaissait que les D'Amico ne croyaient pas en Arcadi, en ce qui concernait cette affaire. Nick avait besoin de faire sa petite enquête, et les D'Amico ne furent pas longs à lui fournir une démonstration de leur force.

Le 23 décembre, Luca D'Amico et deux de ses collègues entrèrent au Consenza, marquèrent un temps d'arrêt et repartirent. D'Amico fit alors un petit signe avec sa main droite au moment où il sortait. Un cortège de véhicules arriva alors pour chercher le trio; la procession des huit VUS et des Mercedes accompagna les visiteurs alors qu'ils quittaient les quartiers généraux de la Sixième Famille. Qu'aurait-il pu se produire si les intentions des visiteurs avaient été hostiles, s'il s'était agi d'autre chose qu'une simple démonstration? Les chefs de la Sixième Famille y pensèrent immédiatement. Arcadi téléphona rapidement à ses collègues pour leur dire de faire attention: «Le dingue est dans le quartier...» dit-il. Il était évident qu'Arcadi était effrayé devant l'obstination des D'Amico, et on le vit dès lors se promener avec un pistolet à sa hanche droite.

D'autres actions, qui se déroulèrent dans les rues pendant que Vito était indisposé, eurent des conséquences plus sinistres; la police de Montréal dut résoudre toute un chapelet de meurtres reliés à la pègre.

«Maintenant que Vito ne mène plus les affaires, tous les types à qui l'on devait de l'argent et tous ceux qui avaient des comptes à régler avec lui et qui se retenaient ont toute liberté d'agir, constata André Bouchard, alors commandant de l'unité des crimes majeurs de Montréal. Quand Vito leur disait qu'ils n'allaient pas être payés, ils n'allaient pas l'être et ils devaient l'accepter. Cependant, à l'heure actuelle, il n'est pas là. Alors ils disent: "Qu'il aille se faire foutre; je veux mon bacon..." Il y a beaucoup de troubles en ce moment. Lorsque Vito Rizzuto était présent, tout le monde faisait attention. Maintenant qu'il n'est plus là, personne n'a plus peur. Il y a eu trois ou quatre meurtres récemment. Je ne pense pas qu'en temps normal, ces types auraient agi ainsi. Cela n'est jamais arrivé lorsque Vito était dans les parages...»

En effet, plusieurs spécialistes de la pègre montréalaise déclarèrent qu'avant son arrestation, Vito Rizzuto avait souvent joué le rôle de médiateur parmi les autres membres du milieu, lorsqu'ils étaient impliqués avec les motards, la Mafia, les gangs des Irlandais ou des trafiquants indépendants. Tout le monde semblait penser qu'ils avaient l'obligation d'écouter Vito.

«Ils aident à régler les disputes. Ce sont des juges de paix, déclara une source appartenant au milieu au sujet des membres de la direction de la Sixième Famille. Vous avez besoin de cela. Vous savez, chaque fois que vous vous faites "fourrer", vous ne pouvez pas traduire le type en justice pour cela; alors, il n'existe pas d'autre option. La seule façon, c'est de s'expliquer à coups de pétoire ou de se trouver rejeté par tous les autres. Personne ne veut jamais aller à une rencontre avec Vito, parce que vous savez que vous aller vous faire baiser et que vous ne recevrez jamais votre argent...»

Les réunions étaient, en général, courtes et informelles, bien loin des assemblées grandioses que nous présente la culture populaire, raconte un malfrat. Les personnes impliquées dans ces réunions ne s'asseyaient même pas.

«Elles ne veulent pas qu'on les voie pendant ces rencontres — tout spécialement quelqu'un comme Vito. D'autres ne veulent pas être vus avec Vito, et ce dernier ne veut pas être remarqué dans des réunions avec un paquet de monde. Cela provoque de la pression sur les deux parties, expliqua le même membre du milieu. Lorsqu'une réunion ou une rencontre doit avoir lieu, cela ne se déroule pas du tout comme au cinéma, dans un tête-à-tête impressionnant devant une table bien garnie, dans un sous-sol sinistre ou dans le local privé d'un restaurant. En général, ils se donnent rendez-vous dans un Pharma Plus [une pharmacie faisant partie d'une chaîne] ou dans un autre lieu public. Tout est prévu pour que le type que Vito doit rencontrer entre dans la pharmacie et que les deux se croisent comme par hasard dans une allée. La personne peut parler pendant une minute à Vito et ensuite ce dernier poursuit son chemin.» Pour un observateur, cette rencontre passerait pour fortuite, et la police n'aurait aucune chance d'être au courant de la conversation.

Vito possédait suffisamment d'autorité pour écouter les deux versions d'une dispute et juger de son issue; il pouvait dire à un individu qu'il devait payer une amende et à un autre qu'il devait effacer une dette de son carnet sans être payé, révéla de nouveau l'informateur. Étant donné que la plupart des criminels tenaient compte du verdict de Vito, il s'agissait donc d'une façon efficace de régler les conflits sans qu'une goutte de sang ne fût versée.

«Tout ça, c'est de la pure connerie... Cependant, cette connerie fonctionne en autant que l'avaliez», dit un gangster. Avec Vito à l'ombre, il y avait toutefois de moins en moins de pigeons pour croire à toutes ces supposées foutaises.

ROME, FÉVRIER 2005

En Italie — tout particulièrement dans le Sud — les contrats gouvernementaux offrent une source de revenus stable pour la Mafia. Lors de projets de construction importants, la Mafia demeure un partenaire invisible mais omniprésent. Le pillage commence bien avant la conception d'un projet, grâce à l'accumulation de terrains. Il s'étend rapidement au niveau de la main-d'œuvre et de la construction, de la sécurité des chantiers, de la fourniture de main-d'œuvre et de machinerie lourde, les paiements pour les obtentions de permis et, finalement, une partie de la direction du projet lorsqu'il sera terminé ainsi que des profits qui seront engendrés. Les hommes politiques, comme les mafiosi, partagent depuis longtemps tous ces revenus.

En Calabre tout comme en Sicile, les groupes appartenant au crime organisé savent se montrer tellement convaincants lorsqu'il est question d'activités mettant en cause la construction et le développement que de nombreuses sociétés du nord de l'Italie — là où sont situés les établissements financiers italiens — essaient autant que possible d'éviter de faire des affaires dans ces deux provinces. Les sociétés qui décident malgré tout d'entreprendre de tels projets doivent réserver dans leur budget des sommes importantes destinées aux pots-de-vin et aux manœuvres d'extorsion. Les sociétés qui n'accèdent pas aux exigences de la mafia sicilienne ou de la 'Ndrangheta calabraise font traditionnellement face à d'interminables malchances durant de la réalisation de leurs projets : kidnapping de leurs cadres, dommages, vol ou destruction de leur équipement et de leurs camions, les permis et les licences prennent du retard et les problèmes de main-d'œuvre demeurent irrésolus.

Entre les deux mafias, celle de la Sicile et celle de la Calabre, se trouve le détroit de Messine, une étendue d'eau de trois kilomètres de large. Les autos, les camions, les autobus et les trains franchissent le détroit à bord d'un traversier. C'est ainsi que, pendant les vacances, les queues de véhicules peuvent durer plus de 10 heures avant que l'on puisse trouver un espace sur les navires. Il y a plus d'un siècle que l'on rêve de construire un pont qui relierait la Sicile au continent, et que la construction projetée de ce pont est source d'innombrables débats. Cependant, ce n'est qu'au cours des 25 dernières années que des études sérieuses furent entreprises. Les partisans du pont croient qu'il permettra le développement de la Sicile, une région relativement pauvre. Les détracteurs de ce projet évoquent le passé d'éruptions volcaniques de la région, les dommages environnementaux potentiels ainsi que les vents violents et dangereux comme autant de raisons de faire échouer le plan. Ensuite, vient la question des coûts qui sont estimés à six milliards de dollars. Si l'on oublie l'ancienne légende du monstre marin qui vit dans le détroit, toutes les parties en cause dans le débat sur la construction du pont sont très conscientes qu'il existe une bête autrement vicieuse qui attend pour se goberger sur le dos de l'énorme contrat public qui sera élaboré pour la construction d'une structure aussi imposante. Cette hydre, c'est la Mafia.

Avec la mafia sicilienne d'un côté du pont et la 'Ndrangheta de l'autre, il était impossible de s'attendre à ce que le crime organisé s'abstienne de tenter d'obtenir une bonne portion de ce qui promet d'être l'un des plus juteux projets de travaux publics de l'histoire du sud de l'Italie. Ainsi, lorsque le gouvernement annonça en 2002 qu'il allait donner suite au projet d'un pont suspendu qui comporterait huit voies, une unité spéciale de la police fut détachée pour couper l'herbe sous le pied à toute implication de la Mafia.

Le 11 février 2005, parut une nouvelle qui ne surprit personne : les enquêteurs du gouvernement annoncèrent qu'ils avaient découvert un complot mis au point par le crime organisé pour prendre la direction du consortium choisi pour la construction et l'entretien du pont. À l'occasion d'une conférence de presse à Rome, les cadres chevronnés de la Direzione Investigativa Antimafia (DIA), l'unité de police fédérale qui ciblait le crime organisé, annonça l'arrestation d'un ingénieur civil très riche, arrestation qui permit par la suite d'arrêter quatre autres individus accusés de tenter d'infiltrer les appels d'offres.

La DIA réussit ensuite à susciter la surprise en annonçant que Vito Rizzuto se trouvait à la tête du consortium criminel.

Giuseppe «Joseph» Zappia avait été arrêté chez lui, à Rome, quelques heures avant cette annonce. Né en 1925 à Marseille de parents originaires de Calabre, il avait émigré au Canada quelque temps plus tôt, et son nom y était bien connu car il fut l'entrepreneur controversé impliqué dans la construction du Village olympique des Jeux de Montréal en 1976. Ce chantier avait été embourbé dans le scandale ; en 1988, Zappia avait été acquitté des accusations qui pesaient contre lui après que deux témoins clés eurent trouvé la mort. Zappia voyagea constamment par la suite entre le Canada et le Moyen-Orient — où il fut impliqué dans divers projets majeurs de construction —, avant de s'installer à Rome en 1997. En 2001, il se vanta d'entretenir des relations amicales avec Silvio Berlusconi qui était, à cette époque, le premier ministre italien. Lors de la conférence de presse au cours de laquelle furent annoncés l'arrestation de Zappia ainsi que les mandats d'arrêt contre Vito et trois de ses associés, un porte-parole de la police mentionna que Zappia avait mis sur pied une société de construction qui se nommait Zappia International, dans le but de servir de façade pour les appels d'offres qu'avait faits Vito pour la construction du pont.

«Vito Rizzuto a essayé de participer à l'appel d'offres pour la construction du pont de Messine entre la Sicile et la Calabre. Il est évident que Rizzuto n'a pas pu venir en personne en Italie pour dire : "OK, les amis, j'aimerais bien construire le pont de Messine..." déclara Silvia Franzè, la chef de la DIA. Tout le monde connaît la famille Rizzuto en Italie. Et, selon notre législation, une famille mafieuse ne peut participer à un appel d'offres pour obtenir un contrat de travaux publics. Tout le monde sait en Italie que Vito, même si aucune accusation n'était portée contre lui en Italie, est relié aux Caruana-Cuntrera et autres personnages du genre. Nous savons tous en Italie qui est Vito Rizzuto...»

La police déclara que Vito s'était tourné vers son vieil ami Zappia pour que ce dernier l'aide à prendre avantage des appels d'offres pour le pont de Messine : «Zappia était le président d'une société qui a demandé à participer aux appels d'offres et il a tenu un tas de réunions avec des gens pour obtenir ce gros contrat. Il était la façade de la famille Rizzuto.» Un rapport confidentiel de la police canadienne indique que Vito et Zappia se sont connus au début des années 1970 et que Zappia était tout à fait conscient de l'intérêt que la police portait au parrain. C'est pourquoi il tenta de limiter au maximum les contacts directs entre eux, et préféra passer par des intermédiaires.

«Vito et Zappia ne se sont parlé que deux fois», déclara Franzè. Une de ces conversations s'était déroulée le 1er novembre 2002.

«Tout se déroule bien. Tous les plans ont été acceptés, dit Zappia, selon une transcription de la conversation enregistrée par les autorités italiennes.

— Alors, nous avons une bonne chance, n'est-ce pas ? s'enquit Vito.

— Mieux qu'une bonne chance, une garantie...

— Bien, bien...» dit Vito.

Selon le document présenté au tribunal italien, la plupart des échanges observés par la police italienne furent effectués par l'intermédiaire de trois personnes qui surveillaient les intérêts de Vito.

Filippo Ranieri, né à Montréal en 1937, était un consultant, et la police italienne le décrivait comme étant un «courtier». La police canadienne dit de lui qu'il était un associé de longue date de Vito. La police italienne mentionne que Ranieri assurait la liaison principale entre Vito et Zappia. Hakim Hammoudi, né pour sa part en Algérie en 1963, partageait son temps entre Paris et Montréal. Il était un autre conseiller d'affaires dont le nom figure dans l'organigramme des associés de Vito, dans les documents de la police canadienne. Les autorités prétendent que Ranieri et Hammoudi communiquaient avec Zappia par téléphone, par télécopieur et également en personne. Un rapport de police allègue que les deux hommes rencontrèrent Zappia à Rome à plusieurs reprises durant la procédure d'appels d'offres du pont. Les autorités déclarèrent également qu'une troisième personne était impliquée. Il s'agit de Sivalingam Sivabavanandan, un homme d'affaires sri-lankais né en 1953 qui habitait Londres et dont le surnom était «Bavan». Sivabavanandan et Hammoudi furent accusés d'avoir aidé Vito à investir sa vaste fortune.

« Il s'agissait de deux hommes d'affaires, des types qui gardaient le contact avec la banque pour trouver des personnes voulant faire des investissements. Ils gardaient l'œil sur tous les intérêts financiers de Vito Rizzuto. Ils agissaient comme intermédiaires pour le compte de Rizzuto. Le pont de Messine n'était qu'un des investissements dans lesquels Vito était impliqué», déclara Silvia Franzè. Selon les autorités, Hammoudi et Zappia travaillaient également sur des projets en Algérie, en Arabie saoudite et dans les Émirats arabes, qui promettaient de rapporter à Vito des profits non négligeables qui, à leur tour, devaient être réinvestis dans un vaste projet pétrolier à Londres. Le gouvernement italien s'affaire toujours à retrouver la trace d'une partie des fonds impliqués, et les enquêteurs ont demandé aux autorités suisses d'enquêter à nouveau sur les comptes bancaires de la famille.

Le procureur Adriano Iasillo, à Rome, allégua que le groupe possédait plus de six milliards de dollars prêts à être investis dans le projet du pont.

L'enquête débuta en octobre 2002, et les enquêteurs déclarèrent que le consortium illicite soumit en octobre 2004 une offre préliminaire de services, qui traitait de l'aspect des qualifications techniques sur le projet. Il avait déjà investi plus de 4,3 millions de dollars dans la proposition, estimèrent les autorités. Au moment où les arrestations furent rendues publiques, la police émit des mandats de perquisition dans plusieurs villes européennes et réunit une montagne de documents. La pièce maîtresse des preuves accumulées par le gouvernement était constituée de centaines de conversations téléphoniques enregistrées, quelques-unes au Canada, d'autres en Italie, et une en particulier, dans laquelle un des conspirateurs dit que si tout va bien, ils pourront construire le pont «pour un ami» — que les enquêteurs affirment être Vito — et qu'ensuite, ils pourront s'occuper de la comptabilité de façon à satisfaire à la fois «la Mafia et la 'Ndrangheta».

Des mandats d'arrêts furent émis en Italie contre Vito, Ranieri, Hammoudi et Sivabavanandan. Ce dernier fut arrêté en France peu de temps après et extradé en Italie. Il avait déjà été condamné à deux ans de prison après avoir plaidé coupable d'association avec la Mafia. Il avait ensuite eu de la chance; après qu'il eut purgé la moitié de sa peine, le gouvernement italien, qui essayait de résoudre un problème de prisons surpeuplées, avait décrété que tous les prisonniers condamnés à moins de trois ans de prison seraient relaxés. Après avoir recouvré la liberté, il était retourné en Angleterre. L'Italie demanda l'extradition de Ranieri qui se trouvait au Canada, une demande que le gouvernement n'honora pas, sans doute parce que cet individu n'était accusé que d'association avec la Mafia, ce qui n'est pas considéré comme un acte criminel au Canada, déclarèrent les autorités italiennes. Pour les mêmes raisons, Hammoudi ne put être mis en accusation. Franzè déclara que ni le gouvernement italien ni celui du Canada ne savent où il se trouve.

Pendant ce temps, l'avocat de Zappia clama l'innocence de son client. Il laissa entendre que ce dernier était victime d'une erreur d'identité, car il existerait quelqu'un portant le même nom de famille qui, lui, serait impliqué avec les Rizzuto — il faisait ainsi référence à Beniamino Zappia, l'individu qui aurait, selon les autorités suisses, ouvert différents comptes en banque à Lugano au profit des Rizzuto.

« Il déclare ne pas connaître du tout Vito Rizzuto et n'être absolument pas impliqué dans l'affaire. Nous avons enregistré certaines conversations téléphoniques. Ces enregistrements seront présentés lors du procès, et ce sera au juge de décider. Nous attendrons cela », dévoila Franzè.

Toute demande d'extradition de Vito pour l'Italie ne pourra se réaliser qu'en seconde place, après qu'il eût satisfait aux exigences du gouvernement américain. S'il était reconnu coupable en Italie d'être le chef d'une association de la Mafia, il risquerait d'y être condamné à sept ans de prison.

La seule ampleur des investissements de la Sixième Famille et son rôle dans un des projets de travaux publics les plus importants en Europe donnent une bonne idée de la vaste fortune et du pouvoir qui se trouvent entre les mains de Vito et de son organisation. Comme le soutiennent les autorités, il a réussi à se frayer un chemin jusqu'à la tête d'un des projets de travaux publics les plus convoités dans sa patrie, à la fois par la mafia sicilienne et par la 'Ndrangheta calabraise, et à diriger, entre autres, des investissements de six milliards de dollars.

« Vito possède beaucoup d'argent », fait remarquer Franzè.

Pour quiconque se questionne au sujet de l'étendue du pouvoir de la Sixième Famille, les allégations faites dans l'affaire du pont du détroit de Messine sont, à condition d'être fondées, très révélatrices. Les mandats d'arrêt contre Vito et les autres furent, sans aucun doute, très troublants pour la Sixième Famille. Cependant, si celle-ci avait su comment les autorités italiennes s'étaient mises à la soupçonner, elle aurait été pétrifiée. Les membres de la famille n'allaient le découvrir que 21 mois plus tard.

«Les problèmes commencent à les ralentir, déclara l'un des principaux enquêteurs de la police qui s'intéressait en 2006 à la Mafia, en parlant de la Sixième Famille. Ils savent que plusieurs enquêtes importantes se sont déroulées à partir de 1996 jusqu'à maintenant. Une grande quantité de renseignements ont été obtenus, et ils le savent aussi. Tout se trouve au point mort à l'heure actuelle. Vu que le chef est en prison, il semble que rien ne se produira jusqu'à ce que la demande d'extradition soit réglée.»

Entre-temps, Vito attendait derrière les barreaux.

L'empire qu'il avait établi au prix de tant d'efforts battait de l'aile. Son organisation, aux niveaux les plus élevés, était la cible d'une attention policière intense et victime des soubresauts qui agitaient la pègre. Vito fut déçu lorsqu'il réalisa qu'il ne pourrait être relâché sous caution, car cela lui aurait permis de rétablir un peu d'ordre dans ce milieu en pleine effervescence. Le fait d'être emprisonné l'empêchait de jouir de son statut d'un des plus grands chefs de la Mafia au monde. Cependant, malgré ces contretemps, il semblait préférer, et nettement, se trouver à l'intérieur d'une prison canadienne plutôt que devant un tribunal américain.

Parce qu'à New York, les rats attendaient.

NEW YORK, 17 AOÛT 2006

La série de victoires que Vito avait remportées devant les tribunaux semblait déjà sur le point de s'achever, au moment où la Cour suprême du Canada arriva à une décision quant à l'appel de l'extradition du gangster. Au cours des deux ans et demi qui avaient suivi son arrestation, en dépit de la puissance de tir de ses avocats, il avait perdu les motions et les appels à la Cour supérieure du Québec et à la Cour d'appel du Québec. Il avait abandonné son recours à la Cour fédérale du Canada, et la Cour suprême du Canada avait refusé d'entendre son appel concernant sa libération sous caution. Vito éprouvait donc certainement des difficultés à demeurer optimiste au cours de l'été de 2006, et à garder espoir que la Cour suprême se montrerait clémente et interviendrait au dernier moment pour empêcher son extradition. Et comme il fallait s'y attendre, les juges de la plus haute cour de justice du Canada se montrèrent aussi peu réceptifs aux arguments juridiques de Vito que l'avaient été les instances judiciaires inférieures.

Aussitôt après que le tribunal suprême eut déclaré qu'il n'entendrait pas son appel, Rizzuto fut retiré rapidement de sa cellule et escorté par des agents de la police de Montréal vers l'aéroport international Pierre Elliott Trudeau, où l'attendait un avion affrété par le gouvernement des États-Unis.

Trois heures plus tard, il comparaissait devant un tribunal américain. Devant le juge Nicholas Garaufis, il plaida non coupable aux accusations de *racketeering* relatives au meurtre des trois capitaines, et le juge ordonna sa détention. Il s'agissait de la crise la plus grave que la Sixième Famille dût traverser depuis que le père de Vito, Nick, avait été coffré au Venezuela.

Et ce n'était que le début d'une période chargée d'angoisse.

CHAPITRE 42

Des intrus découvrirent une cache d'argent dans un sac de sport dissimulé sous l'escalier menant au sous-sol d'une maison de Laval, au Québec. Des liasses de billets de 100 $ — plus de 28 000 billets — et un pauvre petit billet de 50 $, enroulés et attachés avec des élastiques. Les cambrioleurs prirent leur temps pour faire main basse sur ces presque trois millions de dollars. Même avant de pénétrer dans cette maison, ils savaient qu'ils y trouveraient une grosse somme d'argent; cette demeure cossue appartenait à un trafiquant de drogue de la Sixième Famille. Ils savaient également qu'ils avaient toute liberté d'agir, puisque les occupants de cette demeure se trouvaient en vacances à Las Vegas, totalement inconscients du fait qu'on était en train de leur dérober bien plus d'argent dans leur maison qu'ils pouvaient espérer en gagner au casino.

L'homme qui avait caché le magot rentra chez lui le jour suivant et fut atterré de découvrir que l'argent avait disparu. Une partie de la somme lui appartenait, ce qui était déjà regrettable, mais la plus grande partie devait revenir à Giuseppe «Pep» Torre, un des associés les plus proches des Rizzuto et un présumé trafiquant de drogue très actif. La victime réussit à se ressaisir et téléphona à Torre pour lui annoncer la désastreuse nouvelle.

«Pep, je suis fait, dit-il.

— Ne me dis pas ça, répondit Torre sur un ton menaçant.

— J'ai envie de pleurer, mon vieux, confirma l'autre, qui soupçonnait que l'argent avait été volé par son beau-frère, une des rares personnes à connaître l'existence de la cache. Je vais étrangler ce type. Je vais le tuer», ajouta-t-il avant de se précipiter hors de la maison, un revolver à la main.

Cet événement n'est que l'un des nombreux revers inattendus auxquels la Sixième Famille dut faire face. Un *bookmaker* qui dirigeait des opérations de jeu totalisant un milliard de dollars à Ottawa et à Montréal gara sa voiture dans une rue pour une très courte période, pendant qu'il visitait une maison de jeu. Lorsqu'il revint à sa voiture, une valise contenant 43 000 $ avait été volée dans son coffre. Un autre trafiquant de drogue découvrit que 280 000 $ avaient disparu de son coffre-fort personnel.

Cette succession de vols ne passa pas inaperçue aux yeux de la Sixième Famille. Vito Rizzuto, le patron, était en prison à New York, où il faisait face à des accusations; cependant, l'organisation n'était pas sans chef. Des réunions furent tenues dans le but d'identifier les auteurs possibles de ces juteux larcins, ainsi que de s'entendre sur la meilleure façon de mettre ses liquidités à l'abri. Les gangsters portèrent donc de nombreux sacs d'argent vers des endroits plus sécuritaires. Du jour au lendemain, on se fiait à de moins en moins de gens.

Ces ennuis, toutefois, profitaient à la police. Les bavardages désespérés concernant l'argent manquant firent naître bien des sourires malicieux chez quelques personnes à Montréal; la rage et les accusations firent en sorte que des hommes qui n'avaient pas l'habitude d'être des victimes devinrent imprudents, révélant, tandis qu'ils essayaient de découvrir ceux qui, parmi eux, avaient mal tourné, une foule de renseignements sur la façon de travailler de leur organisation.

« Nous nous faisons avoir tous les jours, se plaignit à ses collègues Lorenzo Giordano, un homme de main important de la Sixième Famille. J'appelle tout le monde tous les matins pour vérifier qu'ils sont tous bien. » Avec le recul, de tels appels n'étaient pas une bonne idée. À l'insu des trafiquants de drogue, des personnes s'occupant de blanchir l'argent, des gangsters et des *bookmakers*, une équipe spéciale d'enquêteurs de la police se trouvait dans une situation fort enviable pour observer et constater le chaos dans lequel se démenait la pègre. Car ces agents possédaient un atout : ils savaient précisément qui s'était emparé de l'argent du sous-sol de la maison de Laval, ainsi que de celui qui se trouvait dans le coffre de la voiture du *bookmaker* et dans le coffre-fort du trafiquant. C'était eux !

Subtiliser cet argent sale n'était qu'une tactique pour provoquer des appels téléphoniques, des réunions, des médisances, et des soupçons. Cela faisait partie d'un plan audacieux qu'on avait passé des années à mettre au point. Et comme les policiers purent rapidement le constater, leur stratégie fonctionna.

•

Si les chefs de la Sixième Famille pensaient que les problèmes de Vito Rizzuto aux États-Unis représentaient leur déconvenue majeure de l'année 2006, ils se mettaient le doigt dans l'œil jusqu'au coude. Ce que les gangsters ignoraient, c'était que les représentants de différents services chargés de faire respecter la loi se réunissaient régulièrement depuis les quatre années précédentes afin de démêler avec minutie, un à un, les fils de la grande tapisserie de conspirations criminelles qu'avait tissée la sacro-sainte famille pendant des décennies.

Les démarches de la police recevraient le nom de code de «Projet Colisée», et se développeraient jusqu'à devenir la plus importante attaque coordonnée de l'histoire contre n'importe quel groupe de la mafia canadienne. Dans les années 1990, une opération bien ciblée, le projet Omerta, avait éliminé les chefs des plus proches alliés de la Sixième Famille, le clan des Caruana-Cuntrera, et avait envoyé en prison plusieurs de ses trafiquants de drogue, y compris le chef de famille, Alfonso Caruana. La police avait espéré que le projet Colisée pourrait avoir le même effet — et peut-être même obtenir des résultats encore meilleurs — sur la Sixième Famille. Pendant des décennies, l'organisation s'était montrée pratiquement intouchable. La police avait néanmoins réussi à mettre sous les verrous quelques-uns de ses membres, dont Domenico Manno, Emanuele Ragusa, Girolamo Sciortino et Gaetano Amodeo. D'autres membres, beaucoup moins nombreux, avaient été liquidés à la suite de complots, les plus connus étant Gerlando Sciascia, Joe LoPresti et le grand-père de Vito, deux générations plus tôt. Quoi qu'il en soit, dans une situation comme dans l'autre, le noyau même de l'organisation était resté fort. Cette lamentable performance des forces policières pouvait-elle être renversée? La tâche était effarante. Il y avait eu au moins 10 projets antérieurs conduits par la GRC dans plusieurs provinces du Canada, dans le but de mettre Vito et ses collègues les plus haut placés dans la hiérarchie de la pègre derrière les barreaux, mais toutes ces opérations avaient échoué. Cependant, cette fois-ci, la police possédait une base particulièrement intéressante sur laquelle elle pouvait échafauder son plan, bien que cette base provînt d'un échec antérieur.

Le projet Calamus, l'enquête menée par la GRC en 2001 et ayant pour objet les «prêts» de 500 000 $ entre concessionnaires automobiles, s'était terminé sans que des accusations ne puissent être portées contre Vito, son fils Nick, ni personne d'autre. Le projet conjoint au projet Calamus en Ontario était le projet R.I.P. Les agents qui y étaient impliqués continuaient toujours à glaner des renseignements. Les informations concernant les tentatives effectuées pour récupérer les 500 000 $ permirent à la police régionale de York, au nord de Toronto, d'obtenir une autorisation du tribunal pour mener une surveillance électronique secrète qui s'approcha dangereusement de l'entourage même de la Sixième Famille.

«Nous avons installé nos tables d'écoute jusqu'à Montréal», déclara un enquêteur ontarien.

Le 23 septembre 2002, se basant sur les preuves recueillies dans le cadre du projet R.I.P., un juge québécois accorda aux agents de la police de Montréal les autorisations requises pour effectuer eux-mêmes une surveillance électronique. Le moment était parfaitement choisi. La Sûreté du Québec avait désormais le temps de consacrer son attention et ses ressources à la Sixième Famille, après avoir enfin arrêté les chefs des Hells Angels au dénouement de l'interminable guerre des motards. Une équipe secrète policière fut formée, réunissant les enquêteurs de la GRC, de la Sûreté du Québec, de la police de Laval, de l'Agence des services frontaliers du Canada, et de l'Agence du revenu du Canada. Cette entité, l'Unité mixte d'enquête sur le crime organisé (UMECO) fut érigée selon le modèle de la CFSEU, ou Combined Forces Special Enforcement Unit, de Toronto, qui avait été le fléau des gangsters pendant des décennies. La CFSEU avait réussi à mettre les Caruana sous les verrous. L'UMECO de Montréal partagea ses maigres ressources entre les deux enquêtes. Une équipe, qui prit le nom de code de «Projet Calvette», ciblait Raymond Desfossés, un des plus anciens membres du gang de l'Ouest, qui était en train d'établir un nouvel empire de la drogue. L'autre équipe avait pour nom de code «Projet Cicéron», le nom originel du projet Colisée. Les deux surnoms, Cicéron et Colisée — le premier en l'honneur du grand orateur de la Rome antique et le second en l'honneur des arènes romaines —, faisaient en fait allusion à leur cible, essentiellement, les gangsters italiens de la Sixième Famille.

Les principales cibles des enregistrements du projet Cicéron étaient Vito et 12 de ses associés les plus proches. L'espoir était grand parmi les agents. Le projet était ambitieux, car il s'agissait de désta-biliser la mafia montréalaise en accusant Vito et les membres aînés de son organisation d'avoir violé les lois antigang du Canada. Pour y arriver, ils devaient, cependant, arriver à pénétrer dans le saint des saints de la Sixième Famille. Depuis des générations, cela s'était avéré impossible.

Mais les enquêteurs savaient exactement par où ils devaient commencer.

MONTRÉAL, JUIN 2003

Il n'y avait pas grand-chose d'esthétique dans l'arrière-salle du club social Consenza. Aux murs couleur crème bordés de vert, un seul tableau — un animal en train de courir — était suspendu, dans un cadre en bois de forme bizarroïde. Le mobilier était spartiate ; un long portemanteau en métal, sur lequel se balançaient une bonne dizaine de cintres dépareillés, était adossé à un mur ; une petite télévision dans un coin et une table ronde en merisier sur laquelle on avait placé un cendrier en céramique vert et quatre chaises à tubulure de métal. La table était éclairée par une lampe de forme conique qui donnait un aspect spectral aux individus rassemblés autour d'elle. Les étrangers n'ont pas le droit de pénétrer dans ce lieu sinistre. Les clients du Consenza, en revanche, peuvent profiter à leur gré de la pièce principale — un café situé dans un centre commercial au 4891, rue Jarry Est, dans le quartier Saint-Léonard à Montréal. On y offre des espressos, des cappuccinos et du café au lait. Cependant, les gorilles à la carrure impressionnante qui se trouvent près de la porte et qui lancent des regards torves vers tous les étrangers font de cet estaminet un endroit où l'on ne se sent pas précisément à l'aise pour siroter tranquillement un breuvage. Dès le début des années 1980, ce café fut le quartier général des membres les plus anciens de la Sixième Famille.

Lorsque Nick Rizzuto faisait un tour au Consenza, une habitude pratiquement quotidienne, il commençait par saluer d'un petit signe les personnes qui s'y trouvaient déjà. Ensuite, il allait suspendre son manteau et son chapeau mou sur le portemanteau près de l'entrée, et allait s'asseoir à une table avec ses amis pour y faire une partie de cartes. Puis, lorsque les membres avec lesquels il était plus lié arrivaient, il disparaissait avec eux dans l'arrière-salle ; des membres comme Paolo Renda, Frank Arcadi, Rocco Sollecito, et son fils Vito jusqu'à l'arrestation de ce dernier pour le meurtre des trois capitaines. La police savait pertinemment que ces cinq hommes étaient au sommet de l'organisation.

Lorsqu'une personne arrivait au Consenza avec l'intention de parler à l'un de ces cinq caïds, le visiteur commençait par attendre dans la première salle et, quelquefois, commandait un espresso pendant qu'un des cerbères aux cheveux graisseux lissés vers l'arrière, qui passaient leurs journées à surveiller le club, se dirigeait vers la porte donnant sur l'arrière-salle, frappait doucement et annonçait à ses patrons le nom du visiteur. Celui-ci était ensuite obligeamment escorté vers la porte qui se refermait derrière lui. Dès le début de l'enquête de la police, le Consenza avait été identifié comme étant le quartier général des vétérans de l'organisation, et si les enquêteurs voulaient progresser sérieusement, ils devaient obligatoirement être capables de voir et d'entendre ce qui se passait quand Vito, Nick et leurs collègues se réunissaient autour de la table.

Dès le mois de juin 2003, les enquêteurs avaient réuni les preuves nécessaires pour obtenir l'accord d'un juge afin d'intercepter secrètement les conversations qui se déroulaient au Consenza. La seconde étape était de réussir à installer leurs gadgets sans éveiller les soupçons. La tâche n'était pas facile. Lorsque vint le moment de mettre sous écoute le Consenza, les enquêteurs du projet Cicéron ne laissèrent rien au hasard. Pas moins de 50 agents de police furent divisés en équipes, coordonnées avec un soin extrême : des serruriers expérimentés ; des as des systèmes d'alarme capables de contourner tous les dispositifs de sécurité ; des experts qui savaient comment installer des caméras miniatures et des micros, ainsi que des douzaines d'équipes de surveillance.

Avant la nuit choisie pour pénétrer dans le club, la police devait absolument savoir en tout temps où se trouvaient tous ceux qui détenaient une clé du repaire. La dernière chose que désiraient les agents était de voir débarquer un des suspects au club au moment où les techniciens de la police seraient en train de bricoler les fils. Le préposé à l'entretien du club faisait partie des personnes à surveiller, car il avait l'habitude d'arriver vers quatre heures du matin pour faire le nettoyage avant le commencement d'une nouvelle journée. Chaque personne ciblée avait reçu un nom de code. Pour éviter de tomber dans le folklore cinématographique ou dans celui des séries télévisées, les noms ne signifiaient rien ; chacun des suspects qui figuraient au dossier toujours plus volumineux du projet Cicéron avait reçu un chiffre et une lettre, commençant par A-1. La liste allait atteindre A-203. Dès le début de la soirée et jusque tard dans la nuit, toutes les personnes possédant une clé furent mises sous haute surveillance policière.

« A-12 vient de rentrer chez lui », annonçait un agent au moyen d'une radio sécurisée. « A-3 est chez lui maintenant », annonçait un autre agent. Les équipes chargées de la surveillance viendraient au rapport l'une après l'autre, jusqu'à ce que plus une seule des cibles ne fût vue en maraude. Comme précaution supplémentaire, on installa un périmètre de sécurité composé d'agents en civil munis de la liste des plaques minéralogiques et des descriptions des véhicules de la Sixième Famille. Dans des voitures banalisées, ils surveillaient toutes les autos qui s'approchaient à plus de cinq pâtés de maison du café Consenza. Ces officiers étaient autorisés à prendre des mesures drastiques, s'il s'avérait nécessaire d'arrêter un suspect pour l'empêcher d'atteindre le club, y compris provoquer une collision avec sa voiture pour faire croire à un accident.

Lorsque les agents de police confirmèrent que tous les suspects étaient bien chez eux, l'officier aux commandes autorisa finalement ses équipes à mettre leur art de l'espionnage en pratique. Pour réduire les risques, les techniciens avaient planifié de faire passer leurs caméras et leurs micros par le magasin voisin plutôt que par la porte d'entrée du club. Pendant que les techniciens accomplirent leur travail, ce qui prit plus de deux heures, les officiers chargés de la surveillance continuèrent à jouer les vigiles solitaires à travers toute la ville. Ils épiaient constamment les cibles qui leur avaient été assignées pour s'assurer qu'aucune d'entre elles ne décide de se rendre de façon inattendue vers la rue Jarry.

Trois caméras vidéo miniatures et plusieurs micros avaient été prévus pour pouvoir surveiller le café Consenza. Une des caméras avait été placée à l'extérieur et visait la porte d'entrée. Une autre pouvait filmer la plupart des actes qui se déroulaient à l'intérieur de la salle principale du café, et la troisième caméra, la plus importante, pointait tout droit en direction de la table ronde de l'arrière-salle. Les caméras durent être réglées plus de 30 fois au cours des deux ans et demi qui suivirent, quand l'image n'était plus au point, par exemple, ou lorsque la table ronde était déplacée de l'autre côté de l'arrière-salle. La même procédure élaborée et les mêmes précautions durent être répétées chaque fois. Il arriva parfois que toutes les personnes ciblées ne purent être localisées, que l'opération fut annulée au dernier instant et reportée à une autre nuit.

Les caméras et les microphones furent finalement mis en marche et des agents, postés dans une pièce secrète pour scruter les transmissions 24 heures sur 24. Le projet Cicéron avait réussi un coup de maître. Les divers corps policiers exultaient de bonheur. La Sixième Famille n'avait jamais autant été mise à nu. La police pouvait enfin voir et écouter ce qui lui avait tant manqué.

«*Sette, otto, nove*», compta Nick Rizzuto en italien. «*Uno, due, tre, quattro*», dit un autre homme qui se trouvait avec Nick dans l'arrière-salle du café et qui l'aidait à compter une liasse de billets de plus de cinq centimètres d'épaisseur. Le calcul des billets, laborieusement, se poursuivit. «*Ventisette, ventotto, ventinove…*»

«C'est la moitié», dit l'autre homme.

«Douze et douze font bien vingt-quatre, n'est-ce pas?» répondit Nick. Il releva ensuite la jambe de son pantalon et enfouit sa part d'argent dans une de ses chaussettes. C'était le mercredi après-midi. Cependant, cela aurait pu se produire n'importe quand car, dans l'arrière-salle du Consenza, des calculs d'argent et des répartitions d'épaisses liasses de gros billets avaient lieu tous les jours. Des individus arrivaient de façon routinière au Consenza pour y déposer leur «cote» ou *cut*, l'argent versé en tribut. L'accueil qu'on leur faisait était souvent bourru, malgré le fait qu'ils apportaient ces cadeaux.

«Il y a combien?» demandait Nick en passant sur-le-champ aux choses sérieuses. Il arrivait parfois que la personne qui apportait la manne fût invitée à s'asseoir avec les chefs à la table de l'arrière-salle.

Le 11 mai 2005, après le déjeuner, Moreno Gallo arriva au Consenza et entra dans l'arrière-salle pour y rejoindre Nick, Renda, Arcadi et Sollecito. Gallo, qui portait une veste de couleur crème contrastant avec les costumes foncés des autres hommes, était un gangster aguerri qui se trouvait alors en liberté conditionnelle après avoir été condamné à la prison à vie pour un meurtre qui s'était produit en 1973. Avant même que Nick eût le temps de s'asseoir à la table ronde, Gallo retira une grosse liasse de billets de la poche intérieure de sa veste et la tendit à son vis-à-vis, Arcadi, pour que ce dernier la regarde bien. Arcadi le gratifia d'un large sourire. Gallo plaça la liasse sur la table en face de Renda qui compta les billets et les répartit en cinq piles. Renda mit rapidement la part de Vito dans une des poches de la veste de son costume gris, et sa propre part dans l'autre. Nick, Arcadi et Sollecito s'emparèrent également de leur liasse. Pendant que Nick commençait à recompter l'argent qui lui avait été versé, ce qu'il faisait toujours, peu importe qui lui avait apporté l'argent, les autres hommes bavardaient. Renda souriait amicalement à Gallo. Ils se levèrent tous et sortirent de la pièce quelques minutes plus tard, lorsque Nick acheva finalement de compter son argent. Ce genre de scène allait se produire de façon routinière. La personne qui apportait l'argent changeait tous les jours, mais le processus était identique. Le butin arrivait. Il était compté et divisé en cinq, à la suite de quoi les heureux bénéficiaires l'empochaient joyeusement ou le mettaient dans leurs chaussettes ou dans leurs portefeuilles. Après l'arrestation de Vito par les autorités américaines, Nick ou Renda prenaient sa part, sans doute pour la lui garder. La police allait répertorier 191 occasions où des sommes importantes d'argent furent livrées dans l'arrière-salle du Consenza et partagées en cinq à la table.

Les hommes ne se montraient nullement discrets concernant le partage. Le 23 mai 2005, les micros surprirent Sollecito en train d'expliquer la façon de faire le partage à Beniamino Zappia, l'homme qui, des décennies auparavant, avait aidé les Rizzuto à élaborer leur système de comptes bancaires en Suisse.

«Lorsqu'ils font quelque chose — et peu importe quand ils le font —, ils apportent toujours quelque chose ici pour que nous le partagions entre nous cinq: moi, Vito, Nicolò et Paolo», disait-il. Sans que Sollecito eût à le dire, il était clair que la cinquième part revenait à Arcadi qui, selon la police, était devenu le chef des activités de rue pour l'organisation.

L'argent arrivait de tous les coins du pays: des trafiquants montréalais, des gangsters de Toronto et des contrebandiers des réserves indiennes; de l'extorsion et du jeu clandestin se déroulant dans les principales villes canadiennes; des fiers-à-bras et des messagers qui récoltaient l'argent pour la Sixième Famille, ainsi que de criminels qui envoyaient de grosses sommes sans même qu'on le leur demande, tout simplement parce qu'ils pensaient que c'était la chose à faire. Mike LaPolla, un individu qui devait être abattu un peu plus tard au Moomba Supperclub, livrait lui aussi ses paquets d'argent dans l'arrière-salle du Consenza. Antonio « Tony » Mucci, un malfrat de longue date qui avait connu ses quinze minutes de célébrité en 1973 lorsqu'il avait tiré sur le journaliste judiciaire du *Devoir*, Jean-Pierre Charbonneau, apportait aussi religieusement son écot.

La quantité de renseignements que les enquêteurs du projet Cicéron réunirent était impressionnante. Les policiers parvinrent à obtenir une vue d'ensemble sur une énorme entreprise de la Mafia composée de nombreuses cellules. Les chefs de chacune de celles-ci gardaient un contact quotidien avec les grands patrons.

Des acteurs clés secondaires impliqués dans une multitude de crimes furent vite identifiés, déclara la police. Deux hommes en particulier attirèrent l'attention des policiers. Lorenzo Giordano, un type bien musclé connu par son surnom de « Skunk » (« la Moufette », à cause des mèches de cheveux blancs qui parsemaient sa tignasse noire), et Francesco Del Balso, un homme plus massif qui aimait particulièrement les voitures de luxe. La police pense que ces deux hommes se partageaient la fonction de bras droit d'Arcadi, en surveillant les importations de drogues, les paris sportifs, les contacts avec les criminels des autres groupes, et en étant à la tête des fiers-à-bras qui instauraient, pour la Mafia, un climat de terreur dans les rues de Montréal. Ces hommes plus jeunes — Giordano était né en 1963 et Del Balso, en 1970 — possédaient leur propre lieu de rencontre, le bar Laennec, dans un centre commercial situé au 2004, boulevard René-Laennec à Laval. En février 2005, le Laennec fut à son tour truffé d'instruments d'écoute et de caméras.

La joie des autorités, qui avaient finalement accès à ce qui se passait dans le saint des saints de la Sixième Famille, était cependant doublée d'un certain sentiment de panique. L'opération allait si vite que les équipes ne pouvaient traiter efficacement la grande quantité de matériel reçu. Les agents éprouvaient de la difficulté à suivre le rythme des conversations enregistrées au téléphone et dans les bars, en anglais, en français et en italien, les trois langues se mélangeant souvent à l'intérieur de la même conversation. Environ 1 200 conversations devaient être écoutées, analysées et transcrites chaque semaine. Nombre d'entre elles portaient sur des activités criminelles, tandis que d'autres n'étaient que des bavardages sans importance ou des anecdotes de la vie quotidienne. Les agents du projet Cicéron prenaient du retard sur leurs écoutes de conversations. Les suspects n'étaient pas identifiés, et les photographies de surveillance demeuraient non triées et non étiquetées. Le retard causé par le manque d'effectifs était immense. Bien souvent, des agents qui venaient de terminer un quart de travail, durant lequel ils avaient observé en direct les images envoyées par les caméras, en commençaient immédiatement un autre, pour s'occuper des conversations téléphoniques qui avaient été enregistrées. Les enquêteurs du projet Cicéron avaient peur que celui-ci ne s'écroule sous son propre poids, tout comme l'avait fait celui des enquêteurs de la GRC durant l'opération du bureau de change, dans les années 1990.

Le malaise grandissant concernant la croissance tentaculaire de l'opération amena un agent à décrire la situation comme étant similaire à celle d'une personne «tenant un tigre par une de ses griffes». Ce malaise devait empirer, à cause de fuites, de ratages et de cafouillages.

•

Durant une nuit glaciale, vers trois heures du matin, des agents en civil commencèrent, à la dérobée, à s'acharner dans le noir sur la serrure de la porte principale d'une modeste taverne située dans le quartier Saint-Léonard, à Montréal. Ils ne mirent que peu de temps à ouvrir la porte, permettant ainsi à une équipe de spécialistes munis de microphones et de caméras miniatures d'entrer. Une autre incursion dans un club secret, dont les enquêteurs pensaient qu'il était un point de ralliement pour les membres de la Sixième Famille, démarrait sous les auspices du projet Cicéron.

Déjà, à ce moment, leurs manœuvres étaient bien rodées. La plupart des agents chargés de la surveillance se sentaient à l'aise avec leurs cibles et connaissaient bien leur routine. Ils avaient peu de difficulté à trouver leur piste, et chaque équipe de surveillance indiquait, une par une, le moment où leur cible allait se coucher. Des agents, dans des voitures banalisées, étaient toujours en place pour surveiller le club de l'extérieur. Ces opérations d'installation de matériel d'écoute et de caméras vidéo fonctionnaient comme sur des roulettes.

Et puis, quelqu'un commit une erreur. Le système d'alarme à l'intérieur du club ne fut pas correctement désactivé et, au moment précis où l'équipe technique allait se mettre au travail, un voyant s'alluma dans une agence de sécurité, et on réveilla le tenancier avec l'annonce d'un possible cambriolage dans son établissement. L'homme, qui habitait à quelques rues de là, sauta dans sa voiture pour aller voir ce qui se passait. L'agent de surveillance qui lui était rattaché prit immédiatement sa radio pour prévenir les agents du mouvement de sa cible. Comble de malchance, l'avertissement qu'il envoya par radio fut transmis au moment même où un autre policier branchait son propre émetteur pour parler à quelqu'un d'autre. Le message d'avertissement ne fut jamais entendu par ses collègues à l'intérieur du club. Ce n'est que lorsque le propriétaire gara sa voiture dans le stationnement de l'estaminet que les officiers, bouche bée, purent envoyer un message d'avertissement.

« Il est là, il est là ! » disait le message désespéré. Le propriétaire descendit de sa voiture et se dirigea vers le club. Les agents à l'intérieur se précipitèrent vers les cachettes possibles, et se réfugièrent tant bien que mal sous des tables et des chaises, tirant d'un coup sec les sacs d'outils et de matériel électronique. Le propriétaire était à l'entrée et sortait ses clés pour ouvrir la porte — que les agents avaient laissée déverrouillée — lorsqu'une voiture de patrouille de la police de Montréal, gyrophares allumés, fit crisser ses pneus en freinant à côté de lui.

« Ne touchez pas à cette porte, nous avons reçu une alerte à la bombe pour cet endroit ! hurla le policier en sortant de l'auto-patrouille.

— Non, non, je veux rentrer et vérifier mon club, protesta le propriétaire en sortant de nouveau ses clés.

— Non, il y a une alerte à la bombe. Vous devez immédiatement quitter les lieux ! Ne touchez pas à cette porte ! »

Il n'y avait, bien sûr, aucune bombe, puisqu'il s'agissait d'une diversion mise au point en toute hâte pour entraver les mouvements de l'homme et l'empêcher, si possible, de voir ou de soupçonner ce qui se déroulait à l'intérieur du club. Afin de rendre la ruse aussi plausible que possible, le policier établit un périmètre de sécurité. En fait, ce stratagème permit aux techniciens du projet Cicéron de jouir de tout le temps dont ils avaient besoin pour s'extirper de leur cachette sous les tables et sortir furtivement du club. Avant de pouvoir déclarer que l'alerte à la bombe était fausse et rouvrir le périmètre de sécurité au public, la police dut encore procéder à une dernière astuce. Les agents effacèrent la bande vidéo de la caméra de sécurité du club, qui avait enregistré l'entrée des policiers et leur folle recherche d'une cachette.

Ils effacèrent l'enregistrement sans problème, mais il en fut autrement pour les soupçons du propriétaire du repaire. Peu de temps après, ce dernier contacta une société d'experts en électronique pour effectuer un balayage du club et s'assurer que celui-ci se trouvait libre de tout gadget électronique.

Il y eut également d'autres embardées. Un micro camouflé dans un divan du club fut découvert par un habitué du Consenza qui se montra très surpris de sa trouvaille. On sortit le divan du café. Un peu plus tard, le club démodé eut droit à des transformations. La police fut mise au courant qu'il serait repeint, qu'il recevrait de nouveaux meubles et qu'on installerait de nouveaux panneaux publicitaires aux fenêtres pour annoncer ses espressos. Il serait également rebaptisé, et une enseigne portant la nouvelle raison sociale serait fixée au-dessus de la porte d'entrée. Peu de temps avant que ne commencent les travaux de rénovation, une opération policière urgente eut lieu pour enlever en secret tous les microphones et toutes les caméras, pour éviter qu'ils ne fussent découverts. Lorsque la peinture fut sèche et que le club social Consenza prit le nom de «Associazione Cattolica Eraclea», en hommage à la ville natale des Rizzuto en Sicile, une autre opération élaborée fut entreprise pour remettre à leur place micros et caméras.

Le projet Cicéron connut des ennuis d'un autre genre lorsque le reporter d'un journal qui avait, par hasard, découvert quelques éléments d'enquête concernant les Rizzuto s'adressa à la GRC afin d'obtenir une confirmation officielle et des commentaires sur ces éléments. On dit que le reporter avait utilisé le nom de code secret utilisé durant l'enquête, c'est-à-dire «Projet Cicéron». Le fait que ce journaliste était un vétéran bien connu et respecté des forces policières n'apaisa en rien leur inquiétude concernant des fuites possibles. Le nom de code «Cicéron» fut abandonné par précaution. L'enquête, qui en était alors à sa phase finale, fut rebaptisée «Projet Colisée». Ce projet ne reçut pas seulement un nouveau nom; il fut de plus gratifié d'effectifs plus nombreux. L'autre opération de l'UMECO, le projet Calvette, s'était soldée par de nombreuses arrestations et saisies en 2004, ce qui avait permis de mettre un terme aux trafics de drogue organisés par Raymond Desfossés; les agents de police qui avaient travaillé au projet Calvette furent donc réaffectés à l'enquête visant la Sixième Famille. L'équipe possédait alors 100 agents travaillant à temps plein sur l'enquête, ainsi que 10 enquêteurs de l'Agence du revenu du Canada qui recherchaient les avoirs des principaux suspects.

Le projet Colisée eut également droit à un nouveau commandant, un homme qui, des décennies auparavant, avait travaillé comme agent secret à découvrir les procédés qu'employait la Sixième Famille pour importer la cocaïne au Travelodge Hotel, à Cornwall. En 1994, l'agent de la GRC Michel Aubin avait joué un rôle modeste mais important dans l'affaire de drogue. Il avait été promu au rang d'inspecteur, et c'était lui, maintenant, qui menait la barque. Il avait pour mission de s'assurer que le projet Colisée ne s'ajoute pas à la longue liste des procédures judiciaires avortées après avoir failli à déstabiliser la Sixième Famille. Ce fut à Aubin qu'incomba la tâche peu enviable de préparer la fin de la partie. Au contraire des autres opérations qui avaient eu pour cible la Mafia au Canada, le projet Colisée était devenu une enquête étendue aux nombreuses facettes. Il ne concentrait pas son attention que sur une seule source de revenus, comme la drogue ou le jeu, ni sur un incident spécifique comme un meurtre. Il ne cherchait pas plus à faire incarcérer quelques chefs ; il comptait mettre le réseau au complet sous les verrous. La Sixième Famille, dans son ensemble, fut passée au microscope, et Aubin, en compagnie de ses collègues du projet Colisée, traita l'affaire comme une entreprise de racket à l'américaine. Ils découvrirent des meurtres, des complots d'assassinat, des exécutions, du chantage et de la corruption de fonctionnaires, des envois et des complots pour distribution de stupéfiants, des réseaux de jeu clandestin valant plusieurs millions de dollars, du blanchiment d'argent, des extorsions et des délits concernant les armes à feu, toutes activités grâce auxquelles ils pouvaient réunir des preuves.

Les coûts administratifs de cette enquête explosaient. Afin d'atteindre toutes les ramifications de la Sixième Famille, les enquêteurs devaient voyager à travers le monde : aux États-Unis, en Italie, en Angleterre, en Allemagne, en Colombie, à Cuba, au Mexique, à Haïti, en Jamaïque, en République dominicaine, au Belize, à Aruba, au Venezuela, en Suisse et aux Bahamas.

La date prévue pour les arrestations massives dut être reportée trois fois. Il y avait encore beaucoup de travail à accomplir, et le temps manquait.

MONTRÉAL, LE 30 AOÛT 2006

3 h 20 du matin. La Cadillac s'arrêta à l'intersection des boulevards Henri-Bourassa et Rodolphe-Forget, dans le quartier de Rivière-des-Prairies de Montréal, un endroit funeste pour la Sixième Famille — s'il arrive à ses membres de ruminer de telles pensées —, car c'est à cet endroit précis que fut découvert par la police en 1992 le corps de Joe LoPresti, leur proche collègue et parent. Deux hommes sur une moto japonaise s'approchèrent de la Cadillac. Le passager de la moto, habillé de noir et portant un casque dissimulant ses traits, sauta à terre et fit feu immédiatement sur le passager de la voiture. Le tireur enfourcha ensuite la selle arrière et les deux motocyclistes partirent à toute vitesse.

Le chauffeur, Mario Iannitto, ne fut que légèrement blessé. Le passager de la Cadillac, Domenico Macri, reçut le plus gros des balles et mourut des suites de ses blessures. Macri, né en 1970, un homme doué et intelligent, laissait une femme et un enfant. La police le connaissait comme étant un confident de la Sixième Famille et un gangster de l'aile calabraise de l'organisation promis à un avenir d'une prospérité certaine. En 1993, il avait plaidé coupable à une accusation de possession d'héroïne. La Sixième Famille fut fort inquiète du fait que Macri avait souvent été le chauffeur et le garde du corps d'Arcadi, et au moment de son assassinat, il était en fait en route vers la maison d'Arcadi pour aller le chercher.

En quelques minutes, la nouvelle se répandit parmi les collègues montréalais de Macri, alors que la sonnerie de dizaines de téléphones cellulaires, que la police avait déjà placés sous écoute, commença à carillonner à travers la ville.

«Oui, frérot, ils ont tué D.M.», dit Giordano à Del Balso, qui fut abasourdi en apprenant la nouvelle. Giordano éprouvait des difficultés à se contenir. «Il est mort! Il est mort! Que s'est-il passé? Qu'allons-nous faire maintenant?»

La première réaction d'Arcadi fut de se dire qu'il aurait dû être lui-même la cible des assassins. Il savait qu'il avait enragé un de ses rivaux en le trompant au cours d'une transaction récente. Horrifié, il se demanda à voix haute ce qui aurait bien pu arriver si jamais il avait été en voiture avec sa famille. Le bar Laennec était bourdonnant d'activité, tandis que des individus entraient et sortaient en parlant à voix basse et en se serrant les uns contre les autres. Iannitto, le chauffeur qui avait été blessé, fut tiré de l'endroit où il se remettait de ses émotions et entraîné par les soldats de la Sixième Famille pour être interrogé. On lui ordonna ensuite de rencontrer en personne Renda, Sollecito, Arcadi, Giordano et Del Balso pour rendre compte de ce qui s'était passé. En vérité, la chose était sérieuse. Lors d'une réunion au bar Laennec, le jour suivant, Sollecito, Renda et Arcadi se rencontrèrent pour discuter du meurtre.

«Nous commençons déjà à étudier la situation. En ce qui me concerne, c'est une saloperie de gros problème...» assura Sollecito à Arcadi. Renda promit qu'il poserait des questions sur l'incident lors d'une réunion qui devait avoir lieu le lendemain avec un homme qui, selon lui, pourrait lui fournir quelques réponses. Arcadi, pour sa part, était pressé d'agir.

«Nous sommes là, Père, Fils et saint Esprit», dit Arcadi en évoquant la mentalité à la fois criminelle et religieuse de la Mafia. «Je suis d'accord pour dire que nous devons réfléchir à la façon de résoudre le problème; les choses doivent être mesurées, évaluées. Cependant, lorsque les choses parviennent à un certain point et que la stupidité nous entoure, les discussions doivent être brèves...»

Renda suggéra qu'Arcadi quitte la ville, car tous croyaient qu'il avait été la victime visée par cet attentat. «Voilà ce que tu dois faire maintenant: trouve-toi une île. Emmène ta femme et efface-toi.» Arcadi n'était pas décidé. Il n'aimait guère l'idée que l'on puisse penser qu'il s'enfuyait.

«Je dois décider si je dois partir ou non, dit-il. J'irai peut-être en Italie rejoindre mes frères...» Il déclara ensuite qu'il était prêt à affronter n'importe quelle guerre. «Personne ne va se débarrasser aussi facilement de moi. Nous allons rechercher ce maudit cochon. Nous allons le rechercher parce qu'il est à la source de tous nos problèmes, dit-il d'un ton exaspéré. Qu'allons-nous faire? J'ai bien dit nous. Qu'allons-nous faire — et j'insiste sur le nous — maintenant qu'un des nôtres a été assassiné? En vérité, je vous le dis, nous allons faire ce qui est nécessaire... »

La veillée du corps et la cérémonie funèbre de Macri représentèrent le parfait exemple de la solidarité qui règne au sein de la Sixième Famille. La famille et les amis de Macri se mêlèrent au gratin de la pègre montréalaise qui se réunit pendant les deux jours de veillée mortuaire au funérarium Loreto, situé boulevard des Grandes-Prairies, un salon funéraire somptueux appartenant aux familles Rizzuto et Renda. Lors des fastueuses funérailles de Macri, qui eurent lieu le 5 septembre 2006 à l'église catholique Marie Auxiliatrice, située à deux minutes en voiture de l'endroit où il avait été tué, des gangsters de toutes générations se présentèrent en force. Paolo Renda était là avec son fils Charlie. Le vieux de la vieille Agostino Cuntrera, qui avait participé au meurtre de Paolo Violi en 1978, se trouvait non loin de Frank Cotroni Junior, le fils de celui des frères Cotroni qui avait été le dernier à mourir. Nick, le fils de Vito était présent. Lorenzo Giordano, très chic avec sa chemise, sa cravate et son veston noirs, arriva aux côtés de Giuseppe Torre. Iannitto, le chauffeur de la Cadillac de Macri, jetait des regards sombres, car il savait qu'il avait été bien près de se retrouver, lui aussi, entre quatre planches. Francesco Del Balso était là et participait au service. Il portait un manteau de cuir noir sur une chemise de même couleur dont le col était déboutonné et, en compagnie d'autres assistants, relâcha vers le ciel une colombe blanche et frémissante.

En dépit des colombes de la paix, la Sixième Famille se préparait à la guerre. Les équipes de surveillance policière repérèrent les fiers-à-bras Giuseppe Fetta, Danny Winton, Martinez Canas et Charles Edouard Battista, alors que ces derniers examinaient et testaient un pistolet et son silencieux dans un garage. Battista tira un coup de feu dans le sol pour tester l'efficacité du silencieux. La police vit Battista donner une mitraillette à Fetta alors qu'il réassemblait une autre arme automatique. Selon la police, un véritable arsenal fut trouvé : deux fusils d'assaut semi-automatiques AR-15, une mitraillette, un fusil de chasse, des gilets pare-balles et des munitions.

Del Balso appela Streit Manufacturing, une société de location de voitures blindées située au nord de Toronto, et dit au représentant qu'il avait besoin d'un véhicule «haut de gamme, totalement à l'épreuve des balles » et disponible immédiatement. Il désirait que le véhicule dispose d'une protection assurée de niveau B-5 avec des caractéristiques précises — capable d'arrêter les balles d'un AK-47 —, que le plancher soit à l'épreuve des grenades et que les roues comportent des doublures leur permettant de rouler avec des pneus à plat. Del Balso rejeta une Cadillac de couleur crème parce qu'elle était «trop voyante». Après avoir écouté les autres options qu'on lui proposait, Del Balso arrêta son choix sur deux véhicules utilitaires sport, une Toyota 4-Runner et une Nissan Armada, à condition qu'ils fussent de couleur foncée et disponibles immédiatement.

Les vétérans de la Sixième Famille furent accompagnés dès lors de gardes du corps pendant leurs déplacements. Des hommes armés étaient postés dans des voitures à l'extérieur du Consenza. On avait l'impression que les armes à feu étaient présentes à l'esprit de tous, et elles étaient certainement toujours à portée de main. Del Balso et un de ses gardes du corps, Ennio Bruni, comparèrent leurs armes à feu, un jour qu'ils étaient à l'intérieur du Laennec.

«Quelle est ton arme? demanda Del Balso.

— Un .38, répondit Bruni.

— Ce vieux pistolet de foutu flic... répliqua Del Balso sur un ton méprisant. Bruni adorait ce revolver.

— C'est le meilleur, c'est le meilleur! dit Bruni en lui montrant comment l'utiliser. Comme ça! Regarde! Comment pourrais-tu manquer ta cible? Elle est morte! Tu l'armes une seule fois.»

Une forte détonation retentit. Del Balso se montra impressionné: «C'est exactement ce que je veux.»

Cette augmentation des signes de violence rendait la police nerveuse. Les agents les plus expérimentés pressentirent que le moment était venu pour le projet Colisée d'arriver à sa conclusion, car leurs caméras et leurs micros risquaient d'enregistrer des bains de sang. Des signes de nervosité d'une autre forme étaient également visibles chez certaines des personnes ciblées par la police.

MONTRÉAL ET LAVAL, LE 6 NOVEMBRE 2006

Une pancarte «À vendre», plantée sur la pelouse impeccable d'une propriété, dans le chic lotissement appelé Val-des-Brises à Laval, attira l'attention des enquêteurs deux jours après y avoir été installée. Cette coquette maison était agrémentée d'une piscine creusée, de planchers de bois franc, de portes importées d'Italie, d'un plancher chauffé en céramique dans un sous-sol aménagé et d'une magnifique cheminée dans le salon. L'agent immobilier la décrivait comme étant un «véritable bijou», et son prix de vente à l'avenant avait été fixé à 999 000 $. Elle était la propriété de Giuseppe Torre, dont la police disait qu'il dirigeait les importations de drogue de la Sixième Famille en utilisant l'aéroport Trudeau de Montréal. Lorsque Torre et sa femme l'avaient achetée en 2004 — cette année-là, le couple avait déclaré un revenu combiné de 87 384 $ —, la maison avait déjà attiré l'attention des enquêteurs du fisc.

Environ 10 agents de l'Agence du revenu du Canada avaient été ajoutés aux troupes du projet Colisée dans le but d'aider le gouvernement à dépister et à prendre le contrôle des biens des principales personnes ciblées par l'enquête. Les officiers qui examinaient les bandes vidéo enregistrées en secret pouvaient constater les expressions de joie sur les visages des mafiosi lorsqu'ils percevaient l'argent. Ils savaient que si la loyauté et les liens du sang faisaient de la Sixième Famille une famille, ses revenus étaient ce qui faisait son bonheur.

«Je peux vous dire une chose : lorsque vous voulez démoraliser les éléments du crime organisé et leur faire explicitement comprendre que le Canada n'est pas un endroit pour eux, il suffit de saisir leurs biens, affirme Yves Borduas, un commissaire adjoint de la GRC. Ces gens-là sont impliqués dans le crime organisé dans un seul but : accumuler des biens.»

La superbe maison, qui paraissait bien au-dessus des moyens des Torre, ne fut pas la seule incohérence que décelèrent les fonctionnaires du fisc. Torre et sa femme, une ancienne agente de bord d'Air Canada, avaient flambé un montant de 100 000 $ de dépenses personnelles en 2001, alors que leurs revenus combinés déclarés cette année-là étaient de 30 562 $. Des relevés de cartes de crédit affichaient, par exemple, un achat de lingerie fine s'élevant à 1 902 $ à la boutique Victoria's Secrets. Torre avait subi des transplantations de cheveux douloureuses — plus de mille greffes. Il y avait eu des places au deuxième rang lors de la Coupe du monde de la FIFA en Allemagne, des voyages à New York et à Calgary pour assister à des matchs de hockey, des billets d'avion pour Acapulco, Mexico, Francfort, Los Angeles et San Francisco. Il y avait eu des flambées de jeu. Ainsi, Torre avait perdu plus de 100 000 $ en une seule nuit dans des paris sportifs. En dépit de tout ce luxe, la femme de Torre se lamentait d'avoir à conduire une BMW M3 parce que son mari avait refusé de lui acheter une Porsche.

Le même genre d'aberration fut remarqué par les agents du Revenu lorsqu'ils examinèrent les biens de Nick Rizzuto. En 2001, selon sa déclaration de revenus, Nick était officiellement retraité et vivait d'une pension annuelle évaluée à 26 574 $, provenant de régimes de rentes et de placements. Et pourtant, il vivait dans une superbe maison, possédait un condominium à Milan, détenait près de deux millions de dollars en actions, se promenait au volant d'une Jaguar XJ12 1987 et d'une Mercedes E430 2001 et offrait à sa femme Libertina des manteaux de fourrure et des bijoux. Et bien que Nick et

Libertina n'eussent pas inclus dans leur déclaration de revenus leurs comptes bancaires à l'étranger, les enquêteurs estimaient qu'ils possédaient plus de cinq millions de dollars, bien à l'abri dans des banques suisses. Ces comptes d'investissements faisaient preuve d'injections d'argent liquide provenant de blanchiment d'argent au Panama. Les enquêteurs craignaient en permanence que leurs cibles ne liquident leurs biens et les déplacent là où le gouvernement ne pourrait pas les atteindre.

« Nick Rizzuto pouvait n'importe quand, sans aucune contrainte que ce soit, liquider les investissements qu'il possédait à la RBC Dominion Securities, à la Financière Banque nationale et à la Banque nationale du Canada, pour transférer ses capitaux au Panama », écrivit Jean-Pierre Paquette, un des enquêteurs du fisc, dans une déclaration sous serment au tribunal.

Cependant, la chose qui inquiétait le plus l'équipe du projet Colisée était la pancarte « À vendre » devant la maison de Torre. Lorsque ses membres examinèrent les autres biens des Torre, ils découvrirent que deux immeubles à revenus, des édifices à appartements que possédaient Torre et sa femme, étaient également à vendre.

« Giuseppe Torre est en train de liquider ses biens ainsi que ses propriétés », écrivit dans une déclaration assermentée Benoît Martineau, un autre enquêteur du fisc. La liquidation des biens de Torre se déroulait au moment où la police était en train de boucler le projet Colisée et s'apprêtait à procéder à des arrestations. Cela devait-il signifier qu'il y avait eu un autre ébruitement ? Les personnes faisant l'objet d'enquêtes étaient-elles sur le point de fuir ?

Quelques semaines auparavant, Del Balso était parti pour Acapulco, ce qui avait causé quelques inquiétudes. Lorsqu'il revint à Montréal, ses bagages furent fouillés à l'aéroport par les agents des douanes. L'individu se moqua des agents durant la fouille. Il soutint même en ricanant que « s'il le voulait, il pourrait acheter cette merde d'aéroport ».

« Vous perdez votre temps à me fouiller alors que toute la drogue du monde vous file sous le nez », déclara-t-il. Les douaniers se dirent que si quelqu'un devait être au courant d'une telle chose, c'était bien lui.

●

Les enquêteurs travaillèrent alors avec frénésie en compagnie des procureurs fédéraux pour déterminer lesquels de leurs suspects pouvaient être mis en accusation, lesquels pouvaient être arrêtés et pour quels motifs, et lesquels de ces quidams ils pouvaient laisser en paix, au moins pour un jour de plus. Vito, qui faisait face à la justice américaine, ne dépendait plus de la police canadienne. On commençait à élaguer les listes imposantes qui contenaient les noms de centaines de suspects.

En premier lieu venaient les chefs les plus anciens — Nick Rizzuto, Paolo Renda, Rocco Sollecito et Francesco Arcadi — qui, selon la police, orchestraient un ensemble d'entreprises criminelles dont ils étaient les principaux bénéficiaires. Ensuite, il y avait les patrons de rues, Lorenzo Giordano et Francisco Del Balso qui, alléguait-on, supervisaient les activités de la famille. Il y avait 38 personnes dont le travail était présumément de faire entrer en contrebande la drogue au Canada par l'aéroport de Montréal, dont Giuseppe Torre, le supposé directeur du réseau, une agente des douanes qui travaillait pour l'Agence des services frontaliers du Canada et une bonne douzaine d'employés d'entreprises aériennes et de services alimentaires. Il y avait les personnes qui se seraient occupées de l'importation de la cocaïne d'Amérique du Sud et des Caraïbes en utilisant les conteneurs qui voyageaient par bateau, y compris une autre douanière. Dix personnes auraient également été identifiées comme dirigeant une vaste opération de paris dans Internet, grâce à un serveur informatique localisé au Belize mais qui avait déménagé plus tard sur la réserve indienne de Kahnawake. (Les documents déposés au tribunal relatent qu'ils avaient engrangé 391,9 millions de dollars en moins d'un an.) Il y avait ensuite un groupe d'hommes et de femmes qui auraient exporté de la marijuana en Floride, la faisant transiter par la réserve d'Akwesasne, et rapporté le produit des ventes au Canada par le même chemin. Il y avait aussi les personnes présumément impliquées dans différents actes de violence et plusieurs gardes du corps accusés d'avoir utilisé leurs armes.

Le reste allait devoir attendre. Exactement comme cela s'était produit durant les enquêtes précédentes, des personnes qui avaient fait l'objet d'investigations eurent la priorité sur les autres ; la police voulait arrêter ces dernières, mais les procureurs ne voulaient pas porter d'accusations contre elles. Enfin, les patrons du projet Colisée choisirent de lancer des mandats d'arrêt contre 91 personnes, dont la plupart se trouvaient à Montréal et les autres, à Toronto et à Halifax.

MONTRÉAL, 21 NOVEMBRE 2006

Vers cinq heures du matin, plus de 700 agents de police de la GRC, des services de police de Montréal et de Laval ainsi que des agents de l'Agence du revenu du Canada se mobilisèrent dans différents endroits précis, où on leur expliqua pourquoi on les avait tirés du lit si tôt. Pour des raisons de sécurité, seulement 90 d'entre eux savaient qui étaient leurs cibles, alors que les équipes chargées d'effectuer les descentes policières commencèrent à s'abattre sur des centaines de maisons, de commerces et de bureaux. Les inspecteurs avaient reçu l'ordre de recourir à une approche discrète pour procéder aux arrestations plutôt que de se lancer dans une opération éclair comme celles que l'on voit à la télévision, et les personnes ciblées réagirent en conséquence. Elles furent toutes arrêtées sans que ne se produise un seul incident. Pour la grande majorité d'entre elles, l'arrestation se déroula tranquillement, à la suite d'un coup frappé à la porte d'entrée principale de leur domicile.

Les policiers qui se présentèrent à la maison de Nick permirent au vieux mafioso de s'habiller avec son chic habituel de gangster de cinéma : un manteau griffé qui lui allait aux genoux et un chapeau mou dernier cri. Sa femme, cependant, fut si affolée que les policiers durent appeler une ambulance. Nick fut ensuite emmené. Ses poignets étaient liés en avant au moyen d'attaches en plastique. Lorsqu'il repéra les caméras des médias, Nick s'efforça de sourire. Le projet Colisée était finalement exposé au grand public.

Les policiers se rendirent à la maison de Vito, qui se trouvait dans la même rue, pour y chercher des preuves, ainsi qu'à celle de Renda pour l'arrêter. Arcadi fut localisé dans la région d'Hemmingford, au sud de Montréal, au moment où il partait à la chasse. Lorsqu'il fut ramené à Montréal, il était encore vêtu de treillis de camouflage. On trouva facilement la plupart des 91 suspects. À la fin de la journée, la seule cible d'importance à avoir pris le large était Giordano qui avait fui à Toronto où il fut arrêté six mois plus tard. Six hommes et une femme ne furent jamais retrouvés.

La GRC déclara que le projet Colisée avait été « une des opérations policières les plus importantes de l'histoire du Canada ».

« Je dois admettre que durant les 37 années au cours desquelles j'ai fait partie de [la GRC], l'organisation Rizzuto a été sur notre écran radar pendant une grande partie de mes années de service. Cela a donc été tout une fête, admit le commissaire adjoint Borduas. Le syndicat de la famille Rizzuto a opéré au Canada depuis les années 1950. Il mène des opérations dans toutes les parties du monde. Lorsque vous vous attaquez à ce genre de consortium, il y a toujours un prix à payer, et si je devais mettre un prix sur le projet Colisée, il se chiffrerait en millions de dollars. C'est un prix énorme, mais c'est celui que nous devons payer. » Le coût du projet dépassera sans aucun doute les 50 millions. On a identifié au moins 35 millions de dollars de dépenses et de grosses factures n'ont pas encore été comptabilisées. La Gendarmerie royale, pour sa part, a encouru des dépenses de 32 084 823 $ en 2006, principalement 26 millions en salaires et 4 millions en temps supplémentaire. La Sûreté du Québec a pour sa part ramassé une note de plus de 1,6 million, à partir d'un montant de 228 937 $ en 2003 qui devait grimper à 504 957 $ en 2005 selon des documents fournis par cette force policière. Le gros de cet argent représentait des coûts de main-d'œuvre. L'Agence du revenu du Canada a dépensé 752 640 $ au cours de sa courte enquête lancée en mai 2005. Mais les registres comptables sont loin d'être complets. Un des plus importants partenaires de l'opération Colisée, la police de Montréal, n'a pu fournir de chiffres précis, mais a fourni en guise d'exemple son relevé de temps supplémentaire pour la seule journée du 21 novembre, le jour du coup de filet Colisée. La police de Laval n'a pas voulu déclarer le montant de ses frais alors que l'Agence des services frontaliers du Canada a déclaré n'avoir rien dépensé. Et puis, il faut prendre en compte les honoraires juridiques, les énormes frais judiciaires et par la suite, le coût de l'incarcération. Une facture gargantuesque.

L'inspecteur Aubin, le commissaire chargé du projet Colisée, déclara que la réussite de celui-ci serait mesurée selon bien d'autres critères que le tort qu'il put causer à la Sixième Famille.

L'inspecteur est d'avis qu'« avec le projet Colisée, nous sommes entrés au cœur même du crime organisé. Si nous remportons quelque succès en frappant cette organisation alors qu'elle pensait bénéficier d'une sorte d'immunité, nous pourrons faire la même chose envers tout autre regroupement du genre. En démantelant cette association de malfaiteurs, nous pouvons affirmer sans crainte que pas une seule organisation criminelle ne pourra dorénavant se sentir en sécurité ».

Les agents déclarèrent par ailleurs que leur travail était loin d'être terminé.

« Il s'est agi d'une enquête de grande envergure, déclara un enquêteur chevronné du projet Colisée. Après ce projet-ci, il y aura sans aucun doute le projet Colisée 2, le projet Colisée 3, le projet Colisée 4… »

« On recueillait, recueillait, recueillait… C'était exactement comme lorsque ma femme tricote un chandail, expliqua un autre enquêteur. Une maille à l'endroit, une maille à l'envers… Laissez glisser une maille ici, reprenez-la plus loin, et vous continuez à dérouler la balle de laine. Eh bien ! Nous avons laissé glisser une maille ou deux, mais quand nous avons terminé de tricoter ce qui devait être un chandail, c'était devenu une courtepointe… » Cette comparaison le fit rire de bon cœur.

« Et il nous reste bien encore un peu de laine, n'est-ce pas ? » conclut-il.

ÉPILOGUE

BROOKLYN, 4 MAI 2007

« Eh bien ! Monsieur Rizzuto, comment plaidez-vous à l'accusation au premier chef d'accusation qui remplace les autres : coupable ou non coupable ? » La question que le juge Nicholas Garaufis posa à Vito Rizzuto dans la grande salle du tribunal de Brooklyn le 4 mai 2007 conduisit le puissant et riche mafioso à une croisée des chemins bien particulière. Fait étonnant, malgré le fait qu'il fût le chef de la Sixième Famille, grand patron d'activités internationales, et le nom le plus illustre du monde du crime au Canada, il avait réussi, durant 35 ans, à éviter de plaider coupable en réponse à de telles questions. Et, pendant 26 ans — moins un jour —, il avait également évité d'admettre son implication dans un massacre commis par la pègre, le célèbre meurtre des trois *capi* de la famille Bonanno.

Maintenant, face au juge Garaufis, vêtu de la tenue informe du prisonnier plutôt que d'un complet griffé, les cheveux coupés au bol par le tondeur de la prison et non mis en plis par un bon coiffeur, Vito trahissait son malaise par des mouvements répétitifs des jambes. Il hésita juste assez longtemps à répondre pour que les reporters attroupés puissent se demander quelle serait la manœuvre surprise qu'il utiliserait cette fois pour se sortir de l'impasse. C'est alors qu'il répondit, d'une voix ferme mais légèrement rauque, les mains docilement jointes devant lui :

« Coupable.

— Plaidez-vous coupable de façon volontaire et de votre propre chef ? demanda le juge.

— Oui, Votre Honneur. »

Vito dut ensuite expliquer au tribunal tout ce qu'il avait fait de mal, ce qui permit au juge Garaufis d'évaluer le bien-fondé de l'accord survenu entre le procureur de l'État et l'avocat de Vito. Cette entente de cinq pages, signée plus tôt au cours de la même journée, avait été péniblement conclue entre les avocats de Vito et le procureur fédéral Greg Andres. Cet accord stipulait que si Vito plaidait coupable, il écoperait d'une peine de 10 ans de prison. Pour se livrer à sa litanie, le caïd chaussa ses lunettes et regarda un bout de papier sur lequel ses avocats avaient écrit les grandes lignes de son acceptation.

«Entre le 1ᵉʳ février 1981 et le 5 mai 1981, j'ai conspiré avec d'autres personnes pour mener à bien les affaires d'une association, en fait plutôt d'une entreprise au moyen d'un système de *racketeering*. Le 5 mai 1981, j'ai agi avec d'autres personnes à Brooklyn, New York, et commis le crime de *racketeering* relatif à un complot pour meurtre et au meurtre d'Alphonse Indelicato, de Philip Giaccone et de Dominick Trinchera», déclara-t-il. La maladresse de cette déclaration, qui ressemblait davantage à un réquisitoire bureaucratique qu'à un honnête aveu de culpabilité, provoqua un moment de silence dans la salle d'audience. Le juge Garaufis, qui avait présidé à des dizaines de procès contre la famille Bonanno, ne se montra pas très impressionné.

«Vous ne m'avez pas dit ce que vous avez fait, dit le juge qui, visiblement, était de plus en plus contrarié au fur et à mesure que parlait le prévenu. Je veux connaître plus de détails. Nous ne sommes pas ici pour nous amuser. Je suis le juge. C'est totalement inacceptable. Était-il le chauffeur? Était-il un des tireurs? insista le magistrat. Pourquoi devrais-je accepter un accord s'il plaide coupable, ainsi qu'une peine réduite de 10 ans de réclusion, alors qu'il pourrait facilement recevoir une peine de 20 ans? De nombreuses personnes sont allées en prison pratiquement pour le reste de leurs jours parce qu'elles ont été impliquées dans ce genre de crime. Si jamais il a quelque chose de plus à dire, j'aimerais bien le savoir avant d'accepter les conditions de son marché.»

John Mitchell, l'avocat de Vito à New York, se montra décontenancé.

«Pouvez-vous m'accorder un instant avec mon client, Votre Honneur?» demanda-t-il. Pendant le court intervalle, Vito et Mitchell eurent un échange très animé. Le Vito docile qui s'était adressé avec humilité au juge était déjà bien loin. On retrouvait le bon vieux Vito, maître de lui. Ses mains bougeaient vivement alors qu'il parlait à voix basse avec son défenseur. Il était évident que Vito avait sa propre opinion sur ce qu'il accepterait ou refuserait d'admettre, qu'il n'accepterait pas facilement de changer d'opinion. On crut même qu'il avait décidé de nier qu'il faisait partie de la Mafia. Lorsque l'audience reprit, Vito était prêt à livrer une version moins bien rédigée de son crime.

«En fait, j'étais un des gars qui devaient participer à cela, commença Vito. Mon rôle était de dire "C'est un hold-up!" au moment où j'entrais dans la pièce pour que tout le monde arrête de bouger. C'est à ce moment-là que les autres ont fait irruption et ont commencé à tirer sur les trois types.

— Étiez-vous armé? demanda le juge Garaufis.

— J'étais armé», dit Vito.

Puis, ce fut au tour d'Andres, le procureur de l'État, d'expliquer pourquoi il avait accepté une peine de 10 ans d'emprisonnement pour une boucherie aussi atroce.

« Attendu que ces crimes se sont déroulés il y a 26 ans ; attendu que cela apporte une certaine finalité pour les victimes, cela nous permet de restituer quelques-unes des preuves, du moins en ce qui concerne certaines de ces victimes ; enfin, étant donné le temps écoulé, ce qui n'excuse rien, il s'agit certainement d'un facteur dans la façon dont procède le gouvernement pour résoudre une telle affaire », dit-il.

Quelques semaines plus tard, le 25 mai 2006, Vito se présenta une fois de plus devant le juge Garaufis pour recevoir officiellement sa condamnation. Une fois au tribunal, il essaya d'éviter de payer une très lourde amende en présentant des états financiers prétendant qu'il était sans le sou. Il déclara que ses seuls biens étaient 3 000 $ en liquide et la valeur de 468 000 $ que représentait un tiers des intérêts de Construction Renda Inc., une entreprise montréalaise appartenant à la famille. Ce montant d'argent était plus qu'annihilé par ses dettes, estimées à 475 300 $ — de l'argent qu'il devait à ses proches : 103 300 $ à son plus jeune fils Leonardo, 92 000 $ à sa fille unique, Bettina, et 280 000 $ à sa mère Libertina. Ces assertions étaient grotesques.

« Ses avoirs nets semblent être équivalents à ses dettes, ce qui est absurde... et fort pratique, fit remarquer Andres. Comme toutes les personnes appartenant à la pègre, ses biens sont au nom de gens de sa famille... »

Le juge Garaufis sembla d'accord : « Le tribunal n'est pas convaincu que les renseignements fournis concernant ses dettes peuvent être considérés comme fiables. Nous avons devant nous un homme d'affaires montréalais qui ne possède même pas sa propre maison. Ses seuls biens sont des parts dans cette société — ce n'est vraiment pas beaucoup, pour une carrière de 30 ans dans les affaires, et je ne suis pas convaincu que les représentations soient complètes ni exactes. »

Les arguments selon lesquels Vito était pauvre firent presque échouer, en fait, les accords concernant la condamnation. Le juge, contrarié, infligea à Vito la plus forte amende permise par la loi, soit 250 000 $. Là encore, les avocats de Vito demandèrent que l'amende fût payée à tempérament, en plusieurs mensualités, des modalités de paiement qui se seraient étalées au-delà de la condamnation de 10 ans qu'il avait reçue. Ensuite, ils s'opposèrent à ce que les actions de l'entreprise de construction fussent déposées en garantie. Ils avaient poussé un peu trop loin l'outrecuidance et, dans un accès de colère, le juge ordonna que l'amende fût payée dans les 90 jours.

« Cette journée marque le chapitre final de la lamentable histoire de l'exécution de trois personnes il y a environ 26 ans, alors que certains recherchaient la puissance et la richesse, dit le juge Garaufis. Telle que l'histoire de cet événement est rapportée dans ce tribunal, il est évident qu'un acte aussi sordide ne mérite que notre mépris et doit être puni. Il est impossible de mesurer les souffrances humaines qui ont été laissées dans son sillage. Notre ville porte les cicatrices de chacun de ces événements. J'espère, sans toutefois entretenir de vains espoirs, que nous ne verrons plus à l'avenir d'actes d'irrespect aussi immondes être commis envers la loi...»

•

En dépit du fardeau supplémentaire que constituait l'amende, le marché qui avait été conclu était une entente bonbon. Pour Vito, il aurait été beaucoup plus embarrassant et coûteux d'aller en procès, car cela aurait entraîné la divulgation d'encore plus de faits concernant la mafia montréalaise que ce qui avait été révélé à l'époque de Paolo Violi et de ses indiscrétions. Le défilé des témoins qui avaient accepté de coopérer aurait été énorme et, en bout de piste, les chances de Vito de se tirer d'affaire auraient été bien minces. Si Vito avait perdu son procès, il aurait certainement écopé d'une peine de 20 ans de prison. En plaidant coupable, il s'assurait que le Bureau des prisons américain, comme il le lui avait promis, accepte de fixer le début de la condamnation au 20 janvier 2004, jour où Vito avait été arrêté dans sa demeure montréalaise. Selon les lois américaines, il sera probablement relâché après avoir servi 87 pour cent de sa peine. Le jour projeté de sa libération est le 6 octobre 2012. Il aura alors 66 ans.

Vito, cependant, pourrait bien se retrouver en liberté beaucoup plus tôt. Il est citoyen canadien et, comme tel, est éligible à purger le reliquat de sa peine au Canada — où le temps qu'il passerait en prison serait encore plus court, selon les règles qui régissent les libérations. En effet, les peines d'emprisonnement peuvent être réduites d'un tiers ou même de deux tiers, si la Commission nationale des libérations conditionnelles ne considère pas le *racketeering* comme étant un crime violent (tout comme elle ne considère pas le trafic ou l'importation de drogue comme étant des crimes violents). De plus, étant donné que Vito fut condamné aux États-Unis, l'ordre donné par le juge Garaufis, selon lequel il devra être gardé sous surveillance pendant les trois ans qui suivront sa libération, n'aura aucune force de loi au moment de sa libération, et Vito sera libre.

Le résultat de tout cela est ironique. Si Vito n'avait pas été arrêté et extradé aux États-Unis, il aurait certainement été pris lors de la vague d'arrestations du projet Colisée. Étant donné la gravité des accusations que les membres de sa famille et leurs collègues eurent à affronter au Canada, et l'apparente solidité des preuves obtenues par le gouvernement, Vito pourrait se retrouver libre comme l'air dans les rues de Montréal bien avant ses collègues.

Il ne serait pas exagéré de dire que bien qu'il n'eût pas pu, cette fois-ci, éviter une condamnation, il s'en tira quand même fort bien.

Alors que le père de Vito, en compagnie d'autres personnes arrêtées, se retrouvait au cœur d'une bataille juridique au Canada, Vito s'accoutumait à sa vie de prisonnier aux États-Unis. Ses avocats avaient demandé à ce qu'il fût incarcéré à la prison de Ray Brook, au nord de l'État de New York, à peine à 185 kilomètres au sud de Montréal, ce qui aurait permis à sa famille de lui rendre visite facilement. Au lieu de cela, de la prison surpeuplée de Brooklyn, le Metropolitan Detention Center, il fut envoyé dans une prison servant aux transferts située en Oklahoma et, de là, quelques jours plus tard, dans celle qui lui avait été assignée : un complexe fédéral à sécurité moyenne, à Florence, au Colorado, à près de 3 130 kilomètres de chez lui.

ROME, 23 OCTOBRE 2007

Alors que Vito s'installait dans une vie relativement anonyme de pensionnaire aux frais de l'Oncle Sam, les autorités italiennes se réunirent à Rome pour procéder à une déclaration qui catapulterait une fois de plus le parrain montréalais sous les feux de la rampe de l'actualité internationale. En effet, des banquiers, des gens d'affaires, des conseillers en investissement et un individu apparenté à la famille royale italienne venaient d'être appréhendés en Europe, et accusés d'être membres d'un colossal empire financier mafieux. Au cours d'une série de raids qui eurent lieu en Italie, en Suisse et en France, la police bloqua 730 millions de dollars de biens, saisit 22 sociétés et mit 17 personnes en accusation. Les autorités alléguèrent que le groupe utilisait plusieurs compagnies inscrites sur les marchés boursiers américain et allemand, y compris une société de Vancouver s'occupant de mines d'or au Canada et au Chili.

Selon les autorités, le cerveau derrière toutes ces manigances n'était nul autre que Vito Rizzuto. Une fois de plus, la justice italienne émit un mandat d'arrestation contre lui en qualité de patron d'une association appartenant à la Mafia, et exprima son désir de le voir extradé en Italie. Des mandats d'arrêt furent également émis contre Nick Rizzuto, père de Vito, ainsi que contre les hommes liges au cœur de la Sixième Famille, soit Paolo Renda, Frank Arcadi et Rocco Sollecito. Les enquêteurs prirent bonne note du fait que ces hommes se trouvaient déjà sous les verrous.

« Nous sommes persuadés que, même en prison, ces gens sont capables de diriger l'organisation, assura Silvia Franzè, de la Direzione

Investigativa Antimafia, à Rome. Nous avons gelé une quantité de comptes bancaires et de capitaux et saisi plusieurs sociétés et des centaines de millions d'euros autour du globe parce que nous croyons que Vito Rizzuto se dissimule derrière ces entreprises. Ici même en Italie, nous avons découvert des cellules qui sont sous la direction de Vito Rizzuto. Nous avons découvert les liens qui existaient entre les chefs de ces cellules mafieuses et les sociétés impliquées dans des crimes de nature financière, ou qui avaient acquis des terrains pour fins de promotion immobilière.»

Mariano Turrisi, 53 ans, président et fondateur de Made in Italy Inc., un groupe de marketing import-export, fut également arrêté. La police révéla avoir intercepté des conversations entre lui et Vito en 2002 et 2003. L'arrestation de Turrisi est particulièrement frappante. Il fut en effet l'un des principaux dirigeants d'un mouvement politique fondé par le prince Emmanuel Philibert, qui était l'un des héritiers du trône italien lorsque la monarchie prit fin en 1946. Ce mouvement, qui porte le nom de «Valeurs et Futur» en français, fut fondé lorsque le prince rentra d'exil au début des années 2000, à la suite d'un amendement constitutionnel permettant aux membres mâles de la famille royale, qui constituent ce qu'on appelle la «Maison Royale de Savoie», de revenir en Italie.

Tout cela donne définitivement une image «col blanc» à la Mafia. Selon la police, de tels liens démontrent encore une fois l'influence de la famille Rizzuto à travers le monde.

Parmi les personnes accusées en Italie se trouvent Roberto Papalia, l'homme d'affaires controversé de Vancouver et associé des Rizzuto, ainsi que Beniamino Zappia qui, voilà quelques décennies, avait aidé les Rizzuto à faire transiter de l'argent dans des banques de Lugano. Tous deux furent arrêtés à Milan. On trouve aussi Felice Italiano, un homme d'affaires de LaSalle, Québec, qui, il y a plus de 10 ans, fit l'objet d'accusations, abandonnées par la suite, liées à l'une des plus importantes saisies de stupéfiants effectuées au Canada. Italiano est propriétaire de la société Ital-Peaux, qui exporte des peaux d'animaux brutes. Selon les autorités italiennes, Italiano se servait de ces dépouilles malodorantes pour masquer l'odeur des narcotiques que les chiens renifleurs auraient pu détecter. Italiano se trouvait en vacances à Rome avec sa femme lorsque la police lui mit la main au collet dans sa chambre d'hôtel, deux heures avant son vol de retour au Canada. On signale que d'autres Canadiens et Italiens sont toujours recherchés en relation avec cette affaire.

Les documents juridiques italiens relatifs au dossier décrivent Vito comme une sorte de «super *boss*» planétaire. Un document en provenance du bureau du procureur antimafia de Rome allègue que les

Rizzuto ont créé une «société multinationale» dont l'objectif est d'unir les mafias italiennes et de créer des «cellules» outre-mer. Toujours selon ce document, l'organisation a pour objectif «de gérer et de contrôler les activités économiques reliées à l'octroi de contrats de travaux publics, et de commettre une série de crimes incluant le meurtre, le trafic de stupéfiants, l'extorsion, la fraude, la contrebande, le tripotage de valeurs mobilières, les délits d'initiés et le transfert criminel d'actions et d'obligations».

Bref, pour la Sixième Famille, les nouvelles ne sont guère réjouissantes.

La condamnation de Vito Rizzuto aux États-Unis et les arrestations d'un grand nombre de ses collègues au Canada représentent un sérieux et important contretemps pour la Sixième Famille, des difficultés comme le monde interlope n'en avait jamais connue jusque-là. Apparemment, l'organisation avait mis sur pied un plan d'urgence pour assurer une transition en douceur, au cas où Vito ou d'autres parmi les chefs les plus anciens seraient «retirés» du jeu. Les enregistrements recueillis au cours du projet Colisée montrent bien qu'il s'agissait d'un solide modèle de directoire à cinq personnes. Il est cependant douteux qu'ils aient vu venir le coup et se soient préparés à perdre autant de joueurs du côté canadien, si rapidement après l'arrestation de Vito. L'organisation s'est énormément fragilisée. Le démantèlement de plusieurs de ses sources de revenus et l'embarras ressenti vis-à-vis du milieu, du fait d'avoir été à ce point mise au jour par les autorités, aggravent ses pertes. Les preuves amassées par les enquêteurs du projet Colisée hanteront les gangsters montréalais pour des années à venir. D'autre part, les personnes fréquentant le club social Consenza qui n'ont pas été arrêtées se sentiront fort probablement vulnérables, constamment aux aguets de ce qui pourrait éventuellement leur tomber dessus. Les propos qui tournent autour d'un possible projet Colisée 2, et même d'un Colisée 3, sont susceptibles d'accroître davantage la nervosité des gangsters et des mafiosi, de l'Atlantique au Pacifique.

Cependant, tout n'est pas perdu pour la Sixième Famille.

De nombreux membres importants, respectés et bourrés de talent au sein des différents clans de l'organisation de la Sixième Famille n'ont pas été touchés par la vague d'arrestations. Des 205 personnes dont les inspecteurs du projet Colisée suivaient la trace, 130 furent désignées en tant que cibles primaires et secondaires, mais seulement 91 durent réellement faire face à des arrestations, au terme de l'enquête. Certains des individus qui sont toujours en liberté occupaient, selon les enquêteurs, des postes de responsabilités importantes et d'autorité. Les clans associés à Vito, ainsi que ses associés de Toronto et de Vancouver, continuent leur travail. Bien qu'une certaine quantité d'argent, de drogue, d'armes à feu, de maisons et d'autres biens eût été saisie par la police lors du projet Colisée, une grande partie de la très grande richesse de la Sixième Famille demeure intacte. Et, ce qui est peut-être plus important, aucun des hommes et aucune des femmes que la police avait étiquetés comme appartenant à «la nouvelle génération» de l'organisation mafieuse n'a été arrêté.

Les clans sont unis par des liens si serrés qu'ils donnent à l'organisation une force et une résistance auxquelles presque rien ne peut s'opposer. Tout comme la pieuvre à laquelle la Mafia est souvent comparée, de nouveaux tentacules apparaissent chaque fois que des anciens sont perdus. L'arrestation d'un seul de ses membres, même s'il s'agit d'un individu possédant les capacités évidentes de Vito, son charisme, le respect dont il jouit ainsi qu'un incomparable réseau de contacts comme le sien, ne représentera somme toute qu'un cahot, dans cette histoire qui remonte à plus d'un siècle. La Sixième Famille, durant sa lutte légendaire pour sa survie, est plus importante que n'importe quel chef, et vaut plus encore que chacun des clans individuels qu'elle englobe. La famille a prouvé qu'elle était une entité durable, un peu comme une contre-culture résistante, un virus. De nouveaux joueurs — qui sont pour la plupart les enfants des membres du petit noyau de la famille — sont déjà prêts à assumer les rôles qu'ils devront tenir, et leurs noms apparaîtront un jour, lorsqu'ils emboîteront le pas à leurs aînés et assumeront les traditions criminelles de cette immense entreprise pour la perpétuation de laquelle ils ont été engendrés. C'est dans cet esprit que la famille Manno est devenue l'organisation Rizzuto, pour devenir à son tour la Sixième Famille. Qui serait assez malin pour prédire le nom du clan dominant dans les années à venir?

Vito Rizzuto a peut-être été écarté de la direction de la Sixième Famille. Toutefois, il ne faudrait pas se leurrer. On n'a pas coupé la tête du monstre... On lui a tout au plus arraché une poignée de cheveux. Le reste de la chevelure n'a pas bougé. Elle continue à pousser et à se développer, et le cuir chevelu laissé à nu se trouvera bientôt couvert de mèches...

Puis, avec le temps, on oubliera tout ça.

Principales sources
et références

PROLOGUE

L'assassinat des trois *capi* est extrait des témoignages en cour d'un certain groupe de membres du clan Bonanno qui ont accepté de collaborer avec le gouvernement, particulièrement ceux de Salvatore Vitale et de Frank Lino dans *U.S.A. contre Joseph Massino* (CR-02-307, District Est de New York) en 2004 et *U.S.A. contre Vincent Basciano* (03-CR-929, District Est de New York) en 2006 ; de rapports internes du FBI et de débriefings préliminaires des mêmes personnes ; du *Dossier de l'affaire pour la Poursuite*, déposé auprès de la Cour supérieure du Québec à la suite de la demande d'extradition de Vito Rizzuto par le gouvernement des É.-U. ; de résultats d'autopsie par l'Institut médico-légal de New York ; de visites sur les lieux du crime. Les premiers soupçons concernant l'implication de Vito Rizzuto proviennent d'un rapport interne du FBI intitulé *La Cosa Nostra au Canada*, préparé en mars 1985. La description des biens appartenant à la Sixième Famille provient de nombre de dossiers juridiques, de rapports de groupes policiers américains et canadiens ainsi que d'interviews.

CHAPITRE 1

L'information concernant Cattolica Eraclea et Agrigente est tirée de plusieurs visites effectuées en ces lieux entre 2004 et 2006. Des détails supplémentaires ont été fournis par l'administration municipale de la Comune de Eraclea. Des péripéties de la vie du grand-père de Vito Rizzuto, qui portait le même prénom que le Vito actuel, ont été découvertes par les auteurs dans de vieux dossiers — autrefois classés « secret » — ainsi que dans des archives gouvernementales poudreuses et de vieux manifestes maritimes, y compris des dossiers des Services américains d'immigration, du Département d'État américain, des Archives nationales américaines et de l'Ispettorato Dell'Emigrazione en Italie. D'autres détails proviennent de documents généalogiques italiens, de rapports de police, de notes des autorités italiennes, américaines et canadiennes, ainsi que d'interviews et de la consultation d'arbres généalogiques familiaux.

CHAPITRE 2

Les renseignements concernant les premières activités des Rizzuto en Amérique, les incendies, les visas frauduleux et la fin tragique du grand-père de Vito ont été puisés dans les anciens dossiers précédemment cités ainsi que dans les archives du représentant du Ministère public du comté de Putnam, le rapport du médecin légiste et des articles d'époque parus dans le *Putnam County Courier* et le *New York Times*.

CHAPITRE 3

Les débuts du clan Rizzuto proviennent de documents généalogiques italiens, de rapports de police et de dossiers déposés en Italie, aux États-Unis et au Canada, de manifestes, d'interviews et d'arbres généalogiques. « The Rothschilds of the Mafia on

Aruba», par Tom Blickman (*Transnational Organized Crime*, vol. 3, n° 2, été 1997) nous a été utile. Les détails concernant l'assassinat du maire et ses séquelles proviennent de documents des tribunaux (Corte di Assise di Agrigento, Corte di Appello di Palermo), de rapports de police confidentiels canadiens et d'articles d'époque dans plusieurs journaux italiens. La citation du juge d'Agrigente a été reprise dans le livre *Mafioso*, par Gaia Servadio (Londres, Sever & Warburg Ltd, 1976).

CHAPITRE 4

La relocalisation de la Sixième Famille provient des archives de l'Agence des services frontaliers du Canada et d'autres organismes incluant un briefing sur la Sixième Famille par la Gendarmerie royale du Canada (GRC) et un dossier sur Vito, préparé par la police de la Ville de Montréal déposé à la Cour d'appel le 29 juin 2004 (N° 500-10-002800-041). D'autres détails proviennent des archives du port de Halifax conservées aux Archives nationales du Canada. Les passages répétés de la frontière canado-américaine par les fidèles de la Sixième Famille proviennent d'informateurs travaillant dans le secteur douanier. La description de la pègre montréalaise d'autrefois provient des archives nationales américaines et canadiennes, de rapports de police, d'interviews de caïds du milieu, d'enquêteurs à la retraite et d'articles de journaux récents. Une meilleure compréhension de l'ancienne structure de la pègre de Montréal ainsi que les citations sont étayées grâce aux rencontres des auteurs avec l'ancien caïd américain Bill Bonanno, en 2007. De très nombreux documents sur Carmine Galante ont été mis à la disposition du public grâce à la Loi sur l'accès à l'information. *La Filière canadienne* de Jean-Pierre Charbonneau (Montréal, Trait d'union, 2002) est un ouvrage qui s'est révélé une précieuse source de renseignements.

CHAPITRE 5

La description du Grand Hôtel fait suite à des visites à Palerme ; l'information historique nous a été fournie par la direction de l'hôtel. Les détails concernant les réunions au sommet de la Mafia proviennent du témoignage de Tomasso Buscetta, un mafioso sicilien devenu informateur, de rapports de police, du président de la Commission sur le crime organisé (*Record of Hearing* V, 20 et 21 février 1985, Miami, Floride) ; d'interviews avec des journalistes judiciaires dans plusieurs pays et la consultation de dizaines d'articles dignes de foi sur le sujet. Le livre *Octopus* (*La Pieuvre*) de Claire Sterling (New York, Norton, 1990) nous a été utile. Les détails concernant la Filière française proviennent des dossiers de la Drug Enforcement Agency ou DEA (Agence américaine de lutte contre le trafic et la consommation de drogues). Les détails concernant les transactions de drogues proviennent de documents de cour soumis dans *U.S.A contre William Bentvena et al.* (319 F.2d 916, Cour d'appel des É.-U., 2e circonscription judiciaire) et *R. contre Cotroni*. Les détails concernant la jeunesse de Vito à Montréal proviennent du témoignage de Vito lui-même devant les tribunaux américains en 2007, de dossiers policiers, d'interviews et de déclarations sous serment de Vito dans *R. contre Morielli* (Cour supérieure du Québec, 1995). On trouve des renseignements sur l'implication de Canadiens dans la Filière française dans le livre *The Enforcer* (Adrian Humphreys, Toronto, Harper Collins, 2004).

CHAPITRE 6

Le récit de l'incendie volontaire de Boucherville provient de comptes rendus de journaux et des dossiers criminels de Vito et de Paolo Renda. Les relations entre les membres de la Sixième Famille ont été prises dans des dossiers confidentiels de la police et du FBI, dans des interviews et des documents, dont *R. contre Caruana, et al.* (F-0383,

Cour supérieure de l'Ontario). L'arrestation de Bill Bonanno vient des dossiers policiers, d'une interview avec Bonanno, d'un compte rendu journalistique et de photos de l'événement examinées par les auteurs ; le mariage de Vito et l'information concernant sa citoyenneté proviennent de la police de Montréal ; son contrat prénuptial de documents de cour ; l'histoire de la famille Cammalleri d'un rapport interne sur la *Conférence du lac Muskoka*, par des services de renseignements de la police en 1985 et d'un rapport de la GRC de 1986 intitulé *Traditional Organized Crime, Ontario.* L'enregistrement NK 2461-C provient des dossiers de la police ; l'information concernant des appels récents de Joe Bonanno à Montréal provient d'une interview avec un ancien agent fédéral et a été confirmée par Bill Bonanno.

CHAPITRE 7

Les passages concernant l'intimidation de Marchettini, certains détails de l'interaction de Paolo Violi avec New York ainsi que les crimes commis ont été relevés dans le rapport de la Commission d'enquête sur le crime organisé ou CECO (Éditeur officiel, Québec, 1977). Les détails concernant la vie de Greco proviennent d'interviews avec Bill Bonanno ainsi que de dossiers de la police et du FBI ; les détails sur sa mort ont été pris dans des journaux d'époque. La citation extraite du *New York Times* date d'un article du 9 mai 1967. Des archives du FBI, de la DEA et de la GRC ont permis de jeter un éclairage sur les différends opposant les bandes siciliennes et calabraises ; des interviews avec des investigateurs actifs et retraités et des personnages du milieu se sont révélées d'une incontestable utilité.

CHAPITRE 8

Pour mieux comprendre la chute de Violi, nous nous sommes entretenus avec Robert Ménard, un policier montréalais à la retraite qui a vécu la vie d'agent secret au-dessus du Reggio Bar pendant six années dans le cadre d'une opération où il avait été chargé de placer des micros et de s'occuper des enregistrements. Le voyage de Violi en Italie est relaté dans le livre *Men of Dishonor* (*Les Hommes du déshonneur*), par Pino Arlacchi et Antonio Calderone (New York, William Morrow & Co., 1992). L'information concernant les passages de frontières de Nick Rizzuto provient de sources douanières. Les intérêts de Violi dans le domaine des stupéfiants sont mentionnés dans un document juridique venant de Reggio de Calabre, Italie, *Sentenza contro Paolo De Stefano + 59*, déposé en 1959, et traduit de l'italien. Certaines informations sur l'intervention de Settecasi et sur ses intérêts dans les stupéfiants ici et ailleurs proviennent du Tribunale civile e penale di Palermo dans *Lucia Beddia + 12*, déposé en 1996, ainsi que de rapports de police canadiens.

CHAPITRE 9

Les visites à Montréal par des intermédiaires de New York sont mentionnées dans des rapports de la CECO, des documents des tribunaux italiens et ont été consignées pour la postérité sur des bandes magnétiques enregistrées au-dessus du Reggio Bar. Le témoignage de Cuffaro provient de rapports émis par les services de renseignements américains et italiens à la suite de l'affaire dite de «Big John». Les renseignements concernant les Arcuri proviennent de rencontres avec la police, de sources familiales, de rapports du FBI et de documents juridiques italiens et américains, y compris *U.S.A. contre Baldassare Amato*. La conversation entre Nick et Violi a été reprise d'un enregistrement effectué au Reggio Bar.

CHAPITRE 10

Concernant les activités se déroulant au Venezuela, les renseignements ont été pris aux sources suivantes : dans des interviews avec les autorités vénézuéliennes, américaines, italiennes et canadiennes ; dans dossiers de la police ou d'organisme de mise en application des lois ; dans des témoignages de Buscetta ; dans trois volumes concernant le débriefing du délateur Oreste Pagano, y compris *Disclosure Re : Statement of Oreste Pagano* (7 avril 1999) ; *Project Omertà Pagano Interview/Statement* (21 septembre 1999) et *Transcript, Project Omertà* (18 novembre 1999). Les remarques principales de Lauretti proviennent de son témoignage en Cour provinciale de l'Ontario le 25 septembre 1998, dont les auteurs ont été témoins. D'autres informations ont été prises dans des dossiers de police et à l'occasion d'interviews.

CHAPITRE 11

Pour mieux comprendre les différends existant entre les groupes mafieux siciliens et calabrais, nous avons consulté des dossiers récents de la GRC, les rapports de la CECO, les enregistrements du Reggio Bar et des documents du FBI rendus public aux termes de la Loi d'accès à l'information. La citation concernant le Sphinx provient de *Blood Brothers* (*Frères de sang*), publié par Key Porter à Toronto en 1990, et de films d'archives.

CHAPITRE 12

L'information sur le meurtre de Licata et les changements de garde dans la pègre de Brooklyn nous a été fournie par le témoignage du renégat Luigi Ronsisvalle devant la Commission présidentielle sur le crime organisé de 1985 ; elle provient également de documents médiatiques d'époque, de dossiers juridiques, d'interviews et d'une visite des lieux où se sont déroulés ces événements. L'information fournie par le légendaire Kenneth McCabe, un regretté limier de la lutte antimafia à New York, a été très appréciée. Les citations de Vitale, de Lino et de Frank Coppa proviennent de leur témoignage soumis en 2004. La citation concernant « le plus grand *boss* américain » provient d'interviews avec une source du milieu interlope rencontrée par les auteurs en 2005. Les citations du juge Falcone dans ce chapitre et ailleurs proviennent du livre *Men of Honor*, par Giovanni Falcone (Londres, Warner, 1993) ainsi que des paroles de Tripodi ici et ailleurs ; aussi de *Crusade*, par Tom Tripodi et Joseph P. DeSario (Dulles, Brassey's, McLean, 1993) et de *Last Days of the Sicilians*, par Ralph Blumenthal (New York, Simon & Schuster, 1989), œuvres qui se sont toutes révélées utiles.

CHAPITRE 13

L'information sur Pietro Sciarra et la chute des Violi a été recueillie à partir d'interviews avec des policiers qui ont travaillé sur ces affaires, de dossiers d'organismes ou de services chargés de faire respecter la loi (tout particulièrement le rapport du FBI de mars 1985 et le document de la GRC intitulé *La Mafia : une mise à jour canadienne, 1990*), de documents de la CECO, de documents audiovisuels et photographiques de surveillance policière enregistrés sur les lieux. La déclaration de Manno et le contact policier avec les tueurs de Violi proviennent du dossier de la police de Montréal. L'information concernant la couronne envoyée par Bonanno a été fournie par Edwards. L'appel concernant la mort du « cochon » est mentionné dans un documentaire télévisé réalisé par Daniel Creusot. L'information relative à la Filière des pizzerias provient de dossiers policiers, d'interviews et de documents déposés dans *U.S.A. contre Gaetano Badalamenti, et al.* (84-CR-236, District Sud de New York), alias « L'affaire de la Filière des pizzerias », et son appel subséquent (887 F. 2d 1141 1 1989). L'information sur l'enclave résidentielle de la Sixième Famille à Montréal a été rassemblée à l'occasion de visites dans le quartier plusieurs années de suite et d'une étude de photos aériennes. La citation concernant «La clé qui ouvre la serrure de l'Amérique» et d'autres informations proviennent d'un entretien que les auteurs ont eu en Italie avec un haut gradé des Carabinieri qui a préféré conserver l'anonymat.

CHAPITRE 14

Les citations de Brasco et de Lefty proviennent du livre *Donnie Brasco*, par Joseph D. Pistone et Richard Woodley (New York, Signet, 1987) et des témoignages de Pistone au tribunal à l'occasion de plusieurs affaires criminelles connexes, tout particulièrement *U.S.A. contre Joseph Massino* (81-CR-803, District Sud de New York). Les auteurs ont interviewé l'ancien agent secret du FBI, Joseph Pistone, et ont bénéficié de sa collaboration. Les renseignements concernant la carrière criminelle de Massino et son interaction avec Galante et Rastelli proviennent largement de dépositions sous serment par des hommes du clan Bonanno devenus informateurs, particulièrement Vitale. La surveillance de Green Acres provient de témoignages policiers fournis dans l'affaire de la Filière des pizzerias. L'assassinat de Galante a été repris des témoignages en cour et de débriefings par le FBI de renégats du clan Bonanno, particulièrement Lino; des rapports gouvernementaux et des documents ont été consultés, la plupart dans *U.S.A. contre Anthony Salerno, et al.* (85-CR-139, District Sud de N.Y.) ainsi que dans l'affaire de la Filière des pizzerias.

CHAPITRE 15

Le mariage Bono a été documenté par une myriade de rapports policiers de sources américaines, canadiennes et italiennes, et par l'examen de dizaines de photos prises lors de cet événement et d'une visite des lieux. Stirling Information a fourni le coût en dollars de cette fête. Les détails supplémentaires sur Bono ont été pris dans *La République italienne et le Ministre de la Justice contre Alfonso Caruana* (C-42781, Cour d'appel de l'Ontario). Le témoignage de Charles Rooney provient d'*U.S.A. contre Massino* (2003). L'incursion de Bonventre et d'Amato au Canada a été mentionnée dans le dossier sur la Filière des pizzerias. Les documents des services chargés de faire respecter la loi, publics et privés, se sont révélés d'une valeur inestimable.

CHAPITRE 16

Le meurtre survenu dans le comté de Bucks est documenté par une foule de reportages d'époque dans les médias et une étude de photos prises sur la scène du crime; l'importance de ce fait divers provient de dossiers de services chargés de faire respecter la loi et d'interviews d'agents et d'officiers de police. Les premiers efforts de la Sixième Famille pour s'implanter à Detroit ont été retrouvés dans de vieux dossiers des services d'immigration et de citoyenneté des États-Unis et du Département d'État américain. Les mentions des premières saisies d'héroïne proviennent du Bureau of Narcotics and Dangerous Drugs (BNDD) et les plus récentes, des dossiers sur la Filière des pizzerias. Pour toute information supplémentaire sur les débuts de la guerre aux stupéfiants, on peut lire *The Strenght of the Wolf* de Douglas Valentine (New York, Verso, 2004).

CHAPITRE 17

L'information sur Phil Rastelli et sur le leadership du clan Bonanno a été relevée dans différents dossiers et documents juridiques, incluant les témoignages variés de Vitale et de Lino et des interviews avec des gangsters et des policiers. La rencontre au cimetière a été vécue à la suite d'interviews que les auteurs ont menées lors d'une visite mouvementée à Cattolica Eraclea en 2004. L'information personnelle concernant Sciascia

provient d'une retranscription de son interrogatoire par les autorités consulaires canadiennes ; ses déclarations écrites sous serment, ses lettres et ses documents déposés à
la Cour fédérale du Canada (IMM-61-96) ; les dossiers des services chargés de faire
respecter la loi aux États-Unis, en Italie et au Canada ; d'interviews de policiers et de
d'agents s'occupant de la sécurité intérieure américaine.

CHAPITRE 18

La dispute avec Sonny Red s'appuie sur des témoignages rendus devant les tribunaux
par des renégats du clan Bonanno, surtout Vitale et Lino ; sur des dossiers de services
chargés de faire respecter la loi ; sur l'étude de nombreuses photos prises lors de surveillances et sur des interviews avec des avocats et des agents fédéraux. Certains détails
biographiques sur Sonny Red proviennent des archives de l'historien du gangstérisme
Andy Petepiece. Les détails des meurtres, ici et ailleurs, ont été largement puisés parmi
les témoignages de Vitale, Lino, Duane Leisenheimer et James Tartaglione dans *U.S.A.
contre Massino* et *U.S.A. contre Basciano*, appuyés par des rapports de services chargés
s'assurer le respect des lois, des documents déposés auprès des tribunaux et des visites
sur place.

CHAPITRE 19

La déclaration de Vito concernant le meurtre des trois *capi* a été relevée alors qu'il
comparaissait devant le tribunal à Brooklyn, en 2007. La description du « nettoyage »
provient du témoignage d'un informateur et d'interviews avec Pistone. La fusillade de
Santo Giordano a été racontée de manière vivante par Gaspare Bonventre et le Dr Ed
Salerno au cours du procès pour rançonnement que subissait Massino. La rencontre à
l'hôpital a été prise chez Blumenthal. La surveillance du Capri provient du témoignage
de l'agent spécial William Andrew en 2004, d'un examen de ses photos et de divers
rapports soumis par plusieurs services chargés de faire respecter la loi déposés depuis
plus de deux décennies. La découverte du corps de Sonny Red est documentée par les
rapports de police de l'époque, celui du médecin légiste, des photos de la scène du
crime, un résumé de la preuve déposée devant les autorités judiciaires du Québec et les
témoignages en cour de Vitale et de Lino. L'information concernant Donnie Brasco, le
« sous-marin » du FBI revenu à l'air libre, a été prise à l'occasion d'interviews avec
l'agent Pistone, dans son témoignage auprès des tribunaux et dans son livre. La
recherche de micros espions par Vitale est extraite de son propre témoignage ; la citation
de Colgan provient de l'article « The Last Don », par Richard Corliss et Simon Crittle,
dans le magazine *Time* du 29 mars 2004. Les citations de Lefty sur les narcotiques
proviennent d'enregistrements clandestins faits par Pistone.

CHAPITRE 20

Les détails de l'écrasement de l'appareil de Ruggiero nous ont été fournis par le Bureau
national de sécurité dans les transports des États-Unis ; le rapport d'accident émis à
Washington porte le numéro NTSB/AAR-83-01. Le taux d'utilisation d'héroïne nous a
été fourni par Sterling Information ; les informations concernant la distribution de
l'héroïne à New York proviennent d'interviews avec des forces policières et judiciaires,
de rapports du FBI, d'enregistrements de conversations téléphoniques de Sciascia et de
Joe LoPresti déposés dans *U.S.A. contre Angelo Ruggiero, et al.* (83-CR-412, District Est
de N.Y.) ; dans la plainte de 341 pages déposée contre les trafiquants de la Filière des
pizzerias. L'initiation dans la Mafia de Vito Agueci a été prise dans les dossiers du
BNDD.

CHAPITRE 21

La poursuite de Sciascia par le FBI provient de notes accumulées pendant des années par cet organisme et rendues publiques aux termes de la Loi d'accès à l'information ainsi que des archives de la DEA et de la GRC ; aussi du témoignage de l'agent Charles Murray dans *U.S.A. contre Gerlando Sciascia, et al.* (District Est de N.Y.) ainsi que des agents Rooney et McCabe dans *U.S.A. contre Massino* (2004). L'enquête concernant Nick Rizzuto se trouve dans les dossiers de la Polizia di Stato. La mort de Cesare Bonventre a été puisée dans les témoignages de Vitale, de Leisenheimer et de Tartaglione ; la découverte de son corps est décrite dans le témoignage de Joseph Keely, un ancien *trooper* de l'État du New Jersey.

CHAPITRE 22

La capture de LoPresti est décrite en détail dans le rapport de son arrestation. Son histoire personnelle a été retrouvée dans des dossiers du FBI, de la GRC et de la police de Montréal ainsi que dans des interviews avec des investigateurs actuels ou à la retraite. Le combat mené par Sciascia pour demeurer au Canada est signalé dans son dossier d'extradition ; la citation concernant son arrestation est mentionnée dans l'article de Jerry Capeci, « Why the Mob Loves Canada » paru dans le *Financial Post Magazine* du 1er février 1992. Les détails des procédures juridiques proviennent d'*U.S.A. contre Sciascia*. Le coup de la jurée achetée par la pègre provient des notes du débriefing de Salvatore Gravano fournies par le FBI ; les relations entre LoPresti et Vito ont été prises principalement dans certains dossiers de la police de Montréal ; les conditions de son assassinat, dans des archives policières et des interviews avec des agents ayant enquêté sur cette affaire ; aussi, dans les déclarations de Sciascia sur l'assassinat de LoPresti et dans le témoignage de Vitale.

CHAPITRE 23

L'affaire dite « du poisson » vient de Tripodi et se trouve corroborée par des dossiers de la police italienne. Le voyage de Vito et de Sabatino Nicolucci à Caracas se retrouve dans les dossiers de la police de Montréal et le séjour à l'hôtel d'Aruba a été fourni par Blickman. L'histoire de Nicolucci a été consignée à la suite d'une vérification d'un dossier criminel, d'un document montréalais, de dossiers de la Commission nationale des libérations conditionnelles et d'interviews avec un ancien collègue. Les informations concernant les mafiosi expatriés en Amérique du Sud ont été puisées largement dans les déclarations que Pagano a faites à la police et à la suite d'une visite sur place. Les renseignements concernant l'arrestation de Nick ont été relevés dans les dossiers du Cuerpo Téchnico de Policìa Judicial, du FBI et de la GRC. Le contact consulaire et les visites durant l'incarcération de Nick sont extraits d'une entrevue des auteurs avec un diplomate en 2001. Les informations concernant l'impact de l'arrestation de Nick proviennent de dossiers du ministère de la Justice des États-Unis, de la police de Montréal et de la GRC. Les revendications de Tozzi ont été prises dans le dossier de la police de Montréal et dans des interviews avec les policiers engagés dans cette enquête ; son démenti a été noté lors d'une entrevue des auteurs avec un de ses proches parents en 2001.

CHAPITRE 24

L'information concernant Ireland's Eye se trouve dans les archives du musée maritime de l'Université Memorial ; elle provient aussi de conversations avec des résidants locaux et des visiteurs. Les renseignements concernant l'implication de la Mafia au Liban, au Pakistan et en Libye sont extraits d'interviews avec d'anciens limiers spécialisés dans la répression du trafic de stupéfiants, de dossiers de la police de Montréal et de l'article « Death Merchants » de William Marsden dans le quotidien montréalais *The Gazette* du 5 février 1989. Les fiascos de la contrebande de haschisch sont documentés par des articles dans les médias, des interviews et des dossiers policiers ; les citations de Dupuis ont été reprises de sa déclaration sous serment enregistrée auprès des tribunaux québécois ; des détails supplémentaires sur cette affaire nous ont été fournis par Jean Salois, l'avocat attitré de Vito depuis de longues années, qui a contacté les auteurs par courrier.

CHAPITRE 25

Les conversations de Manno et de ses co-conspirateurs ont été recueillies à la suite d'écoutes téléphoniques multiples et d'enregistrements effectués aux États-Unis et au Canada ; ces enregistrements ont été déposés dans *U.S.A. contre Domenico Manno, et al.* (94-CR-6042, District Sud de la Floride). Les intérêts de la Mafia en Floride sont décrits dans la déclaration de Pagano. L'historique de Pagano provient de documents généalogiques, de dossiers de police, de pièces à conviction et de déclaration faites devant les tribunaux ; son passage de la frontière se retrouve dans des documents des autorités frontalières. Le coup de Floride est largement documenté par des preuves et des témoignages au dossier ainsi que par des informations de l'agent spécial du FBI William Douglas ainsi que par la visite des lieux.

CHAPITRE 26

L'histoire des « blues de la cocaïne » de Girolama Sciortino provient d'interviews répétées avec des policiers et des procureurs de la poursuite des deux côtés de la frontière canado-américaine, de dossiers de tribunaux et de la déclaration à l'amiable des faits pour le projet Office, obtenue aux termes de la Loi d'accès à l'information. Son casier judiciaire et certaines informations sur le milieu ont été extraits des documents de mise en liberté provisoire, de dossiers policiers et municipaux ainsi que du casier de son fils, conservé à la police de Montréal.

CHAPITRE 27

Le voyage de Pagano au Canada, les rencontres avec Vito et son implication dans une affaire de cocaïne proviennent de déclarations faites à la police aux termes de l'entente de coopération qu'il a signée. L'information concernant la route de la drogue au Venezuela est extraite de *International Narcotics Control Strategy Report* d'avril 1993 (Bureau of International Narcotics Matters, Département d'État américain) ainsi que de déclarations provenant de l'ambassade américaine à Caracas. Les informations relatives aux conditions de détention ont été décrites à la suite d'interviews avec un enquêteur et de la consultation du rapport *Punisment Without Trial: Prison Conditions in Venezuela* (« Châtiment sans procès — Les conditions carcérales au Venezuela ») émis en mars 1997 par Human Rights Watch. Les arrestations de Puerto Cabello sont extraites d'articles d'époque corroborés par des dossiers policiers. L'information sur Zbikowski et l'intervention de politiciens québécois provient des procès-verbaux du Parlement canadien. Les arrestations effectuées au Canada et aux États-Unis ont été relevées dans des dossiers policiers. Les intérêts commerciaux de Zbikowski ont été repris d'articles parus dans la presse d'affaires avant son arrestation ; ses intérêts dans des affaires criminelles ont été relevés dans les dossiers de la Commission nationale des libérations conditionnelles. Les détails concernant les mariages des enfants Rizzuto ont été puisés dans la *Proposition amendée pour engager des procédures*, déposée par Leonardo et Bettina Rizzuto contre les auteurs en 2007 (500-17-033610-067, Cour supérieure du Québec).

CHAPITRE 28

La machination de la Sixième Famille avec les Big Circle Boys est largement documentée grâce à des témoignages et autres évidences classées dans *U.S.A. contre Emanuele LoGiudice, et al.* (97-CR-660, District Est de N.Y.). Les détails concernant le projet Onig se trouvent dans des interviews de policiers engagés dans cette affaire, le tout étayé par des dossiers privés de police et des dossiers publics du FBI. Les déclarations de William Zita ont été puisées dans son témoignage assermenté auprès des tribunaux. L'histoire personnelle de Ragusa a été relevée à partir de documents généalogiques, de dossiers policiers et de documents de libération conditionnelle ; les mariages de sa famille sont mentionnés dans des documents de la police de Montréal. L'intérêt que les Italiens ont porté à Ragusa est mentionné dans des documents de tribunaux italiens, tout particulièrement de l'information traduite de l'italien et provenant de la Guardia di Finanza et du Tribunale Civile e Penale di Palermo dans *Beddia + 12*. L'information sur l'enquête menée sur Ragusa par le FBI provient de notes internes sur le débriefing de Lino.

CHAPITRE 29

La visite à Lugano de Libertina Rizzuto et le mouvement de fonds par l'entremise des banques suisses sont décrits en détail dans la *Demande urgente d'assistance judiciaire* par le procureur public du canton de Tessin (Suisse) en date du 16 décembre 1994 (Inc. MP n. 6129/94) ; le *Verbale Di Interrogatorio* de Mme Rizzuto et de Luca Giammarella est traduit de l'italien. Les informations supplémentaires ont été fournies par Me Salois, l'avocat des Rizzuto. Une visite des lieux a permis de mieux comprendre le contexte de cette histoire. Les statistiques bancaires ont été prises dans *The Laundrymen*, par Jeffrey Robinson (Londres, Simon & Schuster, 1998). L'information sur l'Opération 90-26C a été assemblée à partir d'interviews avec une personne infiltrée au bureau de change sous le nom de Michaud, de documents policiers internes, de documents des tribunaux, d'autres interviews et de comptes rendus des journaux. L'enquête en plusieurs volets, par Andrew McIntosh, publiée dans l'*Ottawa Citizen* en juin 1998 s'est révélée des plus utiles. Les relations de Vito avec Joe Lagana et Luis Cantieri proviennent des dossiers de la police de Montréal ; celles avec Nicolucci, de documents de mise en liberté conditionnelle. L'implication des Caruana en Suisse et au Liechtenstein a été prise dans les dossiers classés sous le nom *R. contre Caruana, et al.* Les soupçons qu'entretenait la police à propos des transactions entre les banques américaines et les compagnies canadiennes proviennent de communications diplomatiques sécurisées obtenues par les auteurs. Les questions des politiciens viennent des transcriptions de procès-verbaux des débats parlementaires, et l'inquiétude que Vito manifestait pour le sort de sa mère a été rapportée par Pagano.

CHAPITRE 30

L'information sur Rusty Rastelli et l'ascension de Joe Massino proviennent de rapports de surveillance du FBI, de photos et du témoignage de Vitale, ainsi que de dossiers du FBI. Son différend avec Anthony Graziano a été expliqué en détail lors du témoignage de Vitale dans *U.S.A. contre Patrick DeFilippo* (03-CR-0929, District Est de N.Y.) en 2006. La présence de la famille DeCavalcante au mariage de Bono est attestée par des photos. La contrebande de tapis a été signalée dans le témoignage de Vitale et lors d'une entrevue avec un gangster montréalais. Les voyages à Montréal de représentants du clan Bonanno proviennent d'un témoignage en cour et de débriefings secrets de Lino par le FBI. Les détails concernant les matchs de baseball de la Ligue majeure ont été pris dans www.baseball-reference.com. Le C.V. d'Alfonso Gagliano a été pris dans le *Guide parlementaire canadien* 1985 (Ottawa, Normandin, 1985) et le *Canadian Parliamentary Guide, 2001* (Farmington Hills, Gale Group, 2002). Les inquiétudes provoquées au

Parlement canadien relativement aux allégations de Lino proviennent de dossiers de la commission de l'Immigration et du statut de réfugié du Canada, d'interviews avec des membres de la famille, de procès-verbaux des débats du parlement et de reportages d'époque, y compris ceux des auteurs. La nouvelle information selon laquelle la Mafia entretiendrait des liens avec le gouvernement provient d'un débriefing non rendu public de Pagano. La rencontre de Sciascia avec des personnalités consulaires se retrouve dans son dossier d'immigration.

CHAPITRE 31

Les plans pour liquider Sciascia ont été expliqués par Vitale à l'occasion de débriefings et de témoignages au tribunal ; on trouve des détails sur cette affaire en particulier dans *U.S.A. contre Patrick DeFilippo* en 2006. L'implication de Massino et le code dit des «poupées» provient du sommaire de l'information «302» fournie par Massino lors de ses débriefings conduits par le FBI. Les aveux de Spirito sont extraits de ses comparutions en cour et de sa plaidoirie faite en 2005, que l'on trouve dans *U.S.A, contre John Spirito* (03-CR-929, District Est de N.Y.). Les passages concernant la découverte du corps de Sciascia et l'état dans lequel on l'a trouvé ont été extraits de rapports de police, de photos de la scène du crime et des conclusions du médecin légiste, consultés par les auteurs. Les demandes de Massino auprès de Vito pour qu'on le nomme *capo regime* ont été relatées par Vitale et sont corroborées par des dossiers policiers confidentiels. Les effectifs de la mafia montréalaise sous le règne de Violi sont des renseignements tirés des écoutes téléphoniques du Reggio Bar. La fin du tribut versé par Montréal à New York provient d'un briefing privé de la GRC. La déclaration de Vito selon laquelle Montréal était pour lui et son organisation «notre propre petite famille» a été révélée par Vitale dans *U.S.A. contre Vincent Basciano*, le 1er mars 2006.

CHAPITRE 32

Les ennuis que connut la succursale de Pizza Hut se trouvent dans des interviews menés avec des enquêteurs policiers, un ancien cadre supérieur de la société et l'ancien propriétaire de la franchise qui n'était pas particulièrement enclin à évoquer ces incidents. L'information concernant la société provient de communiqués de presse récents qui n'ont rien à voir avec les événements rapportés ici. La réfutation de Me Salois est contenue dans la correspondance que les auteurs ont eue avec lui. Les magouilles de Penway sont documentées par *Campbell contre Sherman* (30594188, Cour de justice de l'Ontario). Les déboires fiscaux de Vito se trouvent décrits dans *Vito Rizzuto contre la Reine* (98-2497-IT-G, Cour canadienne de l'impôt) ; l'entente à l'amiable nous a été révélée par une source gouvernementale bien placée (et confirmée plus tard par Vito) ainsi que par des déclarations des avocats parues dans *The Gazette*. Les soupçons de John Williams se trouvent dans *Avis de propositions pour la présentation de documents (No 3)*, 2 octobre 2002. La nouvelle concernant le «trésor de guerre» familial pour acquitter les dettes fiscales de Vito a été révélée à l'occasion de déclarations sous serment devant les tribunaux mais non rendues publiques ; aussi par des renseignements sur les jumeaux Papalia provenant d'interview, de rapports de police et de dossiers de la SEC (Securities and Exchange Commission) ou Commission des titres financiers et des bourses. L'affaire de l'or de Marcos a été tirée d'une interview avec un ancien officier de la police de Montréal et l'affaire des faux billets a été documentée par *U.S.A. contre Joseph Baghdassarian* (95-CR-209, District Nord de N.Y.) ainsi que par des articles d'époque sur la question.

CHAPITRE 33

Les rapports des Hells Angels avec la Sixième Famille sont documentés à partir d'interviews avec d'anciens policiers de la Ville de Montréal et de la Sûreté du Québec, de dossiers de police et des carnets de Dany Kane, un Hells devenu informateur (classés dans *R. contre Beauchamps* et *R. contre René Charlebois* à la Cour supérieure du Québec), ainsi que d'interviews des auteurs avec des sources proches du milieu du gangstérisme. Les difficultés de la famille Gervasi nous ont été révélées à la suite de l'interview de l'ancien commandant de police André Bouchard et du *Dossier de renseignement sur le milieu criminel, vol. 9, n° 2* de la GRC en date du 2 avril 2002 et obtenu aux termes de la Loi d'accès à l'information. Ce dossier ajouté aux interviews d'officiers de police en 2001 nous a été de la plus grande utilité pour découvrir le complot d'assassinat contre Vito. Il existe un certain nombre de livres explorant en anglais la guerre des motards dont : *The Bikers's Trial* (*Le Procès des motards*), par Paul Cherry (Toronto, ECW, 2005) ; *Hell's Witness* (*L'Énigmatique Dany Kane*), par Daniel Sanger (Toronto, Viking, 2005) et *The Road to Hell*, par Daniel Sanger (Toronto, Knopf, 2003). Enfin, signalons, en français, *La Face cachée des Hells*, par Jerry Langton (Montréal, Éditions au Carré, 2006).

CHAPITRE 34

Les incursions de la Sixième Famille en Ontario proviennent de reportages des auteurs conduits entre 2001 et 2005 et incluant des interviews avec : l'ancien agent détective Bill Sciammarella, qui a pris sa retraite en mai 2006 de la police de Toronto après avoir poursuivi certains des gangsters les plus notoires ; l'inspecteur détective Paul Sorel, responsable des Services d'enquête régionale de la ville d'York ; d'autres agents de cette ville ; le surintendant en chef de la GRC, Ben Soave ; l'ancien sergent-détective Mike Davis, de l'escouade des homicides de Toronto ; le sergent Robert Thibault, du Service des enquêtes sur le crime organisé de la Sûreté du Québec ; l'inspecteur détective Larry Moodie, de l'Unité de lutte contre les jeux illégaux de la police provinciale de l'Ontario ; un criminel de carrière et un gangster faisant partie du milieu torontois ; un motard, ami de Panepinto, qui a assisté à ses funérailles ; le gérant d'un gymnase de la région de Toronto où Panepinto avait investi de l'argent ; le vieil ami fiable d'une famille de la mafia de Hamilton, en Ontario. Les interviews sont appuyées par de multiples dossiers policiers. La vague de meurtres commis par la Mafia en Ontario est documentée par de nombreuses interviews et investigations des auteurs entre 1997 et 2006. La rencontre entre Vito et les Musitano est extraite d'un dossier de la police de Montréal. L'information corporative sur OMG provient de documents déposés dans *Corporacion Americana de Equipamientos Urbanos S.L. contre Olifas Marketing Group Inc., et al.* (03-CV-252398CM1, Cour supérieure de l'Ontario) ainsi que de documents d'enregistrement déposés auprès du gouvernement ontarien en 2001, 2003, 2004 et 2006. Les contacts entretenus entre Giacinto Arcuri et Giancarlo Serpe avec Enio Mora se trouvent dans *R. contre Arcuri* ainsi que dans un appel subséquent auprès de la Cour Suprême du Canada (2001 SCC 54, dossier N° 27797). L'information sur le lobbying d'OMG a été relevée au Registre public des lobbyistes et dans une interview avec l'un des représentants d'un de ces lobbies. L'implication de la Ville de Toronto dans l'affaire OMG est documentée par des interviews avec du personnel municipal, des documents corporatifs et des correspondances internes. L'information concernant l'évaluation du pouvoir de la Sixième Famille par l'Unité mixte d'enquête sur le crime organisé (UMECO) est extraite de rapports policiers secrets obtenus par les auteurs.

CHAPITRE 35

Les faux pas de la Sixième Famille en Ontario sont documentés par les sources précédemment citées. La présence de la famille dans le projet Omerta est attestée par la Couronne dans un texte déposé dans *R. contre Caruana, et al.* Pour d'autres détails sur l'ascension et la chute des Caruana-Cuntrera, on peut consulter *Bloodlines* (*Les Liens du sang*), par Lee Lamothe et Antonio Nicaso (Toronto, Harper Collins, 2001). On trouve les renseignements relatifs au groupe de Siderno dans *Vincenzo Candido + 23* au Tribunal de Reggio de Calabre (jugement N° 230/01, le 27 juin 2001). La mort des fugitifs calabrais provient d'interviews avec des enquêteurs spécialisés dans les homicides et les meurtres commis par des membres du crime organisé, et de la présence de la Sixième Famille aux funérailles de Panepinto, auxquelles les auteurs ont assisté. La descente sur le tripot clandestin est consignée dans les rapports d'arrestation au moment des raids. Le pedigree de Juan Fernandez provient d'interviews conduites avec les personnes citées dans le chapitre 31 ainsi que de documents déposés dans *R. contre Fernandez* (Cour de justice de l'Ontario, 2004), des dossiers de mise en liberté conditionnelle et de l'observation de Fernandez par les auteurs. L'implication de ce dernier avec José Guede, le témoignage de l'informateur et la retranscription des enregistrements de *R. contre Guede*, à la Cour du Québec, et de *R. contre Fernandez* à la Cour de l'Ontario. Le scénario du concessionnaire d'automobiles provient de dossiers confidentiels de la police et d'une interview avec le marchand de voitures en question, dont les auteurs n'ont pas voulu divulguer le nom, cette personne apparaissant davantage comme une victime qu'autre chose. Les conversations concernant la corruption de la police viennent des enregistrements du projet R.I.P. ; la bande sonore de l'arrestation de Fernandez a été récupérée par la police après qu'elle eut placé des micros dans le VUS de l'individu. L'apparition de Vito dans le Jeep d'OMG est consignée dans le rapport d'arrestation de la police de Montréal ; les retombées de cette affaire proviennent d'interviews menées par les auteurs avec des porte-parole de la société, des lettres et des dépositions sous serment déposées au cours de la poursuite de cette affaire. Les citations par Vito ont été prises dans «Alleged Mobster : No City Link», par Georges Christopoulos, dans le *Toronto Sun* du 4 février 2003. Les déclarations des nouveaux propriétaires des biens d'OMG certifiant qu'ils n'ont aucun lien avec le crime organisé proviennent de documents et de lettres envoyés par les avocats de la société en réponse à une demande de renseignement téléphonique.

CHAPITRE 36

La confrontation du Joy Club est signalée dans une interview avec le sergent Mitchell Janhevich, de la police de Montréal, corroborée par un rapport de police sur l'incident ainsi qu'une visite des lieux. La citation concernant le «non-couronnement» a été reprise d'un officier des Carabinieri. La structure organisationnelle et la croissance de la Sixième Famille proviennent de la synthèse de dizaines de rapports de police et de dossiers de renseignements, sans compter les observations des auteurs, de nombreuses interviews avec les autorités policières, juridiques et civiles ainsi que des visites sur place par les auteurs. L'intérêt que Vito porte aux voitures a été relevé dans des dossiers de la Cour de l'impôt et ses habitudes de golf, du témoignage pris dans *R. contre Morielli.*

CHAPITRE 37

Les détails de l'arrestation ont été repris dans une interview avec l'un des agents qui l'ont effectuée, dans les accusations et informations concomitantes extraites de *U.S.A. contre Vito Rizzuto* (03-CR-01382, District Est de N.Y.) ainsi que dans le dossier de la poursuite. La pré-arrestation de Vito sous la surveillance de policiers provient d'une déclaration sous serment par le détective Nicodemo Milano, de la police de Montréal, en date du 15 janvier 2004. L'arrestation en instance de Vito a été révélée dans le *New York Sun* du 25 janvier 2004 dans un article intitulé «Eyeing Canadian Club», par Jerry Capeci. Cette nouvelle a également paru sur le site Web de Capeci, www.ganglandnews.com, suivi d'un article d'Adrian Humphreys, «FBI probes Canadian Mafia Godfather» dans le *National Post* du 17 janvier 2004. La satisfaction qui a suivi l'arrestation est décrite dans les communiqués de presse du ministère américain de la Justice et à l'occasion de conférences de presse. La fuite de Louie Ha-Ha est extraite d'un article de John Marzulli, du *Daily News*, «Long arm of the law nabs wiseguy», paru le 30 décembre 2004.

CHAPITRE 38

La renaissance de la famille Bonanno sous le règne de Massino est attestée par les témoignages en cour de cinq membres du clan devenus délateurs : Vitale, Lino, Frank Coppa, Richard Cantarella et James Tartaglione. Vitale s'est montré particulièrement pénétrant dans *U.S.A. contre Basciano*. L'information sur l'escouade C-10 provient d'interviews et du témoignage de l'agent spécial Gregory Massa ainsi que d'articles d'époque. Les citations de l'agent McCaffrey ont été puisées dans son témoignage en cour et dans *Secrets of the Dead : Gangland Graveyard*, une émission diffusée sur PBS le 16 novembre 2005. Le revirement de Barry Wineberg a été relevé dans des archives de tribunaux, des pièces à conviction du gouvernement et dans le livre *Five Families*, par Selwyn Raab (New York, St. Martin's, 2005) où l'histoire de «Fredo» est également rapportée. Les crimes commis en Floride par Anthony Graziano se trouvent mentionnés dans *U.S.A. contre Graziano, et al.* (02-CR-60049, District Sud de la Floride) et ceux commis dans la région de New York dans *U.S.A. contre Cosoleto, et al.* (02-CR-307, District Est de N.Y.) ainsi que dans une interview avec l'avocat Paul McKenna. Les conversations des petits futés du clan Bonanno ont été enregistrées clandestinement par des gangsters devenus informateurs au profit du gouvernement.

CHAPITRE 39

Cette information a été recueillie lors de récentes affaires d'extorsion (CR-02-307 et CR-03-929) et d'interviews accompagnées de communications des autorités du ministère américain de la Justice, d'une déclaration du juge Nicholas Garaufis fournie par son bureau, d'une interview avec un agent fédéral travaillant sur cette affaire et de visites sur les lieux de l'action. Les citations de la famille de Massino proviennent de l'article «Family spurns boss leak to feds», par Anthony M. DeStefano, dans *Newsday*, du 30 janvier 2005. Des articles d'époque ajoutent à la couleur locale.

CHAPITRE 40

L'identification de Vito par des informateurs de Bonanno provient de transcriptions d'audiences, d'une visite au tribunal et de l'examen subséquent de pièces à conviction soumises par le gouvernement. Les citations de Vito ont été reprises de sa déposition assermentée déposée dans *Vito Rizzuto contre le ministère de la Justice du Canada* (T-316-04, Cour fédérale du Canada). Les arguments juridiques de Vito proviennent en partie de mémos légaux préparés par John W. Mitchell pour sa défense. Les passages concernant le «trésor de guerre» ont été recueillis dans des dépositions assermentées déposées auprès du tribunal mais non rendues publiques. Les citations de Noël Kinsella sont reprises de procès-verbaux des débats du Parlement. La preuve contre Baldo Amato a été reprise d'un mémorandum de la poursuite déposé au tribunal ; sa requête pour qu'on le laisse en paix et la comparution à regret de Fiordilino se trouvent dans le dossier *U.S.A. contre Amato*. L'enquêteur privé dans l'affaire Amato a rencontré les auteurs.

CHAPITRE 41

La fusillade du cabaret Moomba est extraite de rapports de police, de photographies et d'une visite des lieux. Le séjour en prison de Vito a été raconté par un de ses vieux amis à l'issue d'une interview avec cette personne. La réaction de la Sixième Famille à la suite des meurtres du Moomba, le kidnapping de Vacarelli et la confrontation avec D'Amico sont documentés par des demandes de perquisitions de la GRC (500-26-042048-060, Cour supérieure du Québec). D'autres informations concernant le kidnapping sont reprises d'interviews faisant partie de reportages d'époque par les auteurs et d'une rencontre avec l'ancien commandant de police Bouchard. La place occupée par Vito dans l'organigramme du monde interlope montréalais a été déterminée à la suite d'une longue entrevue avec un vieux gangster de la métropole. La conférence de presse par les autorités antimafia de Rome a été couverte par des journaux italiens et le récit du passé de Giuseppe Zappia a été largement documenté par des dossiers de police et des comptes rendus de nouvelles canadiennes. Les citations de Silvia Franzè ont été reprises d'interviews avec les auteurs en 2007. Les détails concernant les présumés co-conspirateurs de Vito sur le pont ont été retrouvés dans les dossiers de la GRC au Canada et à la Direzione Investigativa Antimafia en Italie, ainsi que dans des dossiers comme *Richiesta di Rinvio a Giudizio* (N° 12417/03, Tribunal de Rome). L'évaluation qui a suivi l'arrestation est documentée à la suite d'une interview avec un enquêteur de longue date en 2006.

CHAPITRE 42

L'information sur le projet Cicéron et son successeur, le projet Colisée, qui ont constitué l'assaut final des autorités contre la Sixième Famille est extraite des documents déposés à la Cour du Québec en appui aux demandes de mandats de perquisition, de procès-verbaux, d'interviews avec plusieurs investigateurs, de rapports policiers confidentiels, de communiqués de presse de la GRC, de comparutions devant le Comité permanent de la justice et des droits de la personne (JUST) (1er février 2007), d'un examen de photographies et de la surveillance, ainsi que des visites des lieux par les auteurs. L'information financière a été reprise de la *Loi de l'impôt sur le revenu contre Giuseppe Torre* (T-1951-06, Cour fédérale du Canada) et de la *Loi de l'impôt sur le revenu contre Nick Rizzuto* (ITA-13069-06, FCC).

ÉPILOGUE

La chute de Vito est survenue lors de deux comparutions en cour à Brooklyn, auxquelles les auteurs assistaient. Ses conditions de détention ont été fournies par le Bureau américain des prisons. Les renseignements concernant le pouvoir, toujours menaçant, de la pieuvre mafieuse proviennent de dossiers policiers privés.

REMERCIEMENTS

Nos pérégrinations à travers le monde ainsi que la chronologie des événements s'étendant sur une longue période de temps n'ont représenté qu'une mince partie des difficultés auxquelles nous avons dû faire face pour effectuer nos recherches et écrire ce pan important de l'histoire du milieu interlope. Pour alléger notre fardeau, nous avons rencontré bien des gens au grand cœur ainsi que d'occasionnels mercenaires. Que tous en soient ici remerciés.

Par respect pour le code d'honneur du «milieu» ou par simple crainte d'irriter certains de leurs complices, de nombreux malfrats nous ont confié des informations sous condition de taire leur nom. Il en a été de même l'autre côté de la barrière, où nombre de policiers et de représentants de la Justice nous ont demandé de nous abstenir de les identifier. Leurs raisons étaient curieusement semblables à celles des gens en marge de la loi : la crainte de subir des réprimandes de la part de leur organisation ou de faire les frais de quelque punition de la part de leurs supérieurs hiérarchiques. Ces héros de l'ombre comptent parmi les collaborateurs les plus précieux de *Rizzuto*.

Nous avons mené recherches et interviews dans nombre de pays. À ce chapitre, nous avons apprécié l'aide de guides, d'interprètes, d'assistants de recherche, dont la plupart ne tenaient pas à ce que nous mentionnions leur nom. Que ces anonymes trouvent ici l'expression de notre gratitude.

Ceux qui nous ont permis de satisfaire notre curiosité sur le crime organisé sont : L'agent-détective Anthony Saldutto et l'ancien agent-détective Bill Sciammarella, du Service de la police de Toronto ; le sergent-détective Pietro Poletti, de la police de Montréal ; les anciens sergents-chefs de la GRC Larry Tronstadt et Reginald King ; l'ancien agent spécial Bruce Mouw, qui dirigea les escouades du FBI chargées d'enquêter sur les clans Bonanno et Gambino ; l'ancien agent de la GRC Michel Michaud ; l'ancien surintendant en chef de la GRC Ben Soave, qui dirigeait l'Unité spéciale combinée de mise en application de la loi ; l'inspecteur de la GRC Glenn Hanna ; l'ancien commandant André Bouchard, de la police de Montréal ; l'ancien agent spécial du FBI Joseph Pistone (alias Donnie Brasco) ; l'ancien analyste du Renseignement de la GRC, Pierre de Champlain ; la surintendante en chef Silvia Franzè, de la Direzione Investigativa Antimafia ; l'ancien sergent-détective Robert Ménard, de la police de Montréal ; l'ancien agent-détective Ron Seaver, de la police provinciale de l'Ontario, décédé en 2005 ; le détective David Stilo, de la police régionale d'York ; et le sergent Robert Thibault, du Service des enquêtes sur le crime organisé de la Sûreté du Québec.

Robert Nardoza, Samantha Ward, Samuel D. Noel et Pietro Deserio, du bureau du district Est du ministère de la Justice des États-Unis, ont contribué fort utilement à cette enquête. Les journalistes d'enquête, reporters judiciaires et chroniqueurs suivants n'ont pas ménagé leur temps pour nous être utiles ; il s'agit de : Paul Cherry, Daniel Sanger, Alexander Norris, André Cédilot, Michel Auger, Allison Hanes et Graeme Hamilton, à Montréal ; Anthony M. DeStefano, Claudio Gatti et Jerry Capeci à New York ; Robert Benzie, Antonio Nicaso et John Greenwood à Toronto ; enfin, Daniel Nolan à Hamilton.

Marian L. Smith, historienne au Service historique du ministère de la Citoyenneté et de l'Immigration des États-Unis ; Sallie Sypher, historienne adjointe du comté de Putnam ; John Celardo et Aloha South, des Archives nationales des États-Unis, ainsi que Sue Swiggum et Marj Kohli, de www.theshipslist.com, se sont révélés d'une aide précieuse. Le personnel du FBI de la section consacrée à la diffusion des documents en vertu de la Loi d'accès à l'information, à Washington, D.C., s'est montré généralement à la hauteur de sa réputation. La Commission nationale des libérations conditionnelles du Canada s'est révélée un modèle d'organisme gouvernemental en nous fournissant à point nommé l'information dans le cadre des exigences de la loi. Dans les différents tribunaux aux portes desquels nous avons frappé aux quatre coins du monde, les greffiers nous ont généralement donné un appréciable coup de main tout en demeurant sur leur quant-à-soi traditionnel.

Du côté traduction, recherches supplémentaires dans plusieurs pays et autres soutiens techniques, qu'il nous soit permis de remercier les personnes suivantes : le Dr F. Miosi, A. Miosi, D. et V. Hearn, N. et G. Robinson, Andy Petepiece, Martin Patriquin, Les Perreaux, Kim McNairn, Ian Stuart, Steve Meurice, Jennifer Kirk, Natalie Alcoba, Melissa Leong, Scott Maniquet, Anne Marie Owens et Stewart Bell. Du côté de la réalisation du livre, nous avons eu le plaisir de bénéficier du grand talent des personnes suivantes : Elizabeth Schaal, Don Loney, Julien Béliveau, Jean-Louis Morgan, Pam Vokey et Brian Rogers.

Et, par-dessus tout, nous tenons à remercier Paula et compagnie, ainsi que Lucy, d'avoir permis à *Rizzuto* de nous soustraire à celles auxquelles nous tenons tant, c'est-à-dire nos « Premières Familles ».

INDEX

*Cet ouvrage
composé en Slimbach 10 sur 12
a été achevé d'imprimer
en septembre deux mille huit
sur les presses de*

MARQUIS

(Québec), Canada.

Imprimé sur du papier Silva Enviro 100% postconsommation
traité sans chlore, accrédité Éco-Logo et fait à partir de biogaz.

certifié   procédé   100 % post-   archives   énergie
     sans   consommation   permanentes   biogaz
     chlore